La Bible
et sa culture

Sous la direction de
Michel Quesnel et Philippe Gruson

La Bible et sa culture

Jésus et le Nouveau Testament

Desclée de Brouwer

76 *bis*, rue des Saints-Pères, 75007 Paris

ISBN : 2-220-04854-1

Présentation générale

La Bible. On en parle beaucoup aujourd'hui, non seulement chez les croyants qui ont redécouvert son intérêt pour approfondir leur foi dans le Dieu unique, mais aussi dans les écoles, collèges, lycées et universités. On en fait des livres, des CD Rom, des pièces de théâtre et des films. On ne compte plus les sites Internet qui y sont consacrés. C'est, dit-on, le livre le plus vendu au monde, mais il n'est pas forcément le plus lu.

Un ouvrage original

La Bible et sa culture est un ouvrage qui tient à la fois du manuel d'introduction à la Bible et de l'encyclopédie biblique. Rédigé par des exégètes* de métier choisis parmi les meilleurs biblistes francophones, il a pour but de fournir à toutes les personnes auxquelles un livre ne fait pas peur les moyens de lire les textes bibliques et de les apprécier. Il est rédigé dans une langue simple, accessible à de grands lycéens ou à de jeunes étudiants, les termes techniques étant réduits autant que possible et, chaque fois que nécessaire, expliqués. Il peut être lu à la suite, ou par chapitres, ou par paragraphes, ou encore il peut être consulté en utilisant les index en fin de volume.

La Bible y est d'abord présentée comme un monument culturel, qu'il est indispensable de connaître si l'on veut comprendre quelque chose à la culture des pays qu'elle a profondément marqués : le Proche-Orient, l'Europe, l'Amérique, et, plus récemment, l'Océanie, l'Afrique et certains pays d'Extrême-Orient. Combien de lecteurs de livres ou de journaux, de visiteurs d'églises ou de musées, d'auditeurs de pièces musicales chantées, éprouvent des difficultés de compréhension parce qu'ils rencontrent des allusions à la Bible dont ils ne connaissent à peu près rien ! En donnant accès à la Bible et à sa culture, ce livre peut permettre une meilleure familiarité avec un monde qui se réfère constamment à la Bible, souvent même sans le dire.

Monument culturel, la Bible l'est encore parce qu'elle est marquée par l'histoire et les coutumes des régions du monde dans lesquelles elle a pris naissance, celles du pays des Juifs ou Terre sainte, dont les limites correspondent à peu près à l'état moderne d'Israël et aux territoires palestiniens. Les textes bibliques les plus anciens ont environ trois mille ans d'existence, et les plus récents, environ deux mille. Cette double distance, géographique et historique, contribue à la difficulté d'aborder les textes bibliques. Tous les renseignements qui peuvent aider à la franchir sont fournis dans le texte courant ou dans les encadrés.

La Bible est enfin présentée dans ces deux volumes comme le livre des croyants, juifs (pour le premier volume) et chrétiens (pour les deux volumes). Les auteurs de *La Bible et sa culture*, compétents en histoire et en étude des textes anciens, sont aussi pour la plupart des croyants, juifs, protestants et catholiques ; plusieurs sont prêtres ou pasteurs. Ils tiennent compte du fait que la Bible a nourri la foi des grandes religions pour lesquelles elle est Parole de Dieu, Écriture sainte. La théologie – le discours sur Dieu – s'est nourrie de la Bible et continue de s'en nourrir. Les rédacteurs de la Bible, très nombreux et pour la plupart anonymes, étaient des croyants qui ont témoigné de leur expérience religieuse, et la tradition juive et chrétienne estime qu'ils ont rédigé leurs œuvres sous l'inspiration de l'Esprit Saint. Ne pas en tenir compte serait ne pas respecter les textes. Mais cette perspective croyante n'est pas faite pour écarter de la Bible les incroyants ou les agnostiques. Elle est simplement un plus dont pourront bénéficier les lecteurs qui sont eux-mêmes croyants.

Deux volumes qui font un tout

L'importance du sujet abordé a obligé à composer deux volumes. De nombreux manuels bibliques en deux volumes présentent, dans le premier, l'Ancien Testament, et dans le second, le Nouveau Testament. *La Bible et sa culture* suit grosso modo cette division, mais avec une particularité importante.

Pour les lecteurs de la Bible chrétienne, en effet, les deux Testaments ne sont pas deux volets équivalents, comme s'ils succédaient tout simplement l'un à l'autre. L'Ancien Testament a été rédigé au cours d'une période d'un millénaire environ, qui couvre l'histoire juive depuis l'entrée des Hébreux en Terre promise jusqu'à la conquête de la Palestine par les Romains. Pour les Juifs, il est la seule Écriture qui mérite ce nom. Et la pensée juive s'est poursuivie au cours des siècles, sans rapports avec la pensée chrétienne. L'idée, répandue dans certains milieux chrétiens, que le christianisme succède purement et simplement à la religion juive est fausse, y compris en théologie chrétienne. L'Église* ne remplace pas Israël.

Quant au Nouveau Testament, il fut rédigé sur une période de temps beaucoup plus courte, un peu moins d'un siècle. Il n'est pas lié à une histoire longue, mais à un événement unique, la vie et la mort de Jésus de Nazareth, qui était juif et dont la religion était le judaïsme*.

Comment le livre se présente-t-il ?

Les deux volumes de *La Bible et sa culture* sont un tout, comme la Bible est un tout. Des renvois sont souvent faits d'un volume à l'autre. Chaque volume a cependant son identité et son autonomie. Le premier est consacré à la Bible juive, que les chrétiens appellent Ancien Testament ou Premier Testament. Le second est consacré à Jésus et au Nouveau Testament.

La base de ces deux volumes est un **texte courant** d'introduction aux livres bibliques – car la Bible est une bibliothèque plus qu'un livre proprement dit –, citant de nombreux **textes bibliques** eux-mêmes, en italiques lorsque la citation est longue. Cette présentation a été retenue pour que le lecteur de ces volumes puisse s'initier sans avoir à consulter une Bible. Il n'est en effet pas nécessaire d'en posséder une pour utiliser cet ouvrage avec profit.

En plus du texte courant, de nombreux **encadrés** permettent d'éclairer les passages bibliques présentés, en fournissant des renseignements complémentaires. Ils sont de plusieurs sortes :

– **Bible :** autres textes extraits de la Bible, soit plus anciens soit plus récents, qui méritent d'être mis en rapport avec des passages dont il est question dans le texte courant.

– **Document :** présentation de textes de l'Antiquité, de coutumes, de façons de vivre, nécessaires à la juste compréhension d'un passage. Ils sont souvent empruntés aux cultures avoisinantes : mésopotamienne, égyptienne, grecque, romaine. On y trouve également des citations de documents apocryphes juifs ou chrétiens.

– **Repère :** présentation synthétique, en quelques lignes, d'un thème ou d'une notion abordés par la Bible (par exemple : Vie et mort dans la Bible, Démons et exorcismes), ou réponses données à des questions, le plus souvent religieuses, que se pose le lecteur de la Bible (par exemple : Science et foi sont-elles compatibles ? Jésus a-t-il fondé l'Église ?).

Les deux volumes comportent en outre des **illustrations en hors-texte** et des cartes et plans en fin de volume. Avec leurs légendes, ces documents visuels constituent un complément du texte courant et des encadrés pour la compréhension de la Bible et de sa culture.

Des **renvois** [entre crochets] invitent à passer d'un chapitre à un autre lorsqu'ils sont liés. Les termes techniques expliqués dans le glossaire (p. 576) sont suivis d'un astérique la première fois qu'ils apparaissent dans un chapitre.

Enfin, en conclusion de chaque volume, des **index** et des **tables** permettent de circuler dans les pages, au rythme des centres d'intérêt du lecteur.

Il en résulte que le Nouveau Testament ne peut être lu indépendamment de l'Ancien, auquel il se réfère constamment et qui lui donne sa consistance historique ; et que, puisqu'il se réfère constamment à Jésus dont les chrétiens considèrent qu'il accomplit* les Écritures juives, Jésus est le chaînon indispensable qui permet de passer de l'Ancien au Nouveau Testament.

Cette conviction théologique commande le plan de l'ensemble que constituent les deux volumes. Le premier volume est entièrement consacré à l'Ancien Testament. Le second se subdivise en deux parties : la première consacrée à Jésus, la seconde consacrée aux écrits du Nouveau Testament, présenté livre par livre et auteur par auteur.

Nous espérons qu'ainsi conçue *La Bible et sa culture* rejoindra les interrogations, culturelles et religieuses, des lecteurs de ce début du troisième millénaire, et qu'elle aidera à y répondre. Nous leur conseillons de reprendre ces volumes aussi souvent qu'ils voudront éclairer des questions qu'ils se posent. Nous leur souhaitons une lecture enrichissante et agréable.

M. Q. - P. Gr.

QU'EST-CE QUE LE NOUVEAU TESTAMENT ?

LE NOUVEAU TESTAMENT se présente comme une collection de vingt-sept livres d'auteurs différents, souvent anonymes, de dimensions très variables (de un à vingt-huit chapitres), et de genres littéraires extrêmement divers, depuis le genre narratif apparenté à la biographie ou au récit de voyage jusqu'au discours judiciaire savamment argumenté ou encore à la vision de type apocalyptique. Ces textes sont tous rédigés dans la langue grecque commune de l'époque, la *koinè**. Ils ont été mis par écrit, à la suite d'une assez longue activité éditoriale, dans une fourchette que l'on fixe approximativement entre les années 50 et 125. L'unité de l'ensemble a pu faire question, au point qu'un exégète contemporain écrivait en 1994 un ouvrage intitulé *Jésus-Christ fait-il l'unité du Nouveau Testament ?* Le titre évidemment amorçait la réponse : même si la lettre de Jacques ne porte qu'une seule fois le nom du Christ, tous les livres se présentent comme des témoignages de la foi en Jésus mort et ressuscité, reconnu Christ et Fils de Dieu désormais élevé dans la gloire, Seigneur de l'histoire convoquant la communauté qui le célèbre et attend impatiemment sa venue.

Ce résumé incomplet et nécessairement maladroit fait au moins transparaître, dans la pluralité des titres, les tentatives diverses des premières communautés pour dire leur foi : des petits groupes extraordinairement minoritaires dans l'Empire romain mais tôt répandus sur une large aire géographique, de la Syrie-Palestine jusqu'à Rome en passant par la Grèce dès les années 60, et de l'Égypte à la Bithynie et au Pont avant la fin du siècle, représentent un large éventail de milieux sociaux et culturels avec une bonne proportion de petites gens et d'esclaves. Sur tout cet espace géographique se sont écrits et certainement échangés textes et lettres qui forment le livre des témoins.

Des auteurs ?

On demandera : qu'entend-on par « témoin » ? de quel type de témoignages s'agit-il ? et dans quelle mesure peut-on atteindre leurs auteurs ? Certains textes du Nouveau Testament, écrits à la première personne, permettent de nommer clairement leur auteur ; mais d'autres sont anonymes et ont reçu leur titre au cours du IIe siècle de la tradition de l'Église* ; plusieurs lettres enfin sont désormais considérées comme des pseudépigraphes* (écrits qui empruntent la première personne pour se mettre sous l'autorité d'un apôtre prestigieux).

Tout dans le Nouveau Testament est témoignage d'après Pâques*. Les chrétiens croient sur la parole d'hommes qui ont rencontré Jésus ressuscité et qui affirment qu'il est vivant. Expériences inouïes qui toutes renvoient à un événement insaisissable, celui de la Résurrection, que nous ne pouvons que désigner comme le point de convergence ou le point de fuite de ces témoignages.

Paradoxalement le premier à se présenter comme « témoin oculaire » – « n'ai-je pas vu Jésus notre Seigneur » ? (1 Co 9,1) – est l'apôtre Paul qui n'a pas connu Jésus dans les jours de sa vie terrestre. Son témoignage est celui d'un homme qui a été saisi par une révélation fulgurante qui a bouleversé sa vie [*voir* p. 182]. À ce titre, même s'il est le dernier et le plus petit des apôtres, comme l'enfant né d'une mère déjà morte, il n'en garde pas moins sa légitime fierté de « témoin » de Jésus Christ. Or, la finale passionnée de sa lettre aux Galates se termine ainsi : « Voyez les grandes lettres que j'ai tracées de ma main » (Ga 6,11). Pour confirmer son autorité apostolique, Paul a dû signer de sa main, puisque les lettres à l'époque étaient dictées et qu'il utilisait naturellement les services d'un secrétaire.

Un autre écrivain, sans se nommer, se donne comme l'auteur d'un premier puis d'un second livre qui seront appelés plus tard l'évangile* selon Luc et les Actes des Apôtres. Celui à qui la tradition a donné le nom de Luc fait œuvre d'historien et, dans le prologue de son évangile, retrace avec une belle maîtrise les étapes de son travail : il s'est informé auprès de témoins oculaires, a recueilli des narrations déjà existantes des faits, puis a composé avec ordre un écrit adressé à Théophile (Lc 1,1-4). Ce destinataire réel ou fictif, dont le nom signifie « Aime-Dieu », a déjà reçu une formation chrétienne orale : la narration de saint Luc, ou narration lucanienne*, vise à en vérifier la solidité. Les Actes des Apôtres se présenteront comme le second volet du diptyque (Ac 1,1) : après le temps de la mission de Jésus, vient le temps de la mission des apôtres que l'Esprit Saint conduit jusqu'aux extrémités de la terre. Le texte n'en sera pas moins rapporté à Luc par le biais d'une préposition assez vague ; comme les trois autres il sera dit « évangile *selon…* » (en grec *kata*). Façon de dire que l'évangile vient de Dieu par une médiation humaine ; façon aussi de reconnaître que le texte est le fruit de rédactions et de relectures répondant aux attentes d'une communauté qui se réclame de l'autorité d'un fondateur.

L'évangile de Jean a certainement été le plus étudié de ce point de vue ; et si l'autorité de Jean, ou johannique*, n'est pas mise en cause, on parle volontiers de la trajectoire du texte où affleurent le témoignage du disciple comme celui d'un « nous » plus communautaire ; le corpus* johannique reflétera l'histoire tourmentée de la communauté.

On a pris l'habitude de désigner sous le terme général de « pseudépigraphie* » le phénomène qui a consisté à situer un texte sous l'autorité d'un auteur apostolique. Si sept lettres de Paul sur treize sont aujourd'hui considérées par tous les biblistes comme authentiques (Rm, 1 et 2 Co, Ga, Ph, 1 Th, Phm), d'autres supposent un tel changement dans la conception du temps et le rapport au monde, une évolution de la christologie* et une transformation de la figure de l'apôtre telles qu'elles ne peuvent émaner directement de lui : elles ont été mises sous son autorité par des disciples conscients de leur fidélité à l'enseignement paulinien*. Le fait sera étudié au cas par cas. Disons simplement que tous les exégètes s'accordent aujourd'hui pour considérer l'épître aux Éphésiens d'une part, et les épîtres Pastorales de l'autre (1 et 2 Tm, Tt) comme des œuvres d'obédience paulinienne ; l'attribution de Colossiens et de 2 Thessaloniciens reste plus controversée.

Les deux lettres de Pierre, écrites vers la fin du Iᵉʳ et au début du IIᵉ siècle en milieu grec, présentent cette remarquable caractéristique de placer une théologie aux résonances pauliniennes sous l'autorité de l'apôtre Pierre. S'engage là très tôt un dialogue qu'il n'est pas anachronique de qualifier d'œcuménique*, puisque des communautés d'origine et d'obédience diverses accueillent l'enseignement issu d'un autre apôtre. En fait ce processus est à l'œuvre déjà à l'intérieur de plusieurs textes du Nouveau Testament : qu'il suffise d'évoquer l'évangile de Matthieu où dialoguent judéo-chrétiens* (les chrétiens juifs) et pagano-chrétiens* (les chrétiens d'origine païenne), ou encore les Actes des Apôtres où se succèdent des kérygmes* (prédications) et des proclamations de titres de Jésus, qui correspondent à la même confession* de foi mais reflètent des expressions de la Résurrection d'origine diverse.

L'ORDRE DES LIVRES

Les critères à l'œuvre dans la constitution du Canon* du Nouveau Testament seront étudiés par la suite plus longuement. Ce qui nous retient ici est l'ordre de présentation des livres, tel que l'a fixé la tradition ecclésiale. Il répond à des critères variés, parfois surprenants ; il est clair qu'il ne correspond nullement à la chronologie de la mise par écrit des livres, puisque les premiers textes fixés par écrit ont certainement été les lettres pauliniennes entre 50 et 60, la première lettre aux Thessaloniciens étant considérée comme le premier écrit chrétien, sans doute rédigé en 49-50. [*voir* p. 533 et 549]

Une tout autre idée préside, semble-t-il, à l'organisation du corpus : en tête viennent les **quatre évangiles**, ce qui correspond à la chronologie de l'annonce de la Bonne Nouvelle : généalogie et enfance de Jésus de Nazareth, vie publique en Galilée et en Judée, mort sur la croix, annonce de la Résurrection, apparition aux femmes et aux disciples. Mais le fait même qu'il y ait quatre évangiles, que l'histoire soit répétée quatre fois avec des différences notables, arrache les évangiles au genre biographique. Il s'agit de relire le passé vécu avec Jésus le Nazaréen* à la lumière de sa Résurrection et de son élévation dans la gloire. À chaque communauté, avec sa configuration sociologique, culturelle et religieuse, il est proposé de reprendre la route, celle qui a mené Jésus à la croix, et de reconnaître, chemin faisant, dans celui que les hommes ont rejeté et crucifié, la puissance de Dieu à l'œuvre, le Ressuscité qui est maintenant leur Seigneur. Aux lecteurs d'horizons variés et parfois opposés, les évangiles offrent une pluralité de chemins pour la foi.

L'ordre retenu jusqu'aujourd'hui est Matthieu, Marc, Luc et Jean, mais une petite partie de la tradition manuscrite, reflet de certaines pratiques d'Église, porte un ordre différent : Matthieu, Jean, Luc et Marc ; peut-être faut-il y voir une organisation plus ésotérique des matières ? Dans tous les cas, Matthieu ouvre le Nouveau Testament : il inscrit Jésus dans la lignée de la promesse à Israël, au sein d'une histoire que le judaïsme* concevait comme l'histoire de Dieu avec son peuple ; aussi l'annonce-t-il comme « l'Emmanuel* », ce qui signifie « Dieu avec nous » (Mt 1,23), réalisant la promesse de Dieu qui accompagne son peuple « jusqu'à la fin de l'âge » (Mt 28,20).

Après les évangiles, les **Actes des Apôtres** ouvrent le temps de l'Église : l'Esprit y assure l'expansion de la Parole jusqu'au centre de la terre habitée, Rome, tandis que le problème de l'articulation d'Israël et de l'Église sous l'horizon de l'élection est formulé en termes peu

REPÈRE

LA PSEUDÉPIGRAPHIE

On appelle « pseudépigraphie » le procédé qui consiste à écrire et à publier un texte sous le nom d'un auteur prestigieux disparu. Ce texte est alors appelé « pseudépigraphe ». Le phénomène a sévi très tôt dans le monde gréco-romain : les disciples de philosophes ou d'orateurs célèbres publiaient sous le nom du maître ce qu'ils considéraient comme une expression fidèle de sa pensée ou de son enseignement. Ainsi les Lettres de Platon ou l'Epinomis, sur lesquels le doute a longtemps plané.

On a souvent dit que la notion d'auteur n'avait pas à l'époque l'importance que nous lui attribuons ; elle n'épousait certainement pas les mêmes contours, mais elle est présente dès l'époque classique comme le montrent fort bien les concours de tragédies et la rivalité entre Eschyle et Euripide. Au point que le monde des lettrés à Rome au Ier siècle de notre ère prendra des dispositions légales pour endiguer le phénomène.

Dans le monde juif, la pseudépigraphie se répand aux deux derniers siècles av.J.C. puis au Ier siècle après, avec le développement de la littérature apocalyptique*. Littérature de consolation dans des périodes critiques, elle se donne comme la révélation de voyants, hommes religieux du passé admis dans les secrets de Dieu : le patriarche Hénoch, mais aussi Moïse et Élie, puis Daniel, Baruch, Esdras... L'annonce par ces anciens des événements douloureux du présent fait figure de vision ou de prophétie, et garantit l'annonce consolante d'une intervention finale de Dieu. Naturellement, il ne s'agit pas de produire des faux, mais de rappeler à la communauté souffrante la fidélité indéfectible de Dieu en renouvelant son espérance.

Le Nouveau Testament utilise largement la pseudépigraphie : confrontés aux crises de croissance des jeunes Églises, les successeurs des apôtres et les responsables de communauté ont senti la nécessité de sauver l'intégrité du message apostolique tout en l'appliquant à des situation ecclésiales nouvelles. Il s'agissait de faire résonner la parole vivante des apôtres, en exprimant directives et instructions que ceux-ci auraient prodiguées s'ils avaient été encore vivants. Il est fort probable que certains disciples de Paul se soient inspirés des lettres qu'ils connaissaient bien pour en écrire de nouvelles (la deuxième épître aux Thessaloniciens, les épîtres Pastorales). Les communautés ne s'y trompaient certainement pas : la question n'était pas celle de l'authenticité littéraire, mais de l'authenticité du message transmis, ce « dépôt » dont parlent les Pastorales, qui devait continuer à résonner pour les générations nouvelles.

Au cours du IIe et du IIIe siècle, pour fixer le canon des Écritures, les Pères* de l'Église feront jouer le critère d'authenticité : ils entendront par là l'authenticité littéraire d'écrits qu'ils attribueront sincèrement aux témoins oculaires et aux apôtres ; mais ils n'oublieront jamais d'y joindre le critère suprême qui est celui de la conformité à la « règle de foi » et à la tradition de la grande Église.

compatibles de substitution et d'espérance. C'est que Paul, depuis longtemps déjà, avait franchi le pas et était devenu « l'apôtre des nations* païennes* ». Refusant à la loi* juive la possibilité d'offrir le salut, il n'avait plus proclamé de salut qu'en Jésus Christ et en Jésus Christ crucifié.

Les **épîtres de Paul** sont classées dans un ordre purement conventionnel : de la plus longue (Romains) à la plus courte (Philémon), les treize lettres longtemps considérées comme authentiques sont incluses.

REPÈRE

LES 27 LIVRES DU NOUVEAU TESTAMENT ET LA LECTURE DES RÉFÉRENCES

Les livres du Nouveau Testament sont ici donnés dans l'ordre, et avec leurs abréviations courantes. Lorsque l'on donne la référence d'un passage biblique, les abréviations sont utilisées, suivies du numéro du chapitre et, après une virgule, du numéro des versets.

Évangile selon Matthieu : Mt
Évangile selon Marc : Mc
Évangile selon Luc : Lc
Évangile selon Jean : Jn

Actes des Apôtres : Ac

Épître aux Romains : Rm
1re épître aux Corinthiens : 1 Co
2e épître aux Corinthiens : 2 Co
Épître aux Galates : Ga
Épître aux Éphésiens : Ep
Épître aux Philippiens : Ph
Épître aux Colossiens : Col
1re épître aux Thessaloniciens : 1 Th
2e épître aux Thessaloniciens : 2 Th
1re épître à Timothée : 1 Tm
2e épître à Timothée : 2 Tm
Épître à Tite : Tt
Épître à Philémon : Phm

Épître aux Hébreux : He

Épître de Jacques : Jc
1re épître de Pierre : 1 P
2e épître de Pierre : 2 P
1re épître de Jean : 1 Jn
2e épître de Jean : 2 Jn
3e épître de Jean : 3 Jn
Épître de Jude : Jude

Apocalypse : Ap

On lira ainsi :
Mt 3,13 = évangile selon Matthieu, chapitre 3 verset 13
Jn 3–7 = évangile selon Jean, chapitre 3 à chapitre 7
Rm 5,1-11 = épître aux Romains, chapitre 5 versets 1 à 11
1 Co 5,1.11 = 1re épître aux Corinthiens, chapitre 5 verset 1 et verset 11
1 Co 8,1 – 11,1 = 1re épître aux Corinthiens, chapitre 8 verset 1, à chapitre 11 verset 1

Une liste alphabétique complète des livres de la Bible et de leurs abréviations est donnée en annexe [*voir* p. 583].

Viennent ensuite la **lettre aux Hébreux**, à tonalité ultrapaulinienne, puis les lettres que l'on appelle **épîtres catholiques**, c'est-à-dire des lettres circulaires adressées à des communautés dispersées sur telle ou telle aire géographique : épître de Jacques, première et deuxième épître de Pierre, les trois épîtres de Jean, l'épître de Jude.

Toutes ces lettres reflètent la réception et l'enracinement de l'Évangile* dans les communautés, mais aussi les conflits locaux, doctrinaux ou disciplinaires auxquels il a donné lieu. L'évangile de Paul, le premier, a pu être mal compris, notamment en milieu païen : les enthousiastes* de Corinthe s'emparent de la liberté proclamée par l'apôtre (« tout est permis » ; 1Co 6,12 et 10,23) pour en conclure à un mépris total du corps : ascèse excessive ou laxisme sans frein ; tandis que les Galates, séduits par des prédicateurs judaïsants, se laissent fasciner par les pratiques juives et réclament la circoncision. Chacun cherche dans son sens une garantie de salut : sagesse ou signe ! Des courants annonciateurs de mouvements hérétiques connus sous le nom de prégnostiques* s'emparent du message chrétien ; plus tard dans le siècle, les lettres Pastorales réagiront contre ceux qui prétendent que la Résurrection a déjà eu lieu ; au début du IIe siècle la seconde épître de Pierre dénoncera ceux qui n'attendent plus la venue du Seigneur et dévitalisent l'espérance des communautés.

Constamment menacées par des prédicateurs judaïsants*, des enthousiastes exaltés, des adeptes des philosophies épicuriennes ou sceptiques, les communautés du Nouveau Testament entreprennent la lente inculturation du message chrétien dans le monde gréco-romain. Le passage décisif de l'Évangile aux nations païennes et la séparation d'avec le judaïsme s'accomplissent non sans interrogation ni sans souffrance. Tard dans le Ier siècle, alors que le judaïsme se reconstitue autour de sa loi, l'évangile de Matthieu essaye difficilement de faire vivre ensemble judéo-chrétiens et pagano-chrétiens, mais ouvre la mission à toutes les nations. À la même époque, mais dans un autre milieu géographique et social, la lettre aux Éphésiens considère l'unité comme définitivement achevée. Paul, qui avait consommé tôt la rupture, conservait à l'endroit du judaïsme une espérance douloureuse mais sans faille ; quelques décennies plus tard l'auteur des Actes ne la partageait plus.

Si l'**Apocalypse*** n'a été reconnue que tardivement par toutes les Églises, elle est devenue le dernier texte du Nouveau Testament, et cette finale est riche de sens : révélation du dessein définitif de Dieu dont l'intervention doit mettre un terme à l'histoire, elle affirme la dimension transcendante du salut et de la venue du Royaume de Dieu. Elle entre ainsi en tension avec le déploiement des efforts humains dans la mission et la lutte contre les puissances hostiles tout au long du Nouveau Testament. Là où Matthieu ouvrait les temps nouveaux en proclamant la présence du Ressuscité auprès de son Église envoyée aux hommes jusqu'à la fin des âges, l'Apocalypse célèbre la fin de cette histoire et la venue de la création nouvelle.

Parce que la liturgie est à la fois actualisation et anticipation du Royaume, l'Apocalypse achève et ouvre le Nouveau Testament sur le cri liturgique : « Viens Seigneur Jésus ! » (Ap 22,20).

R. D.-R.

Première partie :

Jésus

On dit communément en théologie chrétienne que « Dieu s'est fait homme en Jésus Christ ». Cette formulation, qui n'est pas fausse, est pourtant insuffisante. L'incarnation ne se limite pas à « Dieu s'est fait homme », car il s'est fait homme d'un pays et d'une époque. Une formulation plus complète pourrait être : Dieu s'est fait juif, galiléen, au Ier siècle de notre ère. Présenter Jésus dans un ouvrage intitulé* La Bible et sa culture *ne peut négliger de le faire en lien avec sa culture, son environnement, tout ce par quoi il fut, précisément, l'homme d'un temps et d'un lieu.*

En tête de cette partie consacrée à Jésus de Nazareth, on s'attachera donc à dessiner les traits dominants de son environnement : environnement politique et social, tout spécialement en Galilée ; environnement religieux, en commençant par le Temple de Jérusalem, centre de la vie religieuse et du culte, et en poursuivant par les traditions non bibliques, très présentes dans la prière synagogale ; vie matérielle et quotidienne ; influences étrangères sur la vie juive. Tout en étant spécifiés par leur forte identité ethnique et religieuse, les Juifs sont en effet, au Ier siècle de notre ère, en contact constant avec la culture hellénistique des peuples environnants, les nations (ou* goyim*). Et leur façon de vivre en est marquée jusque dans leur propre pays, la Palestine.*

LA SITUATION POLITIQUE

L'ENTRÉE à Jérusalem du général romain Pompée et de ses légions, en 63 av.J.C., marque l'intégration politique du pays d'Israël à l'empire de Rome. Dès lors, l'histoire de la Palestine sera entièrement dominée par l'autorité romaine, que ce soit directement ou indirectement. Le pays de Jésus vit donc en régime d'occupation. Il ne faut pas sous-estimer la pression qu'exerce cette situation politique sur la religion populaire : l'exacerbation des espérances messianiques, l'effervescence apocalyptique* et l'essor du nationalisme juif au Ier siècle en sont la conséquence immédiate. Ils conduiront à l'embrasement du pays dans la guerre juive de 66-70, qui se soldera de façon catastrophique par l'écrasement des nationalistes et la destruction du Temple de Jérusalem.

TROIS FORMES DE DÉPENDANCE

L'intervention de Pompée mettait fin au pouvoir de la dynastie juive des Hasmonéens*. Celle-ci s'était installée en chassant le roi séleucide Antiochus IV Épiphane (167 av.J.C.), dont la politique d'hellénisation forcée du pays avait déclenché la haine du peuple. Les Hasmonéens ont conduit une politique d'expansion et de reconquête ; les succès les plus marquants furent la conquête de la Samarie et de l'Idumée par Jean Hyrcan (134-104 av.J.C.) et celle de la Galilée par Aristobule Ier (105-104). Les troubles qui s'ensuivirent ont conduit les Romains à prendre la région en main, au travers de l'expédition militaire de Pompée.

Les Romains disposaient de trois formules institutionnelles pour asseoir leur contrôle sur un territoire. La plus directe était la création d'une *province impériale*, gouvernée par un légat de l'empereur,

DOCUMENT

L'INSCRIPTION DE CÉSARÉE

Une inscription, très mutilée, a été retrouvée en 1961 dans les ruines du théâtre de Césarée Maritime. Elle confirme la titulature de Pilate et sa présence en Judée sous le règne de Tibère (14-37 ap. J.C.). En voici le texte et la traduction [le texte est lacunaire ; les parties restituées sont entre crochets] :

Tiberieum = Tiberieum
(édifice en l'honneur de l'empereur Tibère)
[Po]ntius Pilatus = Ponce Pilate
[praef]ectus Iudae = préfet de Judée

entouré de chefs militaires et de procurateurs. Il existait aussi des *provinces sénatoriales*, dont l'administration était confiée à un proconsul. Quand la Judée devint province, son procurateur reçut le titre de préfet, ainsi qu'en témoigne une inscription découverte à Césarée Maritime.

Une troisième formule consistait à confier la gestion du territoire à une *royauté sous tutelle*. Ces souverains clients étaient vassaux de Rome et levaient les impôts pour l'Empire. Leurs enfants, élevés à la cour de l'empereur, servaient de gages de fidélité. Leur autonomie était donc strictement limitée à ce que leur permettait une allégeance sans faille à Rome.

Après la mort d'Hérode le Grand

Rome commença par confier l'ensemble de la Palestine à Hérode le Grand, qui avait su contracter les bonnes alliances à la cour romaine. Il reçut en 40 av.J.C. le titre de « roi de Judée » et son règne dura jusqu'en 4 av.J.C. ; il fut long, cultivé, et riche en constructions fastueuses (port de Césarée, Temple de Jérusalem, forteresses de Machéronte et Massada). Mais ce règne fut aussi parsemé des caprices politiques d'un roi maladivement inquiet des possibles rivalités à son pouvoir, ce qui explique la trace négative qu'il laissa dans la mémoire juive.

Son testament partageait son royaume entre trois de ses fils. Archelaüs reçut avec le titre d'ethnarque la Judée, la Samarie et l'Idumée. Antipas hérita du titre de tétrarque de Galilée et Pérée. Philippe administra comme tétrarque les territoires essentiellement non juifs du Nord-Est (Gaulanitide, Trachonitide).

En 6 ap.J.C., l'empereur Auguste déposa Archelaüs pour incompétence et l'exila en Gaule (Vienne). Judée et Samarie devinrent alors

BIBLE

LA NOTICE HISTORIOGRAPHIQUE DE LUC

L'évangéliste Luc, qui tient à situer dans l'histoire mondiale les événements fondateurs du christianisme, fournit une datation extrêmement précise du commencement de la vocation prophétique de Jean le Baptiste (ou Baptiseur). On y retrouve, la déposition d'Archelaüs ayant déjà eu lieu, le nom des deux fils d'Hérode le Grand : Hérode (Antipas) et Philippe. Il doit s'agir de l'an 27 :

L'an quinze du principat de Tibère César, Ponce Pilate étant gouverneur de la Judée, Hérode tétrarque de Galilée, Philippe son frère tétrarque du pays d'Iturée et de Trachonitide, Lysanias tétrarque d'Abilène, sous le pontificat d'Anne et Caïphe, la parole de Dieu fut adressée à Jean, fils de Zacharie, dans le désert.

(Lc 3,1-2)

province procuratorienne, dont le préfet siégeait à Césarée Maritime et pouvait recevoir l'aide du légat de la province impériale de Syrie. C'est à l'occasion de ce changement de statut que Quirinius vint de Syrie procéder, avec l'aide du procurateur de Judée Coponius, au recensement des habitants de la nouvelle province (Flavius Josèphe, *Antiquités juives* XVIII,1 ; cf. Lc 2,1-2). Hérode Antipas gouverna jusqu'en 39, avant d'être exilé par l'empereur Caligula à Lyon, la même année. Son territoire fut donné au roi Agrippa Ier, petit-fils d'Hérode le Grand, qui reconstitua sous contrôle romain le royaume de son grand-père et l'administra de 41 à 44.

Ainsi, durant la jeunesse et l'activité publique de Jésus, Galilée et Judée connaissaient deux régimes différents : la première faisait partie d'un royaume sous tutelle, tandis que la seconde était gérée par un préfet aux ordres du Sénat romain.

Situation tendue en Galilée

Tacite, l'historien romain, qualifie ainsi l'état politique de la Palestine durant le règne de Tibère : *sub Tiberio quies*, « sous Tibère, c'est le calme » (*Histoires* V,9,2). Il est vrai qu'entre les troubles qui ont marqué la mort d'Hérode le Grand et la guerre juive de 66-70, la région a connu un certain apaisement. Mais l'historien romain est peu sensible à d'autres tensions, d'ordre socio-économique et d'ordre religieux, que reflètent aussi bien l'historien juif Flavius Josèphe que les évangiles*.

L'économie de la Galilée est faite d'agriculture et de pêche. La terre est fertile, la région exporte. La propriété foncière est répartie entre de grands propriétaires, qui confient l'exploitation de leur domaine à des fermiers, et de petits paysans. Entre propriétaires et fermiers tenus de verser une part importante de la récolte, la parabole des métayers révoltés nous apprend que les tensions peuvent être vives (Mc 12,1-7). Des journaliers travaillent sur appel et sont entièrement dépendants des employeurs, comme l'atteste la parabole des ouvriers de la onzième heure (Mt 20,1-15). Quant aux petits paysans, leur sort est fragile : il suffit d'une mauvaise récolte pour qu'ils soient ruinés et dépossédés de leurs biens ; afin de couvrir la dette, le paysan et sa famille pouvaient être vendus en esclavage.

La Galilée connaît aussi une tension entre ville et campagne. Le pays, essentiellement campagnard, devait compter au Ier siècle moins de 150 000 habitants. La richesse se concentre en ville et attise la jalousie. La culture urbaine, friande de modernité, choque la mentalité villageoise plus traditionnelle. Pareille tension, il est vrai, se retrouve dans tous les pays méditerranéens de l'Antiquité. Il n'est pas moins symptomatique qu'à l'exception de Capharnaüm, centre de l'activité de Jésus, les évangiles ne mentionnent aucune des villes environnantes : Sepphoris (à 6 km de Nazareth) ou Tibériade (à 16 km de Capharnaüm). Ce silence signale que Jésus fut plutôt un homme des campagnes, et qu'il partageait la culture et les soucis des paysans et des petits artisans ; c'est d'ailleurs ce monde de paysans, de pêcheurs et de fermiers que l'on retrouve dans ses paraboles. Jésus ne s'adresse pas d'abord aux classes aisées, mais plutôt à ceux et celles pour qui la perte d'un sou est un drame (Lc 15,8-10).

Une effervescence apocalyptique

Entre la mort d'Hérode le Grand (4 av.J.C.) et l'éclatement de la guerre juive en 66, l'actualité de la Palestine a été traversée par une levée de mouvements protestataires. En vagues successives, des émeutes se sont dressées contre le pouvoir romain et ses alliés ; cette flambée de violence, rangée sous la bannière du Dieu-roi, s'est particulièrement manifestée en Galilée.

Sitôt après la mort d'Hérode, une « guerre des brigands » fit surgir de nombreux prétendants au trône. Plusieurs chefs populaires prétendirent coiffer le diadème royal au nom de Dieu. Un dénommé Judas fils d'Ézéchias, de Gamala, entraîna une foule à sa suite et s'empara de l'arsenal de Sepphoris. La répression, conduite par le légat de Syrie Quintilius Varus, fut impitoyable et les habitants de la ville, livrés à l'esclavage.

Lors de la déposition d'Archelaüs en 6 ap.J.C., Judas le Galiléen prit la tête d'une campagne de refus de l'impôt, au nom d'une théologie de l'appartenance de la terre au Dieu d'Israël : nul ne devait lever l'impôt sous peine d'attenter à la souveraineté divine. Cet idéal théocratique enflamma ses partisans, qui furent à leur tour écrasés par les légions romaines (Ac 5,37).

Vingt ans plus tard, Jean le Baptiste lance un mouvement de réveil appelant les Israélites à la conversion. Plus nettement que les évangiles (Mc 6,17-18), Flavius Josèphe rapporte la polémique virulente menée par Jean contre le tétrarque Hérode Antipas, au nom de la morale et du respect de la loi* (*Antiquités juives,* XVIII,118). La dénonciation par Jean de la cour hérodienne contaminée par les mœurs hellénistiques, ainsi que sa condamnation du mariage du roi avec sa belle-sœur Hérodiade, recueillait l'approbation du peuple. L'exécution du prophète par Hérode Antipas visait à faire taire la protestation populaire (Mc 6,21-28).

Il est possible aussi que derrière le bain de sang provoqué par les troupes de Ponce Pilate se cache une identique répression d'émeutiers galiléens : « En ce même temps survinrent des gens qui lui rapportèrent [à Jésus] ce qui était arrivé aux Galiléens, dont Pilate avait mêlé le sang à celui de leurs victimes » (Lc 13,1). La répression s'avérait particulièrement odieuse aux yeux des croyants, puisque, en massacrant les pèlerins galiléens montant au Temple avec les animaux offerts en sacrifice, Pilate les condamnait à mourir en état d'impureté. La férocité de Pilate à l'égard de toute agitation religieuse populaire se vérifie dans le massacre qu'il provoqua sur le mont Garizim, quelques années après la mort de Jésus ; une foule samaritaine y avait été attirée par la promesse d'un prophète assurant de lui faire voir la vaisselle sacrée que Moïse y avait enterrée. La répression ordonnée par le préfet Pilate fut si cruelle qu'une ambassade juive à Rome demanda, et obtint, son renvoi.

En 44, lors du retour de la Galilée sous administration romaine directe, deux fils de Judas le Galiléen, Jacob et Simon, furent crucifiés par le procurateur Tiberius Alexandre pour agitation messianique (Flavius Josèphe, *Antiquités juives*, XX,102). À la même époque, d'autres prophètes entraînent leurs adhérents dans le désert pour y vivre un nouvel Exode (Ac 5,36 ; 21,38).

Parmi ces mouvements protestataires, le point commun est leur tentative de précipiter le retour de Dieu, dans un pays souillé par la présence des armées impies et par la dépravation morale des élites. La présence et l'influence culturelle de l'occupant attisèrent donc fortement les poussées apocalyptiques populaires.

Une renommée sulfureuse

La renommée des Galiléens auprès des Judéens est mauvaise : « Il ne sort pas de prophète de Galilée » (Jn 7,52). Le grand rabbi Yohanan ben Zakkaï (vers 70) s'est écrié : « Galilée, Galilée, tu hais la Tora ! »

Cette réputation désastreuse vient de l'époque où la population galiléenne était majoritairement non juive. Pour désigner cette terre de païens, Isaïe parlait déjà de la « Galilée des nations* » (Is 9,1, cité en Mt 4,15). Mais à la suite de la colonisation menée sous le règne d'Aristobule Ier (105-104 av.J.C.), la judaïsation de la région avait été efficace. Au Ier siècle, la majorité des Galiléens appartient au judaïsme et parle araméen. Leur attachement au Temple de Jérusalem se concrétise par le versement de l'impôt du Temple et la participation aux pèlerinages. Il est vrai aussi qu'en Galilée on retrouve les traces d'une pratique de la loi plus libérale qu'en Judée.

Malgré la colonisation juive de la région, une renommée d'impiété est restée attachée à la Galilée. Elle fut entretenue au Ier siècle par les rabbis*, qui supportaient mal la résistance qu'opposaient les Galiléens à leur hégémonie religieuse.

Le schisme samaritain

La fondamentale opposition qui sépare les Juifs des Samaritains* est connue du Nouveau Testament (Lc 9,51-55 ; 10,29-37 ; Jn 4,9). Il est faux de penser que la foi samaritaine ne constitue qu'une variante du judaïsme* du second Temple. Ces deux formes de monothéisme que sont le judaïsme et le samaritanisme, au Ier siècle, sont héritières l'une

Repère

Zélotes et sicaires

Ces mots, l'un et l'autre employés par l'historien juif Flavius Josèphe, désignent des groupes de résistants juifs palestiniens à l'occupation romaine, dans le courant du Ier siècle. Le terme « sicaire » vient de la *sica* latine, un petit poignard que les sicaires portaient dans les plis de leur vêtement pour frapper dans les lieux publics des romains ou des juifs collaborateurs. Ce sont eux qui organisèrent la résistance à Massada sous la conduite de leur chef, Éléazar ben Yaïr. La forteresse tomba après un long siège en 73 de notre ère.

Le mot « zélote » a rapport avec la racine grecque utilisée pour parler du « zèle ». Un disciple de Jésus nommé Simon est désigné comme « zélote » par Luc (Lc 6,15 ; Ac 1,13), mais simplement comme « zélé » par Marc (3,18). On qualifie parfois de zélotes les compagnons de Judas le Galiléen ou d'autres agitateurs du Ier siècle, mais les historiens s'interrogent sur le moment à partir duquel le terme fut effectivement employé. Par prudence, mieux vaut le réserver aux révoltés qui furent directement à l'origine de la Guerre juive de 66-70.

REPÈRE

L'ORIGINE DES SAMARITAINS

Dans la Bible, l'origine des Samaritains est narrée par le texte clef de 2 R 17,24-41. Il y est relaté qu'après la prise de Samarie, en 722 av.J.C., les Assyriens installèrent en Samarie des colons étrangers afin de remplacer les Israélites du royaume du Nord partis en exil. Les Samaritains sont dès lors considérés comme les descendants de ces colons ignorants du Dieu d'Israël. L'érection du temple du Garizim, au temps d'Alexandre le Grand (322 av.J.C.), aurait scellé le schisme avec le judaïsme resté fidèle à Jérusalem.

Les données historiques conduisent à mettre en doute cette version. L'exil imposé par l'Assyrie n'a touché qu'une petite élite du pays. Quant à la rupture avec le judaïsme, elle semble plutôt dater du règne de Jean Hyrcan (134-104 av.J.C.) qui, lors de sa reconquête de la Samarie, ruina Sichem et détruisit le sanctuaire du Garizim.

et l'autre de la foi yahviste des origines ; le samaritanisme se compose lui-même de plusieurs branches, qui partagent de nombreux points communs avec le parti sadducéen*.

Comme les Sadducéens, les Samaritains reconnaissent comme Écriture fondatrice le seul Pentateuque*. Par cette foi traditionaliste ils entendent préserver la religion des origines en demeurant fidèles à la loi de Moïse, en pratiquant la circoncision le huitième jour, et en observant rigoureusement le sabbat. Leur sanctuaire est établi sur le mont Garizim où les croyants convergent lors des pèlerinages et où l'agneau pascal est immolé. Les Samaritains refusent la foi en la résurrection des morts, qu'ils n'accepteront qu'au IVe siècle.

Le terme « Samaritain » peut désigner tantôt les habitants de la ville ou de la région de Samarie, tantôt ceux qui se rattachent au culte du Garizim. Dans ce dernier sens, à coloration ethnique et religieuse, « samaritain » est synonyme d'hérétique aux yeux du judaïsme.

D. M.

Le Temple et les milieux sacerdotaux

De toutes les constructions de Jérusalem, le Temple est, à l'époque de Jésus, la plus prestigieuse et la plus belle. Il faudrait relire ce que ressentit Flavius Josèphe lorsqu'il le découvrit pour la première fois. Les mêmes sentiments durent habiter les disciples, impressionnés, rapporte Luc, par son ornementation « de belles pierres et d'offrandes votives » (Lc 21,5).

Ce Temple avait pourtant déjà une longue histoire. Bâti par Salomon, au xe siècle av.J.C., il n'avait pas été épargné par les Babyloniens qui s'étaient emparés de Jérusalem en 586. Au retour de l'Exil, les rapatriés de Babylone s'étaient empressés de le reconstruire, mais le nouvel édifice ne rappelait que de fort loin le faste salomonien et il avait suscité bien des déceptions. En fait, il faudrait attendre Hérode le Grand pour que le Temple retrouve son prestige et sa splendeur. Avec des chiffres étonnants : une esplanade de 144 000 mètres carrés – soit cinq fois la superficie de l'acropole d'Athènes et neuf fois et demie celle de la basilique Saint-Pierre –, des blocs de pierre de plusieurs tonnes, des dizaines de milliers d'ouvriers travaillant des années 20 av.J.C. à l'an 64 de notre ère. D'où l'interrogation bien légitime des Juifs consécutive à une déclaration de Jésus qui venait de les provoquer :

« Détruisez ce sanctuaire et en trois jours je le relèverai. » Les Juifs lui dirent alors : « Il a fallu quarante-six ans pour bâtir ce sanctuaire, et toi, en trois jours, tu le relèveras ? » (Jn 2,19-20)

Le Temple et son architecture

Plusieurs portes donnaient accès à l'esplanade du Temple. Sur le côté sud, dominé par le portique royal (Jn 10,23 ; Ac 3,11), un escalier monumental conduisait à deux grandes portes. Après un bain de purification, les pèlerins qui les avaient empruntées traversaient de longs tunnels creusés dans la pierre pour déboucher ensuite sur un immense parvis qui était accessible aux non-juifs : le parvis des païens*. C'est là qu'étaient installés les changeurs – car le Temple avait sa propre monnaie –, ainsi que les marchands de bœufs, de moutons, de colombes, d'huile et de tout ce qui était nécessaire au culte. À l'angle nord-ouest de l'esplanade, se trouvait la forteresse Antonia. Construite sur un escarpement rocheux, elle occupait une position stratégique, d'où l'on pouvait surveiller la foule de ceux qui se rendaient au Temple (Ac 21,27-36). Enfin, de chaque côté du parvis couraient des galeries couvertes où les maîtres livraient leur enseignement (Jn 18,19) et où l'on aimait se promener et se rencontrer.

Au centre du parvis des païens se trouvait un autre parvis, légèrement surélevé et séparé du premier par une balustrade de pierre marquant la limite que païens et incirconcis ne pouvaient dépasser sous peine de mort. Des inscriptions en grec et en latin notifiaient cette interdiction. La mieux conservée comporte le texte suivant : « Que nul étranger ne pénètre à l'intérieur de la balustrade et de l'enceinte qui sont autour de l'esplanade [du Temple] : celui qui serait pris [y pénétrant] serait cause que la mort s'ensuivrait [pour lui]. »

Ce parvis intérieur était divisé en deux grandes cours : la cour des femmes et la cour d'Israël. On pénétrait dans la première par la Belle Porte où de nombreux mendiants se postaient, attendant une aumône des pèlerins (Ac 3,2). La porte de Nicanor, avec son escalier de quinze marches en demi-cercle, séparait la cour des femmes de celle d'Israël. Cette cour était réservée aux hommes qui pouvaient y accéder également sans passer par la cour des femmes. Les Juifs affectés d'une tare physique ou morale y étaient interdits.

À l'intérieur de la cour d'Israël un parapet de pierre entourait le sanctuaire et l'autel, domaines exclusifs des prêtres*. À droite de l'autel étaient disposées des tables destinées à recevoir les animaux des sacrifices, tandis qu'à sa gauche se tenait un bassin pour la purification des prêtres. Le sanctuaire, auquel on accédait par un escalier de douze marches, comprenait un vestibule, puis le Saint, et surtout le Saint des Saints. À l'entrée du Saint, éclairé par le chandelier à sept branches, se trouvaient la table des pains de propositions (ou d'offrande) et un autel en or pour l'offrande de l'encens, matin et soir (Lc 1,9).

Enfin, se dressait le Saint des Saints. Il était, semble-t-il, séparé du Saint par un double rideau ; celui que les récits de la Passion feront symboliquement se déchirer à la mort de Jésus. Dans ce local, sombre et dépourvu de tout mobilier, nul n'avait le droit de pénétrer, hormis le grand prêtre, à l'occasion de la fête annuelle des Expiations* : c'était le lieu de la présence du Seigneur.

UNE ARCHITECTURE PORTEUSE D'UNE THÉOLOGIE

En fait, cette disposition du Temple de Jérusalem n'était pas seulement affaire d'architecture : elle était dictée aussi par des motifs théologiques. En suivant à rebours la description qui vient d'être faite, on saisit en effet que Dieu était au cœur de l'édifice et, en même temps, au terme d'un itinéraire bien réglementé. Juste devant lui, se consumaient les prières de fidèles ; et c'était aux prêtres, en ravivant le feu de l'encens, d'être les médiateurs entre les hommes et Dieu. Venait ensuite le parvis des hommes, puis le parvis des femmes, un peu plus bas. Le monde enfin était convié sur le parvis des païens. Chacun des échelons servait ainsi d'intermédiaire et de séparation entre le précédent et le suivant. Pour que soit affirmée la vocation d'Israël : intercéder pour le salut de tous les hommes.

Au même moment, l'architecture du Temple, avec ses degrés successifs et ses différentes séparations (les femmes, les hommes, les prêtres, le grand prêtre), illustrait parfaitement la stricte hiérarchisation de la société juive à l'époque de Jésus. Par filtrages successifs, tout était, en effet, organisé autour du clergé, au sein duquel la figure du grand prêtre apparaissait dans toute sa splendeur. [*voir* vol. I, p. 408]

REPÈRE

LE TEMPLE ET LES SADDUCÉENS

La fonction des grands prêtres, gardiens du culte et sacrificateurs, les prédisposait à un certain type de pensée. La plupart d'entre eux appartenait au courant des Sadducéens*, qui prit corps aux alentours de l'année 200 av.J.C. mais se rattachait à la lignée de Sadoq, grand prêtre au temps de David et de Salomon.

Leur pensée religieuse était conservatrice. Ils ne reconnaissaient comme Écriture juive véritable que la Tora*, les cinq livres attribués à Moïse. Les idées novatrices qui s'étaient développées dans le cadre des offices synagogaux leur étaient étrangères. L'auteur des Actes des Apôtres précise à leur propos : « Les Sadducéens disent en effet qu'il n'y a pas de résurrection, ni ange, ni esprit, tandis que les Pharisiens* professent l'un et l'autre » (Ac 23,8).

Politiquement parlant, ils s'accommodaient du pouvoir romain, dont les familles nobles sacerdotales étaient au Ier siècle de notre ère les interlocuteurs. C'est dans leurs rangs que se levèrent les prêtres qui livrèrent Jésus au gouverneur romain Ponce Pilate pour que Jésus fût mis à mort.

Grands prêtres et prêtres

Premier personnage d'Israël, le grand prêtre pouvait ne pas être aimé, mais il était toujours vénéré. Son prestige lui venait de la sainteté que lui conférait sa mission. Cette sainteté découlait d'une prérogative : lui seul pouvait entrer dans le Saint des Saints et se tenir quelques instants chaque année, en présence de Dieu. Aussi, une fois déposé ou retiré de ses fonctions, le grand prêtre conservait son titre et gardait son prestige (Jn 18,13.24).

De manière générale, les devoirs liés à la charge pontificale étaient de nature essentiellement cultuelle. La loi* juive n'imposait d'ailleurs au grand prêtre qu'une seule obligation : effectuer le rite de l'expiation des péchés, le jour du Yom Kippour* (Si 50,1-21). La coutume voulait, pourtant, que le grand prêtre présidât également les trois grandes fêtes de la Pâque*, de Pentecôte et des Tentes. [*voir* p. 387 ; vol. I, p. 273] En fait, à tout moment, il pouvait décider de présider ou non une célébration liturgique.

Plus que quiconque, le grand prêtre était soumis à des lois de pureté d'une rigueur extrême. Sa pureté personnelle exigeait d'abord que l'on offre des sacrifices quotidiens pour l'expiation de ses péchés. En outre, des précautions infinies étaient prises pour que le grand prêtre ne contracte aucune souillure légale, même par inadvertance, avant de présider une célébration, particulièrement celle de l'Expiation*. Mais la pureté personnelle du grand prêtre n'était pas tout. Il fallait aussi veiller à celle de sa descendance puisque le souverain sacerdoce était normalement héréditaire (Lv 21,13-15).

À cela, il faut ajouter que l'importance du grand prêtre se trouvait renforcée par le fait qu'en tant que chef du Sanhédrin* et premier personnage d'Israël, il représentait le peuple juif devant les Romains.

Dans la hiérarchie d'Israël, le commandant du Temple venait en second, immédiatement après le grand prêtre. Il était son premier assistant dans les célébrations et les cérémonies officielles. Il avait mission de surveiller l'ordonnance et le bon déroulement du culte. Mais son rôle n'était pas seulement cultuel. Il était aussi chargé de la sécurité du Temple ; et il disposait de forces de police qu'il pouvait dépêcher partout où l'ordre risquait d'être troublé (Mc 14,43 ; Ac 4,1 ; 5,17.26). Toujours choisi parmi les familles de l'aristocratie sacerdotale, c'était souvent un proche parent du grand prêtre.

Face à l'aristocratie sacerdotale, constituée par le grand prêtre et ceux qui lui sont proches, se trouvaient les prêtres ordinaires. Près de 7 200 à l'époque de Jésus, ils étaient une minorité à habiter à Jérusalem ou les environs immédiats. Répartis en 24 classes de 300 hommes, ils desservaient le Temple à tour de rôle, chacun pendant une semaine, à raison de 50 prêtres par jour. Quotidiennement, le chef de section tirait au sort, parmi les 50, celui qui ferait brûler l'encens sur l'autel qui se trouvait devant le double rideau du Saint des Saints. Ce rituel avait lieu deux fois par jour, avant le sacrifice du matin et après le sacrifice du soir. Les 300 prêtres se réunissaient pour la liturgie du sabbat.

Les prêtres n'étaient donc mobilisés dans le Temple que cinq semaines par an : leurs deux semaines ordinaires et les trois semaines des fêtes de la Pâque, de la Pentecôte et des Tentes. Ils n'étaient pas, semble-t-il, rétribués pour cela, mais ils prélevaient sur les offrandes la part qui leur revenait. Dans beaucoup d'endroits, les prêtres intervenaient également dans des cours de justice. Comme on peut le voir dans un épisode des évangiles, ils étaient aussi chargés d'authentifier les guérisons des lépreux (Mt 8,4). Mais leur tâche cultuelle était strictement limitée au Temple de Jérusalem. De ce fait, elle n'avait rien à voir avec les activités qui se déroulaient dans les synagogues*.

Les lévites étaient au bas de l'échelle cléricale. Leur nombre s'élevait à 9 600, répartis en 24 sections. Ils ne participaient pas directement au culte sacrificiel. Tout comme aux laïcs, il leur était interdit sous peine de mort de s'approcher des objets sacrés et de l'autel, ou encore de pénétrer dans le parvis des prêtres. Ils assuraient les services annexes du culte, comme le chant et la musique, ainsi que des charges matérielles comme la garde des portes ou l'entretien.

La folie d'un geste

À cette description du Temple et à cette présentation du clergé il faut ajouter les 18 000 agneaux immolés chaque fête de Pâque, les 150 000 pèlerins qui se rendaient trois fois par an à Jérusalem, les centaines de sacrifices que l'on offrait quotidiennement, ou encore les commerçants, les artisans, les aubergistes qui vivaient du Temple. Car s'il était le centre religieux du judaïsme, le Temple était également l'enjeu de nombreux intérêts économiques et le lieu d'un équilibre social qui s'était tant bien que mal construit autour de lui. Voilà qui peut éclairer la folie du geste de Jésus qui, en s'en prenant au Temple, signera son arrêt de mort (Mc 11,18).

P. D

La littérature juive ancienne

Au temps de Jésus, les textes de l'Ancien Testament existent sous la forme de rouleaux dont les synagogues* les plus pauvres sont loin de posséder la totalité. En outre, le canon*, qui délimite les livres ayant une autorité divine, ne s'imposera qu'avec les rabbis* de la fin du Ier siècle. Néanmoins, la plupart des Juifs du début de notre ère cherchent dans la loi* mosaïque et les Prophètes la lumière de leur existence. Pour ce faire, il faut actualiser ces textes vénérables. D'où, entre 200 av.J.C. et 200 ap.J.C., une floraison d'œuvres dites « Apocryphes* de l'Ancien Testament » ou « Intertestament* ». Elles prolongent l'Écriture en fonction d'un nouvel horizon religieux. Au Ier siècle av.J.C., quel intérêt spirituel pouvait présenter la vieille histoire du rapt de Sara par Pharaon (Gn 12) ? En fait, Abraham était un exorciste qui, par imposition des mains, avait délivré le roi égyptien de l'esprit mauvais. Telle est l'affirmation de la *Genèse apocryphe* de Qoumrân*, laquelle s'inspire de pratiques en cours que Jésus lui-même adoptera.

Jésus et ses adeptes ne lisaient pas les apocryphes. Mais ces derniers fixent par écrit des traditions que véhiculaient certains cercles juifs et, à la synagogue, les homélies des scribes. Ainsi, les évangiles* voient-ils, dans les prophètes anciens, des thaumaturges persécutés par Israël, et attestent que leurs tombeaux étaient des lieux de pèlerinage (Mt 23). Or, ces thèmes structurent une *Vie des prophètes* qui circulait en Palestine au Ier siècle. Notre mère Ève, qui n'était pourtant point sotte, céda au serpent. Pourquoi ? Une *Vie d'Adam et Ève* l'explique : le diable avait revêtu le costume des anges. Paul connaît la légende et avertit les Corinthiens que « Satan lui-même se déguise en ange de lumière » (2 Co 11,14). Bref, Jésus et les siens n'entendaient pas à la synagogue une Bible nue, mais une Bible enrichie de traditions qui, sciemment légendaires, faisaient désormais corps avec elle, pour l'actualiser.

DOCUMENT

APOCALYPSES JUIVES

Les apocalypses* se polarisent sur une Fin qui rendra justice à l'espérance des croyants. L'*Apocalypse syriaque de Baruch* (= 2 Baruch) console les Juifs démoralisés par la ruine du Temple. Douze fléaux seront le signe de la venue du Messie. Alors, quand celui-ci commencera à se révéler,

la terre aussi donnera des fruits, dix mille pour un. Chaque vigne portera mille sarments, chaque sarment portera mille grappes, chacune des grappes comptera mille raisins, et un raisin donnera un baril de vin. Et ceux qui ont eu faim se réjouiront et seront chaque jour spectateurs de prodiges. Les vents émaneront de ma face pour embaumer chaque matin du parfum des fruits aromatiques et susciter à la tombée du jour des nuages qui distilleront une rosée salubre. En ce temps-là, la manne gardée en réserve tombera de nouveau, et ils en mangeront pendant des années, car ils sont, eux, parvenus à la fin des temps.

(2 Ba 29, 5-8.
Trad. d'après P.-M. Bogaert)

Puis les justes défunts ressusciteront pour jouir de ce monde nouveau. La venue du Messie* renouvelle et amplifie les merveilles de l'antique Exode d'Israël (Ps 78,23-26), y compris la grappe légendaire de la Terre promise (Nb 13,23). L'Apocalypse de Jean (2, 17) connaît aussi le retour de la manne.

Dans ce but, les apocryphes de l'Ancien Testament imitent les styles bibliques et exploitent de nouvelles manières d'écrire. Un demi-siècle avant notre ère, les *Psaumes de Salomon* s'inscrivent dans la tradition des psaumes, mais ils expriment une foi plus nette en la résurrection et s'achèvent par un portrait remarquable du Messie à venir. Leur milieu d'origine est incertain. Les Sages pharisiens* se devinent plus aisément derrière les *Antiquités bibliques du Pseudo-Philon.* Cette histoire sainte était sans doute lue à la synagogue. Vivante et colorée, riche de légendes édifiantes, elle met en valeur les figures féminines de la Bible.

Les adieux de Jacob ou de Moïse (Gn 49 et Dt 33) ont inspiré des œuvres appelées « testaments ». Ainsi le *Testament des Douze Patriarches* met en scène l'ultime message des fils de Jacob à l'adresse de leurs descendants, selon un schéma littéraire fixe. Le genre testament structure certains textes du Nouveau Testament, par exemple la deuxième épître de Pierre. Mais, lorsqu'ils prédisent l'avenir, les testaments usent aussi du registre apocalyptique*.

L'apocalyptique naît deux siècles avant notre ère, avec le *1er Livre d'Hénoch* dont la composition s'étale sur une centaine d'années. Les deux derniers monuments du genre sont *2 Baruch* et *4 Esdras*, contemporains de l'Apocalypse de Jean, à la fin du Ier siècle. Les apocalypses scrutent le monde céleste et le déroulement de l'histoire. Elles se présentent comme des révélations accordées par un être surnaturel à un élu et se focalisent toujours sur la Fin : le jugement de Dieu et le retournement qui transforme l'univers. Les justes ressuscitent alors, tandis que sont damnés non seulement les impies, mais les anges déchus (selon *1 Hénoch*) et autres esprits qui ont harcelé les justes. Parfois, comme en *2 Baruch*, le monde nouveau s'ouvre par le règne du Messie.

Ce recours obstiné à la transcendance avoue une impuissance à déchiffrer les convulsions du cosmos et de l'histoire. Il se double d'un déterminisme net : Dieu a tout prévu selon un plan qui découpe le cours du temps en périodes quasi mathématiques de plus en plus sombres. En même temps, les apocalypses encouragent leurs lecteurs : les justes, disent-elles, ont raison de persévérer, car Dieu a prévu leurs épreuves et leur donnera la victoire finale sur le mal. Chez les auteurs de ces œuvres, la pseudonymie s'impose comme une règle. Baruch, le scribe, avait vu la ruine du Temple et l'Exil ; il avait entendu de Jérémie la promesse du retour. L'auteur de *2 Baruch*, vers 95 de notre ère, reprend ce nom pour consoler les Juifs de la ruine du second Temple. Le procédé souligne la continuité du plan divin. Le Nouveau Testament recourt souvent au langage apocalyptique (ainsi Mc 13), soit pour en contester le déterminisme, soit pour attiser la vigilance des croyants.

DOCUMENT

LE TARGUM DU SACRIFICE D'ABRAHAM

Le targoum* traduit la Bible en araméen pour l'auditoire synagogal et il se doit d'en livrer une théologie acceptable et une spiritualité féconde. Comment alors surmonter le scandale de l'*Aqéda** (« ligature ») d'Isaac ? Le talent du targumiste se déploie au moment où le couteau va s'abattre (Gn 22, 10) :

Isaac dit à Abraham, son père : « Mon père, lie-moi bien pour que je ne te donne pas de coups de pied de telle sorte que ton offrande soit rendue invalide et que je sois précipité dans la fosse de perdition dans le monde à venir. » Les yeux d'Abraham étaient sur les yeux d'Isaac et les yeux d'Isaac étaient tournés vers les anges d'en-haut. Abraham ne les voyait pas. À ce moment descendit des cieux une voix qui disait : « Venez, voyez deux personnes uniques en mon univers. L'un sacrifie et l'autre est sacrifié : celui qui sacrifie n'hésite pas et celui qui est sacrifié tend la gorge. »

(Trad. R. Le Déaut)

Les deux personnages sont unis dans la totale offrande d'*eux-mêmes* au vouloir de Dieu. Ils deviennent par là le modèle des dispositions intérieures qui doivent animer tout acte sacrificiel. Au vrai, la tradition juive (2 Ch 3,1) situe l'*Aqéda* sur le mont où s'élèvera l'autel du Temple. Par la vision d'Isaac et la voix céleste, Dieu lui-même donne à l'événement ce sens profond. Les évangiles auront aussi recours à la *vision* et à la *voix céleste* pour interpréter le baptême de Jésus (Mc 1,10-11).

Qoumrân possédait des manuscrits du *1er Livre d'Hénoch* dont on sait ainsi que la langue originale était l'araméen. Avant cette découverte, on parlait de l'*Hénoch éthiopien* car l'œuvre était connue par la Bible éthiopienne. De fait, le judaïsme* n'a pas gardé l'héritage des apocryphes, tandis que les Églises* antiques les ont traduits dans leurs langues (grec, syriaque, latin, slavon), en y ajoutant parfois des gloses chrétiennes. En revanche, les targums ont gardé la faveur des rabbins*.

À l'origine, le targoum est une version *orale*, en araméen, des textes bibliques pour l'usage liturgique. Au Ier siècle, en effet, bien des auditeurs de la synagogue n'entendaient plus l'hébreu biblique. On doublait donc la lecture de la Loi et des Prophètes par une traduction en araméen. Le *metourgeman** (interprète) ne devait pas jeter les yeux sur le texte hébreu afin que son interprétation se distingue bien de l'écrit sacré. Puis parurent diverses recensions écrites du targoum, destinées à sauvegarder et à canaliser les interprétations traditionnelles.

Tout targoum s'adresse à un auditoire qui n'a pas le texte sous les yeux ; il est donc porté aux gloses qui facilitent la compréhension et préviennent les difficultés. Comment, par exemple, Noé peut-il planter une vigne (Gn 9,20), alors que le déluge a noyé toute végétation ? Un targoum ajoute donc : « Il trouva un cep que le fleuve avait entraîné du jardin d'Éden. » Pour sûr, l'auditeur de la synagogue entend ce trait légendaire non point comme une glose, mais comme partie intégrante du texte biblique. Les paraphrases targoumiques se soucient surtout d'actualiser la révélation divine. Ainsi, les explicitations messianiques abondent : dans la condamnation du serpent (Gn 3,15), le targoum lit le triomphe à venir du Messie. Le récit du

REPÈRE

APOCRYPHES, PSEUDÉPIGRAPHES, INTERTESTAMENT

Les catholiques appellent *apocryphes* de l'Ancien Testament les livres non canoniques qui réécrivent ou prolongent les écrits de l'Ancien Testament. Le mot suggère que ces livres sont secrets, inauthentiques et marginaux. Il est donc trompeur, puisque le canon n'existe pas encore lorsque paraissent la plupart des *apocryphes*.

Les protestants appellent ces œuvres les pseudépigraphes, littéralement : des écrits mensongers. Ils appellent *apocryphes* ce que les catholiques appellent *deutérocanoniques*, c'est-à-dire les livres de la Bible grecque que les protestants n'incluent pas dans leur canon.

Le mot *intertestament* désigne aussi ces apocryphes en suggérant que, sous divers aspects, ils éclairent les deux Testaments. Mais ce terme donne à tort l'impression que cet ensemble de textes s'inscrirait chronologiquement entre les deux Testaments.

Contre ces trois désignations, mieux vaut parler de *littérature juive ancienne* pour désigner ce corpus hétéroclite.

sacrifice d'Isaac (Gn 22), si difficile, suscite une relecture targoumique d'une grande profondeur.

La littérature juive ancienne cherche à *scruter* l'antique révélation biblique pour en dégager la portée actuelle. Cette démarche s'appelle le *midrash**. Certains apocryphes et autres apocalypses ne visaient peut-être que des cercles marginaux. En revanche, une fois repérées ses gloses trop tardives, le targoum représente le milieu populaire des synagogues du Iᵉʳ siècle, un judaïsme réticent aux théologies trop sectaires ou trop innovantes. Le targoum reflète les traditions que Jésus et les siens entendaient le jour du sabbat, et il a marqué la rédaction des évangiles.

CL. T.

La vie dans les villages galiléens

Le pays juif au temps de Jésus ne possède qu'une seule grande ville digne de ce nom : Jérusalem, peuplée de quelques dizaines de milliers d'habitants. Ailleurs n'existent guère que des petites villes, des villages, et des fermes plus ou moins isolées. La Judée est plus rude, et la Galilée, plus riante, mais dans tous les villages la vie sociale est du même type. En dehors des familles très aisées, on vit beaucoup les uns sur les autres, et l'essentiel de la journée, surtout à la belle saison, se passe dans la rue. La fontaine publique ou le puits est le lieu où les femmes parlent entre elles, tandis que les hommes, pour se détendre une fois le travail terminé, peuvent rester de longues heures assis aux portes du village, à commenter les événements marquants de la localité.

Habitation et mobilier

L'archéologie vient au secours des documents littéraires pour révéler les conditions de vie des villages galiléens dans lesquels Jésus a été élevé et dans lesquels il s'est fait connaître comme prédicateur. Dans les fouilles de Nazareth, on a surtout retrouvé des traces d'installations agricoles : pressoirs à vin et à huile, grottes ayant servi d'entrepôt pour les jarres ou d'abri pour les animaux, silos à grains creusés dans le rocher. Mais les restes des maisons d'habitation n'ont pas été retrouvés. C'étaient sans doute des constructions en matériau très léger, qui n'ont pas résisté à l'usure du temps.

Les fouilles menées à Capharnaüm, sur les bords du lac de Tibériade, ont au contraire mis au jour des traces d'habitation plus suggestives. Les fondations des maisons, dont les murs étaient de basalte, sont encore bien visibles. Les rues dessinent un damier délimitant des pâtés de maisons peu ouverts sur l'extérieur. On y pénétrait par de rares portes ouvrant sur des cours intérieures, elles-mêmes commandant des ensembles de deux ou trois petites pièces dont les fenêtres ouvraient sur la cour intérieure, chaque ensemble abritant une famille. Les toits étaient de branchages mélangés de boue séchée, souvent supportés par un pilier intérieur. Ainsi fabriqués, il étaient fragiles. Après un orage, il fallait les reprendre et combler les brèches. Des marches et des bancs de maçonnerie disposés le long des murs permettaient d'y monter et de faire les réparations nécessaires. Une telle disposition permet de comprendre la scène fameuse du paralysé que ses porteurs parvinrent à mener jusqu'à Jésus : « Ils découvrirent la terrasse au-dessus de l'endroit où il se trouvait et, ayant creusé un trou, ils font descendre le grabat où gisait le paralytique » (Mc 2,4).

La pièce dans laquelle se trouvait le foyer, un creux dans le sol délimité par quelques pierres, n'est pas complètement couverte, ce qui permettait à la fumée de s'en échapper. Dans certaines maisons, on a retrouvé un four, que l'on chauffait vraisemblablement à l'aide de braises apportées du foyer.

Dans de tels villages, on vit avec le jour et on se couche tôt, parents et enfants dormant dans la même chambre, après avoir barricadé la porte. Des pierres saillantes ou des supports métalliques permettent cependant de poser une lampe à huile et d'éclairer les pièces en cas de nécessité. Le mobilier est rudimentaire : tables basses et tabourets essentiellement. Il faut y ajouter des baquets de bois contenant quelques mesures de grain, posés sur des pierres pour les protéger des rongeurs, et des jarres contenant les liquides, l'huile et le lait dont on faisait le caillé. L'eau est conservée dans des cruches ou dans des outres. On dort sur des nattes disposées dans la chambre, à même le sol.

La nourriture

La base de la nourriture est le pain, d'orge ou de blé. Les grains sont moulus dans des moulins constitués d'un cône fixe en basalte sur lequel tourne une meule en forme de double entonnoir, en basalte également : on verse le grain par le cône supérieur, et on récolte la farine à la base du cône fixe. Quelques très beaux spécimens ont été retrouvés à Capharnaüm. Un seul moulin, souvent disposé dans la cour intérieure, sert en général à plusieurs familles. Une fois mélangée d'eau, salée et pétrie, la farine forme une pâte dans laquelle on intègre le levain et que l'on cuit en galettes, sur des pierres préalablement chauffées dans le foyer familial.

Une famille peut posséder aux limites du village un verger dans lequel on cultive quelques légumes : oignons, laitues, lentilles, fèves. Les arbres fruitiers autour du village appartiennent aussi à des familles qui en récoltent les fruits : amandes, olives, figues, abricots, cerises. Le poisson est abondant dans le lac et constitue la base de la nourriture animale dans les villages proches des rives. Mais on ne mange pas de tous les produits de la pêche, les poissons sans écailles comme le *clarias macracanthus*, une sorte de gros poisson-chat, étant impurs. À l'intérieur des terres, on consomme plutôt des volailles. Le mouton et la chèvre sont réservés aux jours de fête, ainsi que le vin. Quant à la viande de bovin, bœuf ou veau, elle est exceptionnelle.

On mange dans la pièce où se trouve le foyer, sommairement assis autour de la table basse, dans des écuelles de céramique, avec un couteau et ses doigts. Pour les repas de fête, on s'installe sur des banquettes où l'on mange allongé sur le coude gauche, à la romaine, en mettant la main droite au plat posé sur la table. Les hommes sont alors seuls à table, les femmes et les jeunes enfants étant mobilisés pour le service.

Le vêtement

Les vêtements ordinaires sont en laine. La tunique des hommes, une sorte de sac avec des ouvertures pour passer la tête et les bras, descend aux genoux ; elle est maintenue par une ceinture de cuir ou de corde. Un pagne noué autour du bassin sous la tunique protège le sexe ; on glisse dans ses replis la bourse contenant la menue monnaie dont on peut avoir besoin. Un manteau sans manches posé sur les épaules permet de se couvrir davantage quand on voyage ou pendant l'hiver. Les sandales existent ; elles sont en cuir ; on les utilise surtout pour les déplacements ; le reste du temps, on vit pieds nus. La tenue des femmes diffère peu de celle des hommes, mais elles ne portent ni ceinture ni pagne : leur tunique est alors nettement plus longue, elle descend jusqu'à mi mollet pour préserver la décence nécessaire.

Plus onéreux que la laine, le lin est une fibre végétale dont sont composés les vêtements de fête, également plus décorés et plus longs que les vêtements ordinaires. Toutes les familles n'en possèdent pas, mais on peut s'en faire prêter par des amis fortunés, notamment à l'occasion de noces. Ne pas avoir pris soin de se procurer une robe nuptiale lorsqu'on est invité à un mariage est une négligence coupable, car on aurait pu en emprunter une sans bourse délier. Il est alors normal de se l'entendre reprocher par le maître de maison, comme dans la

Document

Les synagogues de Galilée

Depuis 1930 surtout, les archéologues ont découvert de nombreuses synagogues* en Galilée, dans le Golan, en Judée et ailleurs, datant souvent du IVe au VIe siècle de notre ère, avec parfois, en soubassement, des éléments plus anciens encore. Leur nombre est considérable, près d'une centaine. Ces découvertes marquent à leur manière l'importance de la Galilée après les destructions des années 70 à 135 de notre ère, heureusement suivies de la reconstruction de l'unité juive autour de la Tora*. Après la révolte de l'an 135 les Juifs ne pouvaient même plus habiter à Jérusalem, et la Galilée était devenue l'un des principaux centres de la pensée juive. Plus de vingt-cinq synagogues importantes ont été ainsi révélées dans cette région du Nord. Par ailleurs, dès le IIIe siècle, la beauté des monuments s'accorde à la richesse des homélies du matin de sabbat, dont témoignent les anciens écrits juifs d'une haute qualité, appelés midrashim homilétiques ; par exemple, le *Midrash Rabba*, un grand commentaire et recueil de prédications. En plus de ces découvertes, des témoignages littéraires anciens mentionnent aussi des synagogues à Sepphoris près de Nazareth, à Tibériade, à Jaffa et ailleurs.

Relevons d'abord la différence entre ces synagogues et les pauvres maisons servant de synagogues avant l'an 70 de notre ère, à quelques exceptions près comme à Gamala sans doute. En cette haute époque les lieux utilisés pour la lecture et l'étude de la Loi* n'ont apparemment rien qui puisse attirer le regard. Les bâtiments restent de dimensions réduites, comme celui trouvé à l'Herodium, près de Bethléem. Certaines proseuques*, ces maisons de prières connues dans la Diaspora, semblent cependant remarquables, et les auteurs anciens en parlent presque avec curiosité. Ainsi, l'historien juif Flavius Josèphe mentionne la « très grande maison » de Tibériade (*Vie*, 277). De même, la proseuque d'Alexandrie était si vaste que le serviteur du lieu devait agiter une étoffe pour indiquer le moment de répondre « Amen » aux prières ! Par ailleurs, si durant les prières le regard devait se tourner vers l'Orient ou, plus encore, vers le Temple de Jérusalem (1 R 8, 38.44.48 ; 2 Ch 6, 34 ; Dn 6, 11), le bâtiment lui-même n'était pas obligatoirement orienté en ce sens.

À l'époque des synagogues galiléennes la situation va singulièrement changer et l'architecture synagogale prendre son essor. Deux types d'architecture vont alors s'imposer, en fait concurremment, même si le premier apparaît comme le plus ancien. Le premier type, en gros de la fin du IIIe au début du Ve siècle, adopte un plan rectangulaire, de forme barlongue, analogue, par exemple, au bâtiment découvert à Gamala dans le Golan [*voir* vol. 1 p. 508]. Des rangs de colonnes divisent parfois l'ensemble pour soutenir le toit, mais il en va autrement à Eshtemoa, par exemple. Le mur désignant l'orientation de la prière couvre l'un des grands côtés, et non pas la façade. De belles peintures murales et des mosaïques enrichissent le bâtiment ; ainsi, à Beth Shearim, Susiya, En Gedi, Khirbet Shema et Tibériade-Hammath. Le second type d'architecture, du IIIe au VIIe siècle, adopte un plan basilical, à la manière de la *basilica* romaine, servant de tribunal : une belle façade, comportant trois portes, regarde sur Jérusalem, avec une fenêtre en arc au-dessus. À l'intérieur, deux rangs de colonnes, ainsi qu'une rangée transversale au nord, divisent l'ensemble en une nef et deux ailes latérales ; des banquettes courent le long des côtés. Le lieu où se situaient les rouleaux n'apparaît pas toujours clairement. Peut-être usait-on simplement d'un coffre en bois, avant qu'une niche, creusée dans la pierre, n'indique la direction de la prière ; on l'appellera ensuite l'Arche de la Loi (ou *aron*).

ET DE JUDÉE

La synagogue de Capharnaüm en serait le plus bel exemple, comportant, entre autres, une frise représentant apparemment l'Arche d'Alliance sur son chariot. Parmi les synagogues de ce type, relevons celles de Baram, Chorazin, Gush Halab et Meron. Plus tard, une abside sera adjointe à l'ensemble, où se situait la niche de la Loi, tout en indiquant la direction de Jérusalem ; de grandes mosaïques peuvent couvrir le pavement. Citons en particulier la synagogue de Beth Alpha. La synagogue blanche de Capharnaüm donne encore la plus belle image de ces anciennes constructions de type basilical, sans l'abside. Des archéologues la datent du ve siècle, mais les discussions continuent à ce propos. Il a été découvert aussi un mur de basalte qui serait sous-jacent à tout le périmètre de l'actuelle synagogue. Serait-ce l'emplacement de l'ancienne synagogue où Jésus avait coutume d'enseigner (selon Mc 1,21) ?

L'aménagement intérieur et l'ornementation des synagogues sont généralement simples. Après la ruine du Temple seulement, on voit apparaître le chandelier (*menorah*) et d'autres symboles hérités du Temple détruit (le *loulab* et l'*etrog*, la palme et le citron). On ne suivait plus la coutume des anciennes proseuques d'Égypte, ornées de belles inscriptions, de boucliers dorés ou d'ex-voto en l'honneur d'un bienfaiteur. Des places d'honneur étaient réservées aux notables, sur la première rangée des bancs jouxtant les murs ; d'où l'allusion aux « premiers sièges dans les synagogues » dont parle Mc 12,39. Une « chaire de Moïse » (Mt 23,2) désignait probablement le siège de l'homéliaste* ; on a découvert plusieurs de ces magnifiques fauteuils de pierres sculptées, à Hammath-Tibériade et à Chorazin. Signalons enfin l'estrade en bois (ou *bèma*) et un pupitre pour les lectures, à l'exemple de ce qui est dit dans le livre de Néhémie : « Le scribe Esdras se tenait sur une estrade de bois, construite pour la circonstance » (Ne 8,4).

Loin d'Israël, sur le bord de l'Euphrate, signalons enfin l'existence d'une étonnante synagogue de forme rectangulaire (actuellement au musée de Damas), celle de Doura-Europos, érigée vers le milieu du IIIe siècle. D'extraordinaires peintures couvrent les quatre murs. On reconnaît alors une série de personnages et de scènes bibliques : Salomon et la reine de Saba, puis le retour de l'Arche du pays des Philistins ; la dédicace du Tabernacle avec Aaron et ses fils ; les camps du désert et le miracle du puits de Moïse ; Pharaon et l'enfance de Moïse ; l'onction de David par Samuel ; Mardochée et Esther ; enfin, Élie ressuscitant l'enfant. Ou encore, sur le mur sud : les prophètes de Baal sur le mont Carmel ; Élie et la veuve de Sarepta. Sur le mur nord : Jacob à Bethel ; Anne et Samuel à Silo ; la vision d'Ézéchiel sur les os desséchés. Enfin, au-dessus de la niche de la Tora, le sacrifice d'Isaac, et bien d'autres merveilles encore. Comme on voit, l'auteur de ces peintures, et déjà les artistes des magnifiques mosaïques galiléennes, ne paraissent guère se préoccuper de l'interdit de l'image (Ex 20,4 et Dt 5,8). Mais, dès le IIe siècle de notre ère, une attitude libérale parvenait déjà à s'imposer sur ce point, comme en témoigne le targum araméen : « Vous ne ferez point d'images. [...] Cependant, vous pourrez mettre sur le sol de vos sanctuaires un pavement décoré de figures et de dessins, mais non pour vous prosterner devant lui » (targum sur Lv 26,1). Plus tard le Talmud* rappelle aussi qu'on « se mit à avoir des peintures sur les murs et que les rabbins* ne les interdirent pas » (Talmud de Jérusalem, traité *Aboda Zara* 3,3).

Ch. P.

parabole des invités au festin : « Mon ami, comment es-tu entré ici sans avoir une tenue de noces ? » (Mt 22,12).

Les métiers

Les métiers des hommes sont pour la plupart voués à la satisfaction des besoins alimentaires. On est agriculteur, éleveur ou pêcheur. Les uns sont patrons de petites entreprises, par exemple des sociétés de pêche regroupant cinq ou six employés, les autres, simples artisans. Chez les grands propriétaires terriens, un intendant mène les affaires au nom de son maître. Dans ces grands domaines, le ouvriers sont la plupart du temps employés à la journée, selon les besoins, et gagnent un denier par jour. L'esclavage proprement dit n'existe pratiquement pas dans les villages. Seuls les officiers de l'armée romaine, qui y vivent en garnison, peuvent employer de jeunes esclaves juifs.

Tissage et vannerie sont des activités domestiques. Les artisans se consacrent principalement aux métiers du bâtiment : maçons et menuisiers charpentiers. Les textes parlent aussi de foulons ou blanchisseurs, et de potiers. La situation est très différente à Jérusalem où les contraintes de la vie urbaine ne permettent pas de faire autant de choses à la maison. On y trouve alors d'autres métiers, par exemple des bouchers et des boulangers regroupés par quartiers, comme dans les villes européennes du Moyen Âge.

Les bergers et gardiens de troupeaux sont loués par les propriétaires. Ils vivent à l'extérieur des villages ; la nuit, tandis que les bêtes de plusieurs troupeaux sont regroupées dans un enclos et que l'un d'eux monte la garde, les autres dorment à quelque distance sous une tente ou une hutte de branchages. Une vie de ce type leur permet mal de pratiquer la loi juive ; ils sont souvent considérés comme de mauvais observants. Mais pire est la réputation des publicains, Juifs au service de l'occupant romain pour la perception de l'impôt. En contact permanent avec des païens impurs, réputés peu honnêtes car ils se paient sur les taxes perçues, ils sont littéralement honnis.

Éducation et vie religieuse

Les enfants sont élevés par les femmes, quel que soit leur sexe ; femmes et enfants ne sont pas comptés dans une foule. C'est ainsi que, lors de la multiplication des pains, les évangiles parlent de « cinq mille hommes, sans compter les femmes et les enfants » (Mt 14,21). Comme les jeunes garçons vivent beaucoup dans la rue, il leur arrive de multiplier les gamineries. L'éducation juive se distingue de celle des pays environnants en ceci que les garçons d'un certain niveau social apprennent souvent à lire, ce qui leur permet de participer activement à la prière synagogale où chacun peut être conduit à lire un passage de la Tora* ou des Prophètes. Cette éducation religieuse se passe à la synagogue* ou dans ses dépendances, auprès des maîtres qui apprennent en même temps à leurs jeunes élèves les leçons de la tradition orale. Un garçon devient majeur à treize ans, une fille à douze ans et demi ; pour cette dernière, c'est en général l'âge vers lequel ses parents décident de son mariage. Quant aux jeunes hommes, ils attendent en général pour prendre femme d'avoir travaillé quelques années et d'avoir amassé assez d'argent pour fonder un foyer, ce qui suppose financièrement trois choses : disposer d'un logement pour faire vivre sa famille, verser le prix de la dot (en hébreu le *mohar**) aux parents de la jeune femme, financer le banquet de la noce. À ce compte, il s'écoule une année environ entre le versement du *mohar* et la noce proprement dite.

La vie sociale est rythmée par les fêtes religieuses. Le sabbat est jour de repos obligé et de prière à la synagogue. En ne le respectant pas, on se met au ban de la vie religieuse et donc de la vie sociale tout court, l'une et l'autre étant intimement mêlées. Les métiers pour lesquels il est très difficile de l'observer, par exemple celui de berger ou de bouvier, sont déconsidérés. Pour les trois grandes fêtes de pèlerinage (Pâque* au printemps, Pentecôte cinquante jours plus tard, et Tentes à l'automne), on monte autant que possible à Jérusalem. [*voir* p. 387 ; vol. I, p. 273]. Pour ce faire, comme pour tout déplacement important, on s'organise en caravane, car les routes sont peu sûres. Peut-être pourra-t-on faire porter ses bagages par un âne, la monture et la bête de somme la plus courante. Trop fragiles et trop chers, les chevaux sont réservés aux notables juifs et à l'armée romaine d'occupation.

M. Q.

Les Juifs et l'influence des nations

Dispersés parmi les nations* païennes, les Juifs devaient préserver leur identité propre et se défendre contre les attaques des idolâtres. Bien avant notre ère, un certain antisémitisme, touchant les Syriens aussi bien, était largement populaire en Égypte et à Rome. Aussi pour les Juifs la tentation était-elle parfois grande de s'assimiler entièrement aux nations, sans plus mettre en avant la spécificité juive, à commencer par la circoncision que l'on cherchait à dissimuler. Les apostats ne manquaient donc pas, tel le neveu de Philon d'Alexandrie, au point de voir ce dernier diriger ensuite les actions militaires des légions de Titus durant le siège de Jérusalem en l'an 70 de notre ère. Par ailleurs, on mesure mal aujourd'hui la séduction de la modernité hellénistique, avec ses monuments éblouissants de beauté, pour un paysan de Judée qui d'aventure aurait traversé Éphèse et Rome. En Israël même, les villes de la Décapole, Césarée ou encore Sepphoris, tout près de Nazareth, devaient déjà en interroger plus d'un, tant le décalage semblait évident. En outre, la paix romaine ouvrait un nouvel âge d'or, depuis l'époque de Néron déjà, à tel point que l'historien juif Josèphe pouvait identifier sans plus le messie attendu des prophètes à l'empereur romain lui-même, Vespasien en l'occurrence !

La culture hellénistique, partout envahissante jusqu'à Jérusalem même, amenait plutôt les Juifs de la Diaspora*, hormis ceux d'Égypte ou d'Antioche, à cacher leurs rouleaux sacrés et leurs coutumes étranges. Les païens* connaissaient à peine les écrits de Moïse. La circoncision était selon eux une castration ridicule, empêchant pratiquement une présence juive dans les gymnases, ces lieux de l'éducation intellectuelle et physique. Enfin, l'abstention du porc et des nourritures dites impures faisait partout ricaner. Malgré l'effort de quelques apologètes juifs, les histoires extravagantes de l'Exode provoquaient plutôt la raillerie. Car la loi* de Moïse semblait déjà bien vieille à l'époque, décalée par rapport aux exigences économiques et culturelles du monde hellénistique*.

En outre, depuis Alexandre le Grand et plus encore à l'époque romaine, le monde s'unifiait progressivement ; les voyages devenaient relativement faciles et plus sûrs sur les voies romaines ; les frontières ethniques s'effritaient en partie et le langage commercial et administratif devenait commun ou presque. Au plan religieux entre autres, un large syncrétisme en arrivait presque à identifier les uns aux autres les dieux du paganisme, dans le cadre d'une croyance en une même nébuleuse divine, dite universelle. Or, les Juifs faisaient tache en voulant adorer exclusivement le Dieu de leur tradition nationale. La revendication d'une élection divine du peuple d'Israël devenait insupportable aux yeux des nations ou pleine de prétention, alors que ce motif essentiel entendait exprimer chez les Juifs l'unicité personnelle d'un Dieu qui n'hésitait pas à s'engager dans l'histoire particulière d'un peuple, sans pour autant récuser l'existence des nations. L'élection* d'Israël est d'abord le signe tangible de la réalité d'un Dieu unique qui intervient en personne dans l'histoire de tous les hommes.

Enfin, le monde hellénistique était alors partout traversé par une immense soif du salut. Ce dernier mot, encore tout proche à l'époque du mot santé d'aujourd'hui, était fort à la mode, surtout dans le cadre des religions à mystères de salut. Courant les lieux de pèlerinage, à Delphes, Pergame, Épidaure et d'autres lieux encore, les mystes ou les initiés attendent une réponse concrète et individuelle à leurs propres misères. D'autant plus que les anciennes religions traditionnelles de la Cité, au culte devenu trop formel, semblent partout en régression. La recherche d'un salut atteignant en direct chaque individu dans sa singularité s'épanche alors dans ces nombreuses petites associations, ne dépassant guère une centaine de personnes, où l'on pouvait manger ensemble et s'aider mutuellement. Désormais l'individu l'emporte sur la Cité, et l'unification du monde d'alors provoque le surgissement de multiples conventicules ou corporations de toutes sortes où chacun cherche à se retrouver lui-même.

Les Juifs de la Diaspora sont alors pris entre deux feux. D'une part, ils sont souvent l'objet d'une haine populaire, soutenue par les écrivains grecs ou latins de l'époque. D'autre part, ils ont plutôt le soutien des dirigeants de l'Empire, avec même de singuliers privilèges qui se retournèrent en partie contre eux. Jules César déjà favorise les Juifs, en leur accordant le droit de s'associer dans des *collegia*, en l'occurrence des associations religieuses appelées synagogues* par les Juifs, et cela, alors même qu'il refuse ce privilège à d'autres associations. César

Auguste continue de soutenir les Juifs dont l'importance demeure sur le glacis oriental de l'Empire. Tibère (14 à 37) est déjà plus circonspect, en luttant en particulier contre l'envahissement des dieux orientaux au cœur même de Rome. Séjanus, le chef de la garde prétorienne de Tibère, est d'ailleurs connu pour son antisémitisme notoire, et c'est lui qui patronne la carrière préfectorale de Ponce Pilate. Ensuite Caligula (37-41) adopte une attitude entièrement défavorable aux Juifs, au point de vouloir ériger une statue de Zeus, portant ses propres traits, au sein même du Temple de Jérusalem. Philon d'Alexandrie rapporte l'épouvante des Juifs en la circonstance, jusqu'à l'heureuse nouvelle de l'assassinat de l'empereur en l'an 41. Les empereurs Claude (41-54) et Néron (54-68), du moins jusqu'en 66 où débute l'insurrection juive, reprennent plutôt une politique favorable aux Juifs, tout en accumulant les bévues dans le choix des procurateurs romains régentant la Judée depuis Césarée Maritime.

Les Juifs de la Diaspora apparaissaient donc plutôt privilégiés par rapport aux nombreux résidents étrangers des grandes villes méditerranéennes. Sans posséder généralement la citoyenneté romaine, sinon par le biais d'un affranchissement formel, ils n'en excitaient pas moins la jalousie des autres résidents étrangers, appelés pérégrins ou métèques. Parmi les privilèges accordés, citons d'abord celui de pouvoir lever parmi eux l'impôt volontaire d'un demi-sheqel*, destiné au Temple de Jérusalem ; ce privilège est considérable, vu le nombre des Juifs résidant dans la Diaspora. Par ailleurs, les Juifs étaient exempts des obligations militaires, car ils ne pouvaient normalement pas guerroyer le jour du sabbat, sinon pour se défendre. *A fortiori*, ils ne pouvaient honorer les faisceaux impériaux et étaient en conséquence exemptés du culte impérial. Enfin, ils pouvaient se rassembler le jour du sabbat en particulier, et même manger ensemble dans le cadre des repas communautaires connus à l'époque à Rome et ailleurs. Ce sont là d'étonnants privilèges, qui, au départ du moins, servirent directement les premières communautés chrétiennes (pour le repas communautaire et la collecte, par exemple), dans la mesure où elles étaient encore perçues par les autorités romaines comme faisant partie du judaïsme*. Après l'an 64 de notre ère, avec l'incendie de Rome attribué aux chrétiens par Néron, une telle assimilation devenait plus délicate à soutenir. Toutefois, ces privilèges ou mieux ces tolérances de la part du pouvoir ne situaient pas pour autant les Juifs dans le cadre d'une « religion licite » ; ce concept, repris par Tertullien, n'apparaîtra qu'ultérieurement. Pour un Romain, il n'y a qu'une religion et qu'une citoyenneté qui vaillent, celles de Rome seulement.

Si les Juifs avaient plutôt le soutien impérial, la réaction des couches populaires et des élites intellectuelles de Rome et d'ailleurs était loin de leur être favorable. On les accusait d'abord d'être des paresseux, puisqu'ils refusaient de travailler le jour du sabbat. On les accusait même d'athéisme, puisqu'ils refusaient de reconnaître les dieux de la Cité, voire les autres divinités, en refusant d'entrer dans le jeu du syncrétisme religieux. Leur particularisme religieux, doublé d'une exclusive communautaire marquée par la circoncision et d'étranges règles alimentaires, les rendait facilement odieux. D'autant plus qu'ils cherchaient à s'enfermer sur eux-mêmes pour mieux se protéger et se nourrir suivant les règles de Moïse, sans jamais boire du sang ni manger des viandes étouffées. Bref, Horace (65-8 av.J.C.) et plus tard Juvénal s'en prennent directement à la superstition juive, en donnant à ce dernier mot le sens ancien visant une religion en dehors de la Cité. Ces attaques romaines contre les Juifs avaient d'ailleurs des précédents, et en plus fort encore, dans le monde égyptien.

À Alexandrie en particulier, dès l'an 38 de notre ère, le soulèvement des Grecs idolâtres provoqua un véritable pogrom parmi les Juifs. En effet, ces derniers osaient revendiquer un titre de citoyenneté (grecque) analogue à celui des autres grecs de la ville – et donc prétendre à une diminution de leurs impôts en leur faveur. L'affaire monta jusqu'à Caligula, comme nous l'avons déjà dit. Elle devint d'autant plus litigieuse à un double titre : d'abord, parce que cet empereur voulait ériger une statue idolâtre dans le Saint des Saints, et ensuite, parce qu'il fut sans doute le premier à prendre au sérieux ses propres titres de divinité. Jusque-là on pouvait en effet parler du triomphe divin d'un empereur défunt, on pouvait même user, en Orient surtout, de quelques titres de divinité pour désigner un empereur vivant. Tibère devait cependant quelque peu réagir contre de telles exagérations. Mais Caligula, Néron et plus encore Domitien n'hésitèrent pas à s'attribuer des titres de divinité. L'empereur Domitien ne se présentait-il pas lui-même comme « Seigneur et Dieu » ? Les Juifs, qui jusque-là acceptaient sans trop rien dire ces titres d'une propagande ronflante de la part du pouvoir romain, devinrent de plus en plus méfiants, avant le déclenchement d'une nouvelle guerre contre Rome en l'an 135 de notre ère. Mais déjà, les événements des années 38 à 41, sous Caligula, devaient marquer pour toujours le judaïsme de la Diaspora. La confiance des Juifs mise à l'endroit du pouvoir romain, et de tout autre pouvoir humain ensuite, avait désormais disparu.

Ch. P.

Jésus : II. Origine et éducation de Jésus

Pour présenter Jésus de Nazareth dans son milieu, nous suivrons globalement l'ordre des évangiles, principalement ceux de Matthieu et Luc : de sa conception à sa mort et à sa Résurrection. Ce faisant, nous n'avons aucunement l'intention d'écrire une « biographie de Jésus », entreprise dans laquelle aucun historien contemporain sérieux ne prétend se lancer. Les documents disponibles ne le permettent pas. Les tentatives critiques du siècle dernier s'y sont enlisées, reflétant davantage l'atmosphère scientiste du moment et la personnalité de leurs auteurs que l'objet qu'ils espéraient atteindre.

Un chapitre préliminaire sur la façon dont les historiens abordent la quête de Jésus de Nazareth est nécessaire pour préciser notre démarche. Il peut être considéré comme la toile de fond de tout ce qui est écrit dans les chapitres suivants sur Jésus.

La quête du Jésus de l'histoire

La quête du « Jésus de l'histoire » est la tentative historienne de reconstituer la vie de Jésus de Nazareth sur la base de données historiques « neutres » ; par neutralité, on entend l'absence d'infléchissements dus à la subjectivité des témoins (leur foi ou leur hostilité) dans la reconstitution des faits.

Or, reconstruire la vie et le message d'un personnage de l'Antiquité soulève des problèmes de méthode, qui tiennent à la nature de l'information disponible. Dans le cas de Jésus, l'entreprise est à la fois facilitée par la multiplicité des sources disponibles et compliquée par la visée non historiographique des témoignages.

Les sources documentaires

Les sources se répartissent en quatre catégories.

1. Les *sources romaines* sont décevantes : la vie et la mort de l'homme de Nazareth n'ont pas été jugées dignes d'intérêt par les historiens de l'Empire. La foi des premiers chrétiens est en revanche signalée, ici ou là, pour les troubles qu'elle provoque. Au début du IIe siècle, évoquant dans ses *Annales* l'incendie de Rome, Tacite fait référence aux chrétiens. Vers 111, Pline le Jeune écrit à Trajan à propos de ceux qui adorent *Christus*. Dix ans plus tard, Suétone justifie l'expulsion des juifs de Rome par l'agitation soulevée par un certain *Chrestus*. Ces indications sont maigres ; elles attestent cependant que les historiens romains ne doutaient pas de l'existence de Jésus.

2. Parmi les *sources juives*, le Talmud*, qui est la compilation tardive de l'enseignement des sages d'Israël, ne contient que quelques traces polémiques à l'égard de Jésus que l'on « pendit la veille de la Pâque » (*Sanhédrin* 43a). Ce que l'on appelle le *Testimonium Flavianum* est en

revanche bien plus instructif ; il s'agit d'un portrait de Jésus, dû à la plume de l'historien juif Flavius Josèphe dans ses *Antiquités juives*, publiées en 93-94. Ce texte a été visiblement surchargé d'interpolations chrétiennes ; il témoigne néanmoins de l'intérêt éveillé par le mouvement de Jésus chez l'historien juif.

3. On dispose pour le *Nouveau Testament*, dans l'ordre chronologique, de quelques données de l'apôtre Paul dont la plus ancienne remonte à l'an 50 (1 Th 4,16s ; 1 Co 7,10 ; 9,14 ; Rm 14,14), de l'évangile de Marc (composé vers 65), des évangiles* de Matthieu et Luc et de l'évangile de Jean. Mais il est possible de reconstituer, derrière le texte de Marc 14-15, un récit archaïque de la Passion, fixé à Jérusalem autour de l'an 40 ; en outre, Matthieu et Luc ont puisé dans une collection de paroles de Jésus (dite *source des logia** ou *source** "*Q*"), constituée entre 40 et 50 et aujourd'hui perdue.

4. *Les sources chrétiennes apocryphes* datent, pour les plus anciennes, du milieu du IIe siècle. Il s'agit du *Papyrus Egerton 2* et de l'*Évangile de Pierre* (nous en possédons un fragment rapportant la crucifixion et la résurrection de Jésus). Un *Évangile des Hébreux* et un *Évangile des Nazaréens* ont disparu, à l'exception de quelques paroles citées par les

DOCUMENT

LES TEXTES DES AUTEURS LATINS

Tacite, *Annales*, 15,44
Il s'agit d'un commentaire des suites de l'incendie de Rome, en 64 de notre ère :

Néron supposa des coupables et infligea des tourments raffinés à ceux que leurs abominations faisaient détester et que la foule appelait chrétiens. Ce nom leur vient de Christ que, sous le principat de Tibère, le procurateur Ponce Pilate avait livré au supplice. Réprimée sur le moment, cette détestable superstition perçait de nouveau, non seulement en Judée où le mal avait pris naissance, mais encore à Rome où ce qu'il y a de plus affreux et de plus honteux dans le monde afflue et trouve une nombreuse clientèle. [*voir* p. 466]

Pline le Jeune, *Lettres*, X,96
Gouverneur de Bithynie, l'auteur écrit à l'empereur Trajan pour l'informer de mesures qu'il a dû prendre à l'endroit des chrétiens. Voici la description qu'il donne de leur comportement [*voir* p. 514] :

Toute leur faute ou toute leur erreur, selon eux, s'était bornée à des réunions régulières à date fixe, avant le lever du jour, et au chant commun d'un hymne à Christ comme à un dieu ; ils s'engageaient également par serment non pas à accomplir tel ou tel crime, mais à ne pas commettre de vols, d'extorsions ou d'adultère, ni à revenir sur une foi jurée ou à nier un dépôt réclamé.

Suétone, *Vie de Claude*, 25,4
L'historien évoque une mesure impériale d'expulsion des Juifs de Rome, en 41 ou 49 de notre ère :

Comme les Juifs se soulevaient continuellement à l'instigation de Chrestus, il [Claude] les chassa de Rome.

DOCUMENT

LE TÉMOIGNAGE DE FLAVIUS JOSÈPHE

Antiquités juives, XVIII,63-64
Vers le même temps vint Jésus, homme sage, si toutefois il faut l'appeler un homme. *Car il était un faiseur de miracles et le maître des hommes qui reçoivent avec joie la vérité. Et il attira à lui beaucoup de juifs et beaucoup de Grecs.* C'était le Christ. *Et lorsque sur la dénonciation de nos premiers citoyens, Pilate l'eut condamné à la crucifixion, ceux qui l'avaient d'abord chéri ne cessèrent pas de le faire,* car il leur apparut trois jours après ressuscité, alors que les prophètes divins avaient annoncé cela et mille merveilles à son sujet. *Et le groupe appelé après lui chrétiens n'a pas encore disparu.*

Les phrases soulignées sont vraisemblablement des interpolations dues à des copistes chrétiens de l'Antiquité.

Pères. L'évangile copte de *Thomas*, vers 170, a collecté une série de sentences de Jésus qu'il réinterprète dans un sens spiritualisant. Le *Protévangile de Jacques* (150-200) raconte l'enfance de Marie et de Jésus en recourant largement à la fiction théologique.

En résumé, les sources principales sont d'origine chrétienne, avec une ancienneté et une fiabilité beaucoup plus fortes pour les documents du Nouveau Testament. Quelques traits du Jésus de l'histoire ont été préservés par les évangiles apocryphes*, mais le plus souvent, soumis à forte réinterprétation. Parmi les paroles présumées authentiques figure cette sentence de l'*Évangile de Thomas :* « Jésus a dit : Celui qui est près de moi est près du feu, et celui qui est loin de moi est loin du Royaume » (Ev Th 82 ; cf. Lc 12,49). Le feu est ici l'image du jugement qui vient.

LA VISÉE DES SOURCES

L'origine principalement chrétienne de la documentation avec laquelle travaillent les historiens entraîne deux conséquences.

Premièrement, ces sources ne sont pas « neutres » ; elles constituent des lectures croyantes de l'événement qu'ont été la vie et la mort de Jésus. L'historien tentera donc de reconstruire, derrière les textes, les faits auxquels renvoient ces lectures croyantes ; ce faisant, il extorque une objectivité que les textes lui concèdent difficilement.

Deuxièmement, les évangélistes n'avaient pas une vocation d'archivistes. La question « que s'est-il réellement passé ? » les intéresse nettement moins que celle-ci : « Quel est le sens de cet épisode pour la connaissance de Dieu ? » Les évangélistes ne cherchent donc pas à inventorier des faits, mais à déployer la signification que revêtent, pour les croyants, l'activité et l'enseignement du Nazaréen. Avant eux, la tradition qui a transmis la mémoire de Jésus fonctionnait identiquement. C'est pourquoi elle a préservé la mémoire de telle parole, de telle guérison, de telle parabole, mais sans mémoriser l'endroit où elles eurent lieu, ni le moment, ni le plus souvent ses destinataires.

Nous ne sommes donc plus en mesure de reconstruire une biographie de Jésus, où les divers matériaux que nous livrent les évangiles pourraient être situés dans le temps et dans l'espace avec un degré suffisant de certitude. Quelques repères sûrs demeurent : le baptême de Jésus au seuil de son ministère public ; son activité essentiellement déployée en Galilée ; une pratique forte de la guérison ; un conflit montant avec les autorités religieuses d'Israël ; une dernière période à Jérusalem marquée par l'éclatement d'une crise, puis son exécution décidée par les Romains sur dénonciation juive. Hors de ces repères, localiser chronologiquement et géographiquement les matériaux de la tradition de Jésus relève de l'hypothèse.

Les critères d'authenticité

Comment procèdent les historiens pour rejoindre, en deçà du récit évangélique, l'information « neutre » qu'ils recherchent ? Ils se livrent à une forme de décapage des textes, soumettant chaque élément à une série de critères qui font décider si l'élément en question peut ou ne peut pas être retenu pour la reconstruction du Jésus de l'histoire. Ces critères sont cumulatifs ; l'usage d'un seul ne suffit pas.

Le *critère d'attestation multiple :* sont réputés authentiques les faits et gestes de Jésus attestés par au moins deux sources littérairement indépendantes l'une de l'autre. On retiendra dès lors un motif dont témoignent à la fois Paul et Marc, ou Matthieu et Jean, ou encore Luc et l'*Évangile de Thomas.*

Le *critère de l'embarras ecclésiastique :* sont retenus les paroles ou actes de Jésus qui ont créé difficulté dans leur application au sein des premières communautés chrétiennes. Exemples de motifs embarrassants : le baptême de Jésus par Jean (Mt 3,13-17), qui place le Nazaréen en situation de surbordination face au Baptiseur ; ou encore l'annonce de la venue imminente du Règne de Dieu, parce qu'elle ne s'est pas produite du vivant de ceux qui sont « ici présents » (Mc 9,1).

Le *critère de différence :* une tradition peut être considérée comme authentique à condition de n'être pas la pure reprise d'un motif présent dans le judaïsme* de l'époque, ou l'effet d'une relecture chrétienne d'après Pâques. Sont ainsi écartées l'insistance sur l'autorité de la Tora* comme telle (c'est un dogme pharisien) ou la réflexion sur l'organisation de l'Église* (typique de l'intérêt des premiers chrétiens). Par contre, le cinglant « Laisse les morts enterrer leurs morts » (Lc 9,60) n'a pas son pareil dans l'Antiquité, sinon auprès de quelques philosophes cyniques.

Le *critère de plausibilité historique* fait retenir ce qui est plausible dans le cadre du judaïsme palestinien au temps de Jésus (plausibilité en amont), mais aussi ce qui explique l'évolution de la tradition de Jésus après Pâques* (plausibilité en aval). Par exemple, le fait que deux courants anciens du christianisme aient pu défendre, l'un l'attachement à la Tora (Matthieu), l'autre le détachement à l'égard de la loi* juive (Paul et Marc), fera attribuer à l'homme de Nazareth une position qui génère ces deux développements. En l'occurrence, on lui reconnaîtra une volonté de refonder la Tora, qui recompose la loi autour de l'impératif d'aimer autrui, mais ne l'abroge pas ; la transgression du sabbat pouvait dès lors être comprise aussi bien comme l'indice d'une critique de la loi (Mc 2,28) que comme le signal d'une reconfiguration de la loi autour de préceptes majeurs (Mt 12,7-8).

Le *critère de cohérence* postule que Jésus ne fut pas un être absurde ou contradictoire ; une logique peut donc être recherchée entre ses paroles et ses gestes, ainsi qu'à l'intérieur de son discours. La majorité des historiens estime que le pôle de cohérence de l'activité de Jésus, et de la conscience qu'il avait de lui-même, est à chercher dans une conviction de la venue imminente du Règne de Dieu (Lc 10,18 ; 12,8-10) ; elle donne à sa morale un caractère d'urgence qui imprègne tous ses actes. Par ailleurs, à l'enseigne des Sages d'Israël, Jésus sait tirer parti de l'observation de la nature, où éclate la générosité de la Providence, pour enseigner à imiter la générosité de Dieu (Mt 5,43-47).

Une *logique de crise* doit également être appliquée. Toute reconstruction de la vie du Nazaréen doit faire apparaître pourquoi, et sur quels points, a pu se déclencher le conflit mortel qui a opposé Jésus aux leaders religieux d'Israël. On tend aujourd'hui à penser que la prétention de messianité attribuée à Jésus ne fut pas décisive (d'autres figures du judaïsme, tel Simon bar Kochba, se sont parées du titre de Messie* sans être rejetées). En revanche, une impertinente liberté a été reprochée à Jésus face à la Tora ; la protection rituelle de la pureté de l'individu ne jouait plus de rôle à ses yeux. Le geste qui a fait basculer la crise fut très probablement l'attentat violent contre le Temple (Mc 11,15-18) ; il a coûté à Jésus le respect des Sadducéens*, mais surtout l'estime du peuple, qui dès lors se retournera contre lui et réclamera sa mort au préfet Pontius Pilatus (Ponce Pilate).

Une irréductible singularité

Toute reconstruction du Jésus de l'histoire doit satisfaire à ces six critères, que chaque historien pondère à sa façon. Mais le résultat de la recherche historienne est divers : Jésus ressemblait-il au prophète, au rabbi* pharisien*, au guérisseur, ou au zélote* ?

Car l'historien, pour cerner un personnage historique, est contraint de travailler par analogie. Il compare le personnage aux diverses figures présentes dans son milieu social, et collecte les signes d'appartenance à l'une ou l'autre de ces figures. C'est ainsi que tour à tour, on a rapproché Jésus des prophètes d'Israël (ses visions, ses oracles de salut, ses gestes symboliques) ou des rabbis pharisiens (son enseignement sur la Tora). On l'a comparé aux nombreux guérisseurs charismatiques* que connaissait à l'époque le monde juif et gréco-romain. Son exécution par Pilate pour délit de royauté (Jn 18,19) a fait penser qu'il partageait l'idéal théocratique des zélotes.

Ce résultat contradictoire de la quête historienne fait apparaître à quel point la figure de Jésus résiste à l'enfermement dans les catégories du monde ambiant. Sa liberté souveraine dans l'interprétation de la loi juive le sépare des rabbis (« Vous avez entendu qu'il a été dit aux ancêtres… Eh bien ! moi je vous dis » ; Mt 5,21-48). La conscience de son rôle décisif dans l'avènement du Règne de Dieu le distingue des autres guérisseurs. Des zélotes, il partage la conviction d'une urgence à agir, mais non l'option pour la violence (Lc 6,29-30).

C'est encore des prophètes de renouveau qu'il s'avère le plus proche : ces hommes surgissent au tournant de l'ère chrétienne pour annoncer la venue proche du Dieu d'Israël et poser les signes d'un nouvel Exode ; Jean le Baptiseur (Baptiste) fut l'un d'eux. Mais face à eux aussi, Jésus manifeste son irréductible singularité. Jamais l'annonce du Règne de Dieu n'épouse les frontières du nationalisme juif ; le Nazaréen n'a pas programmé l'évangélisation des non-juifs, mais l'apôtre Paul développe correctement son message en parlant du Dieu de tous et de chacun (Ga 3,28). Cette singularité de Jésus s'enracine dans son expérience unique de Dieu ; au début de son activité publique, lors du baptême, la conscience lui fut donnée d'être le médiateur privilégié du Père, le « fils » (Mc 1,9-11).

D. M.

La conception de Jésus et le monde des conceptions extraordinaires

Les récits de conceptions extraordinaires sont bien connus dans la littérature ancienne : égyptienne, grecque, romaine et juive. Ils appartiennent à un genre littéraire auquel on recourt pour marquer la grandeur d'un personnage qui s'est illustré dans l'histoire, soit en raison de ses exploits politiques, guerriers ou sociaux, soit en raison de l'influence de sa pensée ou de son enseignement. Ces récits à caractère fictif sont habituellement composés plus ou moins longtemps après la mort du personnage, quand, avec un certain recul, on devient plus en mesure d'évaluer sa notoriété. À la fois teintés de merveilleux et d'invraisemblance, ils n'ont pas d'abord la prétention d'informer sur la conception et la naissance biologiques de ce personnage, mais bien de témoigner de son importance. Ils sont une façon d'exprimer la conviction qu'il a d'avance été choisi par la divinité, avant même sa conception, pour jouer un rôle très particulier dans l'humanité.

Conception virginale de Jésus

L'annonce de la naissance de Jésus à Joseph, dans l'évangile de Matthieu, assume précisément la fonction propre au genre littéraire « récit de conception extraordinaire », en l'occurrence, mettre en valeur le rôle particulier de Jésus dans l'histoire du salut. Voici ce texte :

Or telle fut la genèse de Jésus Christ. Marie sa mère était fiancée à Joseph : or, avant qu'ils eussent mené vie commune, elle se trouva enceinte par le fait de l'Esprit Saint. Joseph, son mari, qui était un homme juste et ne voulait pas la dénoncer publiquement, résolut de la répudier sans bruit. Alors qu'il avait formé ce dessein, voici que l'Ange du Seigneur lui apparut en songe et lui dit : « Joseph, fils de David, ne crains pas de prendre chez toi Marie, ta femme : car ce qui a été engendré en elle vient de l'Esprit Saint ; elle enfantera un fils, et tu l'appelleras du nom de Jésus : car c'est lui qui sauvera son peuple de ses péchés. » (Mt 1,18-21)

Les composantes essentielles du genre littéraire « récit de conception extraordinaire » sont les suivantes : 1. la divinité choisit d'avance le futur héros ; 2. elle intervient pour assurer sa conception (ou assure elle-même la conception) ; 3. elle désigne le nom de l'enfant qui va naître ; 4. elle détermine sa mission future ; 5. elle lui assure l'assistance nécessaire pour accomplir cette mission. L'étape 4 constitue la pointe d'un récit de conception extraordinaire : la divinité intervient pour que naisse un héros selon ses vues. Quant à la dimension sexuelle de la rencontre, elle est souvent à peine évoquée, ou même complètement absente. La divinité peut effectivement procréer par la puissance de son vouloir. Notons d'ailleurs le scepticisme de Plutarque, dont l'œuvre est contemporaine de la rédaction des évangiles, quant à la matérialité de l'union dans les conceptions divines égyptiennes : « Il n'est pas impossible que l'esprit de la divinité s'approche d'une femme et que, par sa vertu, il fasse germer en elle des principes de génération. » Par la même occasion, ce questionnement de Plutarque livre une précieuse informa-

BIBLE

CONCEPTIONS EXTRAORDINAIRES DANS L'ANCIEN TESTAMENT

Sara, la femme préférée d'Abraham, n'avait pas d'enfant. Dieu corrige cette situation pour assurer au patriarche une descendance selon son cœur :

Dieu dit à Abraham : « Ta femme Saraï [...], je la bénirai et même je te donnerai d'elle un fils ; elle deviendra des nations, et des rois de peuples viendront d'elle. » Abraham tomba la face contre la terre, et se mit à rire [...] : « Un fils naîtra-t-il à un homme de cent ans, et Sara qui a quatre-vingt-dix ans va-t-elle enfanter ? »

(Gn 17,15-17).

Le cas de Sara et d'Abraham n'est cependant pas unique dans l'Ancien Testament. Rébecca, femme d'Isaac, enfanta, elle aussi, grâce à l'intervention de Dieu : « Isaac implora le SEIGNEUR pour sa femme, car elle était stérile : le SEIGNEUR l'exauça et sa femme Rébecca devint enceinte » (Gn 25,21). Il en fut ainsi également de Rachel, femme de Jacob (Gn 29,31 ; 30, 22-24), de Anne, la mère de Samuel (1 S 1, 5-6. 19-20) et de la femme de Manoah, la mère de Samson (Jg 13,2-5).

DOCUMENT

LA CONCEPTION DIVINE EN ÉGYPTE

Dans le monde égyptien, le mythe de la conception divine a été appliqué au Pharaon. On en retrace des indices dans plusieurs cas dont ceux de Thoutmosis Ier, Thoutmosis IV, Aménophis III et Ramsès II. Les textes relatifs à la conception divine de la reine Hatchepsout, à l'origine de la XVIIIe dynastie, illustrent la fonction du genre littéraire « récit de conception extraordinaire ».

Hatchepsout est, en réalité, la fille du roi Thoutmosis Ier et de la reine Ahmosis. Elle est, elle-même, devenue reine en raison de l'absence d'héritier mâle. Sans doute pour légitimer le règne d'une femme, une situation anormale dans ce pays où l'on souhaite être dirigé par des hommes, on attribue l'origine de sa royauté à la volonté du dieu Amon. Ce dieu, dit-on, désire la naissance d'un souverain qui régnera sur l'ensemble du territoire égyptien. Il se présente donc à la reine Ahmosis sous l'apparence de son époux, le roi Thoutmosis Ier :

Alors cet auguste Dieu vint, Amon, Seigneur de Karnak, lorsqu'il eut changé son apparence en la Majesté de son époux, le Roi de Haute et Basse Égypte Aakheperkarê. Ils la trouvèrent alors qu'elle reposait dans la magnificence de son palais. Elle s'éveilla au parfum du Dieu. Elle sourit en face de Sa Majesté. Aussitôt il alla vers elle ; il la désira ; il posa son cœur sur elle ; il permit qu'elle le vît en sa forme de Dieu. Après qu'il se fut approché d'elle qui se réjouissait de voir sa beauté, son amour courut dans sa chair... Elle dit, l'Épouse et Mère Royale Ahmosis en présence de la Majesté de ce Dieu auguste, Seigneur des Trônes de Deux Pays : « Seigneur, vraiment combien grande est ta puissance ! c'était noble chose de voir ta face lorsque tu t'es uni à Ma Majesté en ta perfection et que ta rosée a pénétré toute ma chair. »

(Traduction S. Ratié)

tion : l'idée d'engendrement par l'esprit divin n'est pas originale dans l'évangile de Matthieu.

La tradition biblique avait d'ailleurs tracé la voie aux évangélistes. Elle contient, en effet, plusieurs cas de conceptions extraordinaires, qui ne sont toutefois pas virginales. Il s'agit, la plupart du temps, de femmes stériles, souvent avancées en âge, dont la grossesse relève d'une initiative de Dieu, mais qui conçoivent au cours d'une relation conjugale normale. Elles donnent alors naissance à des fils qui auront des rôles majeurs à jouer au cours de l'histoire du salut. C'est le cas de Sara, mère d'Isaac, et de plusieurs autres femmes.

Dans le Nouveau Testament, outre les récits appliqués à Jésus, rappelons aussi ceux appliqués à Jean, le Baptiste. La situation de ses parents, Zacharie et Élisabeth – couple avancé en âge et stérilité d'Élisabeth (Lc 1,7) – est, en fait, une réplique du cas d'Abraham et de Sara. Que le genre littéraire « récit de conception extraordinaire » ait été utilisé pour présenter la conception de Jean n'a rien d'étonnant, considérant l'importance de son rôle à titre de précurseur de Jésus. On comprendra aisément aussi que les évangélistes Matthieu et Luc aient eu recours à ce genre pour marquer la venue de Jésus en ce monde, leur permettant de l'inscrire dans la lignée des grands personnages qui ont marqué l'histoire et de témoigner de l'élection de Dieu à son égard. Par ailleurs, pour souligner son rôle unique dans l'histoire du salut, la tradition chrétienne a attribué sa conception à l'Esprit Saint, la distinguant ainsi des autres conceptions de la tradition biblique où l'intervention masculine était requise.

Une intention théologique

Les exemples évoqués jettent un éclairage certain sur la façon d'aborder les récits entourant la conception de Jésus. On ne saurait, par exemple, prétendre naïvement que les traditions relatives à cet événement se sont développées indépendamment du modèle « récit de conception extraordinaire », alors si bien connu dans les cultures ambiantes. Il importe de rechercher en priorité la portée théologique des récits concernant Jésus, sans se buter sur la question de savoir s'il est vrai que Jésus a été conçu sans la contribution masculine.

Document

Midrash du petit Moïse

L'admiration que le peuple juif portait à Moïse n'a jamais cessé de s'accroître. Aux yeux de ce peuple, il n'y a pas eu, parmi les hommes, de plus grand que Moïse. Cette admiration se reflète dans des *midrashim** que nous ont transmis des auteurs juifs du Ier siècle de l'ère chrétienne, l'historien Flavius Josèphe et le Pseudo-Philon. Ces *midrashim* reprennent le texte du livre de l'Exode sur la naissance de Moïse et l'embellissent. Voici ce que l'on peut lire dans les *Antiquités juives* de Flavius Josèphe :

Un des scribes sacrés qui ont du talent pour prédire l'avenir avec exactitude, annonça au roi qu'il devait naître en ce temps un enfant israélite qui humilierait la souveraineté des Égyptiens et exalterait les Israélites ; devenu grand, il surpasserait tous les hommes par sa vertu... Prenant peur, le roi ordonna alors de faire périr, en le jetant dans le fleuve, tout enfant mâle qui naîtrait des Hébreux.

(Antiquités juives, II,205).

Le Pseudo-Philon, de son côté, relate un songe qu'avait eu Myriam, la sœur aînée de Moïse :

L'Esprit de Dieu fondit sur Myriam, une nuit, et elle vit un songe qu'elle raconta le matin à ses parents : « J'ai vu une vision cette nuit : voici qu'un homme vêtu de lin (un ange) *se tenait là. Il me dit : Va dire à tes parents : voici, ce qui naîtra de vous sera rejeté dans l'eau, car par lui l'eau sera asséchée* (passage de la mer Rouge) *; je ferai par lui des signes et je sauverai mon peuple ; c'est lui qui en assurera toujours la conduite. »*

(Livre des Antiquités bibliques, IX,10.
Trad. J. Cazeaux)

Notons, par ailleurs, qu'aucun cas de conception extraordinaire ne saurait être proposé comme étant le prototype parfait de tous les autres. Au contraire, chaque utilisation adapte les paramètres du modèle aux traits de sa culture et aux exigences de ses croyances religieuses.

Les naissances découlant de conceptions extraordinaires ne sont pas pour autant virginales. Fécondées par les divinités, les femmes donnent naissance aux enfants qu'elles portent par les voies naturelles. La naissance de Bouddha fait pourtant exception. On raconte, en effet, qu'en Inde, vers 560 av.J.C., la reine Mâyâ avait vu en rêve un éléphant blanc qui portait un lotus blanc dans sa trompe s'approcher d'elle et, touchant son côté droit, entrer dans ses entrailles. Quand, à son réveil, elle raconta ce qu'elle avait vu aux Brahmanes, ils lui dirent qu'elle avait conçu un enfant mâle qui deviendrait un grand roi ou un bouddha, c'est-à-dire un « éveilleur ». Le moment de la naissance venu, pendant qu'elle se rendait chez sa mère pour l'accouchement, Mâyâ dut s'arrêter en route pour se reposer. Alors qu'elle se tenait debout, appuyée à une branche de figuier, l'enfant sortit sans douleur de son flanc et fut recueilli sur un linge par un dieu.

Les textes évangéliques, pour leur part, ne parlent pas de naissance virginale au sujet de Jésus. Ils disent simplement que « les jours furent accomplis où elle [Marie] devait enfanter. Elle enfanta son fils premier-né » (Lc 2,6-7) ; et encore, que Marie « enfanta un fils, et il [Joseph] l'appela du nom de Jésus » (Mt 1,25). Rien ne laisse donc entendre que cet enfantement se soit déroulé hors des voies normales, ou plus précisément qu'il ait été virginal.

Les légendes associées à la naissance de Moïse, elles aussi, apportent un éclairage supplémentaire et favorisent une interprétation plus juste de celles concernant Jésus. Rappelons cependant que les circonstances de la conception de Moïse diffèrent de celles des autres conceptions extraordinaires ; Moïse est, en effet, conçu dans des conditions normales, de parents féconds en âge de procréer. L'intérêt porte sur un autre aspect, comme le démontre ce qui suit.

Le livre de l'Exode (ch. 1-2) raconte les débuts fantastiques de Moïse, qui échappe à l'édit du Pharaon ordonnant de faire périr les nouveau-nés mâles des Hébreux en les jetant dans le Nil. Pharaon, craignant que ce peuple ne devienne trop puissant et ne se révolte contre l'Égypte, veut ainsi freiner son expansion. Un seul enfant échappe à la noyade et c'est Moïse. Or, il deviendra plus tard sauveur de son peuple en le délivrant de l'esclavage. Il sera aussi l'intermédiaire entre Dieu et ce peuple en lui donnant la Loi qui permettra de vivre en alliance avec Dieu.

De toute évidence, le texte de Matthieu concernant la naissance et l'enfance de Jésus (Mt 2) s'inscrit nettement dans la ligne, à la fois, du livre de l'Exode et des *midrashim**. Tout d'abord, on y voit un Hérode troublé par les questions des Mages au sujet de l'enfant « roi des Juifs qui vient de naître ». Il leur demande de se renseigner attentivement sur l'enfant et sur le lieu de sa naissance, avec le désir secret de le faire mourir. Mais les Mages, informés en songe des intentions malicieuses d'Hérode, retournent chez eux par un autre chemin. Hérode décide alors de faire tuer les enfants mâles de moins de deux ans. Le seul qui échappe au massacre est précisément celui qui était visé, Jésus. Hérode joue donc ici le rôle de Pharaon, qui a voulu faire mourir les nouveau-nés mâles des Hébreux, alors que Jésus, lui, est identifié à Moïse, qui a échappé au Pharaon.

On saisit clairement l'intention de Matthieu en moulant les débuts de Jésus sur ceux de Moïse : il veut présenter Jésus comme le nouveau Moïse, messager de la loi nouvelle (que l'on trouvera résumée dans le Sermon sur la montagne en Mt 5-7) et sauveur du peuple. Comme Dieu était intervenu en faveur de Moïse, aussi intervient-il en faveur de Jésus. Par ailleurs, le caractère légendaire des récits relatant comment Moïse a échappé à la noyade se profile également dans les récits matthéens relatant comment Jésus a échappé au massacre des enfants de Bethléem.

DOCUMENT

LE RECENSEMENT DE QUIRINIUS

Flavius Josèphe, dans les *Antiquités juives* (XVIII,1-2), fait état d'un recensement commandé par César Auguste, dont Quirinius aurait effectivement eu la charge en Judée :

Membre du Sénat, Quirinius avait rempli toutes les magistratures (d'une carrière sénatoriale) et s'était élevé par là jusqu'au consulat ; il jouissait en tous points d'une grande considération – ce qui n'est donné qu'à peu d'hommes. Il arriva en Syrie envoyé par César (Auguste) pour être le légat de cette province et faire le recensement des fortunes en vue de l'impôt. Avec lui, on envoya Coponius, un personnage de l'ordre équestre, pour gouverner les Juifs avec pleins pouvoirs. Comme la Judée avait été annexée à la Syrie, Quirinius y arriva, lui aussi, afin de faire le recensement des fortunes des Juifs et de liquider les biens d'Archelaüs.

Quirinius arriva en Syrie après qu'Archelaüs, fils d'Hérode le Grand, eut été déposé. Or, cet Archélaüs avait régné sur la Judée de la mort de son père, en 4 av.J.C., jusqu'à sa déposition, en 6 ap.J.C. Comme c'est à ce moment-là que Quirinius fut nommé pour faire le recensement, il faut donc le situer en 6 ou 7 de l'ère chrétienne. Jésus aurait alors eu un peu plus de dix ans, si l'on considère que Jésus est né sous le règne d'Hérode le Grand.

REPÈRE

DATE DE LA NAISSANCE DE JÉSUS

Certains prétendent que l'an 2000 ne correspond pas vraiment au deux millième anniversaire de la naissance de Jésus et que celui-ci serait né entre 4 et 6 ans avant l'ère chrétienne. Est-ce exact ? D'où vient la date du 25 décembre ?

On a commencé à dater officiellement les années sur la base de la naissance de Jésus au VIe siècle seulement. Un moine nommé Denys le Petit a situé, par erreur, la première année de l'ère chrétienne en l'an 754 de l'ère romaine, cette datation désignant le nombre d'années écoulées depuis la fondation de Rome. On sait pourtant qu'Hérode le Grand est mort au printemps de l'an 750 de l'ère romaine, donc quatre ans avant le début de l'ère chrétienne établie d'après les calculs de Denys le Petit. Or, Matthieu et Luc attestent tous les deux que Jésus est né sous le règne d'Hérode. Il faut, en conséquence, comprendre qu'il est né quelque peu avant 750, entre quatre et six ans avant le début de l'ère chrétienne.

Quant à la célébration de la naissance de Jésus le 25 décembre, elle remonterait à la fin du règne de Constantin au IVe siècle. Elle aurait remplacé la célébration de la fête païenne du Soleil renaissant coïncidant avec le solstice d'hiver où effectivement la lumière du soleil, jusque-là décroissante, recommence à croître. Il est intéressant de noter, par ailleurs, que la date de naissance de Jean le Baptiste est fixée au 24 juin, au solstice d'été, où la lumière commence à décroître. Ne fallait-il pas que Jean s'efface pour que Jésus se manifeste ?

UNE INTENTION HISTORIQUE

Quant au moment où Jésus est né, il n'est guère possible de le déterminer avec exactitude. D'une part, Matthieu et Luc situent sa naissance sous Hérode le Grand ; d'autre part, Luc prétend que cette naissance coïncide avec un grand recensement ordonné par l'empereur Auguste :

Or, il advint, en ces jours-là, que parut un édit de César Auguste, ordonnant le recensement de tout le monde habité. Ce recensement, le premier, eut lieu pendant que Quirinius était gouverneur de Syrie. Et tous allaient se faire recenser, chacun dans sa ville. Joseph aussi monta de Galilée, de la ville de Nazareth, en Judée, à la ville de David, qui s'appelle Bethléem – parce qu'il était de la maison et de la lignée de David – afin de se faire recenser avec Marie, sa fiancée, qui était enceinte. Or il advint, comme ils étaient là, que les jours furent accomplis où elle devait enfanter. Elle enfanta son fils premier-né, l'enveloppa de langes et le coucha dans une crèche, parce qu'ils manquaient de place dans la salle. (Lc 2,1-7)

L'information relative au recensement sous Quirinius embrouille la situation plus qu'elle ne la clarifie puisque ce recensement n'eut lieu qu'en 6 ou 7 de l'ère chrétienne, comme l'indique le témoignage de

Flavius Josèphe. En conséquence, cet événement ne peut être retenu comme un indice historique en vue de déterminer l'année de la naissance de Jésus. Comment alors expliquer la présence de cette information au début de l'évangile de Luc ?

Luc a probablement voulu situer la naissance de Jésus au cœur d'un grand recensement de « tout le monde habité » pour marquer la valeur universelle du salut qu'il apporte. Mais en plus, il semble bien qu'il cherchait un prétexte pour amener les parents de Jésus, au moment de sa naissance, à Bethléem, la ville où était aussi né le roi David, pour mieux marquer son inscription dans la dynastie davidique. Le recense-

REPÈRE

SENS DE L'EXPRESSION « FILS DE DIEU »

Dans la Bible, le titre « Fils de Dieu » revêt diverses connotations : 1. Il est appliqué aux anges ou aux êtres célestes (exemple Gn 6,2). 2. Il peut désigner le peuple de Dieu ; il marque, dans ce cas, la prédilection de Dieu à l'endroit de son peuple (exemple Os 11,1). 3. Il est donné au roi d'Israël au moment de son accession au trône, comme en fait foi l'oracle du Ps 2,7 adressé au roi : « Tu es mon fils, moi aujourd'hui, je t'ai engendré. » Il est alors directement lié à la fonction royale (de même en 2 S 7,14). [*voir* vol. I, p. 261] 4. Il est encore utilisé pour identifier le juste, celui dont la conduite correspond aux attentes de Dieu (exemple Sg 2,18) ; cette identification se retrouve aussi dans le Nouveau Testament (exemple Lc 6,35) ; c'est l'aspect moral qui prédomine dans ce cas. 5. Paul applique ce titre aux chrétiens pour caractériser la nouveauté de leur statut ; ainsi lit-on en Ga 3,26 : « Car tous vous êtes fils de Dieu par la foi en Jésus Christ. »

Appliqué à Jésus, le titre « Fils de Dieu » peut avoir soit une valeur morale, soit une portée royale : il a une valeur morale quand il désigne Jésus comme étant le *juste* par excellence, l'être humain parfait devant Dieu; il a une portée royale quand il désigne Jésus comme Messie, de la lignée royale de David, faisant alors référence à sa fonction de roi. Il faut bien remarquer que, dans le Nouveau Testament, le titre appliqué à Jésus ne l'est jamais au sens ontologique, c'est-à-dire qu'il n'est jamais utilisé pour désigner sa nature ou pour parler de sa divinité.

Il est important de savoir aussi que le titre « Fils de Dieu » n'est pas utilisé seulement dans le monde juif et chrétien, mais qu'il l'est également dans les autres cultures. Par exemple, les stoïciens parlent de Zeus comme étant le Père de tous. Mais le titre est surtout attribué aux grandes personnalités : à des philosophes comme Platon et Pythagore, à des thaumaturges comme Asclépios, à des rois comme Alexandre le Grand, Auguste, la reine Hatchepsout et Ramsès II. Concernant ce dernier, on lit dans le temple de Ptah à Memphis, cette parole du dieu : « Tu es mon fils, mon héritier, celui qui est sorti de mes membres. » On ne peut s'empêcher de faire le rapprochement avec cette parole du Ps 2,7, plus haut citée, adressée par Dieu au roi d'Israël au jour de son intronisation : « Tu es mon fils, moi, aujourd'hui, je t'ai engendré. » Ce qui montre encore une fois l'interaction des influences culturelles.

Tous ces exemples appuient encore l'idée que ces filiations divines ne doivent pas être envisagées sous l'angle ontologique ; elles se développent en raison de l'importance morale ou politique du personnage. Elles leur sont attribuées rétrospectivement, très souvent aux personnages qui ont bénéficié d'une conception extraordinaire.

ment, dont il aurait connu l'existence sans peut-être en avoir su exactement la date, sera ce prétexte. La cohérence de son choix n'est pourtant pas évidente. Tout d'abord, le recensement, qui avait pour objectif le prélèvement des impôts, lesquels sont normalement perçus au lieu de résidence de l'individu, soit en Galilée en ce qui concerne Joseph, n'exigeait pas un tel déplacement. Comment comprendre, de plus, que Joseph ait inutilement imposé un tel voyage à Marie qui était sur le point d'accoucher, alors qu'il n'était pas requis d'elle qu'elle s'inscrive avec lui ? Le motif du recensement pour amener le couple à Bethléem manque donc de crédibilité. Matthieu, qui lui aussi voyait la nécessité de situer la naissance de Jésus à Bethléem, laisse simplement entendre que les parents de Jésus habitaient déjà dans cette ville (Mt 2,11). Ils seraient allés s'établir à Nazareth à leur retour d'Égypte par crainte d'Archélaüs qui régnait précisément sur la Judée (Mt 2,22-23).

Il faut conclure que le lieu de naissance de Jésus (Nazareth ou Bethléem ?) n'est pas assuré, et qu'il est impossible de dater avec précision l'année de la naissance de Jésus. D'une part, les données de Luc relatives au recensement ne peuvent être valablement utilisées pour le faire ; et d'autre part, on n'en arrive qu'à une approximation en plaçant la naissance de Jésus quelque peu avant la mort du roi Hérode le Grand.

O. M.

L'enfance de Jésus et le monde des récits de jeunesse

Le récit de conception extraordinaire marque l'élection par Dieu d'un grand personnage de l'histoire. Dans le prolongement de ce genre littéraire, existe aussi le genre « récit de jeunesse » servant à décrire un exploit dans le jeune âge (autour de la puberté) d'un futur héros. Il témoigne de la précocité de l'enfant, habituellement dans un domaine spécifique, présage de l'œuvre où il s'illustrera à l'âge adulte. Mais comme c'est le cas pour le récit de conception extraordinaire, le récit de jeunesse est aussi écrit en rétrospective, quand le dénouement est connu et que les œuvres prodigieuses du héros sont louées de toute part. Ce genre ne vise pas tant à dévoiler une anecdote ou un fait historique qu'à glorifier le héros en retraçant dans son enfance des signes précurseurs et des prédispositions particulières pour la mission qu'il a remplie au cours de sa carrière.

Comme le genre « récit de conception extraordinaire », le genre « récit de jeunesse » était également bien connu dans l'antiquité égyptienne, grecque et romaine. Plusieurs personnages illustres ont effectivement bénéficié d'un tel hommage, entre autres : Cyrus, Homère, Épicure, Alexandre, Cicéron, Auguste, Apollonios de Tyane. Dans chacun des cas, le biographe cherche à mettre en valeur l'intelligence et la sagesse exceptionnelles du héros au temps même de son enfance.

On ne sera pas surpris de retrouver, dans le Nouveau Testament, le genre « récit de jeunesse » appliqué à Jésus pour marquer sa précocité. Luc l'utilise effectivement dans le cadre de l'épisode où Jésus, ayant échappé à la vigilance de ses parents, se retrouve dans le Temple au

REPÈRE

La précocité d'Alexandre le Grand

La précocité d'Alexandre est mise en lumière par Plutarque dans ses *Œuvres morales* :

Le désir de gloire qui s'était annoncé dès son enfance ne fit qu'augmenter avec l'âge. Il en donna des preuves lorsqu'en l'absence de son père, il reçut [...] les ambassadeurs du roi de Perse. Il ne leur fit pas de questions puériles au sujet des treilles dorées ou des jardins suspendus, ou de l'apparat du roi, mais il était exclusivement préoccupé des ressorts du pouvoir.

Cet intérêt prématuré du jeune garçon pour des questions politiques aussi sérieuses étonne ses interlocuteurs. Mais si Plutarque a retenu ce trait particulier, c'est qu'il manifeste par anticipation ce qui fera la force de la carrière d'Alexandre. L'anecdote est effectivement racontée pour mettre en valeur le talent politique inné de l'enfant. Quant à son intelligence et sa perspicacité, elles sont illustrées dans la légende au sujet du fameux cheval Bucéphale qu'Alexandre avait réussi à monter dès sa première tentative, grâce a l'observation qu'il avait faite des comportements de la bête. La légende dit que personne n'était encore parvenu à monter ce cheval, si bien que le roi Philippe II, le père d'Alexandre, avait décidé de s'en départir. L'adolescent, qui avait détecté la grande valeur de la bête et qui avait découvert la façon efficace de l'aborder, avait déploré en ces termes la décision de son père : « Quel cheval ils perdent, parce que, faute d'habileté et de courage, ils ne savent pas en tirer parti ! » Son père fut tellement impressionné devant l'exploit de son fils qu'il lui dit : « Mon fils, cherche un royaume digne de toi-même. La Macédoine est trop petite pour toi. » Encore une fois, une telle parole ne prend sa valeur qu'à la lumière de l'incomparable carrière du grand Alexandre ; ou plus exactement, cette parole a dû être attribuée à son père pour faire ressortir encore davantage la prédestination de l'enfant à sa carrière glorieuse.

milieu des docteurs, qui s'émerveillent de son savoir. Jésus manifeste donc, en cette occasion, sa supériorité :

Ses parents se rendaient chaque année à Jérusalem pour la fête de la Pâque. Et lorsqu'il eut douze ans, ils y montèrent, comme c'était la coutume pour la fête. Une fois les jours écoulés, alors qu'ils s'en retournaient, l'enfant resta à Jérusalem à l'insu de ses parents. Le croyant dans la caravane, ils firent une journée de chemin, puis ils se mirent à le rechercher parmi leurs parents et leurs connaissances. Ne l'ayant pas trouvé, ils revinrent, toujours à sa recherche, à Jérusalem. Et il advint, au bout de trois jours, qu'ils le trouvèrent dans le Temple, assis au milieu des docteurs, les écoutant et les interrogeant ; et tous ceux qui l'entendaient étaient stupéfaits de son intelligence et de ses réponses. À sa vue, ils furent saisis d'émotion, et sa mère lui dit : « Mon enfant, pourquoi nous as-tu fait cela ? Vois ! ton père et moi, nous te cherchons, angoissés. » Et il leur dit : « Pourquoi me cherchiez-vous ? Ne savez-vous pas que je dois être dans la maison de mon Père ? » Mais eux ne comprirent pas la parole qu'il venait de leur dire. Il redescendit alors avec eux et revint à Nazareth ; et il leur était soumis. Et sa mère gardait fidèlement toutes ces choses en son cœur. Quant à Jésus, il croissait en sagesse, en taille et en grâce devant Dieu et devant les hommes. (Lc 2,41-52)

Le dernier verset reprend le contenu de celui qui précède immédiatement l'épisode de Jésus au Temple (le v.40), où on lisait effectivement qu'il « grandissait, se fortifiait et se remplissait de sagesse », de sorte que cet épisode est placé en inclusion entre l'attestation deux fois répétée au sujet de sa grandeur et de sa sagesse. Or, son attitude devant les grands du Temple confirme cette attestation. C'est effectivement sa grandeur et sa sagesse qui sont mises en lumière dans cette scène. Ainsi, on saisit clairement l'intention de Luc en appliquant le genre à Jésus : il souhaite placer Jésus dans la lignée des enfants prodiges qui ont manifesté, dès leur jeunesse, les signes de leur grandeur à venir et le talent qui devait les rendre aptes à assumer leur vocation. Ici encore, le texte biblique porte la marque de son époque et de sa culture.

La mise en parallèle du récit de jeunesse de Jésus et de ceux des autres héros, Alexandre le Grand et Moïse, de même que Bouddha ou

DOCUMENT

LES PRÉDISPOSITIONS DE MOISE

Le genre littéraire « récit de jeunesse » est aussi bien connu dans le judaïsme. Philon d'Alexandrie et Flavius Josèphe en sont des témoins importants. Tous deux ont appliqué ce genre à Moïse. Philon loue la précocité intellectuelle de Moïse affirmant qu'il devance ses maîtres, comme en font foi les passages suivants (*Vie de Moïse*, I, 20-21.25.27) :

Il ne se plaisait pas comme les tout-petits, aux facéties, aux rites et aux jeux [...], ne faisant voir que réserve et sérieux, prêtait attention aux propos et aux spectacles qui devaient profiter à l'âme. Et aussitôt, de toute part, les maîtres se rassemblèrent. [...] Il ne lui fallut pas longtemps pour dépasser leurs capacités, grâce aux heureuses dispositions de sa nature, devançant leurs leçons, si bien que ce semblait être de la réminiscence et non une acquisition de connaissance ; de surcroît, il découvrait tout seul des notions difficiles à découvrir. [...] Franchissant dès lors les bornes de l'enfance, il croissait en réflexion, sans lâcher les brides [...] aux passions juvéniles ; [...] tout au contraire, il les retenait par la sagesse et la fermeté [...] et les contenait de vive force.

(Trad. R. Arnaldez)

Flavius Josèphe dit également que « la sagesse [de Moïse] ne croissait pas selon son âge, mais le dépassait grandement. L'excellence de sa maturité se manifestait dans ses jeux, et ses actes étaient prometteurs des plus grands exploits qu'il accomplirait quand il atteindrait l'âge adulte » (*Antiquités juives* II,228). Dans ce dernier témoignage, Flavius Josèphe dévoile implicitement l'intention qui motive l'utilisation de ce genre littéraire, qui est le témoignage par anticipation de la valeur et du rôle du futur héros.

l'Égyptien Si-Osire, dévoile d'indéniables analogies. Des traits communs permettent de dégager les lignes d'un schéma type. Dans chaque cas : 1. le jeune garçon se retrouve au milieu de savants adultes ; 2. il les dépasse en intelligence et en sagesse ; 3. il suscite l'étonnement et l'admiration ; 4. il démontre, par une parole ou un acte, qu'il a en germe les qualités essentielles à la réalisation de sa mission future.

Comment, en ce qui concerne Jésus, les détails narratifs anticipent-ils sa mission spécifique ? D'abord par le choix des lieux : Jérusalem, la ville sainte vers laquelle se tourne tout le peuple juif ; le Temple, au cœur de la religion juive, symbolise la présence de Dieu au sein de son peuple. Ensuite, par le choix des personnages : les savants docteurs sont les maîtres incontestés auprès du peuple et les interprètes qualifiés de la loi*. Or Jésus, assis au milieu d'eux, dans la maison de Dieu, les surpasse tous par ses connaissances et sa sagesse. C'est donc une anticipation sans équivoque de la mission qu'il aura à accomplir, celle de remplacer les maîtres de l'époque comme interprète de la volonté de Dieu, celle de devenir le seul intermédiaire entre Dieu et l'humanité. La science des grands d'Israël ne suffit plus ; c'est en Jésus que Dieu se manifestera maintenant.

Ce récit atteste donc que, dès sa jeunesse, Jésus possédait tout le potentiel requis pour remplir la mission sans pareille que Dieu lui confiait. Le fait aussi que Jésus appelle Dieu « son Père », alors que Marie vient de lui dire « Ton père (parlant de Joseph) et moi te cherchions », met en relief la relation filiale de Jésus à Dieu : il est le fils de Dieu. Ce titre lui a été attribué en rétrospective par la première communauté quand elle a reconnu en lui le Juste par excellence et le Messie d'Israël.

O. M.

Famille et éducation de Jésus

Qu'il soit né à Bethléem, en Judée, comme l'écrivent Luc et Matthieu, ou à Nazareth, comme le suggèrent Jean et Marc et le pensent beaucoup d'historiens modernes, il est presque certain que Jésus passa son enfance et son adolescence à Nazareth, un petit village de Galilée. Nazareth, qui comptait alors quelques centaines d'habitants, était située à une heure de marche de Sepphoris, avec Tibériade une des deux grandes villes largement hellénisées de Galilée. Cette région, et tout particulièrement la Basse-Galilée où se trouvait Nazareth, était une des zones les plus fertiles et peuplées du monde romain. C'était une voie de passage très fréquentée par les voyageurs et les marchandises.

Joseph et Marie

Joseph, le père putatif de Jésus, était un artisan travaillant le bois et la pierre. Il fabriquait des meubles, des outils, et participait à la construction de toutes sortes d'édifices. Ces activités pouvaient nécessiter une formation assez longue et des connaissances techniques approfondies. Le terme grec utilisé, *tektôn*, comporte une connotation d'habilité et de sagesse. C'est pourquoi les meilleurs artisans étaient très recherchés, notamment pour les travaux d'agrandissement et d'embellissement du Temple commencés sous Hérode le Grand. Peut-être Joseph, et même Jésus, ont-ils participé aux travaux de reconstruction de Sepphoris pendant les premières décennies de notre ère. Joseph et ses enfants cultivaient peut-être également un lopin de terre comme le faisaient, si l'on en croit Eusèbe, les petits-enfants de son fils Jude. En tout cas, Joseph, s'il était loin d'être riche, ne devait pas compter parmi les habitants de Nazareth les plus démunis.

L'ascendance davidique de la famille de Joseph est affirmée dans plusieurs écrits néo-testamentaires. Matthieu et Luc présentent même des généalogies détaillées de Joseph remontant à Abraham pour le premier et à Adam pour le second. Cependant les différences irréconciliables entre ces généalogies ainsi que leur caractère théologique marqué rendent beaucoup d'exégètes* sceptiques sur l'historicité de cette ascendance davidique. Selon eux, il s'agirait d'un théologoumène* postpascal dénué de tout fondement historique. D'autres spécialistes, en revanche, estiment que la croyance en l'origine davidique de la famille de Jésus pourrait être antérieure à la Résurrection. Elle pourrait même reposer sur des traditions familiales bien établies, qu'elles fussent biologiquement fondées ou non. À part les récits de l'Enfance, Joseph est absent des évangiles*, ce qui suggère qu'il était mort lorsque débuta le ministère de Jésus.

Les évangiles ne nous renseignent guère sur la famille de Marie, la mère de Jésus. Selon Luc, Marie était une parente d'Élisabeth, la mère de Jean Baptiste. Mariée au prêtre Zacharie, Élisabeth était elle-même d'origine sacerdotale, ce qui pourrait indiquer que sa parente Marie l'était également. Selon Jn 19,25, une sœur de Marie, parfois identifiée avec la mère des fils de Zébédée, assista à la crucifixion. Pour le *Protévangile de Jacques*, un écrit apocryphe* datant du milieu du IIe siècle, Marie était la fille du riche Joachim et de sa femme Anne. Elle fut, âgée de douze ans, fiancée au vieux Joseph, qui avait déjà plusieurs enfants d'un premier mariage. Quatre ans plus tard elle enfanta Jésus dans une grotte. Le *Protévangile de Jacques*, dont la crédibilité historique est limitée, a joué un rôle important dans l'hagiographie et l'iconographie chrétiennes. Dans les évangiles Marie apparaît surtout dans les récits de l'Enfance. À part Jean, les évangiles ne l'associent guère, sinon de façon plutôt négative, au ministère de son fils. D'après Ac 1,14, elle se trouvait à Jérusalem, après l'Ascension, en compagnie des apôtres et des frères de Jésus.

Les frères et sœurs de Jésus

Les écrits néo-testamentaires mentionnent à plusieurs reprises l'existence de frères et, parfois aussi, de sœurs de Jésus (Ga 1,19 ; 1 Co 9,5 ; Mc 3,31-35 et parallèles ; Mc 6,1-6 et Mt 13,53-58 ; Jn 2,12 ; 7,3-5 ; Ac 1,14). Mc 6,3 et Mt 13,55 indiquent le nom des frères : Jacques, Joset, Jude et Simon. Le nombre et le nom des sœurs ne sont pas précisés. Selon les traditions ultérieures Jésus aurait eu deux sœurs appelées

Myriam et Salomé. La nature exacte de la relation de parenté entre Jésus et ses « frères » a fait l'objet de nombreux débats. Trois théories ont été développées.

Selon la première, qualifiée d'helvidienne, du nom d'Helvidius, un de ses défenseurs à la fin du IVe siècle, les frères et sœurs de Jésus seraient des enfants de Marie et Joseph nés après Jésus. Il s'agit de l'interprétation la plus naturelle des textes néo-testamentaires. Elle donne au mot frère (*adelphos* en grec) son sens le plus courant et respecte le fait que les frères sont le plus souvent associés à la mère de Jésus. Avec l'acceptation de plus en plus généralisée du dogme de la virginité perpétuelle de Marie, cette interprétation est devenue hérétique à partir du début du Ve siècle. Elle est de nos jours adoptée par la grande majorité des exégètes protestants et un nombre croissant de spécialistes catholiques de premier plan. Cette conception, si elle semble la plus probable à l'observateur impartial, ne peut cependant être définitivement prouvée, d'où la persistance des autres théories qui, elles, préservent le dogme de la virginité perpétuelle de Marie.

Selon la seconde conception, parfois qualifiée d'épiphanienne, du nom d'Épiphane évêque de Salamine, les frères et sœurs seraient des enfants d'un premier mariage de Joseph. Cette interprétation, qui apparaît pour la première fois dans le *Protévangile de Jacques*, est difficile à démontrer ou à réfuter. Elle ne s'accorde cependant guère avec la notion de la primogéniture de Jésus. Populaire dans les Églises orthodoxes, elle a été supplantée dans l'Église catholique romaine par la troisième interprétation dite hiéronymienne, du nom de saint Jérôme, son créateur à la fin du IVe siècle.

Selon cette conception, les frères et sœurs de Jésus seraient des cousins. Jérôme non seulement critiquait la conception helvidienne qui ne respectait pas la virginité perpétuelle de Marie, mais aussi la conception épiphanienne parce que, selon lui, Joseph devait avoir été également vierge. Cette interprétation, enseignée par l'Église catholique romaine, a été récemment réaffirmée par le pape Jean-Paul II. Elle repose essentiellement sur 4 présupposés :

1° – Marie, la mère de Jacques le Petit et Joset mentionnée en Mc 15,40 (et parallèles) n'est pas la mère de Jésus.

2° – Jacques le Petit et Joset de Mc 15,40 doivent être identifiés aux Jacques et Joset de Mc 6,3.

3° – La mère de Jacques le Petit et Joset est une parente de Marie ou Joseph.

4° – Des cousins sont systématiquement appelés « frères » dans des textes en grec.

Le premier présupposé est le plus souvent admis. Le présupposé n°2 est plus difficile à prouver surtout si l'on considère que « Marie, la mère de Jacques le Petit et Joset » n'est pas la seule traduction possible du texte. Pour rendre le troisième présupposé vraisemblable, la mère de Jacques le Petit et Joset est le plus souvent identifiée avec la sœur de Marie ; mais d'autres solutions sont concevables. Les défenseurs de la conception hiéronymienne expliquent que les cousins de Jésus sont systématiquement appelés ses « frères » par le fait que l'hébreu n'a pas de mot pour signifier « cousin germain » et que la Bible hébraïque emploie parfois le mot « frère » pour désigner un cousin. Cet argument tend à sous-estimer le fait que les évangiles et les épîtres de Paul ont été rédigés dans la langue grecque qui connaît le mot cousin, et que Paul, et sans doute les évangélistes, connaissaient la relation de parenté exacte entre Jésus et ses « frères ».

La théorie de Jérôme et ses variantes, bien qu'elle ne puisse être décisivement réfutée, est loin d'être convaincante. Elle repose sur une série d'hypothèses discutables. De plus, elle n'est pas attestée avant Jérôme, c'est-à-dire presque quatre siècles après la naissance de Jésus.

Dans sa démonstration Jérôme identifie Jacques le Petit, qui pour lui est aussi Jacques, le frère du Seigneur, de Ga 1,19, avec l'apôtre Jacques d'Alphée, l'un des Douze. Dans la tradition catholique ce Jacques est connu sous le nom de Jacques le Mineur par opposition à Jacques le Majeur, un des fils de Zébédée. De nos jours, peu d'exégètes acceptent d'identifier le frère de Jésus avec Jacques d'Alphée.

Jésus et sa famille

Selon les évangiles, particulièrement Jean et Marc, les membres de la famille de Jésus ne comptèrent pas, de son vivant, parmi ses disciples. Selon Jean, « ses frères ne croyaient pas en lui » (Jn 7,5). Marc nous apprend que les proches de Jésus, pensant qu'il avait perdu la tête, cherchèrent à se saisir de lui (Mc 3,21). Lors de sa visite à Nazareth, Jésus ne put accomplir aucun miracle parce que « un prophète n'est méprisé que dans sa patrie, dans sa parenté et dans sa maison » (Mc 6,4). Lorsqu'on lui annonça que sa mère et ses frères cherchaient à le voir, Jésus indiqua que ceux qui accomplissaient la volonté de Dieu constituaient sa vraie famille (Mc 3,31-35 et parallèles). On peut toutefois se demander si, dans une certaine mesure, le scepticisme, voire l'hostilité de la famille de Jésus ne refléterait pas davantage les conflits ultérieurs entre les communautés liées aux frères de Jésus et celles de Marc et Jean. De même il faut noter que le thème des ruptures et conflits familiaux, surtout dans les temps de la fin, est un élément traditionnel de la prophétie biblique.

Quelles qu'aient été les relations entre Jésus et sa famille, ses frères occupèrent rapidement des positions d'influence dans les communautés chrétiennes. Jacques, le plus connu d'entre eux, bénéficia d'une apparition du Ressuscité (1 Co 15,7). Mais rien, dans le Nouveau Testament, n'indique que cette apparition ait conduit à la « conversion » de Jacques comme le pensent beaucoup d'historiens. Vers l'an 50, au moment du concile de Jérusalem (Ga 2,1-10 ; Ac 15,4-29), il apparaît, en tant que chef de la communauté de Jérusalem, comme l'un des hommes les plus influents, sinon le plus influent, du mouvement chrétien. Jacques, malgré sa grande piété et son respect de la loi mosaïque, fut exécuté en 62 sur ordre du grand prêtre Hanan. Il fut remplacé à la tête de l'Église de Jérusalem par un de ses cousins, Simon fils de Clopas. Une épître du Nouveau Testament, de nature pseudépigraphique* d'après la majorité des spécialistes, porte son nom. Une épître, pseudépigraphique selon beaucoup d'experts, est aussi attribuée à Jude, un autre frère de Jésus. Avec le temps, l'influence de la famille de Jésus se réduisit à quelques modestes communautés de Palestine et des régions avoisinantes.

Une famille pieuse de Galilée

Les récits que Luc et Matthieu consacrent à la naissance et à l'enfance de Jésus présentent Joseph et Marie comme des Juifs très pieux et respectueux des préceptes de la loi de Moïse. Même si l'historicité de ces récits peut être mise en question, d'autres témoignages semblent confirmer ce portrait. Les noms des membres de la famille de Joseph et Marie sont le plus souvent ceux de grands personnages de la Bible ou de héros de la révolte des Maccabées, ce qui souligne le caractère traditionaliste de cette famille. Jacques, le frère de Jésus, souvent qualifié de juste dans la tradition chrétienne, était réputé pour son respect de la loi*. Les autres membres de la famille de Jésus qui jouèrent un rôle dans l'Église des premiers temps sont généralement associés à des courants judéo-chrétiens* conservateurs. Joseph et Marie, dans leur comportement religieux, ne se distinguaient sans doute pas de la majorité des autres Juifs de Galilée.

Selon une opinion autrefois largement répandue, la population juive de Galilée, du temps de Jésus, se serait caractérisée par une conception très laxiste de la loi mosaïque. Cette conception, souvent fondée sur quelques références rabbiniques* tardives et sur la (re)judaïsation récente de la Galilée à la suite de la conquête hasmonéenne* un siècle avant la naissance de Jésus, permettait d'apporter une explication à la supposée discontinuité entre Jésus et le judaïsme*. Sur la base de témoignages archéologiques récents et d'une lecture plus critique et attentive de Flavius Josèphe et de la littérature rabbinique, la majorité des spécialistes estiment maintenant que la population juive de Galilée, à part peut-être quelques coutumes locales, n'était guère différente de celle de Judée pour ce qui concerne la pratique de la loi. La Galilée, comme la Judée, connaissait une certaine diversité. Plusieurs groupes professaient une observance très rigoureuse de la loi. Les Pharisiens*, notamment, possédaient certaines traditions ancestrales et des interprétations particulières de la Tora* que d'autres Juifs, tels que Jésus, n'acceptaient pas toujours. Ils observaient scrupuleusement les lois de pureté, le sabbat et le paiement des dîmes. En matière de pureté, leur objectif était de prendre leurs repas ordinaires dans le même état de pureté que celui requis pour les prêtres* pour officier au Temple.

Les pratiques pharisiennes étaient sans doute plus populaires dans les villes. On peut penser que, dans un village comme Nazareth, leurs pratiques sophistiquées et innovatrices étaient souvent ignorées, voire rejetées. Certains spécialistes, supposant que Jacques, le frère de Jésus, était un Pharisien, en déduisent que Joseph et sa famille étaient proches des milieux pharisiens. Mais de telles hypothèses restent très spéculatives. La plupart des habitants de Nazareth, comme sans doute Joseph et sa famille, devaient s'en tenir à une pratique simple et conservatrice de la loi de Moïse. Les pèlerinages au Temple, quand c'était possible, les réunions dans la synagogue*, ou le local qui en tenait lieu, pour la lecture de la Tora, le respect du sabbat et des principales fêtes et cérémonies marquant la vie de la communauté et de chacun de ses membres ainsi qu'une observance peu sophistiquée des lois de pureté constituaient le centre de leur pratique religieuse.

La langue et l'éducation de Jésus

La plupart des spécialistes estiment que l'araméen était la langue la plus courante en Palestine au temps de Jésus. L'araméen, un langage sémitique proche de l'hébreu, s'était imposé aux VIIe et VIe siècles av.J.C. comme la langue administrative du Moyen-Orient. Jésus, donc, s'exprimait sans doute en araméen et c'est probablement dans cette langue qu'il effectua sa prédication, comme le suggèrent les évangiles. En effet de nombreux *logia** de Jésus ont vraisemblablement un original araméen qu'il est parfois possible de reconstituer. L'usage par Jésus du mot araméen *abba* (« père ») peut difficilement être mis en doute. Même si l'authenticité de certaines paroles en araméen attribuées à Jésus (Mc 5,41 ; 15,34) peut être mise en question, l'existence de ces paroles montre que les traditions les plus anciennes supposaient que Jésus s'exprimait en cette langue.

L'étendue de l'usage du grec et de l'hébreu est une question très controversée. Il est certain que la culture et la langue grecques avaient largement pénétré la Palestine au Ier siècle. Mais l'ampleur de l'hellénisation de la Judée et de la Galilée reste difficile à mesurer. Il est toutefois probable qu'une partie significative de la population juive, surtout dans les villes importantes, s'exprimait principalement en grec. Sans que les éléments souvent apportés comme preuve (hypothèse d'un dialogue en grec, sans interprète, avec une Syrophénicienne et avec Pilate) fussent décisifs, il est plausible que Jésus ait pu s'exprimer en grec, notamment dans le cadre de son activité d'artisan. Cependant, il semble douteux qu'il ait suffisamment maîtrisé cette langue pour en faire le véhicule de sa prédication comme le pensent ceux qui voient en lui un sage influencé par la philosophie populaire grecque de type

DOCUMENT

LA MORT DE JACQUES FRÈRE DE JÉSUS D'APRÈS FLAVIUS JOSÈPHE

Il [le grand prêtre] Hanan le jeune [...] était d'un caractère fier et d'un courage remarquable ; il suivait, en effet, la doctrine des sadducéens, qui sont inflexibles dans leur manière de voir si on les compare aux autres Juifs [...]. Hanan, croyant bénéficier d'une occasion favorable entre la mort de Festus et l'arrivée d'Albinus, réunit un Sanhédrin et y traduisit Jacques frère de Jésus appelé le Christ et certains autres, en les accusant d'avoir transgressé la Loi, et les fit lapider. Mais tous ceux des habitants de la ville qui étaient les plus modérés et observaient la Loi le plus strictement en furent irrités et ils envoyèrent demander secrètement au roi [Agrippa II] d'enjoindre à Hanan de ne plus agir ainsi, car déjà auparavant il s'était conduit injustement. Certains d'entre eux allèrent même à la rencontre d'Albinus qui venait d'Alexandrie et lui apprirent qu'Hanan n'avait pas le droit de convoquer le Sanhédrin sans son autorisation. Albinus, persuadé par leurs paroles, écrivit avec colère à Anan en le menaçant de tirer vengeance de lui. Le roi Agrippa lui enleva pour ce motif le grand pontificat qu'il avait exercé trois mois et en investit Jésus, fils de Damnaios.

(*Antiquités juives* XX,198-203
traduction Th. Reinach)

cynique ou ceux qui espèrent retrouver dans les évangiles les paroles exactes qu'il prononça. [*voir* p. 99] Notons également que des exégètes défendant l'authenticité de l'épître de Jacques, rédigée dans un grec élaboré, en concluent que son frère Jésus devait également bien maîtriser le grec. Mais l'authenticité de cette épître est disputée et Jacques aurait pu se faire aider.

L'abondance des textes non bibliques de Qoumrân écrits en hébreu montre que cette langue était loin d'être morte au temps de Jésus. Certains spécialistes soutiennent même que l'hébreu était alors la *lingua franca* de Palestine. Cependant il semble plus probable que l'usage de l'hébreu était limité aux prêtres, scribes et autres spécialistes de l'interprétation de la Tora. Certains spécialistes, surtout ceux pour qui Jésus était une sorte de rabbi engagé dans des controverses sur l'interprétation des Écritures, estiment qu'il savait lire et peut-être même écrire l'hébreu.

Trois passages des évangiles peuvent suggérer que Jésus savait lire et peut-être même écrire (Lc 4,16-20 ; Jn 7,15 ; 8,6). Luc décrit Jésus lisant le livre du prophète Isaïe dans la synagogue de Nazareth (4,16-20). En Jn 7,15, la foule s'étonne que Jésus connaisse les Écritures (ou sache les lire) sans avoir étudié. Dans l'épisode de la femme adultère, Jésus écrit avec son doigt sur le sol (Jn 8,6). Cependant les problèmes d'historicité et d'interprétation liés à ces passages en font des témoignages douteux quant à l'alphabétisation de Jésus.

Des historiens, supposant, sur la base de références talmudiques* tardives (Talmud de Jérusalem, *Ketubot* 8,11,32c), qu'il existait en Palestine, au début du Ier siècle, un système éducatif généralisé, estiment que Jésus, comme la plupart des Juifs de son temps, avait appris à lire dans une école appelée *bet Sefer* (« maison du livre »). Il aurait également appris à écrire et approfondi sa connaissance de la Tora dans une *bet Talmud* (« maison d'étude ») et même peut-être dans une *bet Midrash** avec un sage.

DOCUMENT

LES DEVOIRS DU PÈRE SELON LE TALMUD

Nous apprenons que nos rabbis enseignaient : « Le père est tenu de circoncire son fils, de le racheter [si le fils est le premier-né], de lui enseigner la Tora, de lui trouver une femme et de lui enseigner un métier manuel. »

(Talmud de Babylone, Qiddoushin 29a)

Néanmoins, de plus en plus de spécialistes sont convaincus de l'anachronisme d'une telle reconstruction. Ils estiment que, comme dans le reste de l'Empire romain, le taux d'alphabétisation en Palestine ne devait guère dépasser 10 ou 15 %. Selon eux l'éducation des enfants était surtout dispensée dans les foyers, soit par les parents, soit pour les familles les plus riches, par un précepteur. Les quelques écoles de Sages n'accueillaient qu'un petit nombre d'élèves d'ailleurs plus âgés. Donc, *a priori*, les fils d'artisans de Nazareth devaient recevoir une éducation assez sommaire, leur père se concentrant surtout sur l'enseignement de leur métier. La plupart des enfants, chez eux ou dans le local servant de synagogue, devaient sans doute apprendre les grands événements de l'histoire d'Israël et ce qu'il fallait savoir pour vivre comme un Juif. Les plus doués ou les plus motivés pouvaient sans doute trouver quelqu'un leur apprenant à lire, voire même à écrire. Tel était peut-être le cas de Jésus.

P.-A. B.

ACCOMPAGNÉ DE SES APÔTRES ET DE QUELQUES AUTRES disciples, Jésus passa environ trois ans en dehors de son village, en tournée de prédication. Il laissa le souvenir d'un prédicateur écouté, qui se fit une spécialité d'un type de discours original, les paraboles. Il fut aussi repéré pour les guérisons qu'il opéra, accompagnées de quelques autres miracles. Les évangiles ne permettent pas de dresser une chronologie précise de ses activités. Mais ils s'entendent sur une série d'événements qui se produisirent un an environ avant sa mort : la multiplication des pains et l'annonce qu'il fit à ses disciples que l'aventure se terminerait sans doute tragiquement.

Les débuts du ministère de Jésus

Les évangiles* sont unanimes pour lier les débuts de la mission de Jésus à celle de Jean Baptiste. Jésus vint sur les bords du Jourdain pour rencontrer ce prédicateur que la tradition chrétienne désignera ensuite sous le nom de Précurseur. Il se fit baptiser par lui. C'est dans le cercle des gens qui fréquentaient le Baptiste qu'il recruta ses premiers disciples. Cet ensemble d'événements constitue pour Jésus ce que plusieurs textes désignent sous le nom de « commencement » (Mc 1,1 ; Lc 3,3 ; Ac 1,22).

Dans le sillage du Baptiste

Historiquement parlant, les origines de Jean Baptiste sont mal connues. L'évangéliste Luc fournit le nom de son père, le prêtre* Zacharie, et celui de sa mère, Élisabeth, cette dernière étant parente de Marie, mère de Jésus (Lc 1,36). Mais Luc donne ces indications dans le cadre d'un parallèle qu'il établit entre Jean Baptiste et Jésus, parallèle qui recouvre les deux premiers chapitres de son œuvre, communément appelés « Récit de l'enfance ». Le parallèle entre deux héros est un procédé littéraire classique dans l'Antiquité, l'exemple le plus fameux étant celui des *Vies parallèles* rédigées par l'historien grec Plutarque (46/49-125 ap.J.C.). Il ne correspond pas forcément à des données historiques fiables.

En revanche, l'appartenance de Jean Baptiste à une famille sacerdotale n'a aucune raison d'être contestée. Prêtre de naissance, il avait pris ses distances par rapport au culte que l'on célébrait au Temple de Jérusalem, en raison peut-être du type de pouvoir qu'y exerçait la famille des grands prêtres en charge en cette période, Hanne et son gendre Caïphe qui exercèrent le souverain pontificat plusieurs années de suite en alternance : immense fortune, compromission avec le pouvoir occupant, ils étaient à la tête d'une véritable entreprise politique et financière dans laquelle se retrouvaient mal les gens épris de justice. Jean s'était donc retiré aux confins du désert, sur les bords du Jourdain, et y avait été rejoint par des foules assoiffées d'une plus grande pureté. Il leur prêchait d'avoir à se repentir dans l'attente du proche jugement de Dieu, accompagnait sa prédication d'un rite d'eau appelé « baptême », mot qui signifie « plongée, immersion », et rendait par là inutiles les sacrifices pour le péché et les sacrifices de réparation prévus par la loi juive et célébrés au Temple (Lv 4-5). L'évangile de Marc écrit à son propos :

Jean le Baptiste fut dans le désert, proclamant un baptême de repentir pour la rémission des péchés. Et s'en allaient vers lui tout le pays de Judée et tous les habitants de Jérusalem, et ils se faisaient baptiser par lui dans les eaux du Jourdain, en confessant leurs péchés. Jean était vêtu d'une peau de chameau et mangeait des sauterelles et du miel sauvage. Et il proclamait : « Vient derrière moi celui qui est plus fort que moi, dont je ne suis pas digne, en me courbant, de délier la courroie de ses sandales. Moi je vous ai baptisés avec de l'eau, mais lui vous baptisera avec l'Esprit Saint. » (Mc 1,4-8)

Cette description de Jean permet d'opérer plusieurs rapprochements avec d'autres réalités du monde juif. Par le vêtement et le contenu du message (appel au repentir et annonce du jugement de Dieu), Jean ressemble à Élie, qui fut prophète dans le royaume juif du Nord au IXe siècle avant notre ère. Le fait qu'il utilise un rite d'eau a conduit à se demander s'il était proche des Esséniens* de l'établissement de Qoumrân, un groupe établi au nord-ouest de la mer Morte, non loin de l'embouchure du Jourdain, célèbre pour les manuscrits que l'on a découverts en 1947-48 cachés dans des grottes toutes proches. Les fouilles des bâtiments dans lesquels ils se réunissaient ont mis au jour un réseau complexe de bassins et de canaux destinés à recueillir l'eau des oueds descendant du plateau judéen, et à alimenter des bassins de purification dont les adeptes du mouvement faisaient grand usage. En outre, on connaît par Flavius Josèphe un autre prédicateur du même type, nommé Banous, qui opérait dans les années 50. Le texte de Josèphe autorise à penser que Jean n'était pas le seul prédicateur baptiste de son temps. Un courant plus vaste, populaire et peu structuré, existait sans doute, dont Jean Baptiste pourrait bien être le représentant le plus connu, mais non pas unique.

Les textes chrétiens ont cependant isolé Jean Baptiste des groupes auxquels il appartenait, pour faire de lui le prophète annonciateur de

Jésus par excellence, le Précurseur. Un tel déplacement est particulièrement apparent chez Jean l'évangéliste. Il fait de la prédication de Jean Baptiste un message de révélation concernant Jésus, manifestement influencé par la réflexion christologique* des communautés chrétiennes de la fin du Iᵉʳ siècle :

Le lendemain, il [Jean Baptiste] voit Jésus venir vers lui et il dit : « Voici l'agneau de Dieu, qui enlève le péché du monde. C'est de lui que j'ai dit : Derrière moi vient un homme qui est passé devant moi parce qu'avant moi il était. Et moi, je ne le connaissais pas ; mais c'est pour qu'il fût manifesté à Israël que je suis venu baptisant dans l'eau. » Et Jean rendit témoignage en disant : « J'ai vu l'Esprit descendre, tel une colombe venant du ciel, et demeurer sur lui. Et moi, je ne le connaissais pas, mais celui qui m'a envoyé baptiser dans l'eau, celui-là m'avait dit : Celui sur qui tu verras l'Esprit descendre et demeurer, c'est lui qui baptise dans l'Esprit Saint. Et moi, j'ai vu et je témoigne que celui-ci est l'Élu de Dieu. » (Jn 1,29-34)

À la base des descriptions de Jean que donnent les différents évangélistes, existent un événement historique et une tradition constante : Jésus vint au Jourdain auprès de Jean Baptiste, il se laissa toucher par sa prédication et reçut le baptême de ses mains. Ces faits sont historiquement assurés. Les chrétiens ne peuvent pas les avoir inventés, étant donné qu'ils les ont énormément gênés par la suite : en se faisant baptiser par Jean, Jésus s'est en effet comporté comme un pécheur, ce que les textes chrétiens affirment qu'il n'est pas ; et en outre, ce baptême semble placer Jean au-dessus de Jésus, alors que la tradition chrétienne affirme le contraire.

DOCUMENT

TÉMOIGNAGE DE FLAVIUS JOSÈPHE SUR BANOUS

Dans son *Autobiographie*, Flavius Josèphe rapporte le séjour qu'il fit pendant trois ans auprès de Banous, un prédicateur baptiste, après quelques autres essais :

Environ mes seize ans, je voulus faire l'expérience des diverses sectes de notre nation. Il y en a trois : la première, celle des Pharisiens, la seconde, celle des Sadducéens*, la troisième, celle des Esséniens ; j'en ai déjà parlé plusieurs fois. Dans ma pensée, apprendre ainsi à les connaître toutes à fond permettrait de choisir la meilleure. Au prix d'une austère application, et d'un labeur considérable, je passai par toutes les trois. Je ne m'en tins même pas à cette expérience, mais ayant entendu parler d'un certain Banous qui vivait au désert, se contentait pour vêtement de ce qui fournissaient les arbres, et pour nourriture, de ce que la terre produit spontanément, et usait de fréquentes ablutions d'eau froide de jour et de nuit, par souci de pureté, je me fis son émule. Après trois années passées près de lui, ayant accompli ce que je désirais, je revins dans ma cité.*

(*Vie*, 2. Traduction A. Pelletier)

DOCUMENT

TÉMOIGNAGE DE FLAVIUS JOSÈPHE SUR JEAN BAPTISTE

Hérode Antipas, fils d'Hérode le Grand, régna sur la Galilée et la Pérée, de la mort de son père (4 av.J.C.) à l'an 39 de notre ère. En l'an 36, son armée fut défaite par celle d'Arétas, roi des Nabatéens. C'est en commentant cet événement que Flavius Josèphe fournit une notice sur Jean Baptiste et les circonstances dans lesquelles Hérode le fit périr. Elle diffère par quelques détails du récit donné par les évangiles (Mc 6, 17-29) et donne des renseignements complémentaires, mais ne les contredit pas vraiment. Elle constitue une source de tout premier intérêt sur les années au cours desquelles Jésus commença sa prédication :

Certains Juifs furent d'avis que l'armée d'Hérode avait succombé de par Dieu qui – c'était là une expiation fort justifiée – vengeait ainsi Jean surnommé Baptiste. Celui-ci était, en effet, un homme de bien qu'Hérode avait fait mettre à mort. Il exhortait les Juifs à pratiquer la vertu, à agir avec justice les uns envers les autres et avec piété envers Dieu, pour être unis par un baptême. Car c'était assurément ainsi que le baptême s'avérait agréable à Dieu, s'il servait non pour se faire absoudre de certaines fautes, mais pour purifier le corps, après que l'âme eut été préalablement purifiée par la justice. Comme les autres Juifs se rassemblaient, car ils étaient exaltés au plus haut point en écoutant les paroles de Jean, Hérode craignit qu'une telle force de persuasion n'incitât à une révolte : chacun semblait prêt à faire n'importe quoi sur les conseils de cet homme. Il estima bien préférable de prendre les devants et de le supprimer avant que quelque trouble surgisse du fait de Jean, plutôt que de se retrouver lui-même dans l'embarras si un bouleversement se produisait et d'avoir alors à le regretter. Victime des soupçons d'Hérode, Jean fut envoyé prisonnier à la forteresse de Machéronte dont j'ai parlé plus haut, et il y fut mis à mort. Les Juifs furent d'avis que c'était pour le venger que l'armée d'Hérode avait été condamnée à la destruction : Dieu avait voulu frapper Hérode.

(*Antiquités juives*, XVIII, 116-119.
Traduction H. Cousin et C. Blanc)

Tout en rapportant le baptême de Jésus par Jean par fidélité à l'histoire, les évangélistes donnent à l'événement une portée plus conforme à la dignité qu'ils attribuent à Jésus : les récits n'insistent pas, dans son cas, sur la réception d'un pardon, au contraire. Le moment où Jésus remonte de l'eau devient l'occasion d'une manifestation trinitaire : le Père envoie son Esprit sur le Fils et déclare cette filiation à l'aide d'une voix céleste : « Tu es mon Fils bien-aimé, tu as toute ma faveur » (Mc 1,9-11). Les textes ne sont pas unanimes sur l'identité des auditeurs de cette parole : Marc suggère que ce fut Jésus seul. Matthieu et Luc semblent y associer les autres témoins de la scène (Mt 3,17 ; Lc 3,22). Quoi qu'il en soit de ces divergences, les trois évangiles synoptiques s'accordent pour faire du baptême de Jésus par Jean le début véritable de sa mission, une mission dont Dieu est en quelque sorte présenté comme le garant.

Le recrutement des disciples

Jésus a été au départ disciple de Jean Baptiste. Il imita son maître au point de lui emprunter le rite d'eau que ce dernier utilisait comme signe de pardon et de repentir. Il y eut même un moment où les deux hommes purent sembler concurrents l'un de l'autre, ainsi qu'en en témoigne l'évangile de Jean : « Jésus vint avec ses disciples au pays de

Repère

Jean, Jésus et les Esséniens

Y eut-il des rapports historiques entre Jésus et les Esséniens de Qoumrân ? Et que penser de la même question pour Jean Baptiste ?

Cités par Flavius Josèphe comme l'un des trois grands courants de la pensée juive au Ier siècle de notre ère, les Esséniens occupent une place centrale dans la recherche des historiens de l'Antiquité juive, depuis la découverte des Manuscrits de la mer Morte en 1947, dans des grottes proches de l'oued Qoumrân, suivie des fouilles qui dégagèrent les restes d'une importante construction voisine. Au milieu de questions non résolues, il semble cependant que les spécialistes s'entendent sur certains points.

Les sectaires de Qoumrân sont un groupe sacerdotal, qui dut se retirer au désert en 152 av.J.C. sous la conduite d'un chef appelé Maître de Justice, au moment où Jonathan, frère de Judas Maccabée, fut élevé au rang de grand prêtre. Le groupe fugitif se constitua en communauté de type monastique, fustigeant le « prêtre impie » et ses descendants, et attendant de Dieu le rétablissement d'un sacerdoce juste. C'est sans doute sa bibliothèque, constituée de livres bibliques et d'œuvres propres à la secte telles que la *Règle de la Communauté* et la *Règle de la Guerre*, qui fut retrouvée dans des grottes voisines, près de mille neuf cents ans après avoir été cachée à l'approche des légions romaines pendant la guerre juive, en 66-70 de notre ère.

Le lien entre ce groupe et les débuts du christianisme est très débattu. Les évangiles synoptiques mentionnent un séjour de Jésus au désert au début de sa mission (Mc 1,12 et parallèles), et le lieu traditionnel de cette retraite, connu des pèlerins sous le nom de mont de la Quarantaine, est proche de cet endroit. Pour Jean Baptiste, c'est la parenté entre le baptême et les ablutions esséniennes, associée à l'annonce d'un proche jugement, qui favorise le rapprochement et conduit à se demander s'il n'était pas essénien.

Les réponses des historiens à ces questions sont à situer dans un éventail très ouvert, qui va de l'affirmation que Jésus et Jean étaient esséniens, à la négation de toute relation. Après des thèses extrêmes, soutenues dans les années 1950, qui faisaient de Qoumrân la source principale du christianisme, la tendance actuelle est plutôt de marquer les différences, à l'intérieur d'un judaïsme extrêmement divers au Ier siècle. Les Esséniens de Qoumrân étaient des purs, formant un groupe de type sectaire, refusant de se mêler au peuple pécheur. Ni Jésus ni Jean Baptiste ne correspondent à ce modèle.

Il est cependant possible que Jésus ou ses disciples aient connu des sympathisants des Esséniens, vivant moins retirés, et que certaines idées esséniennes, d'organisation notamment, aient influencé l'Église après la dispersion des occupants de Qoumrân et la destruction de l'établissement par les Romains pendant la guerre juive. Quant à Jean Baptiste, plusieurs historiens estiment qu'il fut formé à Qoumrân avant de livrer son message à une foule plus mélangée.

REPÈRE

BAPTÊME DE JEAN BAPTISTE ET BAPTÊME CHRÉTIEN

Le baptême chrétien a-t-il le même sens que le baptême que donnait Jean Baptiste ?

Quelques incertitudes demeurent sur le sens du baptême que Jean Baptiste donnait : était-ce un « baptême de repentir pour la rémission des péchés » comme l'affirme saint Marc (Mc 1,4), ou un rite qui « servait non pour se faire absoudre de certaines fautes, mais pour purifier le corps, après que l'âme eut été préalablement purifiée par la justice », selon la présentation qu'en fait Flavius Josèphe ? Jean l'administrait-il une fois pour toutes, ou était-il réitérable ?

Quant au baptême chrétien, les textes du Nouveau Testament qui le mentionnent le réfèrent explicitement à la mort et à la résurrection de Jésus. Ainsi chez saint Paul : « Baptisés dans le Christ Jésus, c'est dans sa mort que tous nous avons été baptisés » (Rm 6,3). Et Luc, en faisant parler Pierre dans les Actes des Apôtres, présente la réception du baptême chrétien comme un signe d'adhésion à la foi en la résurrection de Jésus : « Repentez-vous, et que chacun de vous se fasse baptiser au nom de Jésus Christ pour la rémission de ses péchés, et vous recevrez alors le don du Saint-Esprit » (Ac 2,38). Progressivement, le baptême deviendra le signe visible de l'appartenance à l'Église, ce qu'il est encore actuellement. Si certains des effets du baptême chrétien reprennent ceux du baptême donné par Jean Baptiste, par exemple la rémission des péchés, les deux rites n'ont pourtant pas la même portée.

Judée et il y séjourna avec eux, et il baptisait » (Jn 3,22). Et le texte poursuit en faisant intervenir des informateurs qui viennent trouver Jean Baptiste pour l'en avertir : « Rabbi*, celui qui était avec toi de l'autre côté du Jourdain, celui à qui tu as rendu témoignage, le voilà qui baptise et tous viennent à lui » (Jn 2,26). Un autre passage du même saint Jean corrige cette affirmation en laissant entendre que « Jésus lui-même ne baptisait pas, mais ses disciples » (Jn 4,2). Pourtant, qu'il s'agisse de Jésus lui-même ou de ses disciples, la reprise du même rite indique une forte continuité. Elle ne dura pas longtemps, cependant. Jusqu'à la Passion, tant chez Jean que dans les autres évangiles, la suite des récits ne montre plus jamais Jésus administrant des baptêmes ou demandant à ses disciples de le faire. Jésus, lui aussi, fut baptiste. Mais l'épithète ne peut lui être attribuée que pour les premières semaines de sa prédication.

Jean avait des disciples. Jésus, lorsqu'il commença à prêcher, en recruta à son tour, et les conserva presque jusqu'au bout. C'était courant chez tous les maîtres de l'Antiquité, rabbis juifs, philosophes grecs ou prédicateurs populaires répartis dans l'Empire romain. Ces disciples, Jésus les recruta tout naturellement dans l'entourage de Jean Baptiste dont il avait lui-même fait partie. La façon dont le quatrième évangile rapporte les choses constitue un récit très vivant, dans lequel les relations interpersonnelles jouent un grand rôle :

Le lendemain, Jean se tenait là, de nouveau, avec deux de ses disciples. Regardant Jésus qui passait, il dit : « Voici l'agneau de Dieu. » Les deux disciples entendirent ces paroles et suivirent Jésus. Jésus se retourna et, voyant qu'ils le suivaient, leur dit : « Que cherchez-vous ? » Ils lui dirent : « Rabbi – ce qui veut dire Maître –, où demeures-tu ? » Il leur dit : « Venez et voyez. » Ils vinrent donc et virent où il demeurait, et ils demeurèrent auprès de lui ce jour-là. C'était environ la dixième heure.

André, le frère de Simon-Pierre, était l'un des deux qui avaient entendu les paroles de Jean et suivi Jésus. Il trouve d'abord son propre frère, Simon, et lui dit : « Nous l'avons trouvé, le Messie » – ce qui veut dire Christ. Il l'amena à Jésus. Jésus le regarda et dit : « Tu es Simon, le fils de Jean ; tu t'appelleras Céphas » – ce qui veut dire Pierre.* (Jn 1,35-42)

La scène se continue par l'appel de deux autres personnes : Philippe, un homme du même village que Pierre et André (Jn 1,43-44), puis Nathanaël (Jn 1,45-51) que la tradition a identifié dans la liste des Douze à Barthélemy. À la fin de l'épisode, ils sont cinq qui se mettent à suivre Jésus, passant de Jean Baptiste à Jésus grâce à la séduction énigmatique que le nouveau maître joue sur eux. Jésus change le nom de Simon en Céphas (équivalent du grec *petros*), mot qui signifie « rocher », un peu comme s'il prenait possession de sa personne. Il est vrai que, d'après l'évangéliste Jean, Jean Baptiste avait donné à Jésus un titre qui évoquait son destin exceptionnel : « agneau de Dieu », expression qui fait penser aux agneaux de la pâque juive et à l'adjectif qui signifie « chaste » (*agnos* en grec). Mais les paroles de Jean n'auraient pas eu d'effet si Jésus lui-même n'avait invité ceux qu'il appelait à « venir » et à « voir », deux termes qui laissent l'interlocuteur libre de ses interprétations et de ses choix. Une telle finesse dans les formulations trahit l'art de Jean l'évangéliste, conteur et théologien de génie. La construction littéraire et théologique n'empêche cependant pas la fiabilité de l'information historique, à savoir que l'entourage de Jean Baptiste fut à la fois le milieu que Jésus fréquenta avant de se mettre à

REPÈRE

DIFFÉRENTES SORTES DE BAPTISTES

Lorsqu'on parle des Baptistes du Ier siècle de notre ère, on désigne des prédicateurs juifs accompagnant leur message d'un rite d'eau destiné à la purification ou au pardon des péchés. Il ne faut pas les confondre avec les chrétiens baptistes, terme qui désigne des groupes protestants héritiers des anabaptistes du XVIe siècle, qui ont en commun de rejeter le baptême des jeunes enfants. Ils sont actuellement une quinzaine de millions dans le monde, dont 80 % vivent aux États-Unis d'Amérique.

BIBLE

L'APPEL D'ÉLISÉE DANS LE PREMIER LIVRE DES ROIS

De nombreux récits de vocation obéissent à un schéma classique : le maître trouve quelqu'un, il l'appelle d'un geste ou d'une parole, l'appelé manifeste éventuellement une réticence, puis il abandonne son activité et se met enfin à la suite du maître. Ainsi d'Élie appelant Élisée :

Il [Élie] partit de là [la montagne de l'Horeb] et trouva Élisée, fils de Shaphat, tandis qu'il labourait douze arpents, lui-même étant au douzième. Élie passa près de lui et jeta sur lui son manteau. Élisée abandonna ses bœufs, courut derrière Élie et lui dit : « Laisse-moi embrasser mon père et ma mère, puis j'irai à ta suite. » Élie lui répondit : « Va, retourne, que t'ai-je donc fait ? » Élisée le quitta, prit la paire de bœufs et l'immola. Il se servit du harnais des bœufs pour les faire cuire, et donna à ses gens, qui mangèrent. Puis il se leva et suivit Élie comme son serviteur.

(1 R 19,19-21)

prêcher lui-même et celui dans lequel il appela ses premiers disciples à le suivre.

Autre est la présentation de Matthieu, Marc et Luc, les évangiles synoptiques. À les en croire, on pourrait presque dire que Jésus entre en prédication comme on entre en religion. Aussitôt baptisé par Jean Baptiste, Jésus se rend quarante jours au désert, lieu de retraite et d'épreuve, un temps qui fait penser au séjour que les Hébreux firent dans la presqu'île du Sinaï au temps de Moïse. Les récits de sa tentation par le diable, qui anticipent les tentations auxquelles Jésus sera soumis par la suite, sont justement célèbres et sont à l'origine d'une riche iconographie (Mt 4,1-11 ; Lc 4,1-13). Et c'est ensuite seulement que Jésus, ayant pour ainsi dire clarifié ce que Dieu lui demandait de faire, appelle ses premiers disciples. Cet autre récit de vocation apostolique est aussi un texte connu dont nous donnons ici la version de saint Marc :

Comme il [Jésus] passait sur le bord de la mer de Galilée, il vit Simon et André, le frère de Simon, qui jetaient l'épervier dans la mer ; car c'étaient des pêcheurs. Et Jésus leur dit : « Venez à ma suite et je vous ferai devenir pêcheurs d'hommes. » Et aussitôt, laissant les filets, ils le suivirent.

En avançant un peu, il vit Jacques, fils de Zébédée, et Jean son frère, eux aussi dans leur barque en train d'arranger les filets ; et aussitôt il les appela. Et laissant leur père Zébédée dans la barque avec ses employés, ils partirent à sa suite. (Mc 1,16-20)

Chaque type de récit a ses points d'insistance. Dans celui-ci, les candidats ne se donnent pas le mot les uns aux autres. Les paroles prononcées se réduisent à un ordre donné par Jésus à des gens qu'il semble ne même pas connaître, ordre aussitôt suivi d'obéissance. Et l'obéissance est radicale : ils laissent tout, leurs filets, leurs compagnons de pêche et leur famille.

Comme pour le texte de saint Jean, on aurait tort de vouloir lire ce récit comme le reportage minutieux de ce qui se passa historiquement. La scène est plutôt construite à partir d'un schéma stéréotypé comme on en trouve d'autres dans la Bible, par exemple pour l'appel de Matthieu-Lévi (Mt 9,9 ; Mc 2,13-14) [*voir* p. 103]. L'insistance est sur les composantes fondamentales d'une vocation authentique : on est pris avec ses capacités et ses limites – le pêcheur de poissons devient « pêcheur d'hommes », on est saisi en pleine occupation, on se donne tout entier, corps et biens, et sans regarder en arrière. C'est sur la radicalité de l'engagement que le texte insiste. L'appel d'Élisée par Élie rapporté dans l'Ancien Testament obéissait à un schéma analogue (1 R 19,19-21).

Après ces premiers appels, d'autres suivront. De quatre ou de cinq au départ, les disciples se trouveront bientôt douze, nombre symbolique qui rappelle le nombre des tribus d'Israël et montre de la part de Jésus l'intention de toucher le peuple élu dans sa totalité et dans son identité théologique. À la suite de l'évangéliste Luc, on prendra l'habitude de réserver à ces douze-là le nom d'apôtres, nom qui vient du grec et qui signifie « envoyé ». Mais à l'origine, le terme « apôtre » avait une acception plus vaste. Une liste des Douze existe à quatre endroits dans le Nouveau Testament (Mt 10,2-4 ; Mc 3,16-19 ; Lc 6,13-16 ; Ac 1,13). Malgré quelques variantes dans l'ordonnance, elles sont très proches les unes des autres. Pierre est toujours le premier nommé, et Judas Iscarioth, le dernier. Voici la liste de l'évangile de Luc, assortie des circonstances dans lesquelles l'évangéliste dit que Jésus sélectionna ses apôtres parmi un groupe de disciples plus nombreux :

REPÈRE

LES DOUZE APÔTRES

Il y avait dans le groupe des Douze trois fois deux personnes qui portaient le même nom. Deux Simon : Simon-Pierre, le chef du groupe, et Simon le Zélote (ou le zélé). Deux Jacques : le fils de Zébédée est appelé Jacques le Majeur (celui de Compostelle), le fils d'Alphée, Jacques le Mineur. Deux Judas : l'un est le traître, Judas Iscarioth ; l'autre, Judas fils de Jacques est appelé Thaddée par Matthieu et Marc ; en français, on transcrit souvent « Jude » pour éviter la confusion.

Barthélemy fut identifié par la tradition à Nathanaël nommé en Jn 1,45-51. Matthieu est sans doute la même personne que Lévi (comparer Mt 9,9 et Mc 2,13-14).

REPÈRE

COMMENT RECONNAÎTRE LES APÔTRES DANS L'ICONOGRAPHIE ?

Ils sont en général identifiables par un objet qui les caractérise, bien que la tradition soit peu fixée pour quelques-uns : Simon-Pierre porte les clefs du Royaume des cieux (Mt 16,19) et est parfois accompagné d'un coq (Mt 26,74-75). – André porte une croix en X, l'instrument de son supplice. – Jacques le Majeur porte les attributs des pèlerins de Compostelle, lieu légendaire de son inhumation : chapeau avec coquille et bourdon. – Jean tient dans les mains un calice d'où s'échappe un serpent (allusion à une légende selon laquelle on voulut faire boire à l'apôtre une coupe empoisonnée qui ne lui fit aucun mal). – Philippe tient une croix latine (instrument de son supplice). – Barthélemy a dans les mains le couteau qui servit à l'écorcher. – Matthieu-Lévi tient une hache ou une lance (instruments de son supplice). – Thomas tient une équerre ou une règle d'architecte, allusion à un savoir-faire que la tradition lui a attribué. – Jacques le Mineur tient un battoir de blanchisseur ou un glaive. – Simon le Zélote, une scie (allusion à son supplice). – Jude-Thaddée a dans les mains une massue ou une épée, et il est parfois accompagné d'une barque.

Ajoutons les attributs traditionnels de trois hommes qui ne firent pas partie du groupe des Douze initial mais que l'on appelle volontiers apôtres : saint Paul tient une épée, le glaive de la parole de Dieu (référence à Ep 6,17). Saint Matthias, celui que l'on adjoint au groupe des Douze après l'Ascension (Ac 1,15-26), une hache, un glaive ou une massue. Barnabé, compagnon de Paul dans les Actes des Apôtres, est reconnaissable par des flammes ou un bûcher (il mourut brûlé vif).

Or il advint, en ces jours-là, qu'il [Jésus] s'en alla dans la montagne pour prier, et il passait toute la nuit à prier Dieu. Lorsqu'il fit jour, il appela ses disciples et il en choisit douze, qu'il nomma apôtres : Simon, qu'il nomma Pierre, André son frère, Jacques, Jean, Philippe, Barthélemy, Matthieu, Thomas, Jacques fils d'Alphée, Simon appelé le Zélote, Judas fils de Jacques, et Judas Iscarioth, qui devint un traître. (Lc 6,12-16)

Les évangiles présentent les Douze comme le petit groupe des hommes de confiance sur lesquels Jésus pourra s'appuyer. Il les enverra prêcher deux par deux sans les accompagner physiquement, après leur avoir donné ses consignes (Mt 10,1-42 et parallèles). Ils partiront donc, et reviendront tout fiers de leur succès (Lc 9,10). Ce qui n'empêchera pas l'un d'eux de le trahir (Mc 1,10-11 et parallèles), et tous de l'abandonner au moment le plus difficile (Mt 26,56 et parallèles). Il faudra attendre la Résurrection et la Pentecôte pour que les membres de ce petit groupe, des hommes dont les évangélistes n'hésitent pas à rapporter les faiblesses (par exemple Mc 8,32-33 ; 9,33-37 ; 10,35-40), deviennent les hérauts convaincus de l'aventure à laquelle ils ont été associés de très près. Tous, sauf saint Jean, mourront martyrs, payant de leur vie leur fidélité.

M. Q.

L'enseignement de Jésus

Jean Baptiste fut emprisonné sur ordre d'Hérode Antipas, tétrarque de Galilée, sans doute vers l'automne de l'année 27 ; il ne fut mis à mort qu'un an et demi plus tard, au printemps de l'année 29. Son incarcération fut sans doute le déclencheur de la mission de Jésus. Accompagné de quelques compagnons qui devinrent des disciples, ce dernier vécut environ trois ans comme prédicateur itinérant, allant de ville en village pour y délivrer un message qui fut assez vite remarqué pour son originalité. Sans sa mort tragique et sa résurrection, il aurait sans doute laissé le souvenir d'un maître juif parmi d'autres, dont les enseignements auraient été, par la suite, consignés dans les écrits rabbiniques. Ces trois années correspondent à ce que l'on appelle communément sa vie publique. L'évangéliste Marc résume sa prédication dans les termes suivants :

Après que Jean eut été livré, Jésus vint en Galilée, proclamant l'Évangile de Dieu et disant : « Le temps est accompli et le Royaume de Dieu est tout proche : repentez-vous et croyez à l'Évangile ». (Mc 1,14-15)

Un prophète ou un sage ?

Évangile*, Royaume de Dieu, voilà des mots qui font maintenant partie du vocabulaire chrétien, mais qui sont d'abord des expressions de la Bible juive. Évangile est une terme formé sur le grec dont l'équivalent hébreu est *besorâh ;* le mot veut tout simplement dire « bonne nouvelle, annonce d'un événement heureux ». Le messager qui annonça à David la mort du roi Saul espérait, par exemple, en raison de l'hostilité du vieux roi à l'égard de son jeune rival, lui annoncer une bonne nouvelle, un « évangile » (2 S 4,10).

Quant au Royaume de Dieu, il correspond aussi à une thématique de l'Ancien Testament, l'expression, aux connotations multiples, associant à la fois les trois idées de règne, royaume et royauté. Au temps des rois d'Israël, dont la mission était d'être les lieutenants de Dieu de qui ils tenaient leur trône, un roi avait pour tâche d'établir et sauvegarder le Règne de Dieu. Beaucoup déçurent cette attente, mais elle se reporta sur celle d'un roi Messie, très vive au Ier siècle de notre ère. Lui, il instaurerait véritablement un tel Règne ou Royaume : ce serait une période d'observance sans faille de la Tora, un règne de justice et de paix. Un fort beau texte du livre d'Isaïe associe dans le même passage l'annonce de ce règne et l'idée d'Évangile : « Qu'ils sont beaux, sur les montagnes, les pieds du messager qui annonce la paix, du messager de bonnes nouvelles (évangiles) qui annonce le salut, qui dit à Sion* : Ton Dieu règne » (Is 52,7).

Le message de Jésus tel que présenté par Marc se situe directement dans la suite de cette annonce : il proclame qu'un temps nouveau advient. C'est une bonne nouvelle pour tous et spécialement pour les victimes de l'injustice, les pauvres ; il convient de se préparer à l'accueillir. Il n'est pas clairement dit s'il s'agit d'un proche futur ou d'une situation présente discrètement à l'œuvre. Pour reprendre la formulation classique de cette question, on hésite pour savoir où situer le Royaume de Dieu : dans le « déjà là », ou dans le « pas encore ». En fait, c'est une réalité à laquelle ont ne peut accéder que par un mouvement de la personne. Déjà là ou pas encore, le Royaume de Dieu est toujours en avant. Lorsque Jean Baptiste, depuis sa prison, enverra une ambassade auprès de Jésus pour savoir s'il est vraiment le Messie* attendu, celui-ci répondra : « Allez rapporter à Jean ce que vous entendez et voyez : les aveugles voient et les boiteux marchent, les lépreux sont puri-

REPÈRE

DIFFÉRENTS SENS DU TERME « ÉVANGILE »

En grec profane, le terme s'applique à une bonne nouvelle quelconque. Dans la Bible grecque de la Septante*, il fut réservé à la Bonne Nouvelle du Règne de Dieu. Lorsqu'il fut repris par les chrétiens au Ier siècle, ce fut dans un double sens : l'Évangile (avec une majuscule) est la Bonne Nouvelle de la Résurrection (principalement chez saint Paul) ; il est aussi, toujours avec une majuscule, le contenu du message de Jésus.

Comme le mot figure dans le premier verset de Marc (Mc 1,1), l'habitude se prit, vers la fin du IIe siècle, de désigner sous le nom d'« évangiles » les quatre livrets biographiques sur Jésus de Nazareth, nos quatre évangiles canoniques* (première attestation sûre chez Irénée, mort en 202) ; l'usage s'étendit aux évangiles apocryphes. En français, on écrit alors la première lettre en minuscule, « évangile ».

Repère

Les philosophes cyniques

Diogène (413-327 av.J.C.), cet homme qui dormait dans un tonneau et qui priait Alexandre le Grand de s'écarter de son soleil, est le plus célèbre des philosophes de l'école cynique. Mais le fondateur en est Antisthène (444-365), un élève de Socrate (470-399). L'école cynique est caractérisée par une volonté de retour à la nature et un mépris des conventions. Son nom lui vient du grec *kyôn* (génitif *kynos*), qui signifie « chien ». Des historiens et biblistes ont fait le rapprochement entre l'enseignement de Jésus et celui des Cyniques. Parler d'influence des Cyniques sur Jésus est cependant problématique, ce d'autant plus qu'on ne possède pas d'information sur la diffusion de la pensée cynique dans le monde juif du Ier siècle.

fiés et les sourds entendent, les morts ressuscitent et la Bonne Nouvelle (l'Évangile) est annoncée aux pauvres ; et heureux celui qui ne trébuchera pas à cause de moi ! » (Mt 11,4-6). Il n'est pas suffisant de voir et d'entendre. Encore faut-il s'engager dans le chemin qui s'est ouvert.

Prédicateur de la Bonne Nouvelle et annonciateur de temps nouveaux : c'est ainsi que les évangiles présentent Jésus au début de sa vie publique. Par rapport aux héros de l'Ancien Testament, cela le situe dans la lignée des prophètes. Le contenu de son message ne se réduit pourtant pas à cela. On y trouve beaucoup de *logia** (mot grec qui signifie « oracle » et est devenu un terme technique pour désigner les paroles de Jésus) d'un autre type qui ressemblent plutôt à des maximes de sagesse. Les plus célèbres sont les paraboles. D'autres, plus courtes, méritent d'être rapprochées des sentences proverbiales telles qu'on en trouve dans le livre de Sirac le Sage ou dans les Proverbes. Par exemple cette remarque célèbre : « Nul ne peut servir deux maîtres : ou il haïra l'un et aimera l'autre, ou il s'attachera à l'un et méprisera l'autre. Vous ne pouvez servir Dieu et Mamon (symbole de l'argent) » (Mt 6,24). On peut alors se demander si Jésus n'est pas l'héritier des sages d'Israël plutôt que de ses prophètes. Des rapprochement ont également pu être faits entre le contenu de son enseignement et celui d'autres courants de pensée de l'Antiquité, comme les Cyniques. En d'autres termes, il est possible que, en présentant principalement Jésus comme l'annonciateur du Royaume de Dieu, les évangélistes aient mis l'accent sur un aspect particulier de son message, influencés qu'ils étaient par la Résurrection, événement qui marque l'ouverture de l'ère eschatologique, les derniers temps. Mais historiquement parlant, la prédication de Jésus était peut-être beaucoup moins constamment marquée par l'eschatologie que les évangiles ne le laissent supposer.

Repère

Le *Jesus Seminar*

On désigne sous le nom de *Jesus Seminar* (Séminaire de Jésus), un groupe se réunissant depuis 1985 à l'université de Sonoma, en Californie, qui travaille sur la figure historique de Jésus de Nazareth. Son originalité est d'être constitué, non seulement d'exégètes et d'historiens, mais aussi de personnalités intéressées par la question, aux compétences très diverses : monde politique, artistes, journalistes, etc. Ses méthodes de travail ont été souvent contestées pour leur manque de rigueur critique. Il arrive, par exemple, qu'on détermine en la soumettant au vote de cette assemblée hétéroclite la probabilité pour un *logion* d'avoir été ou non prononcé par Jésus. Ce groupe est l'un de ceux qui ont émis la thèse du rattachement de Jésus au mouvement cynique.

Bien que ses thèses extrêmes soient peu retenues par le monde scientifique, il a eu le mérite de redonner de l'importance à la dimension sapientielle de l'enseignement de Jésus. L'insistance des dernières décennies sur sa dimension prophétique et apocalyptique l'avait quelque peu occultée.

Jésus prophète ou sage ? Le débat est difficile à trancher. La parenté avec certains sages d'Israël existe ; le rapprochement avec le courant cynique n'est pas à exclure sans examen. Il semblerait pourtant réducteur de limiter le message de Jésus à cela. Plusieurs de ses paroles et de ses paraboles ont une tonalité eschatologique, le terme « Fils de l'homme », par lequel il se désigna, appartient au monde apocalyptique*, l'annonce de la ruine du Temple de Jérusalem peut difficilement être retranchée de sa prédication. Autant les rapprochements entre le message de Jésus et celui de certains contemporains méritent d'être faits – les mots ne lui sont pas venus par génération spontanée –, autant il paraît vain de prétendre l'expliquer par un modèle unique. Il semble que son message s'imposa principalement auprès de ses auditeurs par son originalité.

Un enseignement et un comportement nouveaux

Dès le début de sa vie publique, Jésus étonna par l'originalité de son comportement et de ses discours. En quels lieux prenait-il donc la parole ? – La rue et les places publiques, certainement, comme on le fait dans tout le Proche-Orient. Plusieurs de ses discours sont également situés en dehors des villages, quelque part dans les collines de Galilée ou sur le bord du lac de Tibériade. Matthieu place dans sa bouche le fameux Sermon sur la montagne (Mt 5-7), et Luc, un discours assez proche de celui-là qu'il situe, au contraire, sur un plateau

(Lc 6,17-49). Marc mentionne souvent les bords du lac comme décor : les auditeurs sont alors massés sur la rive ; Jésus parle assis, depuis une barque située à quelques mètres du bord, la surface réfléchissante de l'eau permettant à la parole de porter (Mc 1,13 ; 4,1). Il arrive même que les gens s'attardent à l'écouter en pleine campagne, au point que, le soir venu, ils se laissent surprendre par l'heure du repas sans avoir prévu aucune provision de bouche ; c'est en une telle occasion que se produisit le miracle connu sous le nom de multiplication des pains (Mt 14,13-21 et parallèles).

Mais il faut aussi penser à des occasions plus institutionnelles, comme les réunions de prière dans les synagogues*. Il était en effet habituel de demander à un hôte de passage, repéré pour son savoir ou la qualité de son jugement, de prononcer l'homélie après la lecture de la Tora* (un texte du Pentateuque*) et de la *Haphtara** (un texte extrait d'un livre prophétique illustrant le passage de la Tora prévu par le cycle des lectures). Les évangiles mentionnent à plusieurs reprises un tel enseignement dans les synagogues (par exemple Mt 4,23 ; 9,35), reçu d'ailleurs avec plus ou moins de bonheur. Jésus eut du succès à Capharnaüm, le bourg où habitaient Pierre et André et où il séjourna lui-même souvent (Mc 1,21 ; Lc 4,31-32). Mais le résultat fut nettement moins bon dans son village de Nazareth, où l'on savait que, s'il avait un bon niveau de culture religieuse, il n'avait pourtant pas fait d'études spécialisées : il n'était que le charpentier du bourg (Mt 13,53-58 ; Mc 6,1-6 ; Lc 4,16-24). Le fait qu'il n'était pas un maître patenté comme les scribes et légistes lui fut parfois imputé à charge, mais ce fut aussi une des causes des écoutes plus favorables, ainsi que le signale l'évangile de Marc : « Et ils étaient frappés de son enseignement, car il les enseignait comme ayant autorité, et non pas comme les scribes » (Mc 1,22). On peut bien être un maître qualifié, si l'enseignement dispensé ne sort pas des discours convenus, on ne provoque guère qu'une torpeur polie. Manifestement, l'enseignement donné par Jésus tranchait sur celui d'un bon nombre de ses contemporains.

Originalité ne veut cependant pas dire absence totale de ressemblance avec l'enseignement d'autres maîtres. On a pu rapprocher Jésus des Pharisiens*. L'un des aspects séduisants de son message était sa lecture ouverte de la loi* juive, une interprétation dénuée de tout formalisme, sans concession à la facilité mais sans raideur, qu'on a souvent comparé à l'enseignement de Hillel, un maître pharisien de Babylonie dont la vie comporte de nombreux traits légendaires et que la tradition fait mourir âgé de cent vingt ans autour de l'année 45 de notre ère. Hillel le libéral s'opposait à Shammaï le rigoriste, les débats entre les deux hommes faisant partie du folklore juif. Proche du courant pharisien par bien des aspects de son enseignement, Jésus s'opposa souvent à eux à propos, par exemple, de l'observance du sabbat. Non seulement il acceptait d'opérer des guérisons ce jour-là, estimant que la santé d'un malade ou d'un infirme passe avant le respect minutieux d'une liste de travaux interdits le sabbat (Mt 12,9-14 et parallèles, Jn 5,8-10 ; 9,13-16). Mais il prit vigoureusement la défense de ses disciples qui avaient cueilli des épis ce jour-là pour se nourrir :

Et il advint qu'un jour de sabbat il passait à travers les moissons, et ses disciples se mirent à se frayer un chemin en arrachant les épis. Et les Pharisiens lui disaient : « Vois ! Pourquoi font-ils le jour du sabbat ce qui n'est pas permis ? » Il leur dit : « N'avez-vous jamais lu ce que fit David, lorsqu'il fut dans le besoin et qu'il eut faim, lui et ses compagnons, comment il entra dans la demeure de Dieu, au temps du grand prêtre Abiathar, et mangea les pains d'oblation qu'il n'est permis de manger qu'aux prêtres, et en donna aussi à ses compagnons ? » Et il leur disait : « Le sabbat a été fait pour l'homme, et non l'homme pour le sabbat ; en sorte que le Fils de l'homme est maître même du sabbat. » (Mc 2,23-28)

« Le sabbat a été fait pour l'homme et non l'homme pour le sabbat. » La sagesse de Jésus tient presque tout entière dans cette affirmation, proche, d'ailleurs, de ce qu'enseignaient sans doute les maîtres pharisiens les plus ouverts. On trouve en effet dans le *Talmud** une affirmation très proche de celle-là : « Le sabbat est entre vos mains, car

DOCUMENT

L'ENSEIGNEMENT DE HILLEL

Le contraste entre les propos rigoristes de Shammaï et l'enseignement beaucoup plus ouvert de Hillel a beaucoup frappé leurs contemporains ; il fait l'objet de multiples anecdotes rapportées dans le Talmud. Celle-ci est une expression classique de la différence entre les deux maîtres :

Autre histoire d'un étranger qui alla trouver Shammaï, en lui disant : « Fais-moi prosélyte, à condition que tu m'enseigneras toute la Tora, tandis que je me tiendrai sur un seul pied. » Il le repoussa avec le mètre de maçon qu'il avait à la main. Il alla trouver Hillel, qui le fit prosélyte en lui disant : « Ce qui t'es odieux, ne le fais pas à ton proche. Voilà toute la Tora. Le reste n'est qu'application : va l'apprendre. »

(*Talmud de Babylone*, Shabbat 31a, traduction J. Bonsirven)

De cet épisode, on peut rapprocher la réponse que Jésus fit à un pharisien qui l'interrogeait sur le plus grand commandement de la Loi : « Tu aimeras le SEIGNEUR ton Dieu de tout ton cœur, de toute ton âme et de tout ton esprit : voilà le premier et le plus grand commandement. Le second lui est semblable : Tu aimeras ton prochain comme toi-même. À ces deux commandements se rattache toute la Loi, ainsi que les Prophètes » (Mt 22,37-40).

il est dit : Le sabbat est pour vous » (*Talmud de Babylone, Yoma* 85b). Là où Jésus se distinguait sans doute de la plupart des Pharisiens de son temps, c'est qu'il traduisait en actes le contenu de son enseignement, quitte à passer pour un provocateur. S'il craignait de scandaliser les petits, il n'hésitait pas à marquer sa différence vis-à-vis d'autres maîtres, le débat parfois violent entre maîtres juifs faisant d'ailleurs partie des habitudes du temps. L'un des points sur lesquels il faisait le plus scandale était l'accueil qu'il accordait aux pécheurs, aux mauvais observants, à tous ceux que leur état de vie plaçait aux marges de la société des justes. Parmi les Douze figurait un publicain*, autrement dit un collecteur des taxes prélevées sur les populations juives par les Romains, un agent du pouvoir colonial, bref, un mauvais Juif. L'histoire de son appel et du repas qui suivit chez lui, au milieu d'autres gens tout aussi peu recommandables, est justement célèbre :

Jésus vit, en passant, un homme assis au bureau de la douane, appelé Matthieu, et il lui dit : « Suis-moi ! » Et, se levant, il le suivit. Comme il était à table dans la maison, voici que beaucoup de publicains vinrent se mettre à table avec Jésus et ses disciples. Ce qu'ayant vu, les Pharisiens disaient à ses disciples : « Pourquoi votre maître mange-t-il avec les publicains et les pécheurs ? » Mais lui, qui avait entendu, dit : « Ce ne sont pas les gens bien portants qui ont besoin de médecin, mais les malades. Allez donc apprendre ce que signifie : C'est la miséricorde que je veux, et non le sacrifice [citation de Os 6,6]. En effet, je ne suis pas venu appeler les justes, mais les pécheurs. » (Mt 9,9-13)

En cohérence avec son annonce d'un amour de Dieu universel, Jésus faisait en effet bon accueil à tous les pauvres de la société, malades, infirmes, veuves, tous ceux que leur situation physique ou sociale désavantageait. C'est en leur faveur qu'il utilisait le plus son pouvoir de guérisseur. En cela, rien encore que de très acceptable par les maîtres de son époque. Plus anormale fut à leurs yeux sa bienveillance à l'endroit des pécheurs publics, dans lesquels il voyait la personne malheureuse ou désireuse d'un pardon, plus que l'auteur d'une infraction. Lorsqu'il se laissa couvrir les pieds de baisers par une prostituée chez le Pharisien Simon (Lc 7,36-50) [*voir* p. 112], lorsqu'il renvoya à leurs propres péchés les accusateurs de la femme adultère (Jn 7,53 – 8,11), il fit scandale.

La cohérence entre l'enseignement de Jésus et son comportement est sans doute l'un des traits les plus forts de sa personnalité. Elle est aussi à l'origine de ses principales difficultés. Dire du mal du Temple et du commerce qu'y entretenaient les milieux sacerdotaux de Jérusalem, beaucoup de Juifs exigeants en matière de Tora en faisaient autant. Annoncer solennellement la fin d'une situation aussi inacceptable, c'était encore assez courant (Mc 13,1-2). Mais entrer dans le saint lieu, en chasser les vendeurs et culbuter leurs tables, c'était aller bien au-delà d'un débat, c'était passer la mesure (Mc 11,15-19). En faisant cela, Jésus s'attribuait une autorité que ses adversaires lui refusaient et qui joua une part non négligeable dans le complot qui s'organisa contre lui.

L'autorité du Fils de l'homme

La question de l'origine de l'enseignement de Jésus et de la force qui émanait de sa personne est posée aux historiens. Si l'on analyse le texte des évangiles, puisque la lumière de la Résurrection éclaire de manière rétrospective les paroles et actes de Jésus qui y sont rapportés, il est difficile de savoir comment son autorité était perceptible avant sa mort. Deux éléments peuvent cependant être mis en valeur : la façon dont Jésus priait, et la façon dont il se référait, dans ses paroles, à la figure du Fils de l'homme.

Repère

Jésus, Fils de l'homme

« Fils de l'homme » : l'expression grecque qui ne renvoie à rien de précis dans cette langue, est un décalque de l'hébreu et de l'araméen. Dans les langues sémitiques, un fils d'homme est un humain. Les Psaumes utilisent l'expression pour parler de l'homme dans la fragilité de sa condition : « Qu'est donc le mortel, que tu t'en souviennes, le fils d'homme que tu le veuilles visiter ? » (Ps 8,5). De la même façon, Dieu s'adresse au prophète Ézéchiel en l'appelant « Fils d'homme » (ainsi Ez 2,1.8).

L'expression a d'autres connotations dans les textes apocalyptiques. Un passage en araméen du livre de Daniel nomme un mystérieux Fils d'homme qui fait partie d'une vision céleste et qui, au contraire, est investi de puissance : « Je contemplais dans les visions de la nuit : Voici, venant sur les nuées du ciel, comme un Fils d'homme. Il s'avança jusqu'à l'Ancien [Dieu] et fut conduit en sa présence. À lui fut conféré empire, honneur et royaume, et tous les peuples, nations et langues le servirent » (Dn 7,13-14). L'interprétation de cette vision, donnée quelques versets plus loin, permet de savoir qu'il s'agit d'une figure collective, à savoir le « peuple des saints du Très-Haut » (Dn 7,27).

Cette figure est ensuite évoquée en termes plus moins voilés dans des textes juifs apocryphes* dont certains ont été l'objet de retouches chrétiennes (*Paraboles d'Hénoch* ; 4 *Esdras* 13). Il s'agit alors d'une figure individuelle, non plus collective, dont le rôle est plus ou moins identifié à celui du Messie, qui se manifestera avec puissance aux derniers temps, et semble exister dès avant la création du monde. Elle apparaît sous ces traits dans l'Apocalypse de saint Jean (Ap 1,13 ; 14,14). Un tel flou rend quasiment impossible la saisie du sens que Jésus lui donnait lorsqu'il employait lui-même l'expression. [*voir* p. 270 ; vol. I, p. 448]

Il est incontestable que Jésus était à la fois un priant et un maître de prière. Plus que les autres évangélistes, Luc insiste sur ce point. Mais tous en font mention. Le Notre Père, la prière de Jésus par excellence, existait en des formes déjà fixées à l'époque de la rédaction de Matthieu et de Luc (Mt 6,9-13 ; Lc 11,2-4) [*voir* p. 381]. Jean place dans la bouche de Jésus de longues prières qui, si le texte n'en remonte pas littéralement à Jésus lui-même, expriment ses attitudes spirituelles fondamentales ; il s'adressait à Dieu comme à un père (Jn 17,1-26). Et Marc lui-même, qui s'attarde peu sur la vie intérieure du maître, le montre quittant en pleine nuit le groupe de ses disciples pour s'isoler : « Bien avant le jour, il se leva, sortit et s'en alla dans un lieu désert, et là il priait » (Mc 1,35). C'est le même Marc qui retranscrit le texte de la prière que Jésus adressa au Père dans les quelques heures qui précédèrent sa crucifixion : « *Abba*, Père ! Tout t'est possible : éloigne de moi cette coupe ; pourtant, pas ce que je veux, mais ce que tu veux ! » (Mc 14,36). *Abba* est un terme araméen qui signifie « Papa ». Nul Juif avant Jésus n'osa, semble-t-il, user d'un terme aussi familier pour s'adresser à Dieu.

Caractéristique de Jésus est aussi la façon dont il se nomme Fils de l'homme, un terme qui ne se trouve que dans sa bouche et dans des circonstances assez particulières : lorsqu'il annonce sa souffrance et sa passion (ainsi Mc 8,31), lorsqu'il parle de l'avènement eschatologique du Fils de l'homme (ainsi Mc 13,26), et dans quelques autres cas plus difficiles à classer (ainsi Mt 8,20). Cette appellation a beaucoup interrogé biblistes et théologiens. Il est vraisemblable que Jésus l'a historiquement utilisée, et qu'elle situe la personne dont elle parle à la fois sous le signe de la force et de la faiblesse. Elle n'est sans doute pas sans rapport avec le fait que l'entourage de Jésus a pensé, à certains moments du moins, que c'était lui le Messie d'Israël. Cela ne permet pourtant pas de connaître la conscience que Jésus avait de sa propre mission. On peut sans doute déceler en lui une relation très privilégiée avec le Dieu Père. Il serait présomptueux de vouloir préciser davantage.

M. Q

Jésus III : Jésus, maître et thaumaturge

Les Paraboles de Jésus

La parabole est un trait distinctif de la prédication de Jésus. Si l'on en croit les évangiles, qui nous rapportent de lui une quarantaine de paraboles différentes, Jésus s'en est abondamment servi. Ce sont le plus souvent des petits récits imagés que Jésus emprunte à la vie quotidienne de son temps. Il y est question de fêtes, de semailles, de vendanges, de bergers gardant leurs troupeaux, d'ouvriers agricoles attendant sur la place du village qu'on vienne les embaucher, de différends entre créanciers et débiteurs, etc. Détachées de leur contexte, ces histoires appartiennent aujourd'hui à notre patrimoine culturel. Qui ne connaît pas, en effet, l'histoire du fils « prodigue », de la brebis perdue, ou encore du bon Samaritain ?

Si elle est un élément caractéristique de sa prédication, la parabole n'est pas cependant une invention de Jésus. Elle fait partie de l'humanité où il est habituel de communiquer par des histoires, des dictons, des sentences. Le plus souvent d'ailleurs pour convaincre son interlocuteur ou lui rappeler une vérité d'expérience. Les histoires et les comparaisons sont alors plus appropriées que le langage direct, car elles suggèrent sans enfermer, elles favorisent la réflexion en faisant appel aussi bien à l'imagination et à l'affectif qu'à l'intelligence proprement dite. On le voit bien dans cette parabole empruntée au soufisme :

Un soir Rabya examinait le sol devant sa cabane.
– Que cherches-tu Rabya ? demandèrent les voisins.
– J'ai perdu mon aiguille, répondit la vieille femme.
Les voisins se mirent à chercher avec elle.
Quelqu'un dit :
– Rabya, il va faire nuit, nous n'aurons pas le temps de ratisser toute la rue. Essaye de te souvenir où tu as laissé tomber cette aiguille.
– Je l'ai perdue chez moi, dans ma maison ! fut la réponse.

– Mais alors, s'étonnèrent les voisins, pourquoi la chercher dans la rue ?

– Parce qu'ici il y a de la lumière, expliqua Rabya, tandis que chez moi il fait noir.

– Voyons, Rabya, protesta quelqu'un, même avec de la lumière tu ne trouveras pas une aiguille qui n'est pas là ! Rentre plutôt chez toi et allume ta lampe !

Rabya se mit à rire :

– Vous êtes bien malins quand il s'agit de choses banales ! Quand donc utiliserez-vous votre intelligence pour vivre en profondeur ? Je vous vois tous chercher en dehors ce que vous avez perdu au dedans. Croyez-vous pouvoir trouver Dieu dans le monde extérieur ? L'avez-vous donc perdu quelque part hors de vous-même ? Rabya planta là ses voisins penauds et rentra chez elle. (Cité in *Chemins de dialogue* 11, 1998, p. 131)

Les paraboles dans l'Ancien Testament

Plus que de tout autre courant sapientiel ou religieux, Jésus s'est inspiré dans son utilisation des paraboles de la tradition biblique. Sans que l'on puisse réellement parler de paraboles, les auteurs bibliques aiment en effet illustrer leur réflexion par des sentences ou des histoires empruntées à l'expérience quotidienne. Ce sont les *meshalim.* Difficilement traduisible, le *mashal** évoque, de par son étymologie, un enseignement fondé sur une comparaison.

Dans l'Ancien Testament, il peut revêtir différentes formes. Souvent, il s'apparente à la sagesse populaire à la manière d'un adage ou d'un dicton. Il exprime alors une vérité d'expérience : « Que celui qui met sa ceinture ne se vante pas comme celui qui l'enlève ! » (1 R 20,11) ; ce qui pourrait correspondre au célèbre proverbe : « Il ne faut pas vendre la peau de l'ours avant de l'avoir tué. »

Il peut apparaître également sous la forme d'une histoire, comme celle que le prophète Natan raconte à David, alors qu'il vient de faire tuer le mari de Bethsabée. En fait, Natan aurait pu directement accuser David de meurtre et d'adultère. Mais il préfère lui soumettre ce cas :

Il y avait deux hommes dans une ville, l'un riche et l'autre pauvre. Le riche avait force moutons et bœufs. Le pauvre n'avait rien du tout, sauf une agnelle, une seule petite, qu'il avait achetée. Il la nourrissait. Elle grandissait chez lui en même temps que ses enfants. Elle mangeait de sa pitance, elle buvait à son bol, elle couchait dans ses bras. Elle était pour lui comme une fille. Un hôte arriva chez le riche. Il n'eut pas le cœur de prendre de ses moutons et de ses bœufs pour apprêter le repas du voyageur venu chez lui. Il prit l'agnelle du pauvre et l'apprêta pour l'homme venu chez lui.

Que va faire David à l'écoute de cette histoire ? Il va réagir bien sûr, en condamnant ce riche qui a usurpé le bien du pauvre. Ce qu'il ne sait pas, c'est qu'en énonçant ce verdict, c'est sa propre condamnation qu'il prononce. La suite du récit l'illustre bien, en même temps qu'elle dévoile la force de la parabole qui, plus que tous les discours, touche le cœur de David et prépare son repentir futur :

David entra dans une violente colère contre cet homme et il dit à Natan : « Par la vie du Seigneur, il mérite la mort, l'homme qui a fait cela. Et de l'agnelle il donnera compensation au quadruple, pour avoir fait cela et pour avoir manqué de cœur. » Natan dit à David : « Cet homme c'est toi. » (2 S 12,1-7)

En racontant cette histoire, Natan a donc évité une condamnation trop abrupte qui aurait pu rompre le dialogue entre lui et David. Mieux, il a conduit David à reconnaître de lui-même la gravité du mal qu'il venait de commettre. L'effet est tout autre. Il manifeste aussi que, souvent, la parabole s'inscrit dans une stratégie qui n'est pas dénuée de ruse.

Les paraboles dans la littérature rabbinique

Fréquente dans la Bible, la parabole va se développer dans la littérature rabbinique*, même s'il faut reconnaître que les citations antérieures à l'ère chrétienne sont rares. Différentes des paraboles de l'Ancien Testament, les paraboles rabbiniques illustrent habituellement l'Écriture et scrutent la Tora*, pour en dévoiler la profondeur et la richesse. Comme dans les deux exemples suivants, leur enseignement conduit à la fois à une réflexion sur la relativité du temps ou la fragilité de la vie, et à la reconnaissance de la Tora comme mesure de toutes choses :

Lorsque Rabbi Bûn, le fils de Rabbi Hiyya mourut, Rabbi Zeira vint et fit ce discours d'adieu : « Doux est le sommeil de l'ouvrier, qu'il ait mangé peu ou beaucoup » (Qo 5, 11). À quoi cela peut-il être comparé ? À un roi qui avait embauché beaucoup d'ouvriers. Il y en avait un qui se donnait trop de mal pour son travail. Que fit le roi ? Il l'emmena faire les cent pas avec lui. Quand le soir arriva, les ouvriers vinrent recevoir leur salaire et le roi paya aussi un salaire complet à cet ouvrier. Les autres se plaignirent en disant : Nous nous sommes fatigués tout le jour tandis que celui-ci ne s'est fatigué que deux heures, et il lui donne un salaire complet comme à nous ! Le roi leur dit : Celui-ci s'est fatigué en deux heures plus que vous durant toute la journée.

Ainsi, en vingt-huit ans, Rabbi Bûn s'est fatigué dans l'étude de la Torah plus qu'un autre disciple sagace n'aurait pu le faire jusqu'à l'âge de cent ans. (Jérémie Berakhot II, 8,5c)

On comprend la réaction des ouvriers devant ce roi qui ne respecte pas les règles du travail ; car le salaire doit être proportionnel à la durée. Mais voilà, le roi a ses propres critères : pour lui, ce n'est pas la durée du travail qui compte mais sa qualité et son intensité, surtout lorsqu'il s'agit d'étudier la Tora. Même si le contexte est différent, puisqu'on se trouve dans un jardin, il est aussi question de la Tora dans la parabole qui suit. Et, comme dans la parabole précédente, un verset des Écritures est à l'origine de l'enseignement :

« Si tu écoutes vraiment la voix du Seigneur ton Dieu, en veillant à mettre en pratique tous ses commandements… » (Dt 28, 1).

Rabbi Shim'on ben Halafta a dit : « Celui qui a étudié la Tora sans la mettre en pratique sera châtié avec plus de rigueur que celui qui ne l'a pas étudiée du tout. » À quoi cela est-il comparable ? À un roi qui avait un jardin. Il y plaça deux métayers : l'un a planté des arbres, puis les coupa ; l'autre n'y planta rien du tout, et ne coupa rien. Contre qui le roi se mettra-t-il en colère ? Certainement contre celui qui a planté puis coupé !

De même, celui qui a étudié les paroles de la Tora sans les mettre en pratique sera châtié avec plus de rigueur que celui qui n'a pas étudié du tout. D'où le savons-nous ? De ce qu'il est dit : « Que l'on fasse grâce au méchant ! Il n'a pas appris la justice » (Is 26,10). Mais s'il a appris sans mettre en pratique, il ne sera pas grâcié. C'est pourquoi il est écrit : « En veillant à mettre en pratique tous ses commandements. » (Deutéronome Rabba VII, 4)

Cette parabole est étonnante. Car, quel que soit le comportement des métayers, le jardin restera dans les deux cas vide et sans arbres ! Pourtant, si la colère ne s'exerce pas de la même manière contre les deux métayers, c'est parce que l'un des deux, bien qu'il sache planter, n'a pas mis à profit son savoir-faire. L'enseignement qui suit éclaire alors le sens de la parabole : « De même, celui qui a étudié les paroles de la Tora sans les mettre en pratique sera châtié avec plus de rigueur que celui qui n'a pas étudié du tout. »

Derrière cette parabole, comme dans la plupart des paraboles rabbiniques, se cache donc une invitation à reconsidérer son existence, et à ne pas se tromper dans ses choix de vie. Seule compte la Tora. Attention, pourtant, il ne suffit pas d'étudier la Tora, il faut la mettre en pratique !

Les paraboles et Jésus

Différemment des rabbis*, pour qui l'enseignement en paraboles était, semble-t-il, une pratique secondaire, Jésus a utilisé un grand nombre de paraboles. Si l'on en croit les auteurs des évangiles, elles étaient même un élément essentiel de son enseignement. À la différence des paraboles rabbiniques qui évoluaient dans une gamme stéréotypée de personnages clefs (le roi et ses sujets, le roi et son fils, le maître et ses serviteurs, etc.), Jésus a cependant puisé plus largement la matière des ses paraboles dans la vie quotidienne, et il n'a pas hésité à mettre en scène des figures de tous les jours : un semeur dans son champ, des pêcheurs sur le rivage, une femme à son pétrin, un père et son fils, un contremaître et des ouvriers, un berger qui perd une brebis. Enfin, là où la parabole rabbinique servait le plus souvent de commentaire de l'Écriture ou de la Tora, Jésus l'a arrachée à ce cadre pour en faire un des lieux privilégiés de son enseignement. On n'est donc pas étonné de trouver des paraboles dans des contextes très différents.

Situations conflictuelles ou d'incompréhension

Assez souvent, dans le Nouveau Testament, les paraboles interviennent dans des situations conflictuelles : lorsque, contesté, Jésus préfère répondre aux critiques en racontant des histoires qui semblent venir tout droit de la vie quotidienne. Ainsi, à ceux qui récriminaient contre lui, parce qu'il faisait bon accueil aux pécheurs et qu'il mangeait avec eux, Jésus adresse trois paraboles : celle d'une brebis perdue, retrouvée par son maître qui a laissé les 99 autres pour aller la chercher ; celle d'une petite pièce de monnaie qu'une femme retrouvera après avoir mis sens dessus dessous sa maison ; celle, enfin, d'un fils que son père retrouvera après des années d'absence et d'éloignement (Lc 15,1-32). [*voir* p. 400]

Ces trois paraboles sont une illustration à la fois de l'habileté de Jésus et de la force des paraboles. Car Jésus aurait pu répondre directement à la critique de ceux qui contestaient ces fréquentations et sa manière de vivre ; et cela, au risque de les enfermer dans leur incompréhension ou de rompre tout contact avec eux. Mais, en racontant ces paraboles, Jésus déplace le débat et ouvre ses interlocuteurs à un ailleurs dans lequel ils peuvent se projeter ou se reconnaître. Au même moment, en choisissant de ne pas juger ou de ne pas condamner ses interlocuteurs, il ouvre un chemin pour une rencontre possible avec son Père. La parabole devient alors une invitation à sortir de ses certitudes et de ses préjugés pour se mettre en route dans l'accueil de la nouveauté de Dieu.

Autrement dramatique est cet épisode où l'on voit Jésus à table chez un Pharisien* du nom de Simon (Lc 7,36-50). Survient alors une femme qui s'approche de lui, verse sur ses pieds les larmes de ses pleurs, sèche ses pieds de ses cheveux, les couvre de baisers et de parfum. Outré, Simon s'étonne : « Si cet homme était prophète, il saurait qui est cette femme, une pécheresse ! » Sa pensée est faite. C'est même un verdict qui concerne aussi bien Jésus que le femme. Que va faire Jésus ? Protester ? S'en aller ? Non, il demande la parole et raconte cette parabole : « Un créancier avait deux débiteurs ; l'un lui devait cinq cents pièces d'argent, l'autre cinquante. Comme ils n'avaient pas de quoi rembourser, il fit grâce de leur dette à tous les deux. » Suit alors la question de Jésus à Simon : « Lequel des deux l'aimera le plus ? » La réponse est évidente, et elle ne se fait pas attendre : « Je pense que c'est celui auquel il a fait grâce de la plus grande dette. » Il a raison, et Jésus le lui fait remarquer, mais c'est pour comparer ensuite l'attitude de cette femme à son égard à tout ce que, lui, n'a pas fait pour lui. Simon ne peut dès lors que reconsidérer tout ce qu'il avait dit, et sur Jésus, et sur cette femme. Il s'est trompé. Mais Jésus a tout fait pour que le dialogue ne soit pas rompu et que, de lui-même, Simon accède à la vérité.

Ailleurs, dans un contexte plus tragique, on voit Jésus pousser les grands prêtres et les scribes à prononcer leur propre condamnation (Mt 21,33-46). La scène se situe après le récit de l'histoire d'un propriétaire qui avait envoyé ses serviteurs percevoir auprès de ses métayers ce qui lui revenait des fruits de la vigne. Mais ils avaient chassé les uns et battu les autres. En désespoir de cause, le propriétaire de la vigne avait alors envoyé son propre fils. Or, non contents d'avoir chassé les envoyés précédents, les vignerons l'avaient tué et jeté hors de la vigne. Que restait-il alors à faire au propriétaire de la vigne ? C'est la question que Jésus pose à ceux qui l'écoutent. Et ils n'ont qu'une réponse : « Il fera périr misérablement ces misérables, et il donnera la vigne en fermage à d'autre vignerons, qui lui remettront les fruits en temps voulu. » Mais cette réponse claque comme une autocondamnation. Et ils ne tarderont pas à le comprendre puisque, écrit l'évangéliste Matthieu, « en entendant ses paraboles, les grands prêtres* et les Pharisiens comprirent que c'était d'eux qu'il parlait. Ils cherchaient à l'arrêter, mais le eurent peur des foules, car elles le tenaient pour un prophète ». Telle est aussi la force de la parabole. [*voir* p. 341]

Dans le cadre d'un enseignement

À côté des paraboles que Jésus prononce dans un contexte d'opposition ou d'incompréhension, il y a celles qui illustrent un aspect de son enseignement ou conduisent ses auditeurs à progresser dans la compréhension de son message. C'est le cas de la célèbre parabole du bon Samaritain (Lc 10,25-37). Elle vient à la suite d'un débat entre Jésus et un légiste qui l'avait interrogé sur ce qu'il devait faire pour avoir la vie éternelle. Ne se satisfaisant pas de sa propre réponse – « tu aimeras le SEIGNEUR ton Dieu de tout ton cœur, de toute ton âme, de toute ta force et de toute ta pensée, et ton prochain comme toi-même » –, le légiste l'avait interrogé à nouveau : « Et qui est mon prochain ? » En racontant cette parabole, Jésus avait alors élargi son horizon : le prochain, c'est tout être humain dont il me faut être proche. Surtout, s'il est dans le besoin :

Jésus reprit : « Un homme descendait de Jérusalem à Jéricho, et il tomba au milieu de brigands qui après l'avoir dépouillé et roué de coups, s'en allèrent, le laissant à demi mort. Un prêtre vint à descendre par ce chemin-là ; il le vit et passa outre. Pareillement un lévite, survenant en ce lieu, le vit et passa outre. Mais un Samaritain, qui était en voyage, arriva près de lui, le vit et fut saisi de pitié. Il s'approcha, banda ses plaies, y versant de l'huile et du vin, puis le chargea sur sa propre monture, le mena à l'hôtellerie et prit soin de lui. Le lendemain, il tira deux deniers et les donna à l'hôtelier, en disant : Prends soin de lui, et ce que tu auras dépensé en plus, je te le rembourserai, moi, à mon retour. Lequel des trois à ton avis, s'est montré le prochain de l'homme tombé aux mains des brigands ? » Il [le légiste] dit : « Celui-là qui a exercé la miséricorde envers lui. » Et Jésus lui dit : « Va, et toi aussi, fais de même. » (Lc 10,30-37)

Les paraboles du Royaume

Mentionnons enfin les nombreuses paraboles qui évoquent le Royaume de Dieu. Elles sont une des grandes caractéristiques de l'enseignement de Jésus qui ne dit jamais ce qu'est le Royaume de Dieu, mais toujours ce à quoi il ressemble.

Certaines de ses paraboles insistent sur l'irrésistible croissance du Royaume de Dieu et invitent à découvrir dans l'infiniment petit la promesse de la splendeur à venir : ce sont les paraboles de la graine de moutarde, du levain, ou encore de la semence qui pousse toute seule :

Il disait : « Il en est du Royaume de Dieu comme d'un homme qui jette la semence en terre : qu'il dorme ou qu'il soit debout, la nuit et le jour, la semence germe et grandit, il ne sait comment. D'elle-même la terre produit d'abord l'herbe, puis l'épi, enfin du blé plein l'épi. Et dès que le blé est mûr, on y met la faucille, car c'est le temps de la moisson. » (Mc 4,26-29)

D'autres paraboles, comme celle de ces ouvriers qui, bien qu'embauchés à la dernière heure avaient été payés comme ceux qui avaient été embauchés à la première heure, illustrent la mise en crise de la réalité par le Royaume de Dieu (Mt 20,1-16). Car, s'il n'y a rien d'étonnant à ce qu'un patron engage des travailleurs à chaque heure du jour, la justice aurait voulu que les ouvriers embauchés à la dernière heure aient été payés au prorata du temps de travail. Mais, dans la parabole, il n'en est pas ainsi et les premiers embauchés murmurent contre le maître de maison : « Ces derniers venus n'ont travaillé qu'une heure et tu les traites comme nous qui avons supporté le poids du jour et la grosse chaleur ! »

Toujours à propos du Royaume de Dieu, certaines paraboles soulignent le caractère violent, soudain et imprévisible de sa venue. Elles sont une invitation à se tenir prêt ; et le Royaume se profile parfois sous l'aspect du jugement de Dieu. On pense bien sûr à la célèbre scène du jugement dernier (Mt 25,31-46), au voleur qui peut arriver à tout moment (Mt 24,43-44), ou encore à cette autre parabole :

Alors il en sera du Royaume des cieux comme de dix jeunes filles qui prirent leurs lampes et sortirent à la rencontre de l'époux. Cinq d'entre elles étaient insensées et cinq étaient avisées. En prenant leurs lampes, les filles insensées n'avaient pas emporté d'huile ; les filles avisées, elles, avaient pris, avec leurs lampes, de l'huile dans des fioles. Comme l'époux tardait, elles s'assoupirent toutes et s'endormirent. Au milieu de la nuit, un cri retentit : « Voici l'époux, sortez à sa rencontre. » Alors toutes ces jeunes filles se réveillèrent et apprêtèrent leurs lampes. Les insensées dirent aux avisées : « Donnez-nous de votre huile, car nos lampes s'éteignent. » Les avisées répondirent : « Certes pas, il n'y en aurait pas assez pour nous et pour vous ! Allez plutôt chez les marchands et achetez-en pour vous. » Pendant qu'elles allaient en acheter, l'époux arriva ; celles qui étaient prêtes entrèrent avec lui dans la salle de noce, et l'on ferma la porte. Finalement, arrivèrent à leur tour les autres jeunes filles, qui dirent : « Seigneur, Seigneur, ouvre-nous ! » Mais il répondit : « En vérité, je vous le déclare, je ne vous connais pas. » Veillez donc, car vous ne savez ni le jour ni l'heure. (Mt 25,1-13)

Que dire en conclusion ?

Les paraboles sont pétries de la vie, des gestes, des rencontres et des conflits de Jésus. Elles reflètent et traduisent son ministère d'accueil, de pardon et d'amour. Elles illustrent son enseignement en même temps qu'elles conduisent au monde de Dieu. Car si elles sont en apparence simples, les paraboles créent une fissure entre le monde des hommes et celui de Dieu. Ainsi, la justice voudrait que les ouvriers de la dernière heure soient payés en fonction de leur temps de travail ; le droit exigerait que le fils qui a gaspillé sa part d'héritage soit laissé à la porte familiale ; la prudence recommanderait que le propriétaire de la vigne n'envoie pas son fils unique chez des métayers qui viennent de brutaliser et de chasser les serviteurs à peine envoyés. Or, il n'en est rien. C'est même le contraire qui se passe. Chaque fois, l'amour l'emporte sur le droit, la miséricorde sur la justice.

En fait, très vite, les communautés chrétiennes reconnaîtront en Jésus mort et ressuscité la présence transformante et cachée du Royaume de Dieu qu'il annonçait à travers les paraboles. En le découvrant derrière la figure du berger qui part à la recherche de la brebis perdue, ou derrière celle du semeur, ou encore celle de l'époux qui tarde à venir, la communauté chrétienne confessera Jésus comme la Parabole de Dieu. Elle reconnaîtra en lui le Fils de Dieu qui introduit l'humanité dans le monde divin que nous ne posséderons jamais, mais qu'il faut accueillir – à la mesure de ce que nous pouvons en percevoir –, pour en vivre. Et cela, dans l'accueil de son irréductible nouveauté. Car a-t-on jamais vu un berger abandonner 99 brebis dans le désert pour aller chercher celle qui était perdue ? A-t-on jamais vu un maître de maison rentrant en pleine nuit d'un long voyage et se mettant à servir ses serviteurs au lieu de se faire servir ?

P. D.

Guérisons et exorcismes dans les évangiles

L'originalité de Jésus par rapport à d'autres prophètes ou sages de son temps ne se limitait pas à la force de sa parole ou à son accueil ouvert aux petits, aux pauvres et aux pécheurs. De son vivant, l'homme avait la réputation d'être un thaumaturge. Sa prédication était accompagnée de nombreux miracles. Parfois, ils ne sont évoqués par les textes que de façon globale, dans un sommaire. Ainsi ce verset de Matthieu : « Sa renommée gagna toute la Syrie, et on lui présenta tous les malades atteints de divers maux et tourments, des démoniaques, des lunatiques, des paralytiques, et il les guérit » (Mt 5,24).

Plusieurs sont pourtant rapportés plus en détail : vingt-sept récits de miracles différents sont répartis dans les quatre évangiles, la plupart étant des guérisons – auxquelles on rattachera les résurrections – et des exorcismes ; les autres, des miracles sur la nature dont le plus célèbre est la multiplication des pains, n'ont pas la même signification. Voici le texte de l'un d'eux, emprunté à l'évangile de Luc, intéressant parce qu'il peut être rapproché de récits analogues tirés de l'Ancien Testament ou de la vie d'Apollonios de Tyane, célèbre thaumaturge grec du Ier siècle :

Il advint ensuite qu'il [Jésus] se rendit dans une ville appelée Naïn. Ses disciples et une foule nombreuse faisaient route avec lui. Quand il fut près de la porte de la ville, voilà qu'on portait en terre un mort, un fils unique dont la mère était veuve ; et il y avait avec elle une foule considérable de la ville. En la voyant, le Seigneur eut pitié d'elle et lui dit : « Ne pleure pas. » Puis, s'approchant, il toucha le cercueil, et les porteurs s'arrêtèrent. Et il lui dit : « Jeune homme, je te le dis, lève-toi. » Et le mort se dressa sur son séant et se mit à parler. Et il le remit à sa mère. Tous furent saisis de crainte, et ils glorifiaient Dieu en disant : « Un grand prophète s'est levé parmi nous et Dieu a visité son peuple. » Et ce propos se répandit à son sujet dans la Judée tout entière et tout le pays d'alentour. (Lc 7,11-17)

D'autres fois, la guérison est obtenue par l'expulsion d'un démon – ou esprit impur – qui a pris possession de quelqu'un. Le premier prodige accompli par Jésus dans l'évangile de Marc est de ce type-là. L'évangéliste souligne que le geste illustre l'autorité de Jésus, une autorité qui tient tout autant à la force de sa parole qu'à sa puissance sur Satan et ses émules :

Ils [Jésus et ses disciples] pénètrent à Capharnaüm. Et aussitôt, le jour du sabbat, étant entré dans la synagogue, il enseignait. Et ils [les gens] étaient frappés de son enseignement, car il les enseignait comme ayant autorité, et non pas comme les scribes. Et aussitôt il y avait dans leur synagogue un homme possédé d'un esprit impur qui cria en disant : « Que nous veux-tu, Jésus le Nazarénien* ? Es-tu venu pour nous perdre ? Je sais qui tu es : le Saint de Dieu. » Et Jésus le menaça en disant : « Tais-toi et sors de lui. » Et le secouant violemment, l'esprit impur cria d'une voix forte et sortit de lui. Et ils furent tous effrayés, de sorte qu'ils se demandaient entre eux : « Qu'est cela ? Un enseignement nouveau, donné d'autorité ! Même aux esprits impurs, il commande et ils lui obéis-*

BIBLE

GUÉRISONS DANS L'ANCIEN TESTAMENT

Des récits de l'Ancien Testament rapportent le retour d'un mort à la vie grâce à l'intervention d'un prophète. Celui-ci est attribué au prophète Élie qui vivait au IXe siècle av.J.C. [*voir* vol. I, p. 276] Le prophète était l'hôte d'une veuve qui n'avait qu'un fils. On peut constater que l'autorité de Jésus sur la mort est plus grande que celle d'Élie. Le texte de saint Luc à Naïn s'inspire cependant de ce récit plus ancien :

Il arriva que le fils de la maîtresse de maison tomba malade, et sa maladie fut si violente qu'enfin il expira. Alors elle dit à Élie : « Qu'ai-je à faire avec toi, homme de Dieu ? Tu es donc venu chez moi pour rappeler mes fautes et faire mourir mon fils ? » Il lui dit : « Donne-moi ton fils » ; il l'enleva de son sein, le monta dans la chambre haute où il habitait et le coucha sur son lit. Puis il invoqua le SEIGNEUR et dit : « Seigneur, mon Dieu, veux-tu donc aussi du mal à la veuve qui m'héberge, pour que tu fasses mourir son fils ? » Il s'étendit trois fois sur l'enfant et il invoqua le Seigneur : « Seigneur, mon Dieu, je t'en prie, fais revenir en lui l'âme de cet enfant ! » Le SEIGNEUR exauça l'appel d'Élie, l'âme de l'enfant revint en lui, et il reprit vie. Élie le prit, le descendit de la chambre haute dans la maison et le remit à sa mère ; et Élie dit : « Voici, ton fils est vivant. » La femme lui répondit : « Maintenant je sais que tu es un homme de Dieu et que la parole du Seigneur dans ta bouche est vérité. »

(1 R 17,17-24)

Dans les deux récits, il s'agit d'un « fils unique » (Lc 7,12 ; 1 R 17,12) dont la mère est rencontrée « près de la porte de la ville » (Lc 7,12 et 1 R 17,10). Après le miracle, Jésus « remet à sa mère » (Lc 7,15 ; 1 R 17,23). De plus, dans les deux cas, l'homme de Dieu est pris pour un prophète : la foule de Naïn voit en Jésus celui par qui Dieu « visite son peuple », c'est-à-dire qu'il vient lui apporter le salut et la vie, tandis que la veuve de Sarepta reconnaît en Élie « un homme de Dieu » dans la bouche duquel « la parole du Seigneur est vérité » (1 R 17,24).

sent ! » Et sa renommée se répandit aussitôt partout, dans toute la région de Galilée. (Mc 1,21-28)

Plusieurs questions se posent à propos des miracles de Jésus. La première est de savoir s'ils ont véritablement eu lieu ou si ce sont des récits légendaires. Répondre à une telle question peut difficilement se faire indépendamment des convictions de celui qui la pose. Le mot « miracle » – le Nouveau Testament parle plutôt de « puissances », « prodiges » ou « signes » – appartient au vocabulaire de la foi. Un agnostique ou un incroyant parlera plutôt de phénomène inexplicable dans les conditions actuelles du savoir scientifique. Ce qui est assuré, c'est qu'aux yeux des contemporains de Jésus, dont tous croyaient en un ou plusieurs dieux, Jésus a accompli des prodiges irréalisables par un homme limité à ses propres forces. Ses contemporains se demandaient s'il agissait au nom du Dieu d'Israël ou au nom du diable, mais personne ne semble avoir mis en doute sa puissance surnaturelle. Témoin cette réflexion de scribes descendus de Jérusalem en Galilée : « Il est possédé de Béelzéboul. » Ou encore : « C'est par le prince des démons qu'il expulse les démons ». (Mc 3,22)

Jésus – et cela rejoint une autre question qui se pose, celle du sens de ses miracles – n'a pas cherché à se faire de la publicité à partir de ses guérisons, au contraire. Il y en a qu'il opéra presque malgré lui, telle celle d'une femme atteinte de pertes de sang qui se trouva guérie du

DOCUMENT

GUÉRISONS DANS L'ANTIQUITÉ PAÏENNE

Dans l'Antiquité gréco-romaine, de nombreux miracles de guérison ont été attribués au dieu Asclépios (en latin Esculape). Les restes d'un temple qui lui était dédié, l'Asclépéion, ont été retrouvés à Pergame, en Asie Mineure. Outre les bâtiments destinés à abriter la statue du dieu et les espaces consacrés au culte, il comportait des dortoirs et des chambres d'incubation. La personne qui désirait obtenir une guérison passait en effet souvent plusieurs nuits à proximité du dieu. Voici le texte d'une stèle retrouvée à Épidaure, en Grèce, sur laquelle se trouve rapporté le récit de la guérison d'un enfant muet dans un sanctuaire d'Asclépios :

Il s'en vint au sanctuaire pour recouvrer la voix. Or, comme il avait offert le sacrifice préalable et accompli les rites traditionnels, le petit esclave pyriphore [porteur du feu] du dieu lui commanda, tout en fixant du regard le père de l'enfant, de promettre de s'acquitter des offrandes de reconnaissance dans le cours même de l'année, s'il obtenait la guérison pour laquelle il était venu. L'enfant alors de crier tout soudain : « Je promets ! » Stupéfait, le père lui ordonna de répéter ce qu'il venait de dire. Il le répéta et, depuis ce moment, fut guéri.

(Traduction A. J. Festugière)

Il n'est pas impossible qu'un centre de guérison dédié à Asclépios ait existé à Jérusalem même, au nord-est de la vieille ville, près de l'actuelle église Sainte-Anne.

fait d'avoir touché la frange de son manteau (Mc 5,25-34). En outre, la possibilité qu'il avait d'agir de façon miraculeuse était dépendante de l'attitude de la personne qui faisait appel à lui. À la femme en question, il dit : « Ma fille, ta foi t'a sauvée ; va en paix et sois guérie de ton infirmité » (Mc 5,34). Ailleurs au contraire, par exemple à Nazareth où les villageois ne lui faisaient pas confiance, l'évangéliste fait remarquer que Jésus se trouva démuni : « Et il ne pouvait faire là aucun miracle, si ce n'est qu'il guérit quelques infirmes en leur imposant les mains. Et il s'étonna de leur manque de foi » (Mc 6,5-6). Assez souvent, après avoir opéré une guérison, Jésus demandait le silence à la personne guérie et à son entourage ; il semble avoir redouté le succès qu'aurait pu lui attirer son œuvre de thaumaturge. Après avoir rendu l'ouïe et la parole à un sourd-muet, il « leur recommanda de ne dire la chose à personne ; mais plus il le leur recommandait, plus ils la proclamaient » (Mc 7,36). Voilà un domaine dans lequel il eut, semble-t-il, du mal à être obéi.

Les miracles évangéliques ne paraissent, en effet, pas avoir pour but de prouver quoi que ce soit à propos de Jésus, surtout pas d'attirer l'attention sur lui. Une petite scène rapportée par Matthieu et par Luc

DOCUMENT

APOLLONIOS DE TYANE

Un célèbre guérisseur appartenant au courant philosophique néopythagoricien, Apollonios (ou Apollonius) de Tyane, mourut à Éphèse en l'an 97 de notre ère. On le connaît par la *Vie d'Apollonius*, qui fut écrite environ un siècle plus tard par Philostrate l'Ancien (mort vers 200 ap.J.C.). Plusieurs des miracles et exorcismes qui lui sont attribués ont été rapprochés de ceux accomplis par Jésus, tel celui-ci :

Voici un miracle d'Apollonios : une jeune fille passa pour morte au moment de son mariage, et le fiancé suivant le brancard, se lamentant de ses noces inachevées, et Rome entière gémissait avec lui, car il se trouvait que la jeune fille appartenait à une famille consulaire. Apollonios, témoin de ce deuil, approcha et dit : « Posez le brancard, car je vais arrêter les larmes que vous versez sur cette jeune fille. » Et en même temps il demanda comment elle s'appelait. Les assistants pensèrent qu'il allait leur adresser un discours, comme ceux qui sont de tradition et qui provoquent des lamentations, mais il ne fit rien d'autre que de toucher la jeune fille et prononcer sur elle quelques paroles mystérieuses ; et il éveilla la jeune fille de ce qui semblait être la mort, et la jeune fille prit la parole et revint dans la maison de son père, comme Alceste ressuscitée par Héraclès. Et lorsque les parents de la jeune fille lui offrirent un présent de 150 000 sesterces [environ 500 000 francs actuels], il dit qu'il les donnait à la jeune fille comme dot. Découvrit-il en elle quelque étincelle de vie qui avait échappé à ceux qui lui rendaient les derniers devoirs – on raconte en effet qu'il tombait une pluie fine et qu'une vapeur s'élevait de son visage –, ralluma-t-il et restaura-t-il la vie qui était éteinte, il est impossible d'en décider, et cela demeure mystérieux, non seulement pour moi, mais cela le fut même pour les assistants.

(Philostrate l'Ancien,
Vie d'Apollonius, IV, 45
traduction P. Grimal)

est éclairante dans ce domaine. Elle se situe avant que Jean Baptiste ait été mis à mort :

Or Jean, dans sa prison, avait entendu parler des œuvres du Christ. Il lui envoya des disciples pour lui dire : « Es-tu celui qui doit venir ou devons-nous en attendre un autre ? » Jésus leur répondit : « Allez rapporter à Jean ce que vous entendez et voyez : les aveugles voient et les boiteux marchent, les lépreux sont purifiés et les sourds entendent, les morts ressuscitent et la Bonne Nouvelle est annoncée aux pauvres ; et heureux qui ne trébuchera pas à cause de moi. » (Mt 11,2-6)

Dans ce cas comme assez souvent, Jésus ne répondit pas directement à la question qu'on lui posa. Il demanda à ses interlocuteurs de modifier leur regard sur les événements dont toute personne qui l'approchait pouvait être témoin. Les pauvres de toute sorte, autant les malades que les exclus et les désespérés, découvraient une espérance dans les gestes de Jésus et dans ses paroles. Des situations qui semblaient sans issue avaient soudain un avenir. C'est tout. Cela dit à la fois très peu et beaucoup : la réponse à la question de savoir qui est Jésus appartient à celui qui la pose, mais des indices lui sont donnés dont il peut tirer profit. Une autre façon de dire la même chose, c'est que les guérisons évangéliques sont des signes du salut – « guérir » et « sauver » sont souvent employés l'un pour l'autre – ou du Règne de Dieu : ce Règne a une réalité objective, mais il est aussi dépendant de celui qui le cherche. Il ne peut exister sans lui.

REPÈRE

DÉMONS ET EXORCISMES

Que penser des nombreux récits bibliques qui mettent en scène des démons ou des esprits impurs ? Faut-il les prendre à la lettre ou n'était-ce qu'une façon de parler habituelle pour l'époque ?

Il est certain que l'on a longtemps assimilé certaines maladies à une possession démoniaque. Tel était le cas de l'épilepsie, et ce jusqu'au XIXe siècle dans certaines régions d'Europe. L'évangile de Marc rapporte un exorcisme accompli par Jésus sur un enfant ; or la description que le père donne de l'état de son fils correspond clairement aux symptômes d'une crise d'épilepsie : « Il écume, grince des dents et devient raide » (Mc 9,14-29). Dans ce domaine comme dans d'autres, les textes bibliques sont le reflet d'une culture et d'une époque.

Faut-il pourtant expliquer tous les cas de possession par des phénomènes pathologiques ou paranormaux ? Les agnostiques le font. Mais les Églises chrétiennes ne le font en général pas. Dans l'Église catholique, par exemple, la fonction de prêtre exorciste continue d'exister ; il y en a ordinairement un par diocèse. S'il est souvent conduit à donner des conseils d'ordre psychologique aux personnes qui se présentent à lui et qui s'estiment – ou que l'on estime – possédées, il lui arrive pourtant de pratiquer des rites d'exorcisme dans certains cas.

Repère

Les noms de Satan dans le Nouveau Testament

La puissance du mal est appelée de plusieurs noms dans le Nouveau Testament. Elle n'est d'ailleurs pas unique. Le chef de cet empire a des auxiliaires. [*voir* vol. I, p. 455 et 482] Trois de ses noms viennent de l'hébreu :

– Satan, le plus employé, qui signifie « l'Accusateur » ou « l'Adversaire » ;
– Béelzéboul, déformation méprisante d'un mot hébreu signifiant Baal-le-Prince, Baal étant une divinité cananéenne ;
– Béliar ou Bélial, terme utilisé dans les écrits esséniens de Qoumrân dont le sens est à rapprocher de « néant » ou de « vaurien » (un seul emploi dans le Nouveau Testament en 2 Co 6,15).

Les autres sont formés sur des racines grecques :
– Diable vient du verbe grec *diaballô*, diviser. Le diable est un diviseur.
– Démon est un nom commun ; en grec, *daimôn* désigne une divinité mineure, qui peut être bienfaisante ou malfaisante. Le Nouveau Testament le réserve pour Satan ou l'un de ses auxiliaires. D'un possédé, il est facilement dit qu'il « a un démon », sans que soit spécifié lequel. À ce propos, il est intéressant de remarquer que, lorsqu'un démon s'exprime par la bouche d'un possédé, il lui arrive de parler coup sur coup à la première personne du singulier et à la première du pluriel. Ainsi en Mc 5,9 : « Légion est mon nom, car nous sommes beaucoup. »

Cela est cohérent avec la façon dont les évangiles parlent de l'identité de Jésus. Jésus n'annonce en général pas qui il est. Lorsque les démons – qui sont bien informés – le dévoilent, il les fait taire. Lorsque Jean Baptiste lui fait poser la question, il détourne le regard de lui pour le faire porter sur ses œuvres. Quand il interroge ses disciples pour les aider à percevoir quelque chose de son identité, il ne leur demande pas : « Qui suis-je ? » ; mais « Qui suis-je, au dire des gens ? » et, un peu plus loin : « Pour vous, qui suis-je ? » (Mc 8,27-29). C'est l'attitude du croyant qui fait la foi, non pas la nature de la personne de Jésus envisagée de façon générale ou impersonnelle.

Les miracles évangéliques n'ont pas pour but de provoquer la foi. Ils vont de pair avec elle, là où elle existe. Et ils l'ouvrent à une dimension plus vaste : le salut et la guérison de tous les pauvres. Encore faut-il être pauvre pour que cela retentisse comme une Bonne Nouvelle.

M. Q.

LES SIGNES DU MESSIE D'ISRAËL

EN PLUS des guérisons et des exorcismes, les évangiles* rapportent un certain nombre de miracles souvent appelés « sur la nature » car Jésus se rend victorieux d'éléments naturels tels que l'eau, la mer et la tempête. On relève parmi ces miracles les noces de Cana, au cours desquelles Jésus change l'eau en vin (Jn 2,1-11), la tempête apaisée (Mt 8,18.23-27 ; Mc 4,35-41 ; Lc 8,22-25) et la marche sur les eaux. Voici le récit de la tempête apaisée, dans la version de Marc :

Ce jour-là, le soir venu, il leur dit : « Passons sur l'autre rive. » Et laissant la foule, ils l'emmènent, comme il était, dans la barque ; et il y avait d'autres barques avec lui. Survient alors une forte bourrasque, et les vagues se jetaient dans la barque, de sorte que déjà elle se remplissait. Et lui était à la poupe, dormant sur un coussin. Ils le réveillent et lui disent : « Maître, tu ne te soucies pas de ce que nous périssons ? » S'étant réveillé, il menaça le vent et dit à la mer : « Silence ! tais-toi ! » Et le vent tomba et il se fit un grand calme. Puis il leur dit : « Pourquoi avez-vous peur ainsi ? Comment n'avez-vous pas de foi ? » Alors ils furent saisis d'une grande crainte et ils se disaient les uns aux autres : « Qui est-il donc celui-là, que même le vent et la mer lui obéissent ? » (Mc 4,35-41)

Jésus exorcise la mer (« Silence ! tais-toi ! »), tout comme il a exorcisé le possédé de Capharnaüm (Mc 1,21-28) : en maîtrisant les forces de la nature, il vient au secours des hommes qui ont besoin d'être sauvés. Par ailleurs, en accomplissant un geste réservé à Dieu qui seul peut commander à la mer (Ex 14), il montre qu'il sera victorieux de la mort par sa résurrection. [*voir* vol. I, p. 136]

Il est sans doute utile de rappeler que lorsque l'on parle de « miracles sur la nature », on utilise une classification dont la critériologie est résolument moderne. Pour les Anciens en effet, le miracle n'est pas, comme dans une conception positiviste, une exception aux lois de la nature : rien n'échappe à Dieu et surtout pas la nature dont il est le maître en toutes circonstances !

La multiplication des pains

La multiplication des pains (ainsi couramment mais improprement appelée, car le terme « multiplication » ne figure dans aucun récit) est un texte majeur, puisqu'elle est rapportée par les quatre évangiles et même deux fois en Matthieu et Marc : six récits relatent donc le même événement.

En introduisant le récit de la première multiplication des pains, Marc fait comprendre que Jésus, en donnant le pain à une foule désemparée, se révèle être le Pasteur du peuple qu'il enseigne, organise et nourrit. Quant à la conclusion du même récit, elle manifeste l'abondance du don de Dieu. Les restes témoignent de sa générosité :

Les Apôtres se réunissent auprès de Jésus, et ils lui rapportèrent tout ce qu'ils avaient fait et tout ce qu'ils avaient enseigné. Et il leur dit : « Venez vous-mêmes à l'écart, dans un lieu désert, et reposez-vous un peu. » De fait, les arrivants et les partants étaient si nombreux que les apôtres n'avaient pas même le temps de manger. Ils partirent donc dans la barque vers un lieu désert, à l'écart. Les voyant s'éloigner, beaucoup comprirent, et de toutes les villes on accourut là-bas, à pied, et on les devança. En débarquant, il vit une foule nombreuse et il en eut pitié, parce qu'ils

Bible

La multiplication des pains du prophète Élisée

Disciple d'Élie, le prophète Élisée accomplit un certain nombre de miracles au nombre desquels figure une multiplication des pains, qui a au moins inspiré la structure des mêmes récits dans le Nouveau Testament. On relèvera cependant que la figure de Jésus est bien supérieure à celle d'Élisée : tout en renouvelant un prodige de l'Exode (le don de la manne; Ex 16; Nb 11), Jésus accomplit un signe messianique et se révèle le Pasteur de son peuple. [*voir* vol. I, p. 138]

Un homme vint de Baal-Shalisha et apporta à l'homme de Dieu du pain de prémices, vingt pains d'orge et du grain frais dans son épi. Celui-ci ordonna : « Offre aux gens et qu'ils mangent », mais son serviteur répondit : « Comment servirai-je cela à cent personnes ? » Il reprit : « Offre aux gens et qu'il mangent car ainsi a parlé Le Seigneur : On mangera et on en aura de reste. » Il leur servit, ils mangèrent et en eurent de reste, selon la parole du Seigneur.

(2 R 4,42-44)

étaient comme des brebis qui n'ont pas de berger, et il se mit à les enseigner longuement. L'heure étant déjà très avancée, ses disciples s'approchèrent et lui dirent : « L'endroit est désert et l'heure est déjà très avancée ; renvoie-les afin qu'ils aillent dans les fermes et les villages d'alentour s'acheter de quoi manger. » Il leur répondit : « Donnez-leur vous-mêmes à manger. » Ils lui disent : « Faudra-t-il que nous allions acheter des pains pour deux cents deniers, afin de leur donner à manger ? » Il leur dit : « Combien de pains avez-vous ? Allez voir. » S'en étant informés, ils disent : « Cinq et deux poissons. » Alors il leur ordonna de les faire tous s'étendre par groupes de convives sur l'herbe verte. Et ils s'allongèrent à terre par carrés de cent et de cinquante. Prenant alors les cinq pains et les deux poissons, il leva les yeux au ciel, il bénit et rompit les pains, et il les donnait à ses disciples pour les leur servir. Il partagea aussi les deux poissons entre tous. Tous mangèrent et furent rassasiés ; et l'on emporta les morceaux, plein douze couffins, avec les restes des poissons. Et ceux qui avaient mangé les pains étaient cinq mille hommes. (Mc 6,30-44)

La portée symbolique du texte est si forte que l'historicité de l'événement a souvent été mise en cause. Certains ont fait appel à une explication naturelle : Jésus aurait invité la foule à un partage fraternel auquel elle aurait volontiers consenti grâce à sa force de persuasion. D'autres ont considéré le récit comme une légende, qui serait une construction mythique basée sur quelques textes de l'Ancien Testament, en particulier le miracle des pains opéré par Élisée et le don de la manne et des cailles au désert (Ex 16 ; Nb 11). Il s'agirait d'exprimer à travers ce récit une conviction théologique : loin d'abandonner l'homme à lui-même, Dieu lui vient en aide.

La majorité des exégètes* admet aujourd'hui qu'à l'origine des récits se trouve un événement réel de la vie de Jésus. Peut-on le cerner de manière plus précise ? Une explication est parfois avancée : il s'agirait d'un repas ordinaire de Jésus avec ses disciples, auquel on aurait joint la foule. L'ensemble serait devenu ensuite un récit de miracle. On peut légitimement faire une objection à ce type d'explication : comment rendre compte alors de l'effervescence que l'épisode a provoquée chez les témoins de l'événement ? Il faut admettre au point de départ un fait extraordinaire qui a suscité des réactions chez les foules, sans doute à cause de son caractère messianique. Il faut en effet remarquer que celles-ci ne réagissent pas tant à cause du fait lui-même qu'à cause de sa signification.

Pour rendre compte de l'historicité de la multiplication des pains, quel qu'en ait été l'événement initial, on peut mettre en valeur, outre son attestation multiple, sa cohérence avec les paroles et les gestes de Jésus dont témoignent par ailleurs les évangiles*. On peut surtout faire valoir que le récit permet d'expliquer un certain nombre de données évangéliques dont on ne peut rendre compte de manière satisfaisante que si on admet à la base l'authenticité du miracle des pains (critère de l'explication nécessaire). Ainsi pourquoi Jésus a-t-il été considéré comme le prophète que l'on veut faire roi, à suite de cet événement, au moins selon la tradition johannique* (Jn 6,14-15) mais en partie également selon la tradition synoptique (Mc 8,29) ? De manière plus précise : pourquoi Jésus a-t-il « obligé » (Mc 6, 45) ses disciples à monter dans la barque, aussitôt terminée la multiplication des pains, tandis que lui-même renverrait la foule ? Mentionné en Marc et Matthieu, le fait est paradoxalement expliqué en Jean : on veut le faire roi (Jn 6,15). Pourquoi Marc, dans son premier récit de multiplication des pains en particulier, a-t-il souligné avec tant d'insistance sa portée christologique* ? Comment expliquer que l'épisode se retrouve à toutes les étapes de la tradition et dans les différents milieux des

DOCUMENT

UNE MARCHE SUR LES EAUX DANS LA TRADITION BOUDDHIQUE

Des récits de marche sur les eaux existent en dehors de la tradition biblique. Dans le bouddhisme indien, il existe un tel récit, dont la signification est d'ailleurs assez différente de celle de l'épisode évangélique. Marcher sur l'eau sans sombrer est signe d'une intensité de contemplation qui fait échapper le corps humain aux lois de la pesanteur. Le texte qui suit est traduit du pali :

Il était un homme pieux, vertueux et disciple de choix qui, un soir, étant en route pour Jetavana, arriva au bord de la rivière Aciravâti, alors que les passeurs avaient déjà remisé leur barque sur l'autre rive pour pouvoir écouter l'annonce du Dharma (la doctrine bouddhique). N'apercevant aucun navire à l'embarcadère et étant pris d'un ravissement causé par [la contemplation du] Bouddha, il descendit sur la rivière. Ses pieds ne s'enfoncèrent pas dans les eaux. Il parvint ainsi jusqu'au milieu comme s'il se mouvait sur la terre ferme. Mais à ce moment-là il remarqua les vagues. Alors le ravissement causé par [la contemplation du] Bouddha [qui l'avait pris] faiblit et ses pieds commencèrent à s'enfoncer. Mais étant de nouveau parvenu à la plénitude du ravissement causé par [la contemplation du] Bouddha, il continua de marcher sur l'eau. Il arriva ainsi à Jetavana, salua respectueusement le Maître et s'assit d'un côté. Le Maître lui fit un accueil chaleureux : « Ô pieux laïc, j'espère que tu as fait route sans fatigue. » – « Seigneur, répondit-il, après avoir atteint le ravissement causé par [la contemplation du] Bouddha, j'ai bénéficié d'un support sur la surface de l'eau, comme si je foulais la terre ferme. » – « Assurément, ô homme pieux, tu n'es pas le seul qui, s'étant souvenu des mérites du Bouddha, a obtenu de l'aide ; jadis des hommes pieux, après avoir fait naufrage au milieu de la mer et s'étant souvenus des mérites du Bouddha, obtinrent de l'aide. »

(Jâtaka, 190)

communautés primitives, dans la rédaction finale des Synoptiques puis dans celle de Jean ? Tous ces points s'éclairent si l'on admet l'historicité de la multiplication des pains, relue ensuite à la lumière des récits d'institution de l'Eucharistie. Comme à la Cène, on y voit en effet Jésus « prendre » le pain, le « bénir » ou « rendre grâce », le « rompre » et enfin le « donner » aux disciples. C'est en ce sens que l'on parle à juste titre d'interprétation eucharistique de la multiplication des pains.

Les Juifs du Ier siècle attendaient un nouveau Moïse qui renouvellerait les signes de l'Exode, particulièrement le don de la manne. C'est bien ce qu'ils disent à Jésus : « Quel signe fais-tu donc, pour que nous te croyions ? Quelle œuvre accomplis-tu ? Nos pères ont mangé la manne dans le désert » (Jn 6,30-31). La multiplication des pains a donc rapport avec la messianité de Jésus. Celui-ci pourtant, loin de se laisser reconnaître, s'enfuit une fois le signe accompli. C'est ce qu'attestent les rédactions synoptique et johannique.

La marche sur les eaux

Aussitôt après le récit de la multiplication des pains, trois évangélistes sur quatre font intervenir un autre événement, encore plus troublant, qui en est comme le complément: il s'agit de la marche sur les eaux (Mt 14,22-23 ; Mc 6,45-52 ; Jn 6,16-21). La place occupée par ces trois recensions montre que les deux péricopes* étaient liées dans la tradition présynoptique. Voici celle de Marc :

Bible

Dimension symbolique de la mer

Lieu des forces mauvaises, refuge des monstres marins, la mer est symbole du mal et de la mort dans l'Ancien Testament. Cependant, à l'instar de toute la création, elle est soumise à Dieu qui en a disposé librement et lui a assigné des limites qu'elle ne devra plus franchir. C'est de cette conviction que fait part par exemple le livre de Job : « Lui seul a déployé les cieux et foulé le dos de la mer » (Jb 9, 8). Lorsque Job fait l'arrogant devant lui, Dieu l'interroge en ces termes :

Qui enferma la mer à deux battants,
quand elle sortit du sein,
bondissante ;
Quand je mis sur elle
une nuée pour vêtement
et fis des nuages sombres ses langes ;
Quand je découpai pour elle sa limite
et plaçai portes et verrous ?
« Tu n'iras pas plus loin, lui dis-je,
ici se brisera l'orgueil de tes flots. »

(Jb 38,8-11)

Et aussitôt il obligea ses disciples à monter dans la barque et à prendre les devants vers Bethsaïde, pendant que lui-même renverrait la foule. Et quand il les eut congédiés, il s'en alla dans la montagne pour prier. Le soir venu, la barque était au milieu de la mer, et lui, seul, à terre. Les voyant s'épuiser à ramer, car le vent leur était contraire, vers la quatrième veille de la nuit il vient vers eux en marchant sur la mer, et il allait les dépasser. Ceux-ci le voyant marcher sur la mer, crurent que c'était un fantôme et poussèrent des cris ; car tous le virent et furent troublés. Mais lui aussitôt leur parla et leur dit : « Ayez confiance, c'est moi, soyez sans crainte. » Puis il monta auprès d'eux dans la barque et le vent tomba. Et ils étaient intérieurement au comble de la stupeur, car ils n'avaient pas compris le miracle des pains, mais leur esprit était bouché. (Mc 6,45-52)

Ce récit est l'un de ceux dont l'historicité est le plus contestée. On a parlé de légende ou de mythe ou encore de récit symbolique fondé sur un noyau historique. Sans doute ne faut-il pas oublier de faire le lien entre marche sur les eaux et multiplication des pains comme y invite d'ailleurs la dernière phrase de la péricope qui vient d'être citée (Mc 6,52) : dans les deux cas, Jésus renouvelle un signe de l'Exode, soit qu'il donne la manne, soit qu'il se révèle maître de

DOCUMENT

DES MIRACLES SUR LA NATURE DANS LA TRADITION RABBINIQUE

La tradition rabbinique a été marquée par le phénomène miraculeux, comme l'atteste le texte suivant, mettant en scène un certain Honi qui aurait vécu vers 100 av. J.C. Il ne faut toutefois pas oublier que, dans la tradition rabbinique comme dans la tradition néo-testamentaire, l'essentiel n'est pas l'événement miraculeux lui-même mais l'action salvifique de Dieu en faveur des hommes dont il est l'expression :

Il arriva [un jour] qu'on dit à Honi, le traceur de cercles : « Prie pour que la pluie se mette à tomber !... » Il pria, mais sans succès. Que fit-il alors ? Il traça un cercle, se plaça au milieu et dit en présence [de Dieu]) : « Maître de l'univers ! Tes enfants ont les yeux fixés sur moi, comme si j'étais ton familier. Je te conjure par ton grand nom que je ne bougerai pas d'ici jusqu'à ce que tu aies pitié de tes enfants ! » Alors des gouttes [de pluie] se mirent à tomber. Il [Honi] dit : « Ce n'est pas ce que j'ai demandé ! [J'ai demandé] des averses [susceptibles] de remplir des citernes, des fosses et des cavernes ! » Alors il se mit à pleuvoir à verse. Il revint à la charge : « Ce n'est pas ce que j'ai demandé ! [J'ai demandé] des pluies de bienveillance, de bénédiction et de clémence ! » Alors il se mit à pleuvoir comme il faut... Shimon ben Shetah lui fit dire alors : « Si tu n'étais pas Honi, je te frapperais d'anathème. Mais que puis-je contre toi ? Tu importunes le Tout-Puissant et il fait ta volonté, comme un enfant qui importune son père, et celui-ci lui cède. »

(*Mishna, Ta'anit*, 3,8,
Trad. H. Cousin et M. Collin,
d'après Rabbinat français)

la mer. On croit pouvoir être en droit de dire qu'il y a, sous-jacent à une tradition ancienne, un événement enraciné dans l'histoire de type épiphanique : Jésus a manifesté à travers ce geste le mystère de sa personne.

Un choix difficile pour les disciples

Si l'on en revient à la multiplication des pains, on constate que, dans tous les évangiles, elle occupe une place stratégique importante puisqu'elle constitue le sommet de ce que l'on appelle le ministère galiléen de Jésus. À cet égard, elle marque une rupture, car elle constitue une étape décisive dans le processus qui conduira à la Passion, si l'on en croit par exemple le témoignage de l'évangile de Jean : les auditeurs de Jésus jugent la parole qu'il prononce à la suite de cet événement « trop rude » (Jn 6,60). Et c'est justement à la suite de la multiplication des pains que s'opère la distinction entre ceux qui désormais refusent de suivre Jésus et ceux qui reconnaissent grâce à ce signe sa véritable identité :

Beaucoup de ses disciples se retirèrent, et ils n'allaient plus avec lui. Jésus dit alors aux Douze : « Voulez-vous partir vous aussi ? » Simon-Pierre lui répondit : « Seigneur, à qui irions-nous ? Tu as les paroles de la vie éternelle. Nous, nous croyons, et nous avons reconnu que tu es le Saint de Dieu. » Jésus leur répondit : « N'est-ce pas moi qui vous ai choisis, vous, les Douze ? Et l'un d'entre vous est un démon. » Il parlait de Judas, fils de Simon Iscariote ; c'est lui en effet qui devait le livrer, lui, l'un des Douze. (Jn 6, 66-71)

La multiplication des pains oblige ainsi à un choix radical. Le passage de saint Jean qui vient d'être cité met en valeur deux autres éléments tout aussi importants : l'annonce de la trahison de Judas et la reconnaissance de l'identité de Jésus par les disciples.

Nombre de prophètes, au demeurant thaumaturges, se sont levés au Ier siècle et voulaient renouveler les signes de l'Exode. C'est ainsi qu'un certain Theudas prétendait diviser les eaux du Jourdain. Il ne fait guère de doute que Jésus a été considéré comme l'un de ces prophètes des temps nouveaux. Il ne fait guère de doute non plus que certains de ces prophètes avaient quelques rapports avec les perturbateurs politiques, au point qu'ils étaient parfois considérés comme des messies à une époque où l'attente messianique était vive. Ce point est en tout cas bien mis en évidence par Jean lorsqu'il relate qu'à la fin de la multiplication des pains on veut faire Jésus roi (Jn 6,14-15). C'est d'ailleurs comme « roi des juifs » et donc comme Messie* que Jésus sera condamné et mourra.

Dans cette perspective, il n'est pas très étonnant que ce soit à la suite de la multiplication des pains, voire de la marche sur les eaux, que Jésus ait été reconnu comme Messie. En accomplissant des signes eschatologiques, il révélait qui il était : le Messie de Dieu. C'est ainsi que Pierre le confessa, lors de la scène fameuse qui eut lieu dans la région de Césarée de Philippe : « Tu es le Christ » (Mc 8,29 et parallèles). On remarquera toutefois que Jésus ne se donne jamais à lui-même le titre de Messie dans les évangiles. Bien mieux, il semble prendre quelque distance par rapport à ce titre (Mc 12,35-37), sans doute à cause de son ambiguïté et des significations politiques qui lui étaient attachées, à une époque où les perturbateurs politiques se faisaient passer pour les prophètes des temps nouveaux. Il n'en reste pas moins que les disciples de Jésus ont peu à peu perçu son identité, même si celle-ci n'a pris toute sa signification qu'après Pâques*.

J.-F. B.

Passion et Résurrection de Jésus de Nazareth forment un tout dans la tradition chrétienne. Ce sont ces événements que les disciples ont interprétés, lus et relus au cours des siècles, et qui sont à l'origine de la place unique que Jésus Christ tient dans l'univers culturel et religieux. Pourtant, les deux événements ne sont pas du même type. La vie de Jésus, jusqu'à sa mort comprise, peut être l'objet d'une enquête historienne aboutissant à l'écriture d'une histoire sur laquelle, malgré le caractère hypothétique de certains résultats, tous peuvent à peu près s'entendre. La Résurrection, au contraire, dont les chrétiens estiment qu'elle s'est réellement produite, n'est pas saisissable en tant que telle par la science historique et ses méthodes. Elle est de l'ordre de la foi.

Le dernier séjour de Jésus à Jérusalem, son procès et sa mort

Les quatre évangiles* nous racontent pour ainsi dire dans le détail la fin tragique de la vie de Jésus et sont les seuls écrits de l'Antiquité à le faire, la documentation extra-évangélique confirmant pour l'essentiel ce qui nous est communiqué par ces premières sources chrétiennes. L'historien juif Flavius Josèphe (*Antiquités juives*, XVIII, 53-64) nous apprend que Jésus a été condamné par Pilate à être crucifié sur l'« indication » « ou la « dénonciation » des chefs de la nation juive. C'est aussi, sommairement, la version des évangiles. Mais ceux-ci, tout comme Josèphe, nous laissent sur notre faim quand il s'agit de savoir quelle raison précise a été à l'origine de l'arrestation de Jésus.

La troupe qui a procédé à l'opération au lieu dit Gethsémani (« Pressoir à huile ») fut, d'après l'évangile de Marc (14,13), envoyée par « les grands prêtres*, les scribes et les anciens », c'est-à-dire par le grand Sanhédrin* de Jérusalem, désigné selon les trois éléments qui le composaient : membres des grandes familles sacerdotales, légistes (généralement pharisiens*) et aristocrates laïques, le premier et le troisième groupe adhérant pour la plupart au mouvement sadducéen*. Dans la notice solennelle de Marc on perçoit une intention polémique qui se manifeste ailleurs dans les récits évangéliques du procès de Jésus : elle est d'attribuer à l'instance suprême du judaïsme* la responsabilité de sa mort. Il est néanmoins remarquable que le grand prêtre ou les grands prêtres sont seuls réellement impliqués dans la préparation et le déroulement de l'affaire : cela leur donne un poids supérieur à celui des deux autres groupes qui composaient le grand conseil.

Les raisons du procès

Si l'on s'interroge sur les raisons qui ont déterminé les grands prêtres à faire arrêter Jésus on se heurte à de réelles difficultés. Jésus fut condamné à mort par Pilate pour des raisons politiques, plus particulièrement comme prétendant à la royauté : l'écriteau qui portait au minimum les mots « le roi des Juifs » (Mc 15,26), chose publique et incontestable, l'établit avec évidence. Dans quelle mesure cette accusation correspond-elle à la réalité et permet-elle d'inscrire Jésus dans le mouvement zélote* marqué par la rébellion anti-romaine ? En outre, étant donné que Jésus fut livré à Pilate par les autorités juives, ce qui fut déterminant du côté romain le fut-il pareillement de la part de ces dernières ?

Quelles qu'aient été les innovations réformatrices de Jésus touchant la loi* de Moïse et son application, rien de permet de supposer que sa position dans ce domaine ait joué quelque rôle dans son arrestation et dans sa mort. En revanche le titre de Messie* (en grec *Christos*) qui fut très tôt donné à Jésus par les premiers chrétiens (Paul, autour des années 50, nous le garantit comme étant déjà traditionnel) permet de soupçonner chez lui ou du moins autour de lui, une revendication de ce genre, laquelle pouvait être renforcée parce qu'on savait que sa famille avait gardé dans ses archives la tradition d'une ascendance davidique par un obscur fils du roi, nommé Nathan, ce dont la généalogie de Luc (3,23-37) est le témoin.

Document

Mouvements insurrectionnels et « messianiques » au temps de Jésus

Les Actes des Apôtres (5, 35-37) mettent sur les lèvres de Gamaliel le rappel de deux insurrections menées à l'époque contre les Romains. Flavius Josèphe (*Antiquités juives*, XVII,285) nous apprend que, quelques décennies avant la mort de Jésus, « toute la Judée était pleine de brigandages ». N'importe qui pouvait se proclamer roi à la tête d'une bande de rebelles qu'il s'était associée pour amener la perte de la communauté, ne causant que des dommages insignifiants aux Romains mais produisant le pire des carnages sur leur propre peuple. On connaît un certain Judas, fils d'Ézéchias, un autre *condottiere* du nom de Simon, et, au début de la guerre juive, Athrongès, ancien berger, lui aussi roi autoproclamé contre Rome. Les Actes mentionnent Theudas et Judas le Galiléen. Si l'action du second, provoquée par le recensement de Quirinius (6 ap.J.C.), est antérieure à la mort de Jésus, celle du premier ne s'est effectuée que sous le procurateur Cuspius Fadus, entre 44 et 46. L'auteur de l'évangile de Luc et des Actes des Apôtres se plaît à mettre les faits qu'il raconte en contact avec des événements de l'histoire profane, non sans une certaine approximation quant à la date de ces derniers.

Sans doute, l'entrée triomphale des Rameaux, avec les acclamations royales qu'elle comporte, ne saurait représenter une scène historiquement vécue, car les autorités romaines n'auraient pas supporté sans réagir ce qui avait toutes les apparences d'une restauration monarchique menée contre elles :

Ils amènent l'ânon à Jésus, et mettent sur lui leurs manteaux et il s'assit dessus. Et beaucoup de gens étendirent leurs manteaux sur le chemin, d'autres, des jonchées de verdure qu'ils coupaient dans les champs. Et ceux qui marchaient devant et ceux qui suivaient criaient : « Hosanna ! Béni soit celui qui vient au nom du Seigneur ! Béni soit le Royaume qui vient, de notre père David ! Hosanna au plus haut des cieux ! » (Mc 11,7-10)

S'est-il passé quelque chose de moins spectaculaire, une acclamation par un groupe réduit de disciples ? On ne saurait nier que l'événement, sous la rédaction chrétienne et théologique des évangiles, ne possède quelque racine historique, mais on a bien de la peine à en préciser les traits.

La prétention messianique, qu'elle ait été celle de Jésus lui-même ou de son entourage, suffisait à mécontenter les chefs juifs. Non qu'il se fût agi d'une faute religieuse, encore moins d'un « blasphème », comme on le lit dans le récit de la séance du Sanhédrin. Mais c'était là provoquer directement le pouvoir romain, poser un acte politique dont les grands prêtres évaluaient les funestes conséquences, d'autant qu'ils entretenaient de bons rapports avec le gouverneur Ponce Pilate.

Sans supprimer l'impact politique, une attitude de Jésus est susceptible d'avoir déclenché l'opération qui devait le conduire au Calvaire, doublant peut-être celle qu'on vient d'envisager. Il s'agit aussi d'un événement auquel s'ajoutent des paroles. L'événement est l'incident du Temple où l'on voit Jésus chasser du sanctuaire les vendeurs d'animaux destinés aux sacrifices et les changeurs de monnaie :

Étant entré dans le Temple, il [Jésus] se mit à chasser les vendeurs et les acheteurs qui s'y trouvaient : il culbuta les tables des changeurs et les sièges des marchands de colombes et il ne laissait personne transporter d'objet à travers le Temple. Et il les enseignait en disant : « N'est-il pas écrit : Ma maison sera appelée une maison de prière pour toutes les nations ? Mais vous, vous en avez fait un repaire de brigands ! » (Mc 11,15-17 et parallèles ; cf. Jn 2,14-16)

Dans les formes qui le décrivent, cet incident n'est pas plus plausible que l'entrée triomphale dépeinte dans les évangiles, étant donné la surveillance dont la place était l'objet de la part des troupes romaines qui n'avaient qu'un escalier à franchir pour mettre de l'ordre au cas où un tumulte de quelque envergure se serait produit. Mais il est possible qu'à l'origine de ce récit se trouve un geste de Jésus de caractère limité, geste où l'on retrouvait l'accent des anciens prophètes critiquant l'exercice du culte. Bien que les paroles par lesquelles Jésus commente son action soient un produit de la polémique chrétienne, le geste lui-même – peut-être quelques boutiques renversées – était porteur d'une sévère leçon puisque le marché du Temple et les bureaux de change (pour obtenir la monnaie « tyrienne » réglementaire) était l'indispensable aliment du culte, celui-ci se voyait dès lors l'objet d'une critique.

DOCUMENT

DES PROPHÈTES ANNONCENT LA RUINE DU TEMPLE

Jésus ne fut pas le seul à prédire la ruine du Temple, encore qu'aucun en dehors de lui ne s'attribue un rôle quelconque dans l'opération. Dieu apparaît à Salomon dans le sanctuaire qu'il vient de lui élever et lui tient un discours dans lequel aux promesses succèdent les menaces à l'adresse du peuple : « Mais si vous m'abandonnez, vous et vos fils, si vous n'observez pas les commandements et les lois que je vous ai proposés, si vous allez servir d'autres dieux et leur rendez hommage, alors je retrancherai Israël du pays que je lui ai donné ; ce Temple que j'ai consacré à mon Nom, je le rejetterai de ma présence, et Israël sera la fable et la risée de tous les peuples » (1 R 9,6-7). Même menace et même annonce chez Jérémie. L'ancien sanctuaire de Silo a été détruit. Ainsi en sera-t-il du temple de Jérusalem à cause de la méchanceté du peuple : « Je vais traiter ce Temple qui porte mon nom et dans lequel vous placez votre confiance, ce lieu que j'ai donné à vous et à vos pères, comme j'ai traité Silo » (Jr 7,12-14). La colline du Temple deviendra « une hauteur boisée » (Jr 26,18). Le Testament de Lévi revient sur le passé d'Israël : l'orgueil sacerdotal et les moqueries du sacré auront pour effet que « le Temple du Seigneur sera dévasté à cause de votre impureté, vous-mêmes vous serez emmenés en captivité parmi les nations » (14,7-8 ; 15,1). Glosant les menaces du Lévitique (26,19) le Targoum* Neofiti ajoute : « Je détruirai mon sanctuaire qui est votre force puissante. »

D'après Flavius Josèphe (*Guerre juive*, VI,300-309), aux abords de la guerre juive, sous le procurateur Albinus (62-64), un pauvre paysan, Jésus, fils d'Ananie, se mit à parcourir les rues de Jérusalem en criant : « Voix de l'Orient, voix de l'Occident, voix des quatre vents, voix contre Jérusalem et contre le Temple, voix contre l'époux et contre l'épouse (Jr 7,34), voix contre tout le peuple ! » Sévèrement châtié, l'homme n'est pas sans évoquer son homonyme Jésus de Nazareth auquel les évangiles attribuent des annonces similaires, l'issue étant différente (Albinus relâcha comme fou le prophète de malheur). Mais à l'annonce de la ruine du sanctuaire succède parfois celle de sa reconstruction. De l'ancien Temple on enlève « tous les poteaux et tous les étançons et tout l'ornement de cette Demeure furent repliés en même temps. On l'enleva et on le jeta en un lieu au sud de la terre ». Dieu instaure ensuite « une Demeure neuve, plus grande et plus haute que la précédente et la mit à la place de la première qui avait été repliée... » (*1 Hénoch*, 90,28-29).

On tiendra compte aussi de certaines paroles de Jésus annonçant la ruine du sanctuaire (Mc 13,2) et dont on trouve un écho dans le récit du procès (Mc 14,58 et parallèles). Ces vues d'avenir ne sont pas sans rapport avec le thème essentiel de la prédication de Jésus : le Règne définitif de Dieu qu'il annonce n'avait que faire d'un culte sacrificiel ordonné en bonne partie à l'expiation des péchés, alors que Jésus se voyait posant par sa prédication les prémices d'un renouvellement total du culte. Mais de tels propos ne pouvaient attirer la bienveillance de la hiérarchie du Temple et pas davantage celle de la population juive profondément attachée à son sanctuaire. Pour cette dernière raison ils menaçaient l'ordre public, surtout en pleines fêtes pascales quand Jérusalem regorgeait de pèlerins, et l'on comprend que Caïphe, ami des Romains, ait jugé prudent d'ordonner l'arrestation de Jésus. Donc, sans exclure toute connotation messianique dans l'activité de Jésus ou au moins dans la perception qu'en avaient certains, sa position vis-à-vis du Temple et de son avenir aura joué un rôle important dans l'affaire qui mit un terme à sa vie.

Les événements

Jésus fut arrêté par la police du Temple par décision ultime des grands prêtres. La collaboration de la « cohorte » romaine que décrit l'évangile de Jean est d'une historicité des plus problématiques, car la suite des événements nous montre Jésus aux mains des seules instances juives et Pilate apparemment dans l'ignorance la plus totale de ce qui a pu se passer auparavant, ce qui s'explique mal si les Romains avaient, pour leur part, trempé dans l'affaire dès le début. On peut tenter de retracer les faits en comparant la version qu'en donne le quatrième évangile et le rapport qu'en font les trois autres.

La séance où l'on voit Jésus comparaître devant le Sanhédrin, telle qu'elle est racontée dans les évangiles de Marc et de Matthieu, offre beaucoup de difficulté à être lue comme un rapport historique. Sans doute peut-on y reconnaître le souvenir déformé d'un chef d'accusation (Jésus aurait annoncé qu'il détruirait le Temple pour en rebâtir un autre). Mais pour le reste, plusieurs raisons rendent peu vraisemblable le déroulement de ce procès. Elles ne sont pas seulement d'ordre juridique (illégalité d'un procès nocturne, le Sanhédrin ne siégeait pas dans le palais du grand prêtre) ou d'ordre pratique (la séance n'était pas publique). La raison majeure est qu'il s'agit d'une composition supposant les croyances *chrétiennes* en Jésus Messie, « Fils de Dieu », « Fils de l'homme » élevé au ciel et devant revenir prochainement sur terre. Ces croyances que le grand prêtre juif amène Jésus à s'appliquer entraînent l'accusation de « blasphème » (dans leurs sens chrétien de telles revendications l'étaient pour un Juif) et la condamnation à mort.

Dans Marc, le récit, malgré des traces de retouche, possède une belle unité soutenue par une dynamique et la dualité chercher / trouver. Les juges *cherchent* un témoignage « pour faire *mourir* Jésus » ; après un échec (« et ils n'en *trouvaient* pas »), ils finissent par obtenir le résultat convoité et peuvent déclarer que Jésus est bien « digne de *mort* » :

Or les grands prêtres et tout le Sanhédrin cherchaient un témoignage contre Jésus pour le faire mourir, et ils n'en trouvaient pas. Car plusieurs déposaient faussement contre lui et leurs témoignages ne concordaient pas. Quelques-uns se levèrent pour porter contre lui ce faux témoignage : « Nous l'avons entendu qui disait : Je détruirai ce Sanctuaire fait de main d'homme et en trois jours j'en rebâtirai un autre qui ne sera pas fait de main d'homme. » Et sur cela même leurs dépositions n'étaient pas d'accord.

DOCUMENT

LES DROITS DU SANHÉDRIN

Pourquoi les autorités juives n'ont-elles pas procédé elles-mêmes à l'exécution de Jésus ? L'évangile de Jean répond par la bouche de ceux-là mêmes qui voulaient le faire disparaître : « Nous n'avons pas le droit de mettre quelqu'un à mort » (Jn 18,31). Dès l'accession à la royauté d'Hérode le Grand, en 40 av.J.C., le Sanhédrin avait perdu l'autorité dont il disposait au temps des Hasmonéens*. Ce qui lui restait du droit local, le pouvoir juif ne l'exerçait que par concession. Il en fut de même quand la Judée devint province romaine. Le droit local, spécialement le droit pénal, ne subsistait que sous forme de privilèges octroyés gracieusement par l'autorité romaine. Certains témoignages rabbiniques* laissent entendre que la juridiction capitale fut laissée au Sanhédrin jusqu'à la destruction du Temple. La réalité fut sans doute tout autre et, du reste, une série de textes de même provenance le confirme en rappelant que quarante ans avant la destruction du Temple le Sanhédrin perdit son pouvoir en matière capitale, notice schématique dont on peut étendre la portée jusqu'en 6 ap.J.C. quand fut inaugurée en Judée l'administration romaine directe. Plusieurs faits concrets survenus dans cette période appuient la chose. Le martyre d'Étienne, malgré le tour officiel que lui donnent les Actes des Apôtres, fut un lynchage, et c'est aussi ce qu'il faut supposer, sous forme de menace, pour les païens* qui auraient, malgré l'interdiction, osé pénétrer dans l'enceinte du Temple. Jacques, fils de Zébédée fut exécuté sur l'ordre d'Hérode Agrippa Ier (Ac 12,2), durant une période (41-44) où fut interrompu en Judée le régime procuratorial. C'est également sous le règne d'Agrippa qu'eut lieu l'exécution d'une fille de prêtre qui, pour s'être prostituée, dut être entourée de fagots et brûlée. Il faut donc admettre qu'au temps de Jésus non seulement le Sanhédrin n'était pas autorisé à faire exécuter une sentence de mort, mais encore que celle qu'il aurait pu porter n'avait pas de valeur aux yeux du pouvoir romain.

Document

Le « prétoire » où Jésus fut jugé par Pilate

Le procès romain de Jésus eut lieu dans le palais ou « prétoire » qu'occupait le gouverneur quand, de Césarée où il séjournait habituellement, il venait s'établir à Jérusalem lors des grandes fêtes juives. L'identification archéologique de l'édifice est l'objet d'un débat entre les partisans de deux opinions. Pour les uns il s'agirait de la forteresse Antonia, à l'angle nord-est de l'esplanade du Temple. Pour les autres le « prétoire » de Pilate s'identifiait avec le palais d'Hérode, sur la colline occidentale de Jérusalem, au sud-est de l'actuelle porte de Jaffa. En fait c'est la seconde localisation qui a les meilleures garanties. À Césarée la résidence du gouverneur était le palais de l'ancien souverain. À Jérusalem, le palais d'Hérode dominait la ville et offrait au gouverneur un poste idéal pour avoir l'œil sur elle et, en particulier, sur le Temple. Sans compter certains indices dans ce sens fournis par Philon et Josèphe, on retiendra que, d'après l'évangile de Jean (19,13) le lieu où Pilate siégeait pour rendre la justice, outre son nom grec de *Lithostrotos* (« Dallage »), portait le nom araméen de *Gabbatha*, dérivé d'une racine araméenne qui évoque l'idée générale de hauteur, d'éminence, ce qui convient mieux à la position du palais d'Hérode qu'à celle de l'Antonia, bien que celle-ci dominât la cour du Temple.

Se levant alors au milieu, le Grand Prêtre interrogea Jésus : « Tu ne réponds rien ? Qu'est-ce que ces gens attestent contre toi ? » Mais lui se taisait et ne répondit rien. De nouveau le Grand Prêtre l'interrogeait, et il lui dit : « Tu es le Christ, le Fils du Béni ? » – « Je le suis, dit Jésus, et vous verrez le Fils de l'homme siégeant à la droite de la Puissance et venant avec les nuées du ciel. » Alors le Grand Prêtre déchira ses tuniques et dit : « Qu'avons-nous encore besoin de témoins ? Vous avez entendu le blasphème ; que vous en semble ? » Tous prononcèrent qu'il était passible de mort. (Mc 14,55-64)

Mieux que l'évangile de Marc, celui de Jean peut nous aider à suivre Jésus au cours de cette nuit fatale. Il fut d'abord conduit dans la maison privée de l'ex-grand prêtre Anne (Hanan), beau-père de Caïphe, grand prêtre en exercice. C'est là sans doute qu'eut lieu une réunion informelle de quelques grands prêtres pour décider de la suite à donner à l'entreprise. C'est là aussi que Jésus fut maltraité par les sbires en attendant le matin. Il fut ensuite mené devant le tribunal de Pilate.

Seul Pilate, gouverneur romain, était apte à prononcer un arrêt de mort et à le faire exécuter. L'inculpation fut, on peut en être sûr, politique, comme il découle des récits de la séance, mais sans qu'on puisse considérer ces derniers comme un compte rendu exact des entretiens du juge et de l'inculpé. On est surpris en effet de ne lire aucune réaction de Pilate après que Jésus eut reconnu sa prétention au titre de

« roi des Juifs », ce qui l'accusait normalement de haute trahison. Le rôle de la foule dans le déroulement du procès est pareillement douteux, car elle n'intervient, dans les deux premiers évangiles, que dans l'épisode de Barabbas, d'une historicité contestable, vu l'absence totale, en dehors des évangiles, de la coutume qu'il suppose. Quant au va-et-vient de Pilate et sa conversation avec la foule dans l'évangile de Jean, il sont trop artificiels pour mériter créance ; et la composition est, dans l'ensemble, trop pénétrée de thèmes théologiques et polémiques pour s'imposer comme un écho des faits.

La séance devant Pilate s'acheva donc par une condamnation à mort. On ignore quels furent à cette occasion les sentiments du gouverneur, car ses hésitations et la sympathie, du reste relative, qu'il manifeste envers Jésus dans les récits évangéliques ressortissent à l'apologétique chrétienne, soucieuse d'écarter de Jésus, et par conséquent de ses adeptes, une accusation d'opposition à l'Empire et de souligner, à l'inverse, que son représentant local ne trouvait rien à redire sur ce point (le seul qu'il l'intéressât) chez l'accusé. Le cas de Jésus fut sans doute examiné avec d'autres, si l'on en juge par l'exécution collective qui s'ensuivit. Pilate estima au moins prudent de se débarrasser de Jésus en personne (ses disciples ne furent pas inquiétés), ce qui était une façon d'être agréable à Caïphe et aux autorités juives, car la bonne entente régnait en général entre lui et ces dernières. Il est possible que le passage de Jésus chez Hérode Antipas, tétrarque de Galilée alors présent à Jérusalem, tel qu'il est rapporté dans l'évangile de Luc (23,8-12), repose sur un souvenir historique. Mais la composition de cet épisode isolé doit beaucoup à l'écrivain et pourrait bien relever de son dessein apologétique : une double voix, l'une romaine, l'autre juive, témoigne de l'innocence de l'accusé.

Jésus fut condamné par Pilate à être crucifié, après avoir subi le supplice préalable de la flagellation. Contrairement à l'impression créée par Luc (23,25-26) et Jean (19,16), ce ne sont pas les Juifs mais les soldats de Rome qui emmenèrent Jésus au lieu du supplice. Des exemples attestent que le condamné portait lui-même l'instrument de celui-ci, en l'espèce la traverse (*patibulum*) qu'on devait élever par la suite sur le poteau fiché en terre (*stipes crucis*). À part le quatrième évangile, les témoins sont unanimes à dire que les soldats réquisitionnèrent un passant, un certain Simon qui entrait en ville, pour porter la croix de Jésus, sans doute trop affaibli pour le faire lui-même. Ce Simon était originaire de Cyrène, capitale de la région nord-africaine de Cyrénaïque où vivaient de nombreux Juifs. Certains d'entre eux étaient venus s'établir à Jérusalem où ils possédaient leur propre synagogue

Repère

Le « chemin de croix »

Dès l'Antiquité les chrétiens manifestèrent de la dévotion aux lieux saints, se rendant en pèlerinage en particulier là où s'étaient déroulées les principales étapes de la Passion de Jésus. Mais ce sont les Franciscains, préposés depuis 1312 à la garde des lieux saints, qui introduisirent en Europe les images de ces étapes telles qu'on les trouve aujourd'hui dans nos églises pour les offrir à la piété des fidèles et les aider à méditer sur la Passion. Étapes variées, certains parcours commençant au prétoire de Pilate pour finir au Saint-Sépulcre, d'autres partant du cénacle, où Jésus avait institué l'eucharistie, et aboutissant à l'Ascension. Le nombre de « stations » a également varié au cours des temps et il a fallu attendre la fin du XVIIe siècle pour établir un chemin de croix en quatorze stations. Celles-ci comportent des épisodes non évangéliques, comme les trois chutes de Jésus, sa rencontre avec sa mère, le geste d'une femme (Véronique) essuyant le visage de Jésus. L'Église n'en garantit pas l'historicité comme elle n'interdit pas non plus de modifier l'ordre et l'objet des stations. L'essentiel est que cette pratique permette aux fidèles de réfléchir sur la Passion et d'en recueillir un message pour leur vie.

(Ac 6,9). Ce Simon était l'un d'eux, car en indiquant le nom de ses fils, Alexandre et Rufus, la tradition parvenue jusqu'à Marc laisse entendre qu'il s'agissait de personnes familièrement connues des chrétiens de Jérusalem et domiciliées dans la ville sainte. La tombe découverte en 1941 au sud-est de la vallée du Cédron et qui porte, entre autres inscriptions, « Alexandre (fils de) Simon », avec une addition qui, corrigée, pourrait donner le nom de « cyrénéen », n'autorise cependant que des prudentes conjectures quand il s'agit d'y voir la sépulture du fils du porte-croix de Jésus.

Jésus fut amené en un lieu dont les évangiles ont conservé le nom araméen de *Golgotha* (*Gulgulta ;* en hébreu *Gulgolet*, « crâne » ; en latin *Calvaria*), sans aucun doute à cause de la forme du terrain. Son emplacement traditionnel à l'intérieur de la basilique actuelle du Saint-Sépulcre s'appuie sur une tradition qui remonte au moins au IIe siècle et qui fut consacrée par l'édification de la basilique constantinienne au début du IVe siècle. L'authenticité de cette tradition est à confirmer par l'archéologie dont les travaux sont rendus difficiles en raison des édifices qui recouvrent le site. On notera qu'une immense carrière s'étend sous la plus grande partie de la basilique et son parvis sud. Son exploitation est arrêtée vers le sud-est à un éperon rocheux s'élevant sur ses faces ouest et nord d'une hauteur de 5 mètres. Les archéologues restent néanmoins prudents quand il s'agit d'y reconnaître le monticule où Jésus fut crucifié. Ce dont on peut être sûr, c'est que le lieu était situé hors des remparts du « deuxième mur », et non pas dans la ville, ce qui aurait été en désaccord avec le Nouveau Testament (He 13,12 ; Ac 7,58 ; voir aussi Jn 19,17), la loi juive (Lv 24,14) et les usages romains.

C'est là que Jésus fut crucifié, après qu'on lui eut présenté le narcotique habituel et qu'on l'eut dépouillé entièrement de ses vêtements. Le vinaigre que les soldats lui donnèrent à boire n'était autre que la *posca*, mélange d'eau, d'œufs et de vinaigre, utilisé par les soldats et les travailleurs des champs. Un tel geste, en étanchant la soif du supplicié, ne faisait que retarder sa fin. Celle de Jésus fut plus rapide que celle des ses compagnons, puisqu'il fut dispensé du *crurifragium* (« brisure des jambes ») par lequel les soldats achevèrent les autres condamnés.

Les quatre évangiles tombent d'accord pour fixer la mort de Jésus un vendredi, veille du sabbat. Ils divergent en ce que d'après les trois premiers ce vendredi est le jour même de la Pâque*, 15 nisan (Jésus et ses disciples ont participé au repas pascal la nuit précédente), alors que selon l'évangile de Jean ce vendredi est le 14 nisan, veille de la Pâque. On s'est efforcé d'harmoniser ces deux chronologies. En fait, l'évangéliste Jean a bien pu vouloir faire coïncider la mort de Jésus avec l'immolation des agneaux au Temple, la veille de la Pâque, Jésus étant pour lui l'« agneau de Dieu » (Jn 1,29.36). Les autres évangélistes, en fixant la crucifixion de Jésus le jour même de la Pâque juive n'offrent pas une impossibilité si l'on sait que le repas pascal, repas festif, comportait des libations, et se prolongeait tard dans la nuit, de sorte que le jour de la Pâque ne devait pas voir beaucoup se lever avec le soleil pour assister à une exécution (Marc fixe celle de Jésus à neuf heures du matin). En établissant les correspondances avec le calendrier moderne, on hésitera donc entre deux dates possibles pour la mort de Jésus : le vendredi 7 avril de l'année 30 (si l'on suit Jean), et le vendredi 27 avril de l'année 31 (si l'on suit les Synoptiques).[*voir* p. 437]

DOCUMENT

LA CRUCIFIXION

La crucifixion est considérée comme un supplice typiquement romain, bien qu'elle ait été utilisée épisodiquement chez les Grecs et chez les Juifs eux-mêmes. Vers 88 avant notre ère le grand prêtre et monarque hasmonéen* Alexandre Jannée fit crucifier à Jérusalem huit cents rebelles. Ce cas est évoqué dans le *Commentaire de Nahum* découvert à Qoumrân*. Un autre texte, de même provenance, le *Rouleau du Temple*, permet d'admettre que le milieu essénien* envisageait la crucifixion comme châtiment de certains crimes. On ne saurait dire cependant que cette législation ait été autre que théorique, car on ne connaît aucun exemple concret qui en confirmerait l'application. Flavius Josèphe ne mentionne aucun cas de crucifixion sous Hérode.

DOCUMENT

LA MORT DE JÉSUS D'APRÈS LE CORAN

D'après les quatre évangiles Jésus est mort sur la croix d'une mort réelle. Les chrétiens font de cette mort un article de foi. Le Coran conteste la réalité de cette mort, non par opposition au christianisme, mais contre les Juifs qui disent : « Nous avons tué le Messie, Jésus fils de Marie, envoyé d'Allah, alors qu'ils ne l'ont ni tué ni crucifié » (IV,156). Que s'est-il passé ? Le Coran lui-même n'apporte aucune réponse à cette question. Il faut, pour l'obtenir, recourir aux commentaires musulmans : sosie crucifié à la place de Jésus (exégèse orthodoxe), mort apparente, survie de l'âme immortelle de Jésus (au fond semblant de mort), Jésus, détaché de la croix, soigné et guéri. L'interprétation coranique n'est pas née à partir de rien mais a des racines dans certains courants chrétiens marginaux ou hérétiques. L'évangile de Pierre (versets 10 et 19) laisse planer un doute sur la mort réelle de Jésus. Mais surtout les milieux gnostiques* et docètes* s'opposaient à la mort réelle de Jésus, soutenant, en particulier, que Jésus, pour mourir, avait cédé sa place à un substitut.

La règle romaine était que les crucifiés, un fois morts, demeurent sur le gibet. Des notables juifs firent une démarche auprès de Pilate pour obtenir que Jésus et ses compagnons de supplice soient dépendus de leurs croix avant l'ouverture du sabbat. Pilate accorda la faveur demandée. Tous les évangiles attribuent à Joseph d'Arimathie l'honneur d'avoir enseveli Jésus. L'homme était originaire d'une localité dont le toponyme grec renvoie au village actuel de Rantis (à une trentaine de kilomètres au nord-est de Jérusalem), le Ramathaïm biblique (ce qui fait de Joseph le compatriote de Samuel : voir 1 S 1,1). Malgré la stylisation de certains évangiles (Mt 27,57 ; Jn 3,2 ; 19,39), l'homme n'était pas un disciple de Jésus, mais un notable juif que sa piété incitait à obéir à la loi* prescrivant d'enterrer les cadavres des suppliciés avant le coucher du soleil. La sépulture devait se faire sans honneurs et la Mishna*, codifiant des usages rapportés dans la Bible (1 R 13,22 ; Jr 22,18-19 ; 26,23), précisera plus tard que les condamnés ne peuvent être ensevelis dans la tombe familiale. Que Jésus, à ce propos, n'ait pas joui de privilèges, le récit de Marc incite à le penser : ni lavage du corps ni onction. Enveloppé dans un linceul, son corps fut déposé dans une tombe quelconque à deux pas du lieu du supplice. La Pâque étant assimilée au jour du repos sacré, on parcourut la distance minimale. Une pierre fut roulée à l'entrée pour empêcher les bêtes d'y pénétrer. Les fouilles ont fait apparaître autour du Saint-Sépulcre plusieurs tombeaux juifs du Ier siècle. L'un d'eux fut, sans aucun doute, celui où fut déposé le corps de Jésus.

S. L.

La Résurrection

La Résurrection de Jésus est au cœur de la foi chrétienne. Ce n'est pas un événement qui puisse être constaté au même titre que des péripéties de la vie de Jésus comme son baptême par Jean Baptiste, ses guérisons, son jugement et sa crucifixion. La Résurrection en tant que telle ne relève pas de faits vérifiables. Elle échappe aux conditions spatio-temporelles qui nous sont familières. Elle fait entrer Jésus dans un monde nouveau, étranger à nos conceptions du temps et de l'histoire. Loin d'être une réanimation, un retour à la vie présente, elle marque une rupture, l'entrée dans la vie éternelle. Cette affirmation est une confession* de foi et ne peut être vérifiée scientifiquement comme un événement historique courant. Ce constat pourra paraître de carence. Mais le Nouveau Testament ne développe pas une apologétique de la preuve en ce qui concerne la Résurrection.

Personne n'a donc vu s'opérer la Résurrection elle-même. C'est pourquoi aucun récit du Nouveau Testament n'en raconte l'événement proprement dit. Cette sobriété frappe par contraste avec l'évangile* apocryphe* de Pierre qui n'hésite pas à raconter la Résurrection elle-même dont les soldats et même les autorités juives sont témoins. Le Nouveau Testament précise au contraire que « Dieu l'a ressuscité le troisième jour et lui a donné de se manifester, non à tout le peuple, mais aux témoins que Dieu avait choisis d'avance » (Ac 10,40-41). Dans le Nouveau Testament, ce sont les traces laissées dans notre histoire par la Résurrection qui ont fait l'objet de récits. Mais la toute première trace historique, c'est le changement d'attitude des disciples : de la désillusion à l'enthousiasme, de l'abattement à l'annonce audacieuse de la Résurrection, y compris devant le Sanhédrin* qui a entamé la procédure menant Jésus à la mort (Ac 4,7-12). Comment expliquer ce fait, cette modification spectaculaire et efficace de leur état d'esprit ?

En théorie, diverses explications sont possibles. Certains parlent d'hallucination collective ou de fièvre messianique. Pour leur part, les disciples allèguent unanimement le fait que Jésus n'est pas resté prisonnier de la mort et que Dieu l'a ressuscité. La solidité de ce qu'ils ont construit sur cette base est un premier argument historique en faveur de la fiabilité de leur témoignage.

Les confessions de foi

Mais quelle forme celui-ci a-t-il pris ? D'abord celle de l'affirmation de foi, du Credo ou de la prédication missionnaire, ensuite celle du récit évangélique. Le plus ancien Credo est celui de Paul témoin de la foi ecclésiale dans la première lettre aux Corinthiens écrite quelque trente ans après la mort de Jésus. Paul y cite une tradition qu'il a reçue sans doute de l'Église de Jérusalem :

> *Je vous ai donc transmis en premier lieu ce que j'avais moi-même reçu, à savoir que le Christ est mort pour nos péchés selon les Écritures, qu'il a été mis au tombeau, qu'il est ressuscité le troisième jour selon les Écritures, qu'il est apparu à Céphas, puis aux Douze.* (1 Co 15,3-5)

Les quatre verbes utilisés dans cette confession de foi en constituent le cœur et sont particulièrement révélateurs. Ils vont par paires. La première rappelle deux faits connus de tous : la mise à mort de Jésus et sa mise au tombeau. Ce dernier fait est exprimé sobrement sans aucun développement et il est frappant qu'aucune allusion n'est faite au tombeau vide. En revanche, le sens de la mort de Jésus est doublement explicité. L'expression « pour nos péchés » en dit la valeur salutaire pour les hommes, et « selon les Écritures » rappelle que cette mort de Jésus réalise la promesse faite par Dieu telle que les Écritures la donnent à connaître. La seconde paire de verbes affirme la Résurrection de Jésus et quelques apparitions. Alors que tous les autres verbes du Credo décrivent des actions ponctuelles, le verbe grec traduit par « il est ressuscité » est au parfait : c'est l'action centrale qui est commencée et qui dure. Quant au dernier verbe, sa traduction littérale (« il se fit voir à ») souligne l'initiative de celui qui se présente. Selon cette tradition ancienne, les premiers bénéficiaires de ces apparitions sont les membres du groupe apostolique. Le Credo rappelle aussi que la Résurrection du Christ ne donne toute sa lumière de révélation que si elle est replacée sur l'arrière-fond des Écritures, dont elle constitue l'accomplissement.

DOCUMENT

L'AU-DELÀ DANS LE JUDAÏSME ANCIEN

Au temps de Jésus, le judaïsme* connaît une espérance en la résurrection des morts qui s'est précisée un siècle et demi plus tôt, lors de la révolte et du martyre des Maccabées : les justes qui donnent leur vie plutôt que d'apostasier recevront en compensation la vie éternelle (2 M 7,9-14). Mais il n'existe pas de doctrine unifiée de la résurrection ; celle-ci reste objet de discussion, de spéculation. La foi en la résurrection n'est certainement pas centrale dans le judaïsme. L'espérance commune en la réalisation des promesses divines y prenait des formes diverses. La résurrection n'apparaît pas clairement dans les écrits de Qoumrân* et semble peu présente dans la pensée essénienne*. Conformément à leur volonté exacerbée de s'en tenir rigoureusement à la loi de Moïse fixée dans le Pentateuque, les Sadducéens* refusent cette doctrine comme une dangereuse noveauté (Mt 22,23 ; Ac 23,8). En revanche, les Pharisiens* croient en une résurrection qui se fera après la venue du Messie*. Dans la ligne des Paraboles du livre d'Hénoch, ils la voient comme une vie transformée : « En ces jours-là, les montagnes sauteront comme des béliers et les collines bondiront comme des agneaux gorgés de lait ; et tous (les justes) deviendront des anges dans le ciel » (I Hénoch, LI, 4). Cette conception est fort proche de celle de Jésus dans sa réponse aux Sadducéens (Mc 12,25). Une telle conviction s'exprime aussi dans la relecture qui est faite de certains textes de l'Ancien Testament à l'occasion de leur traduction. Par exemple, le texte hébreu d'Os 6,2 (« après deux jours il nous fera revivre, le troisième jour il nous relèvera et nous vivrons en sa présence ») est traduit dans le Targoum* araméen : « Au jour des consolations qui doivent venir il nous fera revivre, au jour où il fera vivre les morts il nous ressuscitera et nous vivrons en sa présence. » La traduction permet d'expliciter l'affirmation de la résurrection. [*voir* vol. I, p. 434]

Écrits sans doute vers 80, les premiers discours des apôtres repris dans les Actes sont cependant composés sur base de sources anciennes. Ils témoignent combien la mort et la Résurrection de Jésus ont été au cœur de la prédication primitive. Dans ces textes trois images principales sont utilisées pour dire le mystère : la Résurrection (Jésus a été relevé ou il a été éveillé), la vie (il a repris vie, il est vivant), l'exaltation (il est élevé, exalté, glorifié, assis à la droite de Dieu). La première image joue sur l'opposition mort / vie ou avant / après et caractérise la Résurrection à partir de la mort : Jésus était mort et il s'éveille de la mort ; il était couché au tombeau et il est relevé. Les deux autres soulignent plutôt la nouveauté : Jésus ne réintègre pas notre monde, il passe dans le monde de Dieu. Dans la prolongation de ces expressions, le Christ ressuscité sera appelé « premier-né d'entre les morts » (Col 1,18), car il est celui qui inaugure le monde nouveau. Dans son discours après la Pentecôte, Pierre a une très belle expression : « Dieu l'a ressuscité, le délivrant des affres de l'Hadès. Aussi bien n'était-il pas possible qu'il fût retenu en son pouvoir » (Ac 2,24). Au sens premier, le mot traduit par « affres » désigne les douleurs de l'enfantement.

L'Hadès est donc conçu comme une matrice d'où le Christ, douloureusement, est expulsé, délivré pour une vie neuve en Dieu.

Les récits du tombeau vide

Une autre forme du témoignage sur la résurrection de Jésus nous est transmise par les récits évangéliques. À ce plan, deux sortes de signes sont répercutés par les témoins de l'époque apostolique : la découverte du tombeau vide et les apparitions du Ressuscité à quelques témoins.

Le tombeau vide a fait couler beaucoup d'encre. La tradition évangélique de la visite au tombeau n'a pas une visée apologétique de démonstration, de preuve. Ce récit a peut-être été composé d'abord pour être lu lors d'un pèlerinage au tombeau. Il s'en trouve une version dans chacun des quatre évangiles. Celles que présentent les trois évangiles synoptiques sont fort parallèles et paraissent clôturer le récit de la Passion. En leur cœur se trouve un même message céleste concernant la Résurrection : « Celui que vous cherchez n'est pas ici, il est ressuscité. » Les différences, quant à elles, s'expliquent par les intentions propres à chaque évangéliste. Par exemple, Luc insiste davantage sur le rôle de Marie de Magdala, Jeanne et Marie comme premières proclamatrices de la Résurrection. Il n'est dit nulle part chez lui comme chez Matthieu et Marc que Jésus précède les disciples en Galilée. La Galilée

Document

La résurrection de Jésus dans l'évangile de Pierre

Découvert en 1886 en Égypte et rédigé vers la moitié du IIe siècle en s'inspirant des évangiles canoniques*, en particulier celui de Matthieu, l'évangile de Pierre décrit la Résurrection elle-même en ces termes :

Or, dans la nuit où commençait le dimanche, tandis que les soldats montaient à tour de rôle la garde par équipes de deux, il y eut un grand bruit dans le ciel. Et ils virent les cieux s'ouvrir et deux hommes, brillant d'un éclat intense, en descendre et s'approcher du tombeau. La pierre, celle qui avait été poussée contre la porte, roula d'elle-même et se retira de côté. Et le tombeau s'ouvrit et les deux jeunes gens entrèrent. Alors, à cette vue, les soldats réveillèrent le centurion et les anciens, car eux aussi étaient là à monter la garde. Et, tandis qu'ils racontaient ce qu'ils avaient vu, à nouveau ils virent : du tombeau sortirent trois hommes, et les deux soutenaient l'autre, et une croix les suivait. Et la tête des deux atteignait jusqu'au ciel, alors que celle de celui qu'ils conduisaient par la main dépassait les cieux. Et ils entendirent une voix venue des cieux qui dit : « As-tu prêché à ceux qui dorment ? » Et on entendit une réponse venant de la croix : « Oui. »

(Évangile de Pierre, 35-42.
Trad. E. Junod)

est seulement mentionnée comme le lieu où Jésus avait annoncé sa Passion et sa Résurrection. Cela correspond au fait que Luc situe toutes les apparitions dans les alentours de Jérusalem :

Le premier jour de la semaine, à la pointe de l'aurore, elles allèrent à la tombe, portant les aromates qu'elles avaient préparés. Elles trouvèrent la pierre roulée de devant le tombeau, mais, étant entrées, elles ne trouvèrent pas le corps du Seigneur Jésus. Et il advint, comme elles en demeuraient perplexes, que deux hommes se tinrent devant elles, en habit éblouissant. Et tandis que, saisies d'effroi, elles tenaient leur visage incliné vers le sol, ils leur dirent : « Pourquoi cherchez-vous le Vivant parmi les morts ? Il n'est pas ici ; mais il est ressuscité. Rappelez-vous comment il vous a parlé, quand il était encore en Galilée : Il faut, disait-il, que le Fils de l'homme soit livré aux mains des pécheurs, qu'il soit crucifié, et qu'il ressuscite le troisième jour. » Et elles se rappelèrent ses paroles. À leur retour du tombeau, elles rapportèrent tout cela aux Onze et à tous les autres. C'étaient Marie la Magdaléenne, Jeanne et Marie, mère de Jacques. Les autres femmes qui étaient avec elles le dirent aussi aux apôtres ; mais ces paroles leur semblèrent du radotage, et ils ne les crurent pas. (Lc 24,1-12)

La critique historique est aujourd'hui plutôt favorable à l'historicité du tombeau vide, même si toute démonstration demeure impossible. Ce vide reste toutefois susceptible de diverses interprétations. D'aucuns ont évoqué une supercherie de la part des disciples. Ces derniers, pour leur part, voient dans le tombeau vide un signe de ce que le corps de Jésus est glorifié, entré dans une existence nouvelle en Dieu. Interprétation de foi que les faits n'imposent pas, mais ne contredisent pas davantage.

Les récits d'apparition

Le deuxième signe invoqué est celui des apparitions. Les récits qu'en donnent les quatre évangiles sont différents et impossibles à harmoniser, voire même contradictoires : Jésus vient toutes portes verrouillées (Jn 20,19) et il mange du poisson grillé (Lc 24,42-43). Celui qui lit ces textes au premier degré sera tenté de conclure que, se contredisant, les auteurs ne sont pas fiables. À l'inverse, leur manque d'harmonisation peut témoigner d'une absence de concertation et signifier l'indépendance de chacun des auteurs, gage de leur sincérité. Par ailleurs, comment ne pas voir la difficulté que représente l'essai d'exprimer dans un récit ce qui transcende nos catégories habituelles ? Les évangélistes ont cependant pris ce risque en ayant soin de barrer la voie aux réductions dont leurs lecteurs étaient susceptibles en fonction de leur anthropologie propre. S'adressant à des lecteurs de mentalité grecque pour qui le corps est une prison dont l'âme doit être délivrée, Luc souligne fortement et de manière très réaliste le caractère corporel de la Résurrection de Jésus. En revanche, s'adressant à des Juifs pour qui la résurrection concerne toute la personne humaine en tant que corps vivant, Matthieu met en valeur le caractère transcendant de la Résurrection pour éviter que les apparitions ne soient trop matérialisées, objectivées. Dans leurs récits, les évangélistes soulignent volontiers le fait que les témoins sont d'abord surpris, ne reconnaissent pas Jésus, doutent. Par ailleurs, celui qui apparaît est bien le même Jésus portant toujours les marques de sa mort ignominieuse :

Le soir, ce même jour, le premier de la semaine, et les portes étant closes, là où se trouvaient les disciples, par peur des Juifs, Jésus vint et se tint au milieu et il leur dit : « Paix à vous ! » Ayant dit cela, il leur montra ses mains et son côté. Les disciples furent remplis de joie à la vue du Seigneur. Il leur dit alors, de nouveau : « Paix à vous ! Comme le Père m'a envoyé, moi aussi je vous envoie. » Ayant dit cela, il souffla et leur dit : « Recevez l'Esprit Saint. Ceux à qui vous remettrez les péchés, ils leur seront remis ; ceux à qui vous les retiendrez, ils leur seront retenus. » (Jn 20,19-23)

Et lorsque, un peu plus tard, Thomas doute, Jésus ne se donne pas à reconnaître par son visage, mais bien par les marques des clous et du coup de lance (Jn 20,27). C'est avec ces marques qu'il est transfiguré. La Résurrection n'abolit pas la Passion comme un mauvais souvenir ; elle l'assume. Pour reprendre l'image de l'Apocalypse, le Ressuscité est « l'agneau debout comme immolé » (Ap 5,6).

Dans d'autres récits, comme celui de l'apparition aux disciples d'Emmaüs, le Ressuscité passe incognito et c'est un geste symbolique, celui de la fraction du pain, qui le fera reconnaître. À peine est-il reconnu d'ailleurs, qu'il disparaît à leurs yeux (Lc 24,30-31). Fugitive, la présence du Ressuscité semble liée au temps nécessaire à la reconnaissance et à l'envoi en mission. Car il ne faut pas le retenir. Son absence, son départ sont profitables à ses disciples, ainsi que l'évangile de Jean l'annonce : « C'est votre intérêt que je parte ; car si je ne pars pas, le Paraclet* ne viendra pas vers vous [...]. Quand il viendra, lui, l'Esprit de vérité, il vous guidera vers la vérité tout entière » (Jn 16,7.13). Cet Esprit donné par le Ressuscité guidera les apôtres dans leur mission : faire des disciples, les baptisant au nom du Père et du Fils et du Saint-Esprit, et leur apprenant à observer tout ce qui a été prescrit (Mt 28,19-20), proclamer le repentir en vue de la rémission des péchés (Lc 24,47).

Retentissement de la Résurrection

Raconter ainsi les traces de la Résurrection est une tâche périlleuse : il s'agit d'attester un événement où l'eschatologique, ce qui nous concerne ultimement, touche l'histoire universelle et nos propres vies. La tentation est permanente de l'évacuer soit vers l'observation empirique, soit vers la sublimation mythique. Malgré la difficulté de le dire, cet inclassable a gardé une puissance d'orientation étonnante. Le retentissement historique de l'expérience de Pâques* chez les premiers chrétiens mérite d'être mis en valeur. C'est toute l'histoire du christianisme primitif qu'il conviendrait de reprendre. Mais quelques points parmi les plus frappants suffiront.

Tout d'abord la compréhension de Dieu et du Christ, son envoyé, est renouvelée. Jésus a été dangereux et c'est pour cela qu'on l'a fait mettre à mort. Ce danger peut être diversement interprété. Mais, fondamentalement, c'est le danger d'un désir autre, différent. C'est le Dieu autre et le désir de cet Autre, si différent des imaginations des

Repère

La Résurrection implique-t-elle la disparition du cadavre ?

Le fait que le tombeau a été trouvé vide provoque un malaise chez le lecteur moderne. Il se demande ce qu'il est advenu des composants biologiques du corps de Jésus. Pour lui, si le cadavre de Jésus était resté dans le tombeau, cela ne contredirait en rien la possibilité de sa résurrection glorieuse qui ne doit pas être confondue avec la réanimation d'un cadavre et une prolongation de la vie selon nos conditions spatio-temporelles habituelles. Cependant, même si la disparition du cadavre pose plus de questions au lecteur moderne qu'elle n'en résout, la critique historique des textes confirme plutôt le fait que le tombeau était réellement vide. Et ce vide s'accorde bien avec la compréhension biblique de l'homme. À la suite de Platon, l'anthropologie grecque a souvent pensé l'homme, dans un registre dualiste, comme âme prisonnière d'un corps. En revanche, la pensée biblique est marquée par l'anthropologie hébraïque qui est plus unitaire. Si un homme ressuscite, c'est son être tout entier qui en est affecté. Lorsqu'il parle de la mort et de la résurrection de Jésus, Paul ne parle jamais du « cadavre ». Pour désigner le Christ ressuscité, il parle de « corps de gloire » (Ph 3,21).

REPÈRE

LE SUAIRE DE TURIN

Si le saint suaire de Turin a suscité tant de passion, c'est qu'il était considéré par certains quasiment comme une preuve de la Résurrection. Cet espoir a été récemment déçu. Une étude scientifique commandée par l'Église catholique en 1973 s'est terminée quinze ans plus tard par l'analyse au carbone 14 de fragments du suaire par trois laboratoires indépendants (Zurich, Oxford, Tuckson). Leurs résultats concordants ont été rendus publics en octobre 1988 : le suaire remonte au Moyen Âge, dans une fourchette chronologique allant de 1260 à 1390. Cette conclusion paraît irréfutable. Cependant le test du carbone 14 n'a pas élucidé tous les mystères de ce suaire dont on trouve les premières traces en France près de Troyes vers 1350. Il présente en effet des caractéristiques techniques inconnues au Moyen Âge, à commencer par le principe de l'impression en négatif. Des analyses ont découvert sur le tissu des traces de pollen vieux de 2000 ans provenant de la mer Morte. Bref, nul ne sait comment a été formée l'image d'un homme crucifié qui s'est imprimée en négatif sur le tissu de lin. Certains aspects du suaire de Turin restent donc énigmatiques pour la science. De son côté, l'Église s'accorde avec cette dernière pour ne plus considérer le saint suaire comme un vestige historique de l'époque du Christ, tout en continuant à le tenir pour une image de dévotion qui mérite le respect.

contemporains de Jésus, qui a bouleversé ces derniers, bousculé leurs représentations. Même ses proches les plus engagés ne l'ont guère compris au point qu'ils ont marqué à plusieurs reprises leur opposition à la voie qu'il avait choisie. L'accueil d'un désir autre présenté par Jésus ne s'est fait que lentement et difficilement. La Résurrection a été de ce point de vue le lieu d'une transformation, d'une relecture spirituelle, c'est-à-dire faite dans l'Esprit de Jésus lui-même. Lorsqu'ils parlent de son pouvoir, les disciples n'oublient pas que leur Seigneur fut un crucifié. Les mots lumineux qu'ils utilisent pour dire sa glorification restent fracturés à jamais par la conscience que le roi des chrétiens fut un ami des pauvres et un prophète en lutte.

Certes la tentation surgira d'oublier le crucifié pour verser dans une religion de l'esprit contre l'histoire, de l'enthousiasme contre l'incarnation*. Mais ces tentations seront repoussées comme dénaturant Jésus, Dieu et finalement la vie chrétienne. En effet, où le Ressuscité est-il rencontré de façon privilégiée, sinon dans le persécuté ou dans le frère démuni ? Singulier Seigneur, singulier roi, singulier Fils de Dieu. Il n'est pas du tout banal que les premiers chrétiens aient été capables, malgré toutes les difficultés, d'accueillir un tel Dieu, si différent de leurs projections imaginaires. L'Esprit donné par le Ressuscité leur a permis de comprendre que, malgré les apparences de sa victoire sur la croix, la haine n'avait pas le dernier mot, mais qu'elle était vaincue par l'amour. Pour eux, la Résurrection signifie d'abord la victoire de l'amour sur la haine avant de signifier la victoire de la vie sur la mort.

La Résurrection a aussi provoqué une lecture nouvelle des Écritures et la création d'un genre littéraire nouveau, le genre évangile qui est la « biographie » d'un mort qu'on croit à nouveau vivant et agissant. L'intérêt des évangélistes se porte vers l'actualité pour eux et les chrétiens de ce qu'a vécu Jésus, relu à la lumière de sa Passion et de sa Résurrection. Pénétrer en profondeur dans ce genre littéraire original et unique requiert de saisir la foi au Ressuscité comme ressort secret et clé de lecture.

Par ailleurs, la Résurrection nous convie, sous l'influence de Paul, à une nouvelle compréhension du chrétien, humain libéré, comme « corps spirituel ». En parlant pour les ressuscités de « corps », Paul n'entend certes pas se prononcer sur la teneur physico-chimique, ni sur la morphologie des corps ressuscités. De ce point de vue, il ne peut que jeter en vrac une série de comparaisons : la différence entre le corps biologique et le corps ressuscité peut être comparée à celle qu'il y a entre une semence et la plante qui en sort, entre l'éclat des étoiles et celui du soleil, entre le corruptible et l'incorruptible (1 Co 15,37-44). Le corps-personne du Ressuscité sera autre au-delà de toute attente. Celui qui n'aurait jamais vu de fleur pourrait difficilement imaginer, en voyant la seule semence, la merveille qui peut en sortir. Certes, le corps, la personnalité, l'identité personnelle subsistera. Mais il sera spirituel, c'est-à-dire entièrement mu, animé par l'Esprit, le Souffle saint. Selon la foi chrétienne, cette transformation est possible dès la vie présente. Dès lors, la nouvelle vie après la mort manifestera et accomplira l'homme nouveau auquel la foi a donné naissance dès avant la mort.

Bref, la foi en la Résurrection n'est pas à confondre simplement avec la croyance en la survie, croyance qui n'est pas spécifiquement chrétienne. C'est croire que la vie des humains, et plus largement de l'univers, peut être renouvelée et transformée en toutes ses dimensions par l'Esprit du Ressuscité dès maintenant, sans perdre de vue l'espérance d'une transformation finale, plus totale encore.

C. F.

Deuxième partie :

Nouveau Testament

Nouveau Testament :
I. Le monde méditerranéen en dehors du pays des Juifs

Au début de la première partie du volume, nous avons présenté le milieu palestinien ou milieu de Jésus. C'était nécessaire pour situer Jésus dans son environnement. Pour cette seconde partie, consacrée aux livres composant le Nouveau Testament, il convient d'élargir le paysage à des dimensions plus larges. C'est le monde méditerranéen dans son entier, entièrement sous domination romaine, le cadre dans lequel ce corpus littéraire et théologique s'est constitué. Nous y consacrerons deux volets : d'abord le judaïsme hellénistique ou les Juifs de la Diaspora, car les Juifs furent les premiers destinataires de la Bonne Nouvelle de la Résurrection de Jésus ; ensuite le reste du monde gréco-romain tel qu'on peut le connaître, surtout en Syrie, en Asie Mineure, en Grèce et en Italie, quatre régions du monde méditerranéen qui sont le berceau du Nouveau Testament.*

Nouveau Testament :
I. Le monde méditerranéen en dehors du pays des Juifs

Le judaïsme hellénistique

Par les mots « judaïsme hellénistique* » on désigne d'ordinaire l'ensemble des Juifs vivant dans la Diaspora* (litt. « la dissémination ») autour de la Méditerranée et jusque en Mésopotamie. On entend alors distinguer ces Juifs de ceux qui sont en Israël. L'expression est pourtant maladroite, puisque la culture hellénistique, puis gréco-romaine, s'est partout répandue, y compris en Israël, depuis la mort d'Alexandre le Grand en 323 av.J.C. Le judaïsme du Ier siècle avant et après notre ère est largement hellénisé jusqu'à Jérusalem même. Les diverses communautés juives de la Diaspora n'en présentent pas moins chacune un cachet particulier, en Égypte surtout. Ainsi, Philon d'Alexandrie apparaît singulièrement différent des rabbis* palestiniens. Par ailleurs, les écrits produits dans le judaïsme* égyptien ou encore à Antioche de Syrie diffèrent sensiblement des textes produits en Judée, tels ceux découverts à Qoumrân* dans le cadre d'une communauté essénienne*. L'ensemble de ces textes, écrits en hébreu, en araméen ou en grec, relèvent de ce qu'on appelle la « littérature intertestamentaire* ». On désigne par là tous les écrits non intégrés dans le canon des Écritures juives et chrétiennes, appelés apocryphes* ou pseudépigraphes*. Coincée en quelque sorte entre les deux Testaments, cette abondante littérature juive, allant des IIIe-IIe siècles avant notre ère jusqu'au IIe siècle après, relève en fait de milieux culturels différents en Israël et dans les diverses diaspora du monde méditerranéen. Car les Juifs dispersés étaient partout nombreux, dans les villes surtout. Commençons par une large évaluation de leur nombre à l'époque, en évoquant les principaux lieux de leur activité littéraire et religieuse, ainsi que leur situation sociale ; nous mentionnerons ensuite quelques écrits judéo-hellénistes, c'est-à-dire rédigés par ces Juifs de langue grecque.

Une large dispersion juive

Suivant un calcul, assez hypothétique il est vrai, on compte environ de cinq à six cent mille Juifs en Galilée et en Judée, au Ier siècle de notre ère, et, dans la Diaspora, près de six ou sept millions de Juifs. Leur nombre serait donc considérable par rapport à la population globale (8 % peut-être). Barhébraeus, un ancien chroniqueur syriaque du XIIIe siècle, donne le chiffre d'un recensement fait sous l'empereur Claude (41-54), qui s'élèverait à 6 944 000 Juifs dans tout l'Empire romain. De toute façon, les Juifs du Ier siècle avaient le sentiment de couvrir le monde entier, du fond de l'Espagne jusqu'aux pays des Parthes. Dans les *Oracles sibyllins* (datant du Ier siècle av.J.C.), l'auteur juif déclare aux siens : « Toute contrée sera pleine de toi, ainsi que toute la mer, et chacun [des idolâtres] aura en horreur ses usages » (*Oracles sibyllins*, III,271). Strabon, l'historien et le géographe d'Auguste (entre 64 avant et 24 après J.C.) écrit aussi : « Ce peuple a fait sa place dans chaque cité, et il n'est pas facile de trouver un lieu du monde qui ne l'ait pas reçu et qui n'ait point senti peser son pouvoir » (d'après Flavius Josèphe, *Antiquités juives*, XIV,115). On relèvera la pointe contre les Juifs ; l'antisémitisme était déjà virulent avant l'ère chrétienne. Peu après, Philon d'Alexandrie parle de Jérusalem comme de la capitale de la Judée, mais aussi des colonies (au sens de lieux d'émigration), et c'est Jérusalem qui les aurait envoyées au loin (*Ambassade à Caius* [Caligula], 281). Puis, Philon précise dans son traité *Contre Flaccus*, le préfet d'Égypte : « Ils [Les Juifs] considèrent comme leur métropole la ville sainte où se trouve le Temple sacré du Dieu Très-Haut, mais ils tiennent pour leur patries respectives les régions que le sort a données pour séjour à leurs pères » (§ 46). Comme on voit, la lettre de Jérémie aux exilés (Jr 29) n'est pas oubliée : les exilés doivent s'acculturer au pays où ils se trouvent. Mentionnons enfin la liste lue dans les Actes des Apôtres, signalant à la Pentecôte la présence à Jérusalem de Juifs et de prosélytes, venus de la Mésopotamie et au-delà, de l'Asie Mineure et de Rome aussi (Ac 2,9-11).

Les trois grandes villes où se situent des Juifs sont Alexandrie, Antioche sur l'Oronte, en Syrie, et Rome. Selon Philon, il y avait un million de Juifs en Égypte, sans compter les implantations juives en Cyrénaïque (la Libye) et en Crète. Sur les cinq quartiers qui partageaient la ville fondée par Alexandre, deux étaient entièrement juifs, et particulièrement le quartier Delta à l'est de la ville près des palais royaux. Avec ses cent mille Juifs au moins, Alexandrie était donc la plus grande ville juive de l'époque, alors que Jérusalem ne devait guère dépasser les vingt-cinq mille environ. Tout près, sur l'île de Pharos d'où rayonnait le célèbre phare, on venait visiter le lieu où la traduction grecque de la Loi* avait été réalisée au IIIe siècle avant notre ère. À l'ouest, à 12 km environ de la ville, un lieu retiré, habité par un groupe religieux juif, hommes et femmes séparés, attirait particulièrement l'attention ; on les appelait les Thérapeutes, au sens ici de serviteurs de Dieu. La petite pièce où chacun se recueillait pour prier se disait en grec *monasterion ;* c'est la première mention connue du mot monastère. Philon en parle abondamment dans sa *Vie contemplative.*

Les renseignements sur Antioche de Syrie, la capitale romaine de tout le Proche-Orient, sont déjà moins nombreux. À partir d'une description faite par Libanius, un auteur du IVe siècle de notre ère, on peut deviner cependant la magnificence de cette porte de l'Orient – une photographie aérienne permet encore aujourd'hui de suivre le dessein des anciennes artères de la ville. Près de ses portes dans la direction de Daphné, connue pour de belles mosaïques, devait se situer le quartier juif avec sa grande synagogue* où étaient déposés des objets du Temple de Jérusalem, pillés lors du sac de la ville par Antiochus IV Épiphane, en 167 av.J.C. Ce lieu devint vite un centre juif très important, avant de devenir le tremplin de la mission chrétienne. Relevons en particulier combien les rapports entre les Juifs et les Grecs* d'Antioche étaient excellents. Flavius Josèphe écrit même : « Le nombre des Grecs que les Juifs attiraient à leurs cérémonies religieuses ne cessait d'augmenter, et ils avaient fait d'eux en quelque sorte une partie de leur communauté » (*Guerre*, VII,45). Les judéo-chrétiens* d'Antioche s'engageront dans la même voie.

Les Juifs de Rome, en dehors du cercle étroit des princes hérodiens qui séjournaient dans la ville, sont loin de présenter la même figure. Sans doute au nombre de vingt mille hommes seulement, ils s'entassent misérablement dans le quartier du Transtévère, comme le déclare Philon : « Le vaste quartier de Rome au-delà du Tibre [...] était habité par des Juifs. La plupart étaient des affranchis romains. Amenés en Italie comme prisonniers de guerre (par Pompée en 63 av.J.C.), ils avaient été ensuite affranchis par leur maître, sans avoir été contraints d'altérer aucune de leurs traditions » (*Ambassade à Caius*, 155). Par ailleurs, le niveau social et culturel des Juifs de Rome, rassemblés dans leurs différentes synagogues, est particulièrement pauvre. Apparemment, aucune œuvre de ces Juifs romains, qui d'ailleurs s'exprimaient en grec populaire à la manière des métèques syriens, ne nous est parvenue. Les anciennes épitaphes découvertes dans la catacombe en partie juive de Monteverde (du Ier-IIe siècle ?) reflètent un judaïsme populaire, aux petits moyens.

Le statut social des Juifs de la Diaspora pouvait singulièrement varier selon le cas. Comme on sait, on distinguait à l'époque les citoyens romains, les affranchis, les pérégrins ou les métèques, c'est-à-dire des résidents étrangers, et enfin les esclaves. Ces derniers comprennent en fait la moitié ou presque de la population urbaine, sans parler des grandes installations agricoles ou des mines. Et l'on sait la différence entre un esclave impérial, dont les pouvoirs pouvaient être considérables, des domestiques parfois choyés par leur maître, des ouvriers agricoles dans les latifundia et *a fortiori* des mineurs. Avant l'an 70 de notre ère, les esclaves d'origine juive semblent peu nombreux, car les synagogues s'attachaient alors à vite obtenir leur affranchissement, en dédommageant leur maître. Cet affranchissement était d'ailleurs relativement facile à l'époque avec de l'argent, afin de récompenser un esclave ou, tout simplement, pour éviter de nourrir des impotents.

En dehors de quelques citoyens romains sans doute - mais comment concilier alors l'obligation militaire et l'honneur dû aux insignes impériaux avec le repos du sabbat et l'exigence d'un culte à rendre à Dieu seul ? – les Juifs se situent surtout parmi les résidents étrangers avec, toutefois, les privilèges particuliers que nous dirons plus loin. Du moins, c'est là plutôt leur situation à Rome. Car à Alexandrie et à Antioche aussi, ils pouvaient faire montre d'une certaine citoyenneté grecque – en fait ignorée des Romains – dans le cadre d'une communauté urbaine, dite *politeuma*. C'est d'ailleurs parce qu'ils avaient revendiqué un rang social plus haut encore, à égalité avec les autres citoyens grecs d'Alexandrie, que devait se déclencher une émeute contre eux, soutenue d'ailleurs par le préfet romain d'Égypte. En l'an 39, nous l'avons dit, Philon devait conduire une délégation de notables juifs pour disculper ses coreligionnaires. Une telle aspiration à monter ainsi les degrés de l'échelle sociale s'explique d'autant plus qu'à l'époque les impôts et autres taxes diminuaient en fonction de la qualité sociale ; les résidents étrangers étaient particulièrement accablés.

En dehors de quelques femmes de la bonne société, parfois sympathisantes ou « craignant-Dieu* », les Juifs de la Diaspora exerçaient de nombreux métiers, particulièrement dans le domaine du textile et du cuivre. On pouvait voyager en relative sécurité sur les voies romaines qui sillonnaient l'Asie Mineure (la via Egnatia empruntée par Paul, par exemple). Nombreux étaient alors les artisans, à la manière de l'Apôtre et d'Aquilas (Ac 18,3), qui passaient d'une ville à l'autre pour exercer leur art, soutenus d'ailleurs par des corporations professionnelles en pleine expansion. À Rome cependant la situation des Juifs apparaît beaucoup moins brillante. D'après les allusions littéraires et les anciennes inscriptions funéraires, on voit des colporteurs ou des vendeurs d'allumettes, des ramasseurs de verres cassés, des femmes qui vendent des songes ou apprennent à leurs enfants à quêter au bon endroit, des escrocs, des maîtres d'école, des poètes qui piquent les vers d'un collègue !

Les écrits judéo-hellénistes de la Diaspora

En plus de la traduction grecque des Septante puis des livres de Philon et de Flavius Josèphe, les écrits judéo-hellénistes, désignés comme apocryphes et longtemps dédaignés par les Juifs et les chrétiens, font maintenant l'objet d'une intense recherche linguistique, littéraire et historique. Leur étude est difficile, car on n'en possède plus les originaux, et certains ne subsistent que dans des versions latines, coptes, syriaques, arméniennes et autres. Ils n'en constituent pas moins une mine de renseignements sur l'extrême diversité du judaïsme de l'époque, avant que les rabbis du IIe siècle de notre ère et après ne tissent autour de la Tora* l'unité de l'Israël dispersé.

Le premier d'entre tous les écrits judéo-hellénistes demeure la version grecque des Septante*. Il s'agit d'abord des cinq livres du Pentateuque, traduits par soixante-douze Anciens dans l'île de Pharos, comme le raconte en détail la *Lettre d'Aristée à Philocrate*, datant elle-même du IIe siècle av.J.C. [*voir* p. 518] Plus tard, Flavius Josèphe en réduira le nombre à soixante-dix traducteurs, d'où le nom de Septante. Comme les guides de pèlerinage qui faisaient visiter l'île de Pharos à l'époque, Josèphe souligne le caractère miraculeux d'une telle version, produite de même manière par chacun des experts, indépendamment l'un de l'autre. Plus tard, du IIe siècle av.J.C. jusqu'à la fin du Ier siècle de notre ère, devaient s'ajouter la traduction des Prophètes et, finalement, celle des autres Écrits. Cette version grecque, suivie aux deux premiers siècles d'autres traductions encore (Théodotion, Aquila, Symmaque), était lue en direct dans les « proseuques* », les maisons de prière de la Diaspora, sans être alors précédée d'une lecture faite en hébreu. La Septante, dont la langue est celle du grec courant de l'époque, devait marquer tout le judaïsme hellénistique de son empreinte. À partir des IIIe-IVe siècles de notre ère seulement, les Juifs en abandonneront progressivement l'usage, alors que les chrétiens la revendiquaient hautement.

Le premier d'entre les grands commentateurs de la Bible grecque est Philon, le philosophe et l'un des principaux guides des Juifs d'Alexandrie (entre 13 av.J.C. et 41 de notre ère ou plus). Né d'une riche famille, il devait jouer un rôle essentiel au sein de la communauté alexandrine. À la suite d'une émeute des Grecs idolâtres contre les Juifs de cette ville, en l'an 38 de notre ère, il devait conduire une délégation de notables pour justifier la conduite de ses compatriotes auprès le l'empereur Caius Caligula. En tant que philosophe et théologien à la fois, son influence intellectuelle fut considérable en Égypte, puis, sur les Pères de l'Église durant de longs siècles. Sa *Vie de Moïse*, en particulier, est à la base d'un nouveau type de lecture biblique, appelé l'allégorisme*. Il s'agissait alors de déceler les vérités éternelles, marquées par la sagesse de Dieu, par-dessous la lettre de certains récits lus dans le Pentateuque. Ces anciens textes bibliques semblaient parfois extravagants, sinon peu moraux, aux yeux d'un judéo-hellléniste du Ier siècle.

De son côté, Josèphe, l'historien de la maison impériale des Flaviens – d'où le nom courant de Flavius Josèphe – occupe une place majeure dans le judaïsme hellénistique. Né en l'an 37 de notre ère, il devait disparaître après l'an 100. Durant sa vie agitée, il fut l'un des généraux des Galiléens soulevés contre Rome ; puis, une fois prisonnier, il est promu au rang d'historiographe impérial pour avoir prédit à Vespasien qu'il deviendrait bientôt empereur. Grâce à lui, nous connaissons l'une des manières de lire et de comprendre l'histoire biblique à son époque ; plus encore, il rapporte attentivement les événements tragiques qui se sont déroulés au long du Ier siècle. Il publia en araméen et en grec, une *Histoire de la guerre des Juifs contre les Romains*, en l'an 75 environ ; puis, à la fin du siècle, une œuvre monumentale, les *Antiquités juives*, qui, en vingt volumes, raconte l'histoire sainte de la Genèse à la destruction du temple d'Hérode. Selon les procédés d'écriture de l'époque en matière historique, l'auteur offre une documentation essentielle, à la fois précise et empreinte d'une forte apologétique qui lui permet de disculper en partie les Juifs de son temps, alors que la guerre venait de faire rage à Jérusalem.

De nombreux livres issus du milieu égyptien seraient à citer, montrant à l'évidence la richesse culturelle de ces Juifs de langue grecque. Énumérons seulement quelques-uns de ces ouvrages, sans toujours pouvoir les dater avec certitude. On trouve là des récits légendaires, des instructions de type sapientiel sous forme narrative ou présentées comme des maximes de sagesse ; des œuvres poétiques, mais relativement peu de récits à pointe apocalyptique à la manière des ouvrages de ce type au sein du judaïsme palestinien (ainsi, après l'an 70, le *Quatrième Esdras* ou l'*Apocalypse syriaque de Baruch*). Le judaïsme égyptien devait vite sombrer dans l'obscurité après le Ier siècle de notre ère.

Déjà la fameuse bibliothèque d'Alexandrie, aux 490 000 rouleaux rassemblés de par le monde, avait été pillée par Jules César avec l'aval de Cléopâtre, avant de disparaître entièrement après le IVe siècle de notre ère. Et surtout, la situation des Juifs égyptiens devint délicate avec l'emprise romaine sur le pays, après la bataille d'Actium en 31 av.J.C. Car jusque-là, les Juifs, telle la famille de Philon, œuvraient dans le cadre d'un fonctionnariat sous la gérance des Ptolémée au sein d'une économie de type étatique ou presque. Or, les Romains, en introduisant, disons, une économie de marché, devaient en fait désorganiser les rouages de l'ancienne administration, piller le pays et ruiner cette couche de la population. Et cela, d'autant plus que les Juifs n'avaient pas le droit de prêter de l'argent avec intérêt, en raison de l'impératif biblique sur ce point. Mais revenons à une époque antérieure.

Dès le IIIe siècle avant notre ère, Démétrios, un judéo-hellèniste égyptien, s'intéressait déjà aux éléments chronologiques découverts dans le Pentateuque. Au IIe siècle, citons Eupolème, originaire de la Cyrénaïque, et Artapan, un apologète qui n'hésitait pas à attribuer à Moïse l'invention de toute la civilisation égyptienne. À la même époque, Ézéchiel le Tragique voulut porter les récits de l'Exode sur la scène d'un théâtre ; mais l'affaire se heurta à la réticence juive face à cette modernisation intempestive. Au début du Ier siècle, le livre actuellement désigné comme *3 Maccabées* (distinct de *2 Maccabées*, intégré dans le canon*), raconte l'histoire merveilleuse du salut d'Israël alors persécuté par Ptolémée II : les éléphants de Pharaon lancés contre les Juifs devaient se retourner et écraser l'armée égyptienne. Encore au Ier siècle avant notre ère, signalons le *Livre des Sentences* du Pseudo-

DOCUMENT

UN REGARD ROMAIN SUR LES JUIFS

Grecs et Romains portaient souvent sur les Juifs de l'Empire un regard très négatif, en raison de différences qu'ils ne comprenaient pas. Ainsi Juvénal, poète satirique (mort en 140 ap.J.C.). Voici un passage de la Satire XIV :

Quelques-uns, ayant reçu du sort un père dont la superstition observe le sabbat, n'adorent rien que la puissance des nuages et du ciel, et la chair humaine n'est pas pour eux plus sacrée que celle du porc, dont leur père s'est abstenu. Bientôt même, ils retranchent leur prépuce ; et, accoutumés à dédaigner les lois de Rome, ils n'étudient, ils n'observent, ils ne craignent que tout ce droit judaïque transmis par Moïse dans un livre mystérieux, se gardant de montrer le chemin à ceux qui ont un autre culte, ne guidant dans la recherche d'une source que les seuls circoncis. Mais le responsable, c'est le père, qui a donné à la fainéantise et laissé entièrement hors de la vie un jour sur sept.

(Trad. P. de Labriolle
et F. Villeneuve)

BIBLE

UN TEXTE DE LA SEPTANTE AUX CONSÉQUENCES IMPORTANTES

La traduction grecque de la Septante deviendra la Bible de référence pour des communautés chrétiennes du Ier siècle nées du judaïsme de la Diaspora. La conception extraordinaire de Jésus sera interprétée à partir d'un texte d'Isaïe cité en Mt 1,23 : « Voici que la vierge concevra et enfantera un fils, et on l'appellera du nom d'Emmanuel, ce qui se traduit : Dieu avec nous. » Or le texte hébreu porte : « Voici, la jeune femme est enceinte, elle va enfanter un fils, et elle lui donnera le nom d'Emmanuel » (Is 7,14). En traduisant « jeune femme » (en hébreu *'alma*) par « vierge » (en grec *parthenos*), le traducteur grec a ouvert la voie à une interprétation nouvelle du livre d'Isaïe.

Phocylide, analogues aux maximes du livre de la Sagesse, intégrées dans la Bible grecque. En plus du *Troisième Esdras* (une relecture grecque des livres canoniques d'Esdras et Néhémie) ou encore de la *Lettre d'Aristée*, déjà mentionnée, et des *Oracles sibyllins* (livre III), relevons surtout l'étonnant récit de *Joseph et Aséneth*, datant du Ier siècle de notre ère. Sans doute avons-nous là le premier roman d'amour et de chevalerie connu au monde. Le patriarche Joseph, le dernier des fils de Jacob exilé en Égypte, voulait se marier avec Aséneth, la fille d'un prêtre païen*. Après bien des péripéties, le mariage aura lieu, une fois la jeune fiancée convertie au monothéisme. Ce livre, féministe à sa manière, porte l'écho de toute une tradition juive égyptienne, largement ouverte aux nations*. Une réelle ouverture à l'universel, promue aussi par les Juifs d'Antioche, traverse le judaïsme égyptien.

Au fait, le mot prosélyte dérive d'un mot grec désignant d'abord « ceux qui s'approchent » de la foi d'Israël, sans pour autant s'exclure de la société grecque qui les entoure. Devenus fils d'Abraham par la circoncision, tous n'en gardent pas moins leur appartenance ethnique première, y compris les femmes intégrées par un bain de pureté rituelle au peuple élu. Dans un contexte aussi accueillant, nombreux sont alors les gens des Nations qui, appelés « craignant-Dieu » ou « adorateurs de Dieu », confessent le monothéisme, respectent le Décalogue et suivent quelques règles de pureté rituelle, dont l'abstention du porc. Certains accepteront ensuite la circoncision. Cet intense effort religieux devait aussi aboutir à la rapide expansion du christianisme. Le centurion Corneille en est l'exemple (Ac 10).

CH. P.

Nouveau Testament :
I. Le monde méditerranéen en dehors du pays des Juifs

Le monde gréco-romain

Au moment où les premières communautés chrétiennes se constituent, l'Empire romain a atteint sa pleine expansion. La puissance de Rome règne sur toutes les nations du pourtour du bassin méditerranéen et s'étend vers les régions du Danube et du Rhin. Auguste, par lequel la République romaine est devenue un empire, a eu pour principal souci d'instaurer et de consolider la paix romaine. Cette période de tranquillité relative à l'intérieur du monde romain dure pendant les deux premiers siècles de notre ère. Cette sécurité permet à l'économie, à la vie sociale, aux manifestations intellectuelles et artistiques de se développer de manière remarquable. Plus de trente provinces, regroupant entre 50 et 80 millions d'habitants, coexistent dans le grand empire et gardent en grande partie leurs coutumes et leurs institutions d'origine, chapeautées par l'État romain.

La centralisation romaine

Car le pouvoir reste fortement centralisé : tout part de Rome, tout revient à Rome. L'empereur est présent dans toutes les provinces par des représentants dont il contrôle personnellement les activités. Les bureaux centraux à Rome (finances, justice, administration, politique étrangère) sont jusqu'à la fin du Ier siècle dirigés par des affranchis de l'empereur. Des administrateurs, les procurateurs, représentent le pouvoir dans toutes les provinces dites « impériales » et résident dans la capitale de la province. C'est à Césarée que Ponce Pilate ou Festus habitent généralement. Ils doivent rendre compte de leur gestion financière et judiciaire à l'empereur en personne, ce qui constitue parfois une entrave à leur liberté d'action. C'est ainsi que le procurateur de Judée, Festus, très prudemment ne prend pas sur lui de juger Paul, mais répond favorablement à la demande de l'apôtre qui, en tant que citoyen romain, veut comparaître devant l'empereur lui-même :

BIBLE

LE COMMERCE MARITIME SELON LES ACTES DES APÔTRES

La navigation est le mode de voyage le plus utilisé dans l'Antiquité. À l'exception des riches et des personnalités qui disposent de navires privés ou militaires pour leurs déplacements, les simples particuliers ne peuvent embarquer sur des bateaux réservés aux voyageurs, et doivent traiter avec les armateurs pour voyager sur des cargos mixtes transportant à la fois marchandises et passagers. C'est ainsi que Paul, pendant son voyage de captivité, va embarquer à Myre sur un bateau alexandrin qui devait transporter à Rome du blé en provenance d'Égypte. À bord, les passagers doivent préparer leur nourriture et couchent sur le pont. Les plus pauvres effectuent des corvées pour payer leur traversée.

Quand notre embarquement pour l'Italie eut été décidé, on remit Paul et quelques autres prisonniers à un centurion de la cohorte Augusta, nommé Julius. Nous montâmes à bord d'un vaisseau d'Adramyttium qui allait partir pour les côtes d'Asie et nous prîmes la mer.

(Ac 27,1-2)

On ne circule pas sur mer pendant les mois d'hiver en raison des intempéries. À partir du printemps, la mer est « ouverte » et la navigation peut reprendre. Le voyage de Paul, qui se déroule en automne et hiver 59-60 (ou 60-61), est une exception d'ailleurs dénoncée par l'apôtre. Souvent les vents et les tempêtes font dévier la trajectoire du navire. Les Actes des Apôtres donnent le détail des mesures prises lorsque le navire transportant Paul se trouve pris dans une sorte d'ouragan qui le porte vers les côtes d'Afrique : les voiles sont serrées, des cordages ceinturent la coque pour éviter la dislocation des planches, on lance les apparaux à la mer ; puis en un second temps on balance par-dessus bord la cargaison et enfin les agrès.

Un léger vent du sud s'étant levé, ils se crurent en mesure d'exécuter leur projet. Ils levèrent l'ancre et se mirent à côtoyer de près la Crète. Mais bientôt, venant de l'île, se déchaîna un vent d'ouragan nommé Euraquilon. Le navire fut entraîné et ne put tenir tête au vent ; nous nous abandonnâmes donc à la dérive. Filant sous une petite île appelée Cauda, nous réussîmes à grand-peine à nous rendre maîtres de la chaloupe. Après l'avoir hissée, on fit usage des engins de secours : on ceintura le navire ; puis, par crainte d'aller échouer sur la Syrte, on laissa glisser l'ancre flottante. On allait ainsi à la dérive.

(Ac 27,13-17)

Le second bateau sur lequel embarquent Paul et ses compagnons à Malte au printemps 61 est protégé par une figure de proue représentant les Dioscures, Castor et Pollux, divinités tutélaires des matelots. Parti de Malte, le bateau fait escale à Syracuse, puis à Rhegium et à Pouzzoles. L'indication donnée par les Actes sur la durée du trajet est précieuse : de Rhegium à Pouzzoles, soit environ 350 km, le navire met deux jours. La durée des navigations était très variable : on estime entre 4 et 6 nœuds à l'heure le trajet parcouru. On compte qu'en cas de traversée sans incident, un navire, allant de Pouzzoles à Alexandrie, mettait de huit à neuf jours, mais en cas de mauvais temps, la même traversée pouvait demander une cinquantaine de jours :

Au bout de trois mois, nous prîmes la mer sur un navire qui avait hiverné dans l'île ; c'était un bateau alexandrin à l'enseigne des Dioscures. Nous abordâmes à Syracuse et y demeurâmes trois jours. De là, en longeant la côte, nous allâmes à Rhegium. Le jour suivant, le vent du sud se leva et nous parvenions le surlendemain à Pouzzoles.

(Ac 28,11-13)

« S'il n'y avait rien de fondé dans les accusations de ces gens-là contre moi, nul n'a le droit de me céder à eux. J'en appelle à César ! Alors Festus, après en avoir conféré avec son conseil, répondit : Tu en appelles à César, tu iras devant César » (Ac 25,11-12). À date fixe, les procurateurs traitent dans leur tribunal des affaires judiciaires locales que les provinciaux n'ont pu régler avec leur propre législation : Jésus et Paul sont l'un et l'autre amenés par les autorités juives, le premier devant Ponce Pilate, le second devant Festus. Les procurateurs ont aussi la responsabilité des légions cantonnées dans leurs provinces et les utilisent pour exécuter les décisions de justice : « Il [Félix] prescrivit au centurion de garder Paul prisonnier, mais de lui laisser quelques facilités et de n'empêcher aucun des siens de lui rendre service » (Ac 24,23).

La puissance romaine est aussi représentée par les légions qui se trouvent dans les provinces « à risque » (Moyen-Orient, Rhin, Danube) où il est nécessaire de prévenir les révoltes. Ponce Pilate, procurateur de Judée, est accompagné d'une cohorte militaire lorsqu'il se rend à Jérusalem au moment des grandes fêtes juives, car ces périodes, pendant lesquelles de nombreux pèlerins affluent de tout l'Empire vers la ville sainte, peuvent être génératrices de troubles et d'émeutes. Paul

REPÈRE

PHILIPPES, COLONIE ROMAINE

Philippes est dans l'Antiquité une des plus grands villes de la Macédoine, à une quinzaine de kilomètres du port de Néapolis (aujourd'hui Kavala). La ville doit son nom au roi Philippe II de Macédoine, père d'Alexandre le Grand. En 42 av.J.C., se déroule à Philippes une bataille opposant l'armée de Brutus et Cassius, meurtriers de Jules César, et celle d'Antoine et Octave. La victoire de ces derniers décide du sort de la République romaine. Octave, devenu l'empereur Auguste, envoie à Philippes des vétérans de son armée qui s'installent dans la ville devenue colonie sous le nom de *Colonia Augusta Julia Philippensis*. Les habitants d'une colonie jouissent de tous les droits des citoyens romains et la ville s'administre elle-même selon des institutions comparables à celles de Rome. Philippes, à l'époque où Paul y fait sa première prédication est une cité prospère, enrichie par les mines d'or et l'agriculture florissante de la région. Sa situation à proximité de la *Via Egnatia*, la grande route qui va de Dyrrachium (Durrazzo) à Byzance, lui permet d'entretenir des relations commerciales avec tout l'Empire romain. On peut voir encore à Philippes, le Forum, le théâtre et une basilique construite à l'emplacement de la prison de Paul et de Silas. Les Actes des Apôtres décrivent ainsi leur arrivée dans cette ville :

Embarqués à Troas, nous cinglâmes droit sur Samothrace, et le lendemain sur Néapolis, d'où nous gagnâmes Philippes, cité de premier rang de ce district de Macédoine et colonie.

(Ac 16,11-12)

est conduit devant un tribun militaire, officier supérieur placé sous la tutelle du procurateur et commandant une cohorte de 600 à 1 000 hommes : « Il appela deux des centurions et leur dit : Tenez prêts à partir pour Césarée, dès la troisième heure de la nuit, deux cents soldats, soixante-dix cavaliers et deux cents hommes d'armes. Qu'on ait aussi des chevaux pour faire monter Paul et le conduire sain et sauf au gouverneur Félix » (Ac 23,23-24). Des centurions, sous-officiers sortis du rang, commandent une centurie, subdivision de la cohorte (environ cent hommes) : « Car moi qui n'ai rang que de subalterne, j'ai sous moi des soldats et je dis à l'un : Va ! et il va, et à un autre : Viens ! et il vient » (Lc 7,8).

Rome est enfin présente dans les provinces par les publicains*, appartenant à de grandes sociétés financières qui ont pris à ferme les différents impôts. Ces « fermiers généraux » emploient des percepteurs choisis parmi les autochtones de la province, détestés par leurs compatriotes qui les considèrent comme des collaborateurs : « Étant sorti, Jésus vit, en passant, un homme assis au bureau de la douane, appelé Matthieu et il lui dit : Suis-moi ! Et se levant, il le suivit. Comme il était à table dans la maison, voici que beaucoup de publicains et de pécheurs vinrent se mettre à table avec Jésus et ses disciples » (Mt 9,9-10). Les impôts perçus par les publicains sont de différente nature : ils concernent la personne, « tribut par tête », et les biens, « tribut du sol ». S'ajoutent toutes les taxes prélevées sur les héritages et les affranchissements d'esclaves, les droits de péage, de douane, etc. Alors que, pour les transactions locales, on utilise la monnaie du pays, il faut régler les impôts avec de la monnaie romaine : « Nous est-il permis ou non de payer le tribut à César ? Mais, pénétrant leur astuce, il [Jésus] leur dit : Montrez-moi un denier. De qui porte-t-il l'effigie et l'inscription ? Ils dirent : De César. Alors il leur dit : Eh bien ! rendez à César ce qui est à César, et à Dieu ce qui est à Dieu » (Lc 20,22-25).

Enfin Rome a soin de laisser un pouvoir limité aux princes et aux roitelets locaux qui subsistent dans de nombreuses régions et sont étroitement inféodés à Rome. C'est le cas du roi Hérode le Grand et des tétrarques Hérode Antipas, Hérode Philippe et Hérode Agrippa. Ces souverains locaux entretiennent des rapports cordiaux avec les autorités romaines qui ont soin de respecter leurs prérogatives : « À ces mots Pilate demanda si l'homme était galiléen. Et s'étant assuré qu'il était de la juridiction d'Hérode, il le renvoya à Hérode qui se trouvait, lui aussi, à Jérusalem en ces jours-là » (Lc 23,7).

La vie sociale

La vie sociale dans le monde gréco-romain a pour caractéristique essentielle la ligne de partage tracée entre les hommes libres et les esclaves. D'un côté se trouvent ceux qui sont libres de leurs paroles et de leurs actes, de l'autre les esclaves considérés juridiquement comme les « choses » de leurs maîtres et ne pouvant disposer de leur personne. Cependant cette distinction n'a pas de conséquences directes sur le mode de vie de ces esclaves : si beaucoup, surtout dans les campagnes, ont des conditions de vie très pénibles, on peut constater aussi que des liens d'affection peuvent s'établir entre le maître et l'esclave : « Or un centurion avait, malade et sur le point de mourir, un esclave qui lui était cher » (Lc 7,2).

Dans la catégorie des hommes libres, une autre distinction s'établit dans le monde romain entre ceux qui jouissent des privilèges attachés à la citoyenneté romaine et les autres (alliés, étrangers, résidents dépourvus du droit de cité). On peut être citoyen romain par naissance,

Repère

Les jeux du stade

Les jeux athlétiques occupent encore, à l'époque de Paul, une importance considérable dans la vie des Grecs. D'origine généralement religieuse, les jeux panhelléniques (concernant toutes les cités grecques) comprennent les jeux Olympiques (Olympie), Isthmiques (Corinthe), Pythiques (Delphes), Néméens (Némée). Selon les cas, ils sont célébrés tous les deux, trois, quatre ou cinq ans et comportent des épreuves athlétiques et musicales. S'adressant à des Corinthiens chez lesquels se déroulent les jeux Isthmiques, Paul utilise tout naturellement l'image de la compétition sportive à laquelle ils sont accoutumés. L'apôtre se compare à un coureur dans le stade et à un lutteur de pugilat (sorte de boxe à poings nus). Peut-être pense-t-il plus précisément à l'épreuve reine du penthlaton qui comporte cinq épreuves : saut, course, lutte, lancement du disque et du javelot. Pour toutes ces épreuves, les athlètes doivent suivre un régime alimentaire particulier et se livrer à un entraînement intensif. À la fin de chaque concours, un héraut proclame les résultats et on distribue les récompenses, couronnes d'olivier et objets de valeur. Les athlètes vainqueurs jouissent d'une popularité considérable dans le monde grec et leur gloire rejaillit sur leur patrie qui leur élève des statues ou des monuments commémoratifs :

Ne savez-vous pas que, dans les courses du stade, tous courent, mais un seul obtient le prix ? Courez donc de manière à le remporter. Tout athlète se prive de tout ; mais eux, c'est pour obtenir une couronne périssable, nous une impérissable. Et c'est bien ainsi que je cours, moi, non à l'aventure ; c'est ainsi que je fais du pugilat, sans frapper dans le vide. Je meurtris mon corps au contraire et le traîne en esclavage, de peur qu'après avoir servi de héraut pour les autres, je ne sois moi-même disqualifié.

(1 Co 9,24-27)

BIBLE

EXTRAITS DU DISCOURS D'ATHÈNES

Le célèbre discours de Paul devant l'Aréopage d'Athènes (Ac 17,22-31) est destiné à convaincre les intellectuels païens de la vérité du kérygme. Paul a suivi dans sa jeunesse l'enseignement des rhéteurs et son discours est fidèle aux règles de la rhétorique gréco-latine : un exorde (v. 22-23), un développement (v. 24-29) et une péroraison (v. 30-31).

Dans son exorde, Paul obéit à la règle de la *captatio benevolentiae* en piquant la curiosité de son auditoire tout en le flattant : « *Athéniens, à tous égards, vous êtes, je le vois, les plus religieux des hommes.* » Puis sa démonstration part du général (« *Le Dieu qui a fait le monde...* ») pour conduire insensiblement le public au Dieu qu'il annonce. Son discours, qui est conforme aux croyances d'un public lettré païen*, ne fait aucune référence aux textes bibliques, mais est nourri de références universelles (« *tout le genre humain..., toute la face de la terre...* ») communes aux païens et aux chrétiens. Sa présentation de Dieu (Dieu créateur, maître du temps et de l'espace, providentiel, non localisable, qui n'a pas besoin des statues fabriquées par les hommes) est tout à fait conforme aux lieux communs de la philosophie stoïcienne. Le vocabulaire de Paul renvoie à des notions philosophiques fort répandues à l'époque et l'apôtre, suivant en cela les règles de la rhétorique, illustre sa démonstration de deux citations empruntées à des auteurs célèbres : le platonicien Épiménide (« *C'est en elle que nous avons la vie, le mouvement et l'être* ») et le stoïcien Aratos (« *Car nous sommes aussi de sa race* »). La péroraison résume en quelques mots la thèse développée dans la démonstration pour en venir à l'essentiel : le Dieu qu'il annonce a ajouté encore un bienfait à tous ceux qu'il a déjà évoqués, le salut apporté par « *un homme qu'il a destiné* », c'est-à-dire Jésus. La dernière expression employée par Paul est la seule référence explicite au christianisme, « *en le ressuscitant des morts* ».

lorsque le père a déjà cette qualité. C'est le cas de Paul qui a une personnalité juridique différente de celle de autres acteurs du Nouveau Testament. Cette citoyenneté lui donne des prérogatives certaines : « Paul dit aux licteurs : Ils nous ont fait battre en public et sans jugement, nous, des citoyens romains, et ils nous ont jetés en prison. Les licteurs rapportèrent ces paroles aux stratèges. Effrayés en apprenant qu'ils étaient citoyens romains, ceux-ci vinrent les presser de quitter la ville » (Ac 16,38-39). Cette qualité vaut aussi à l'apôtre un traitement de faveur : « Quand nous fûmes entrés dans Rome, on permit à Paul de loger en son particulier avec le soldat qui le gardait » (Ac 28,16). Certains détenteurs de la citoyenneté romaine ont acheté ce privilège : « Le tribun vint donc demander à Paul : Dis-moi, tu es citoyen romain ? – Oui, répondit-il. Le tribun reprit : Moi, il m'a fallu une forte somme pour acheter ce droit de cité. – Et moi, dit Paul, je l'ai de naissance » (Ac 22,27-28).

Si les citoyens romains constituent une élite pourvue de multiples droits, ils se répartissent entre eux selon une hiérarchie reposant à la fois sur leur richesse et leurs fonctions dans la société. On trouve au sommet l'ordre sénatorial ou noblesse héréditaire, l'ordre équestre ou haute fonction publique. En dessous, on rencontre les bourgeoisies municipales ou notables des villes de province. Puis il y a les différentes plèbes, urbaines et rurales. Enfin une place particulière est tenue par les affranchis, ces anciens esclaves devenus citoyens romains.

Les cités des provinces ont des statuts très variés, car on trouve parmi elles des colonies, des municipes bénéficiant du droit romain, des villes sujettes soumises à l'impôt. Les institutions locales sont conservées dans la partie orientale du bassin méditerranéen : le Sanhédrin* à Jérusalem, les stratèges (officiers) dans les cités grecques*. De même les cérémonies et les manifestations collectives sont préservées : les fêtes du calendrier juif, les grands concours athlétiques en Grèce.

REPÈRE

ARTÉMIS À ÉPHÈSE

Fondée au XIe siècle av.J.C., Éphèse, située sur la côte d'Asie Mineure, est une cité fort prospère qui joue un rôle de premier plan dans les activités commerciales de l'Orient méditerranéen. Sa renommée vient de son temple d'Artémis, une des sept merveilles du monde. L'Artémis adorée à Éphèse n'a rien à voir avec la divinité grecque du même nom à laquelle les colons grecs l'ont assimilée au VIe siècle av.J.C. C'est une déesse mère de la fécondité, représentée avec des grappes de mamelles et le corps gainé d'une tunique couverte de symboles divers (lions, taureaux, sphinx, abeilles). Son temple, l'Artémision, est un chef-d'œuvre en marbre de l'art ionien, mesurant plus de 155 m de long sur 55 m de large et orné de 127 colonnes dont certaines sont entièrement sculptées. Tous les ans, les pèlerins se pressent à Éphèse pour les fêtes de la déesse. La statue, entourée de vingt-neuf idoles d'or, est transportée dans le théâtre de la ville et des courses de chars ont lieu dans le stade tout proche. Pour répondre à la demande des pèlerins, des marchands leur proposent de petites statues d'Artémis et des modèles réduits de son temple réalisés en métaux précieux. Ce commerce très fructueux est menacé par la prédication de Paul qui dénonce le culte « des dieux sortis de la main des hommes ». La réaction des Éphésiens était prévisible :

Un certain Démétrius, qui était orfèvre et fabriquait des temples d'Artémis en argent, procurait ainsi aux artisans beaucoup de travail. Il les réunit, ainsi que les ouvriers des métiers similaires, et leur dit : « Mes amis, c'est à cette industrie, vous le savez, que nous devons notre bien-être. Or, vous le voyez et l'entendez dire, non seulement à Éphèse, mais dans presque toute l'Asie, ce Paul, par ses raisons, a entraîné à sa suite une foule considérable, en affirmant qu'ils ne sont pas des dieux, ceux qui sont sortis de la main des hommes. Cela risque non seulement de jeter le discrédit sur notre profession, mais encore de faire compter pour rien le sanctuaire même de la grande déesse Artémis, pour finir par dépouiller de son prestige celle que révèrent toute l'Asie et le monde entier. » À ces mots, remplis de colère, ils se mirent à crier : « Grande est l'Artémis des Éphésiens ! »

(Ac 19,24-28)

La vie intellectuelle et religieuse

La vie intellectuelle traduit la mosaïque de cultures différentes présentes dans l'Empire. Tous les habitants de l'Empire sont bilingues, sachant s'exprimer en grec et en latin et les écrivains, selon leur région d'origine, ont laissé des œuvres écrites dans l'une ou l'autre langue. L'éducation comporte trois étapes : les enfants d'âge scolaire suivent l'enseignement du grammairien consacré à l'étude des deux langues, puis celui du rhéteur apprenant à maîtriser l'art de la parole, les jeunes gens sont les auditeurs des philosophes, Athènes et Rhodes étant les centres les plus réputés de ces « études supérieures ». Les grands courants philosophiques de l'Antiquité, platonisme, pythagorisme, stoïcisme et épicurisme, s'opposent dans leur conception du monde – les platoniciens et les stoïciens sont spiritualistes, les épicuriens, matérialistes –, mais se rejoignent dans la morale qu'ils préconisent : la recherche de la sagesse par le détachement face aux passions terrestres. En effet l'adhésion à un courant philosophique s'apparente à une croyance religieuse, car elle implique l'observation de certaines règles morales : « Il y avait même des philosophes épicuriens et stoïciens qui l'abordaient » (Ac 17,18). L'attitude des philosophes d'Athènes s'explique à la fois par la curiosité qui les tient d'entendre une nouvelle

Repère

Zeus et Hermès à Lystre

La ville de Lystre est située en Lycaonie, région reculée de Phrygie, dont les habitants s'expriment encore dans le patois local. Paul et Barnabé furent dans cette cité l'objet d'une méprise amusante : les Lystriens, les prenant pour les dieux Zeus et Hermès, s'apprêtèrent à leur offrir un sacrifice. Cette confusion surprenante a sans doute pour origine la légende de Philémon et Baucis, racontée par le poète Ovide. Un jour Zeus et Hermès revêtent l'apparence humaine et se rendent sur terre pour tester la fidélité des mortels. Personne n'accepte de donner l'hospitalité à ces voyageurs inconnus. Seuls deux vieillards très pauvres, Philémon et Baucis, reçoivent chaleureusement les étrangers et leur offrent à manger tout ce qu'ils possèdent. Se faisant alors reconnaître, Zeus et Hermès, après avoir détruit les villages inhospitaliers, accomplissent le vœu de Philémon et Baucis, à savoir mourir au même moment pour ne pas être séparés par la mort. Les habitants de Lystre, se souvenant de cette légende, tiennent à honorer les deux étrangers qui s'arrêtent chez eux. Tout naturellement ils prennent Paul pour Hermès, le porte-parole de Zeus, ce dernier étant pour eux figuré par Barnabé :

À la vue de ce que Paul venait de faire, la foule s'écria en lycaonien : « Les dieux, sous forme humaine, sont descendus parmi nous ! » Ils appelaient Barnabé Zeus et Paul Hermès, puisque c'était lui qui portait la parole. Les prêtres du Zeus-de-devant-la-ville amenèrent au portail des taureaux ornés de guirlandes, et ils se disposaient, de concert avec la foule, à offrir un sacrifice.

(Ac 14,11-13)

conception du monde et de la divinité et par la crainte de la concurrence que peut présenter la « philosophie » de Paul.

Les croyances religieuses au Ier siècle sont marquées par la multiplicité et le syncrétisme. Le fonds commun de la mythologie grecque et du panthéon gréco-romain subsiste et les grands sanctuaires du monde grec continuent à être l'objet d'une vénération du public. Cependant ces croyances sont l'objet d'un scepticisme généralisé dans les milieux cultivés qui laissent ces superstitions naïves aux peuples des campagnes. En fait la religion officielle subit la concurrence des religions dites « orientales », originaires d'Asie Mineure, d'Égypte, de Syrie ou de Perse qui se répandent dans toutes les classes sociales. Les cultes d'Isis, de Mithra ou de Cybèle, à vocation monothéiste, font une large place au mysticisme personnel des dévots. Ils apportent une réponse à la question angoissante du salut en affirmant que la « vie sainte » est la condition de la félicité après la mort. Ces croyances, tolérées dans l'ensemble par les autorités romaines, reçoivent l'approbation de beaucoup d'intellectuels qui y trouvent une source de réflexion. Aussi ne faut-il pas s'étonner si les philosophes d'Athènes pensent que Paul est le prédicateur d'une de ces religions : « On dirait un prêcheur de divinités étrangères – parce qu'il annonçait Jésus et la résurrection » (Ac 17,18). La « résurrection » (*anastasis* en grec) était comprise par eux comme le nom de la divinité parèdre du « dieu » Jésus, Anastasie.

Dans tous les milieux enfin, les croyances dans les formes parallèles de la religion sont très vivaces. L'astrologie venue de Perse, pratiquée par les Chaldéens et les mages de Babylone, jouit d'une faveur exceptionnelle chez les grands. La magie, forme dégradée de la religion, attire ceux qui recherchent des miracles : « Or il y avait déjà auparavant dans la ville un homme appelé Simon, qui exerçait la magie et jetait le peuple de Samarie dans l'émerveillement. Il se disait quelqu'un de grand et tous, du plus petit au grand, s'attachaient à lui » (Ac 8,9-10). Paul s'en prend à plusieurs reprises violemment à cette vogue de la magie et la réussite de sa prédication se manifeste par l'abandon de ces pratiques : « Bon nombre de ceux qui s'étaient adonnés à la magie apportaient leurs livres et les brûlaient en présence de tous. On en estima la valeur : cela faisait cinquante mille pièces d'argent » (Ac 19,19).

Les rites religieux sont aussi nombreux et divers que les croyances. L'acte essentiel, quel que soit le dieu invoqué, est le sacrifice d'animaux opéré soit par les responsables religieux dans le cadre du culte public, soit par les particuliers pour accomplir un vœu. Les autres rituels sont propres à chaque croyance et sont bien tolérés par le pouvoir.

DOCUMENT

INVITATIONS ET BANQUETS DANS LES TEMPLES

Le rituel du sacrifice grec répond à un cérémonial précis. Après avoir dépecé les victimes égorgées (bœuf, mouton, porc, ou autre animal), le prêtre en offre une partie aux dieux : il s'agit des gros os et de la chair des cuisses recouverts de graisse et entièrement brûlés. Les dieux reçoivent ainsi leur part dans la fumée qui s'élève de l'autel vers les cieux. Ensuite les viscères sont rôtis sur l'autel et mangés immédiatement par les sacrifiants. Enfin la viande est découpée en parts égales et distribuée aux assistants qui la consomment bouillie. Dans l'enceinte du temple d'Asclépios à Corinthe, se trouvent trois salles destinées à ces banquets sacrés. Une partie des viandes non consommées est revendue par les prêtres aux bouchers de l'agora.

Après avoir lancé des grains d'orge, on relève la tête des victimes, on les égorge, on les écorche, on découpe les cuisses, on les couvre de graisse sur les deux faces et on dispose dessus des morceaux de chair crue. Puis Chrysès [le prêtre] les fait brûler sur des sarments et verse dessus du vin vermeil. À côté de lui, des jeunes gens tiennent des broches à cinq pointes. Lorsque les cuisses sont consumées, on mange les abats. Le reste, on le dépèce, on enfile les morceaux sur les broches et on les fait griller avec soin. Enfin on retire tout du feu et, les apprêts du repas étant terminés, on se met à manger. Les portions sont égales et personne n'a à se plaindre.

(Homère, *Iliade*, I, 460-480)

À Corinthe, se posait la question de savoir si les chrétiens pouvaient ou non participer à des banquets sacrés dans les temples de la ville. Paul en traite dans sa première épître aux Corinthiens (1 Co 8-10). On pouvait en effet y être communément invité. Voici le texte retrouvé d'une invitation :

Hérais t'invite à dîner dans la salle du Sérapéion (l'Asclépéion) à un banquet du Seigneur Sérapis, demain, le onze à partir de la neuvième heure.

UNE GRANDE MOBILITÉ

Enfin ce monde gréco-romain est caractérisé par l'extrême mobilité des personnes et des biens. Chaque province fournit ses productions spécifiques aux autres. C'est ainsi que le blé est en majeure partie originaire d'Afrique et d'Égypte. Les produits exotiques, parfums, étoffes de prix, bois rares font l'objet d'un commerce très actif pour répondre aux besoins de luxe des hautes classes de la société. Lydie, commerçante de Philippes, vend de la pourpre, cette teinture rouge violacé fort prisée qu'elle fait venir d'Asie Mineure (Ac 16,14).

Les gens circulent aussi continuellement. Les raisons des voyages sont multiples : les hommes d'affaires et les commerçants sont constamment en déplacement pour mener à bien leurs activités. Les dévots et les malades vont dans un lieu de pèlerinage réputé. Les philosophes font des tournées de conférences, les prêtres missionnaires des religions orientales parcourent les villes et les campagnes à la recherche de nouveaux fidèles. Les artistes, comédiens ou gladiateurs se produisent de ville en ville. Il y a aussi beaucoup de touristes, des curieux attirés par le spectacle de sites naturels extraordinaires et des chefs-d'œuvre artistiques. Le voyage fait partie intégrante de l'existence de la plupart des habitants de l'Empire.

Si les voyageurs préfèrent à tout autre mode de transport le bateau, ils sont cependant obligés bien souvent de circuler par voie de terre. L'Empire romain est doté d'un réseau de routes exceptionnelles, construites à l'origine pour permettre aux légions de se déplacer rapidement d'un point à l'autre. De grands axes traversent toutes les provinces. Les plus pauvres des voyageurs circulent à pied, mais les plus aisés voyagent à dos de cheval ou de mulet ou dans des voitures, de lourds chariots bâchés ou de somptueux carrosses. À pied, on peut parcourir environ 30 kilomètres par jour, à cheval, 60 km et en voiture, de 45 à 70 km. Pour se loger et pour se nourrir pendant le voyage, il y a plusieurs solutions correspondant à la condition sociale du voyageur : les plus pauvres doivent se contenter d'auberges généralement sales et mal famées, alors que les personnages importants disposent de relais d'« hôtes » qui les reçoivent dans leurs demeures : « Il y avait à proximité de cet endroit un domaine appartenant au Premier de l'île, nommé Publius. Celui-ci nous reçut et nous hébergea complaisamment pendant trois jours » (Ac 28,7). Les voyages de Paul, tels qu'ils sont racontés dans les Actes des Apôtres, permettent de connaître les différentes péripéties qui pouvaient arriver lors de ces longs périples à travers les provinces.

C. S.

LES ÉPÎTRES DE SAINT PAUL, ALIAS SAUL DE TARSE, SONT les plus anciens textes chrétiens que nous possédons. Elles ont été rédigées entre l'année 50 et l'année 67, date probable de son martyre. Désireux de suivre un ordre chronologique, c'est par elles que nous commençons la présentation des écrits du Nouveau Testament. Il existe aussi des lettres attribuées à Paul qui ne sont pas de sa main, écrites par des disciples après sa mort ; elles sont traitées à la suite des épîtres authentiques. Un traitement particulier est réservé à la seconde épître aux Thessaloniciens qui, en raison de sa parenté avec elles, est présentée avec les dernières épîtres du Nouveau Testament : l'épître de Jude et la seconde épître de Pierre. [*voir* p. 499]

Vie de Paul de Tarse

Paul n'a pas connu Jésus durant son ministère public et n'a pas fait partie du groupe des « douze » apôtres. C'est seulement quelques années après Pâques* (vers 34) qu'il est devenu croyant et apôtre du Christ Jésus. Quelle a été sa découverte de la foi chrétienne ? Quels ont été les points forts de son ministère apostolique ?

Aux origines d'une vocation

Paul est un Juif de la Diaspora*, né à Tarse en Cilicie (actuellement en Turquie). Il s'est trouvé au croisement de deux mondes. Héritier de la foi d'Israël par sa famille, il a baigné dans le monde hellénistique, qui représentait alors la culture dominante du bassin méditerranéen. Cette double appartenance le prédisposait à son rôle futur.

Entre Tarse et Jérusalem

À l'occasion, Paul sait rappeler à qui le contesterait qu'il a de qui tenir en judaïsme* : « Circoncis le huitième jour, de la race d'Israël, de la tribu de Benjamin, Hébreu fils d'Hébreux » ; autrement dit : de bonne souche juive. Et il ajoute : « Quant à [la pratique de] la Loi*, pharisien* ; quant au zèle, un persécuteur de l'Église ; quant à la justice que peut donner la Loi, un homme irréprochable » (Ph 3,5-6). Il a pu venir à Jérusalem assez tôt pour y poursuivre sa formation. La légende recueillie par Luc fait de lui un disciple de Gamaliel (Ac 22,3).

Le monde hellénistique* dans lequel Paul va se mouvoir, c'est une immense agora, aux multiples échanges économiques, culturels et religieux ; un univers où tout peut se rencontrer et se confronter, dans la curiosité superficielle ou dans une recherche de la vérité. Le judaïsme y est bien présent et attirant malgré l'antisémitisme. Tarse était une ville universitaire réputée. Paul connaît les thèmes familiers des philosophes et moralistes stoïciens : conscience, liberté, vertu, maîtrise de soi. Il utilise librement dans ses épîtres les procédés de la rhétorique pratiquée par les avocats et les hommes politiques. Les compétitions sportives lui servent souvent de comparaisons.

En plus de son nom hébreu, Shaoul (Désiré), il porte un nom latin : Paulus (« petit »), grécisé en Paulos. Citoyen romain de naissance (Ac 16,37), il appartenait sans doute aux classes moyennes. Lui-même exerçait un métier manuel. À Corinthe il travaillera chez un couple d'amis, Priscille et Aquilas, qui avaient le même métier que lui : fabricants de tentes (Ac 18,3).

La conversion du Pharisien en apôtre des nations

S'il y eut conversion, c'est seulement en ce sens que Paul a changé de regard sur Jésus (2 Co 5,16). Sa foi chrétienne ne l'a pas arraché à la tradition juive ; elle l'a seulement porté plus intensément et plus librement à la rencontre des gens des nations*. Qu'est-ce qu'en dit Paul lui-même, vingt ans après ? Qu'en dit le récit des Actes des Apôtres ?

> *Vous avez certes entendu parler de ma conduite jadis dans le judaïsme, de la persécution effrénée que je menais contre l'Église* de Dieu et des ravages que je lui causais, et de mes progrès dans le judaïsme, où je surpassais bien des compatriotes de mon âge, en partisan acharné des traditions de mes pères. Mais quand Celui qui m'avait mis à part dès le sein maternel et appelé par sa grâce daigna révéler en moi son Fils pour que je l'annonce parmi les païens*, aussitôt, sans recourir à aucun conseil humain, sans monter à Jérusalem auprès de ceux qui étaient apôtres avant moi, je m'en allai en Arabie.* (Ga 1,13-17)

Dans l'épître aux Galates, Paul précise qu'il persécutait les disciples de Jésus en défenseur intrépide de l'identité israélite, prêt à sévir contre les Juifs qui pactisaient avec les païens. Un certain mouvement chrétien lui est donc apparu comme une apostasie de la Loi. À Jérusalem, des judéo-chrétiens* d'origine et de culture grecques* (eux aussi !) affichaient leur distance par rapport au culte sacrificiel du Temple et par rapport aux coutumes de la loi de Moïse (Ac 6,14) ; leur chef de file se nommait Étienne (Ac 6-7) ; d'après les Actes, Paul aurait assisté et consenti à sa lapidation (Ac 7,58 ; 8,1).

Que s'est-il donc passé sur le chemin de Damas ? Une « apocalypse* » au sens théologique du terme : le « dévoilement » de ce qui était caché en Dieu depuis toujours et qui maintenant, « aux derniers temps », apparaissait sur la scène de l'histoire. C'était le renversement complet de ce que Paul pouvait penser de Jésus : un crucifié qui avait été, à juste titre, l'objet de la malédiction divine. Et voici que Dieu le lui révélait comme « son Fils ». La « révélation » ultime de Dieu, ce n'était plus la Loi, mais « son Fils ».

Mais si Dieu le lui avait révélé, c'était tout exprès pour qu'il l'annonce parmi les païens (entendons, d'après le contexte de l'épître aux Galates : sans les inviter à « judaïser »). Voici Paul constitué apôtre en même temps que croyant. Plus précisément « apôtre des nations » (Rm 11,13), telle sera sa grâce propre. Paul ne s'est pas dérobé à cet appel. Il a obéi « aussitôt » et, sur la seule base de cette révélation, il s'est rendu en Arabie, pas pour une retraite, mais pour la mission. Il s'agissait du royaume nabatéen qui s'étendait depuis Pétra jusqu'aux abords de Damas, approximativement la Jordanie actuelle.

Dans cette relecture, la grâce de Dieu est fortement mise en relief. Avant sa naissance, donc avant tout mérite ou démérite, Dieu l'avait discerné. Paul s'identifie à la figure de Jérémie, mis à part dès le sein maternel comme prophète pour les nations (Jr 1,4). Le chemin de Damas a été le chemin de la grâce, et le chemin de la grâce a été le chemin des nations.

Les Actes des Apôtres rapportent aussi l'événement, en des termes différents de Paul lui-même, à l'aide d'un récit justement célèbre :

Cependant Saul, ne respirant toujours que menaces et carnage à l'égard des disciples du Seigneur, alla trouver le grand prêtre et lui demanda des lettres pour les synagogues* de Damas, afin que, s'il y trouvait quelques adeptes de la Voie, hommes ou femmes, il les amenât enchaînés à Jérusalem. Il faisait route et approchait de Damas, quand soudain une lumière venue du ciel l'enveloppa de sa clarté. Tombant à terre, il entendit une voix qui lui disait : « Saoul, Saoul, pourquoi me persécutes-tu ? » – « Qui es-tu, Seigneur ? » demanda-t-il. Et lui : « Je suis Jésus que tu persécutes. Mais relève-toi, entre dans la ville, et l'on te dira ce que tu dois faire. » Ses compagnons de route s'étaient arrêtés, muets de stupeur : ils entendaient bien la voix, mais sans voir personne. Saul se releva de terre, mais, quoiqu'il eût les yeux ouverts, il ne voyait rien. On le conduisit par la main pour le faire entrer à Damas. Trois jours durant, il resta sans voir, ne mangeant et ne buvant rien.*

Il y avait à Damas un disciple du nom d'Ananie. Le SEIGNEUR l'appela dans une vision : « Ananie. » – « Me voici, Seigneur », répondit-il. – « Pars, reprit le SEIGNEUR, va dans la rue Droite et demande, dans la maison de Judas, un nommé Saul de Tarse. Car le voilà qui prie et qui a vu un homme du nom d'Ananie entrer et lui imposer les mains pour lui rendre la vue. » Ananie répondit : « Seigneur, j'ai entendu beaucoup de monde parler de cet homme et dire tout le mal qu'il a fait à tes saints à Jérusalem. Et il est ici avec pleins pouvoirs des grands prêtres pour enchaîner tous ceux qui invoquent ton nom. » Mais le SEIGNEUR *lui dit : « Va, car cet homme m'est un instrument de choix pour porter mon nom devant les nations païennes, les rois et les Israélites. Moi-même, en effet, je lui montrerai tout ce qu'il lui faudra souffrir pour mon nom. »* (Ac 9,1-16)

Dans ce récit, Luc reprend sans doute une tradition de la communauté de Damas. Elle dit comment elle l'a échappé belle, quand le persécuteur déjà tenait sa proie. Comme dans les récits bibliques de théophanie, l'apparition divine est trop forte pour être supportée sans dommage ; Saul tombe à terre, aveuglé par la lumière, et ne peut se relever que sur l'injonction de la voix céleste. Il est seul concerné par la vision, les compagnons n'ont qu'une perception imparfaite de ce qui arrive. Enfin Luc utilise un procédé qui lui est familier : celui des visions emboîtées (Ananie voit Jésus qui lui dit que Saul voit Ananie).

Luc ne projette donc pas un film. Mais à travers des moyens littéraires codés, il fait bien saisir la puissance du Christ à l'origine du retournement de Saul. Le persécuteur se voit contraint d'appeler « Seigneur » celui qu'il persécute en ses disciples. Et il est renvoyé à cette communauté de Damas pour apprendre ce qu'il doit faire. Ananie, qui avait d'abord été terrorisé, le reçoit délicatement comme un « frère ». Baptisé, Saul recouvre la vue, reprend des forces et se met à proclamer dans les synagogues de Damas que Jésus est le Fils de Dieu.

Par deux fois encore, Luc reproduira ce récit, avec quelques variantes, en le mettant dans la bouche de Paul à des moments critiques où son ministère d'annonce de l'Évangile* aux païens est violemment contesté : lors de son arrestation (22,6-21) et de son procès (26,9-23). Dans le troisième récit l'ordre d'aller vers les nations est mis dans la bouche du Christ au moment de l'apparition elle-même (Ac 26,17).

DOCUMENT

LES REPRÉSENTATIONS DE LA CONVERSION DE PAUL

L'iconographie de l'époque byzantine représentait Paul à pied sur le chemin de Damas. C'est seulement au XIIIe siècle en Occident, au temps de la promotion de la chevalerie, que l'on imaginera Paul à cheval, escorté d'autres cavaliers. Sa chute n'en est que plus spectaculaire, c'est l'arrogance même du persécuteur qui est alors abattue.

Luc s'accorde donc avec Paul pour voir dans l'événement de Damas le fondement de son envoi aux païens. Paul est plus discret que le récit des Actes sur le déroulement de l'événement. Il en dit le cœur : expérience de la grâce, déplacement du centre de gravité de la Loi à la personne du Christ Jésus, appel à l'apostolat. Luc écrit du point de vue de l'inscription du ministère particulier de Paul dans la communion ecclésiale.

Le ministère de l'apôtre des nations

Comment Paul va-t-il mettre en œuvre la vocation reçue sur le chemin de Damas ? Va-t-il le faire au risque de l'éclatement de l'Église des origines ? Mais cette Église est née plurielle, et Paul aura autant le souci de la communion que celui de la mission. Nous distinguerons quatre étapes :
– celle d'une première expansion d'envergure dont le sommet sera la fondation de l'Église de Corinthe ;
– un bref temps de pause, mais capital, pour faire le point sur les enjeux de cette mission, à la conférence de Jérusalem ;
– un temps de combat théologique pour maintenir contre vents et marée « la vérité de l'Évangile » : ce sera la période éphésienne ;
– enfin un temps d'immobilisation : Paul sera prisonnier, mais la Parole ne sera pas enchaînée.

L'expansion de l'Évangile : d'Antioche à Corinthe (37-51)

Trois ans après sa conversion, Paul monte à Jérusalem pour faire la connaissance de Pierre. Il y rencontre aussi Jacques, le frère du Seigneur. Puis il prend pied à Antioche, la troisième ville de l'Empire. Des judéo-chrétiens de tendance helléniste (comme Étienne) y ont fondé une Église ouverte aux Grecs. Antioche devient alors la plaque tournante de son ministère apostolique. Avec Barnabé et son cousin Marc, il part évangéliser Chypre, puis, en franchissant les passes redoutables du Taurus, les provinces romaines qui occupaient le sud de la Turquie actuelle : la Pamphylie, la Pisidie, et la Lycaonie (Ac 13-14).

Mais ce n'est là qu'une première boucle. Avec d'autres compagnons, Silas de Jérusalem et Timothée de Lystre, il entreprend une boucle beaucoup plus ample qui va le conduire jusqu'à Corinthe avant de le ramener à Antioche via Jérusalem. Comment caractériser ce périple missionnaire ?

Paul est un itinérant qui choisit de s'arrêter dans les centres urbains. Il suit les grands itinéraires des voies romaines à travers le plateau anatolien, d'est en ouest ; il passe en Europe, atteint Philippes, colonie romaine, puis Thessalonique, capitale de la Macédoine. De là il rejoint Athènes en bateau, puis il arrive jusqu'à Corinthe. On a calculé qu'il fallait au moins cinq ans pour ce trajet d'Antioche à Corinthe, si l'on tient compte : des immobilisations de l'hiver ; de l'arrêt forcé, provoqué par une maladie, chez les Galates au cœur du plateau anatolien ; du temps nécessaire pour la fondation et la consolidation des communautés en cours de route. Il fonde des communautés dans les centres urbains importants – c'est le cas en particulier de Thessalonique et de Corinthe, deux capitales administratives et deux ports de transit très fréquentés – puis il part et il fait confiance à ces jeunes communautés pour rayonner l'Évangile dans la région ; il compte sur elles aussi pour lui fournir de nouveaux compagnons de travail apostolique.

Cette itinérance était pleine de risques, par terre ou par mer. Paul s'en est fait l'écho dans un morceau célèbre de la seconde épître aux Corinthiens, quand les menées de ses adversaires l'avaient contraint « dans un moment de folie » à se faire valoir :

Ils sont ministres du Christ ? (Je vais dire une folie !) Moi, plus qu'eux. Bien plus par les travaux, bien plus par les emprisonnements, infiniment plus par les coups. Souvent j'ai été à la mort. Cinq fois j'ai reçu des Juifs les 39 coups de fouet ; trois fois j'ai été battu de verges ; une fois lapidé ; trois fois j'ai fait naufrage. Il m'est arrivé de passer un jour et une nuit dans l'abîme ! Voyages sans nombre, dangers des rivières, dangers des brigands, dangers de mes compatriotes, dangers des païens, dangers de la ville, dangers du désert, dangers de la mer, dangers des faux frères ! Labeur et fatigue, veilles fréquentes, faim et soif, jeûnes répétés, froid et nudité ! Et sans parler du reste, mon obsession quotidienne, le souci de toutes les Églises ! (2 Co 12,23-28)

À Lystre déjà, lors de la première boucle, Paul avait été lapidé (Ac 14,19). À Philippes, colonie romaine, Paul et Silas subissent un emprisonnement et une flagellation de la part des autorités locales (Ac 16,16-40). À Thessalonique naît une jeune Église en plein milieu païen, mais l'Évangile rencontre la double opposition des Juifs et des païens. Paul est obligé de partir plus tôt que prévu et d'abandonner une communauté exposée (1 Th 1-3). Le même scénario se reproduit un peu plus loin, à Bérée. On comprend qu'en de telles circonstances Paul soit arrivé à Corinthe, « craintif et tout tremblant » (1 Co 2,3).

Paul a aussi pour principe de n'annoncer l'Évangile que là où le nom du Christ n'a jamais été prononcé (Rm 15,20-21). Il vise les païens. Certes il lui arrive de commencer par les synagogues, où il rencontre Juifs et prosélytes, mais il ne s'y enferme pas. Il lui arrive de louer une salle de rhéteur ou de philosophe. Les communautés nouvelles se réunissent à la maison de tel ou tel notable qui peut recevoir un groupe d'une certaine importance, et ce local peut être ouvert à tout passant. À Thessalonique et à Corinthe, l'Évangile a été annoncé en plein milieu païen. Le nouveau cours religieux de l'époque était en phase avec l'Évangile. Les dieux de la cité et les dieux de la nature trop formalistes perdent de leur intérêt. La vogue est aux rapports personnalisés avec une divinité (cultes électifs). On se choisit son culte à mystères dans le supermarché des religions grecques et orientales : Dionysos, Isis, Sérapis, etc. L'Évangile devra s'en démarquer et souligner son enracinement historique en parlant de Jésus. Mais il apporte une réponse à l'angoisse des individus déracinés dans cet immense empire et il fait exister des communautés fraternelles, à l'instar de ces « thiases » (confréries) où se mêlaient des fidèles de différentes provenances ethniques et de différentes couches sociales. Paul aussi pourra dire à ses communautés : « Il n'y a plus ni Juif ni Grec, ni esclave ni homme libre ; il n'y a plus l'homme et la femme, car tous vous n'êtes qu'un en Christ Jésus » (Ga 3,28). En annonçant un Christ crucifié, Paul révélait l'amour de Dieu pour ceux qui étaient au plus bas de l'échelle sociale (1 Co 1,26-28).

Paul paye également de sa personne. Il ne fait pas payer ses services. Il gagne sa vie par son travail ; ce qui le fait passer pour fier. Mais il tient à ce point d'honneur comme à la prunelle de ses yeux. Il se démarque ainsi des philosophes ambulants qui cherchent la réputation et l'argent. Il évite tout ce qui pourrait constituer un obstacle à l'Évangile. Il en fait le signe de son amour désintéressé : « Avec l'Évangile nous aurions voulu vous donner notre propre vie, tellement vous nous êtes devenus chers » (1 Th 2,8). Il se fait tout à tous : « Juif avec les Juifs, sans-loi avec les sans-loi, afin d'en sauver au moins quelques-uns » (1 Co 9,20). Paul est hanté par l'urgence de la mission, mais plus encore pressé par l'amour du Christ, qui a donné sa vie pour tous (2 Co 5,14).

Au cours de ce grand périple, Paul s'est plaint amèrement de ce que des Juifs l'empêchent de prêcher aux gens des nations (1 Th 2,16). À Corinthe, il a été traîné par des Juifs devant le tribunal de Gallion, proconsul d'Achaïe (Ac 18,12-17). Il était insidieusement accusé de se mettre « hors la Loi », et donc hors de la liberté religieuse garantie au judaïsme par le pouvoir romain. Mais Gallion refusa superbement d'entrer dans des querelles internes au judaïsme et Paul ne fut pas inquiété.

DOCUMENT

L'INSCRIPTION DE DELPHES

L'empereur Claude écrit au successeur de Gallion, son ami, qui l'avait alerté sur la dépopulation du fameux sanctuaire de Delphes :

Tiberius Claudius Caesar Augustus Germanicus, douzième année de puissance tribunicienne, acclamé empereur pour la vingt-sixième fois, père de la patrie, envoie son salut à [——]. Depuis longtemps je suis favorable à la cité de Delphes et soucieux de sa prospérité, et j'ai toujours observé le culte de l'Apollon pythien. Comme on dit à présent qu'elle est privée de citoyens, comme me l'a rapporté récemment mon ami et proconsul L. Junius Gallio, et désirant que Delphes retrouve son ancienne splendeur, je t'ordonne d'inviter des gens bien nés même d'autres cités à venir à Delphes comme nouveaux habitants, et de leur accorder à eux et à leurs enfants tous les privilèges des Delphiens comme citoyens à égalité. Car si certains sont transférés comme colons dans ces régions...

(Traduction J. Prignaud)

Une inscription, trouvée à Delphes, mentionne Gallion, proconsul d'Achaïe, et permet de fixer l'année de sa charge, à une année près (51-52). On en déduit que Paul aura comparu devant son tribunal au plus probable pendant l'été 51. Les dix-huit mois du séjour de l'Apôtre à Corinthe (Ac 18,11) pourraient s'étendre de l'hiver 49-50 à la fin de l'été 51.

À la fin de l'été 51, Paul a pris le bateau de Corinthe à Césarée et il est monté à Jérusalem. Il y allait pour exposer son Évangile aux « notables » et en obtenir la reconnaissance publique. Sinon son œuvre risquait d'être anéantie par la contre-mission de ses adversaires judaïsants. Puis il redescendra à Antioche.

Recherche d'un accord à Jérusalem et Antioche (fin 51)

Si Paul ouvre des chemins neufs à la mission, il a aussi le sens de la communion avec l'Église de Jérusalem. Mais il ne voudra pas d'une communion au rabais. D'autres missionnaires judéo-chrétiens, que nous dénommons « judaïsants* », parce qu'ils obligeaient les gens des nations à « judaïser » s'ils voulaient entrer dans la communauté du salut, contestaient vigoureusement la pratique missionnaire de Paul. Le conflit était théologique : ne fallait-il pas, par la circoncision, intégrer les croyants des nations au peuple élu, au moment où celui-ci recevait l'accomplissement des promesses messianiques ? Il était aussi sociologique : fallait-il laisser les croyants des nations « hors-peuple » sans statut socio-religieux ? Nous avons deux relations de la « conférence » de Jérusalem : celle de Paul, dans l'épître aux Galates (2,1-10) écrite vers

53 ; celle des Actes des Apôtres (15,1-29), composée par Luc vers 80. Elles ne coïncident pas en tous points. Voici d'abord le témoignage de Paul dans l'épître aux Galates :

Ensuite, au bout de quatorze ans, je montai de nouveau à Jérusalem avec Barnabé et Tite que je pris avec moi. J'y montai à la suite d'une révélation ; et je leur exposai l'Évangile que je prêche parmi les païens – mais séparément aux notables, de peur de courir ou d'avoir couru pour rien. Eh bien ! de Tite lui-même, mon compagnon qui était grec, on n'exigea pas qu'il se fît circoncire. Mais à cause des intrus, ces faux frères qui se sont glissés pour espionner la liberté que nous avons dans le Christ Jésus, afin de nous réduire en servitude, gens auxquels nous refusâmes de céder, fût-ce un moment, par déférence, afin que demeure chez vous la vérité de l'Évangile… Et de la part de ceux qu'on tenait pour des notables – peu m'importe ce qu'alors ils pouvaient être ; Dieu ne fait point acception des personnes – à mon Évangile, en tout cas, les notables n'ont rien ajouté. Au contraire, voyant que l'évangélisation des incirconcis m'était confiée comme à Pierre celle des circoncis – car Celui qui avait agi en Pierre pour faire de lui un apôtre des circoncis, avait pareillement agi en moi en faveur des païens – et reconnaissant la grâce qui m'avait été départie, Jacques, Céphas et Jean, ces notables, ces colonnes, nous tendirent la main, à moi et à Barnabé, en signe de communion : nous irions, nous aux païens, eux à la Circoncision ; nous devions seulement songer aux pauvres, ce que précisément j'ai eu à cœur de faire. (Ga 2,1-10)

On relèvera les points suivants :

– Paul prend l'initiative : il est monté à Jérusalem sur une inspiration divine.

– Il a débattu avec les responsables de l'Église de Jérusalem ; c'est à eux qu'il a exposé son Évangile et ils n'ont pas trouvé nécessaire d'y ajouter quoi que ce fût.

– Il a refusé tout compromis avec les « faux-frères » sur la liberté chrétienne ; Tite, dont la présence constituait un test, n'a pas été soumis à la circoncision ; l'enjeu en était la vérité de l'Évangile ; elle a été sauve.

– Pierre et Paul se sont reconnus mutuellement comme instruments de l'œuvre de Dieu ; par conséquent les deux figures de l'Évangile, avec la Loi et sans la Loi, étaient légitimes.

– Les deux équipes ont fait un geste de communion et celle de Paul s'est engagée à y associer les Églises des nations par une collecte en faveur des pauvres de Jérusalem.

Le récit des Actes des Apôtres (Ac 15,5-35), trop long pour être retranscrit en entier, insiste sur d'autres points :
– Tout se passe en Église. C'est l'Église locale d'Antioche qui décide de porter l'affaire devant l'Église de Jérusalem. L'assemblée écoute d'abord le point de vue de Pierre : Dieu l'a choisi pour baptiser Corneille, un incirconcis, Paul et Barnabé exposent ensuite le succès de leur mission chez les païens.
– C'est à Jacques, chef de l'Église de Jérusalem, que revient le dernier mot pour proposer une solution. Il ne faut pas tracasser les croyants des nations ; ils constituent un peuple que Dieu s'est consacré ; en revanche, en raison des rapports de proximité avec les judéo-chrétiens dans les mêmes villes, ils devront s'abstenir de certaines pratiques. Ils auront un statut inspiré des lois du Lévitique pour les prosélytes (Lv 17-18). Jacques n'en fait pas des Juifs, mais des hôtes associés au peuple saint, moyennant certaines observances.
– L'assemblée rédige alors un décret en ce sens : « L'Esprit Saint et nous-mêmes avons décidé de ne pas vous imposer d'autres charges que celles-ci, qui sont indispensables : vous abstenir des viandes immolées aux idoles, du sang, des chairs étouffées et des unions illégitimes. Vous ferez bien de vous en garder. Adieu » (Ac 15,28-29). Et l'on fait porter cette lettre à Antioche.

Les épîtres de Paul et les Actes des Apôtres se rejoignent sur l'essentiel : les croyants des nations ne sont pas obligés à la circoncision. Mais les textes de Paul ignorent le décret. D'ailleurs il n'aurait jamais voulu du strapontin qui leur est offert : ils ne sont pas des hôtes, mais des membres à dignité égale. De son côté Luc ignore la collecte (c'est sans doute qu'elle a fait fiasco !). On peut penser que Luc aura regroupé dans une grande fresque d'Église consensuelle la solution de problèmes de différents niveaux et de différents moments : celui de la circoncision et celui de la convivialité dans les communautés mixtes.

Et c'est bien sur ce terrain de la convivialité que rebondit le conflit, quand Pierre eut l'occasion de descendre à Antioche. Il avait commencé par donner un bel exemple de liberté chrétienne, en prenant ses repas chez des pagano-chrétiens*. Mais quand arrivent de Jérusalem des gens de l'entourage de Jacques, Pierre y renonce et tous les judéo-chrétiens l'imitent, même Barnabé. La commensalité était rompue. Alors Paul reprend Pierre en public : il a masqué ses véritables convictions en obligeant les pagano-chrétiens à « judaïser » s'ils voulaient rester membres de la même communauté : « Si toi, qui es Juif, tu vis à la manière des païens et non à la juive, comment peux-tu contraindre les païens à se comporter en Juifs ? » (Ga 2,14). Paul ne dit pas quel fut le résultat de cette explication. Ce qui est sûr, c'est que Paul a quitté Antioche sans retour ; faut-il aller jusqu'à dire que c'est Antioche qui l'a quitté ?

La période éphésienne : les épîtres (53-56)

Paul reprend la route de la mission ; il se dirige cette fois vers Éphèse, siège du proconsul de la province d'Asie et ville réputée pour son temple de la déesse Artémis, l'une des sept merveilles du monde. Il y est resté trois ans (Ac 20,31). De là, il pouvait aisément maintenir le contact avec les communautés déjà fondées à l'est et à l'ouest. Il pouvait aussi rayonner l'Évangile par lui-même ou par des collaborateurs en direction des régions voisines : c'est ainsi qu'Épaphras (Col 1,7) évangélise Colosses, Laodicée et Hiérapolis dans la vallée du Lycus. Mais l'avancée théologique a été encore plus importante que l'avancée missionnaire.

Les crises que connaissent alors les communautés obligent Paul à s'expliquer sur l'Évangile et à justifier son autorité apostolique. Sauf la première épître aux Thessaloniciens qui date de 50 lors du voyage à Corinthe, toutes les lettres indiscutées de Paul (aux Galates, aux Philippiens, à Philémon, aux Corinthiens, aux Romains) sont de cette période (53-56).

Les adversaires « judaïsants » de Paul persistent et refont la mission sur ses talons, chez les Galates, et même jusqu'à Philippes. Paul réagit rapidement. L'Évangile est en jeu : c'est la Loi ou la Croix qui est au centre, il faut choisir. Paul relit les Écritures en rapport avec sa découverte du Christ. De cet intense travail de relecture témoignent l'épître aux Galates et, un peu plus tard, l'épître aux Romains.

Avec l'Église de Corinthe, les démêlés sont nombreux, les échanges de lettres ou de visites aussi : questions de mœurs, de vie ecclésiale et d'insertion sociale, mais aussi questions d'autorité apostolique. Des coteries se forment qui marginalisent l'Apôtre. On lui préfère Apollos d'Alexandrie, plus éloquent. Des judéo-chrétiens se présentent contre lui avec une réputation d'hommes bien plus religieux. Paul sortira alors souvent de ses gonds : il ne veut pas connaître d'autre fierté, d'autre sagesse, d'autre mystique, d'autre discours que la croix du Christ, par laquelle il est un crucifié pour le monde et le monde, un crucifié pour lui. Une « écharde dans la chair » le force à s'en remettre constamment à la grâce du Christ : de quoi s'agit-il ? d'une maladie chronique ? de l'échec de la mission auprès du peuple juif ? Nous ne le saurons jamais. Mais il nous livre son expérience : quand il est faible, c'est alors qu'il connaît en lui la force du Christ (2 Co 12,9-10). Paul vit le mystère pascal en son ministère apostolique.

À Éphèse, Paul a été arrêté. Il écrit aux Philippiens qu'il attend son jugement : la mort ou la vie ; et il ne sait ce qu'il doit préférer, la mort pour être avec le Christ ou la vie pour continuer la mission (Ph 1,12-26). De fait il sera libéré. C'est aussi à Éphèse que l'esclave Onésime, en délicatesse avec son maître Philémon, a cherché et trouvé la protection de Paul prisonnier.

Paul réconcilié avec les Corinthiens vient passer chez eux l'hiver 56-57. Il se prépare alors à porter le produit de la collecte à Jérusalem. Il a quelque appréhension sur l'accueil qui lui sera fait (Rm 15,30-32). Il se prépare aussi à se rendre en Espagne, car il estime qu'il a terminé sa mission dans le bassin oriental de la Méditerranée et il veut ouvrir des terrains neufs à l'Évangile (Rm 15,22-29). Pour cela il passera par Rome, où il sait qu'il existe déjà des communautés chrétiennes. Il leur écrit donc pour leur demander leur soutien dans cette nouvelle entreprise missionnaire. Et c'est la raison pour laquelle il leur envoie depuis Corinthe cet exposé magistral de l'Évangile qu'est l'épître aux Romains.

L'arrestation et le martyre (57-67 ?)

Paul est donc monté à Jérusalem porter la collecte (Pentecôte 57 ?). Ses pressentiments se réalisent. La collecte est mal reçue. Paul a pourtant fait un geste en payant une sortie de vœux de quatre judéo-chrétiens ;

REPÈRE

INCERTITUDES CHRONOLOGIQUES

La chronologie de la vie de Paul ici proposée est celle que l'on retient le plus communément aujourd'hui. Elle situe l'assemblée de Jérusalem entre la seconde et la troisième mission de Paul, faisant l'hypothèse que les quatorze ans écoulés entre la première montée à Jérusalem et la seconde (Ga 2,1) laissent assez de temps pour deux grands voyages. Le livre des Actes aurait anticipé l'assemblée de Jérusalem pour que les conflits entre Paul et Jacques soient réglés le plus tôt possible. Mais l'enchaînement le plus vraisemblable est le suivant :
- Première mission (Ac 13-14) ;
- Seconde mission (Ac 15,36 - 18,22) ;
- Assemblée de Jérusalem (rapportée en Ac 15,4-29) ;
- Troisième mission (Ac 18,22 - 21,16).

La chronologie traditionnelle, que l'on trouve dans les commentaires anciens, suit de plus près le livre des Actes : première mission / assemblée de Jérusalem / puis deuxième et troisième missions.

Une autre incertitude concerne la date de l'épître aux Galates. La plupart des commentateurs en situent la rédaction peu avant l'épître aux Romains, au cours de la troisième mission. D'autres considèrent qu'elle fut adressée aux fidèles des villes visitées au cours de la première mission, qui étaient rattachées à la province romaine de Galatie. Elle pourrait alors dater de l'année 49 et être antérieure à la première épître aux Thessaloniciens.

mais il est arrêté au Temple sous prétexte de profanation : il aurait laissé Trophime, un Grec de son entourage, franchir la barrière qui séparait le parvis des Gentils de l'espace réservé à Israël, ce qui était passible de mort sous forme de lynchage immédiat (Ac 21,27-36). La garnison romaine qui surveille l'esplanade depuis la forteresse Antonia l'arrache à la foule, mais, tout en le protégeant, le constitue prisonnier. Il peut être soupçonné d'avoir provoqué une émeute (Ac 21,37-40).

Transféré à Césarée, il est déféré au tribunal du procurateur Félix. Les autorités juives du Temple l'accusent d'être un fauteur de désordre, à Jérusalem et dans la Diaspora (Ac 24,5-8). Félix laisse traîner l'affaire pendant deux ans et ne prend aucune décision avant l'arrivée de son successeur, Festus (en 59 ?). C'est alors que Paul, en sa qualité de citoyen romain, interjette appel à César (Ac 25,11.21 ; 26,32). S'il faut prendre la formule au strict sens juridique, cet appel suppose au préalable une sentence défavorable : soit une condamnation, soit au minimum une décision de complément d'enquête.

Le voyage en mer vers l'Italie fut une périlleuse odyssée, qui s'est bien terminée (Ac 27-28). Le récit des Actes s'arrête sur l'image de Paul, en résidence surveillée à Rome, prêchant en toute assurance l'Évangile au cœur de l'Empire (Ac 28,30-31). Tout ce qui a pu se passer ensuite est de l'ordre de l'hypothèse, sauf que Paul est mort martyr à Rome, sous Néron, entre 64 et 68. Peut-être a-t-il été libéré après une première captivité romaine, puis arrêté de nouveau. Entre les deux, il aurait pu donner suite à son projet de voyage en Espagne. C'est ce que croit savoir Clément de Rome (vers 90). Sa décapitation est vénérée sur la voie d'Ostie, à Saint-Paul hors-les-murs.

P. B.

PAUL PRÉDICATEUR

LES RÉCITS de la vie de Paul le montrent toujours commençant sa prédication dans une ville par la synagogue*. Cela semble contredire sa propre affirmation après l'assemblée de Jérusalem : « Reconnaissant la grâce qui m'avait été départie, Jacques, Céphas et Jean, ces notables, ces colonnes, nous tendirent la main, à moi et à Barnabé, en signe de communion : nous irions nous aux païens*, eux à la Circoncision » (Ga 2,9). Certes, Paul ne reste pas à l'intérieur des frontières de la Judée et va vers le monde païen en parcourant les routes de l'Empire romain. Mais en allant vers ce monde, il cherche dans les synagogues un auditoire pour annoncer la Bonne Nouvelle. Cela commande même son itinéraire. Tel est le témoignage des Actes des Apôtres, souvent confirmé par ses propres écrits.

L'ITINÉRANCE

De Chypre (Ac 13,5) à Iconium (Ac 14,1) en passant par Antioche de Pisidie (Ac 13,14), le parcours de Paul en Asie Mineure est guidé par les axes commerciaux fréquentés par les commerçants du textile et par les villes où résident les Juifs. Il en est de même en Europe, à quelques exceptions près. À Philippes où il n'y a pas de synagogue, Paul rejoint les Juifs issus également des milieux du commerce à l'extérieur de la ville, où ils se réunissent pour la prière :

Le jour du sabbat, nous nous rendîmes au dehors de la porte, sur les bords de la rivière, où nous pensions qu'il y aurait un lieu de prière. Nous étant assis, nous adressâmes la parole aux femmes qui s'étaient réunies, l'une d'elles, nommée Lydie, nous écoutait ; c'était une négociante en pourpre, de la ville de Thyatire ; elle adorait Dieu. Le SEIGNEUR *lui ouvrit le cœur, de sorte qu'elle s'attacha aux paroles de Paul. Après avoir été baptisée ainsi que les siens, elle nous fit cette prière : « Si vous me tenez pour une fidèle du Seigneur, venez demeurer dans ma maison. » Et elle nous y contraignit.* (Ac 16, 13-15)

Paul continue de fréquenter les synagogues à Thessalonique et à Berée (Ac 17,2-10). À Corinthe, non seulement « chaque sabbat il discourait à la synagogue et s'efforçait de persuader Juifs et Grecs » (Ac 18,4), mais il résidait à côté de la synagogue (Ac 18,7). Lorsqu'il se trouve à Éphèse, il fréquente encore la synagogue pendant les trois mois que dure son séjour (Ac 19,8). En Grèce, les deux exceptions sont Athènes, où l'Apôtre cherche à s'adresser aux païens, et Stobi où il y avait une synagogue que Paul ne visite pas, peut-être parce qu'il désirait descendre vers le sud.

Cette prédication itinérante fait penser à celle des missionnaires juifs qui, depuis le IVe et même le IIIe siècle visitaient leurs coreligionnaires vivant dans la Diaspora* pour maintenir des contacts intellectuels et spirituels avec eux. La ressemblance n'est qu'extérieure. La prédication de Paul est radicalement différente de celle des rabbis*. Cette itinérance n'a rien à voir non plus avec celle des philosophes païens qui, à cette époque, parcourent le monde pour répandre leurs idées, tel Dion de Pruse, originaire de Bythinie qui fait des discours dans tout le bassin oriental de la Méditerranée. Paul, lui, ne répand pas ses propres idées. Il se présente toujours comme le « serviteur du Christ Jésus » (Rm 1,1), entièrement dépendant de Celui qui le constitue apôtre et dont il est témoin.

La prédication aux Juifs

C'est le contenu de la Bonne Nouvelle qui détermine la singularité de la prédication de l'apôtre. Devant les Juifs de la synagogue, il peut présenter l'événement inouï de la Résurrection en l'insérant dans l'histoire d'Israël, dans les Écritures et donc dans le dessein de Dieu. Ainsi à la synagogue d'Antioche de Pisidie, Paul reprend-il l'histoire d'Israël à partir de l'Exode jusqu'à Jean le Baptiste, désigné comme le « précurseur du Sauveur ». Il peut donc interpeller directement les Juifs :

« Frères, vous les enfants de la race d'Abraham et vous ici présents qui craignez Dieu, c'est à vous que ce message de salut a été envoyé. En effet, les habitants de Jérusalem et leurs chefs ont accompli, sans le savoir, les paroles des prophètes qu'on lit chaque sabbat. Sans trouver en lui [Jésus] aucun motif de mort, ils l'ont condamné et ont demandé à Pilate de le

faire périr. Et lorsqu'ils eurent accompli tout ce qui avait été écrit de lui, ils le descendirent du gibet et le mirent au tombeau. Mais Dieu l'a ressuscité. » (Ac 13,26-30)

Telle est la Bonne Nouvelle que Paul annonce, « la promesse faite à nos pères, Dieu l'a accomplie en notre faveur » (Ac 13,32-33). Paul définit la Résurrection non seulement par rapport à l'accomplissement des promesses de Dieu à Israël, mais aussi par rapport à la rémission des péchés. « L'entière justification que vous n'avez pu obtenir par la loi* de Moïse, leur dit-il, c'est par lui que quiconque croit l'obtient » (Ac 13,38). C'est ce que l'apôtre développera dans les épîtres aux Romains et aux Galates.

On comprend dès lors pourquoi Paul s'adresse d'abord à la synagogue. Les Juifs sont le peuple de la Promesse, le peuple où Dieu s'est révélé par les Écritures qui annoncent le Messie*. C'est aussi le peuple qui cherche à plaire à Dieu par la pratique de la loi juive. En montrant que les promesses sont accomplies dans le Christ mort et ressuscité, en montrant que Celui qui est ressuscité est le Fils de Dieu, le Messie attendu, en montrant que la loi ne peut trouver son accomplissement qu'en Lui, Paul prend ses distances avec la synagogue et court le risque d'en être chassé. Sa prédication n'est pas juive mais elle argumente sur la messianité du Christ à partir des Écritures. « Toutes les promesses de Dieu ont en effet leur oui en lui ; aussi bien est-ce par lui que nous disons l'Amen à Dieu pour sa gloire » (2 Co 1,20). S'il reprend la lecture synagogale, ce n'est pas pour en faire un commentaire personnel mais c'est en vue de montrer comment cette parole s'accomplit dans le Christ Jésus. L'Écriture fournit le point de départ par excellence de cette prédication : « Trois sabbats de suite, il discuta avec eux, à Thessalonique, d'après les Écritures. Il les leur expliquait, établissant que le Christ devait souffrir et ressusciter des morts, et le Christ, disait-il, c'est ce Jésus que je vous annonce » (Ac 17,2-3). Pour comprendre Jésus, les Écritures sont la base indispensable. C'est pourquoi dans les lettres de Paul, la référence scripturaire reste fondamentale. Cependant une telle prédication, compte tenu de son objet – le Christ ressuscité qui atteint tout homme – ne peut être limitée au seul Israël. Paul ne représente pas un courant du judaïsme*. Il annonce une Bonne Nouvelle singulière qui ne peut être reçue que par la foi qui éclaire alors le contenu des Écritures.

Luc qui recentre l'activité de Paul sur la synagogue parle tout de même de ceux qui gravitent autour d'elle. À Iconium, Paul et ses compagnons parlent à la synagogue « de telle façon qu'une grande foule de Juifs et de Grecs* embrassèrent la foi » (Ac 14,1). À Thessalonique, quelques Juifs se convertirent ainsi qu'une multitude d'adorateurs de

Dieu (Ac 17,4). À Corinthe, chaque sabbat, l'Apôtre s'adresse à des Juifs et à des Grecs (Ac 18,4). Ces gens sont dans bien des cas présentés comme étant pleins de crainte, ceux qu'on appellera craignant-Dieu*, expression inconnue de Paul et même de Philon d'Alexandrie (Ac 16,14 ; 17,4.17 ; 18,7).

La prédication aux païens

Paul trouve un auditoire auprès de ces païens qui fréquentent les synagogues. Ces derniers constituent le chef d'accusation porté contre lui à Corinthe (Ac 18,13). Il fut en effet accusé par les Romains de transgresser l'interdiction faite aux Juifs de ne pas augmenter le nombre de leurs coreligionnaires.

Les Juifs, quant à eux, trouvent l'enseignement de Paul inacceptable et, jaloux de la foule qui l'écoute, répliquent par des blasphèmes à ses paroles. Paul et Barnabé leur déclarent : « C'était à vous d'abord qu'il fallait annoncer la parole de Dieu. Puisque vous la repoussez et ne vous jugez pas dignes de la vie éternelle, eh bien ! nous nous tournons vers les païens » (Ac 13,46). Paul a déjà rencontré des païens (le proconsul Sergius Paulus à Chypre, la foule de Lystre...) mais il semble que le rejet manifesté par les synagogues confirme la mission qui le conduit vers les Nations*.

Devant les païens, Paul ne parle pas d'abord de l'accomplissement des Écritures mais il invite la foule à se détacher de l'idolâtrie : « Nous aussi, nous sommes des hommes, soumis au même sort que vous, des hommes qui vous annoncent d'abandonner toutes ces vaines idoles pour vous tourner vers le Dieu vivant qui a fait le ciel, la terre, la mer et tout ce qui s'y trouve » (Ac 14,15). En interpellant son auditoire sur la nature, il tente de l'introduire au sens de la création sans partir de la religion naturelle. Il a sans doute tenu un discours semblable aux païens de Thessalonique puisqu'il écrit dans la lettre qu'il leur adresse : « On raconte là-bas comment nous sommes venus chez vous, et comment vous vous êtes tournés vers Dieu, abandonnant les idoles pour servir le Dieu vivant et véritable » (1 Th 1,9).

Dans Athènes, capitale culturelle et religieuse du monde grec, il s'adresse aux philosophes épicuriens et stoïciens qui sont sur l'agora. Conduit à l'Aréopage, il est interrogé sur « cette nouvelle doctrine qu'il enseigne » (Ac 17,19). Les Athéniens perçoivent la nouveauté des propos de Paul et leur curiosité les pousse à poser des questions. La façon dont Paul répond montre qu'il veut les rejoindre sur leur terrain, sans pour autant fausser le message qu'il doit transmettre. Il part de l'inscription qu'il a vue sur un autel de la ville : « *Au dieu inconnu.* Ce que vous adorez sans le connaître, je viens, moi, vous l'annoncer » (Ac 17,23). Ici, il développe davantage le sens du Dieu créateur. Il montre que l'ordre de l'univers ouvre sur le sens de la nature et la quête de Dieu. Puis il en vient à la pointe de son message, à savoir que tous, même les Athéniens, sont concernés par la révélation que Dieu vient de faire : « Il [Dieu] a fixé un jour pour juger l'univers avec justice, par un homme qu'il y a destiné, offrant à tous une garantie en le ressuscitant des morts » (Ac 17,31). À ces mots de résurrection, ses auditeurs, nourris d'anthropologie grecque et considérant le corps comme une enveloppe sans valeur pour l'âme, ne le laissèrent pas continuer.

Si Paul a pour mission première de transmettre la Bonne Nouvelle aux païens, cette annonce ne peut cependant se passer du rapport à Israël ; parce qu'elle s'inscrit dans le dessein de Dieu révélé dans les Écritures, le Juif devrait lui aussi, et lui d'abord, l'entendre. Pour la même raison, le païen ne peut qu'ignorer les Écritures qui annoncent le Christ et pourtant comprendre qu'en conscience elles l'interpellent aussi.

Le travail salarié

Les Actes des Apôtres font allusion à plusieurs reprises au travail de Paul. Dans le discours d'adieu prononcé à Milet devant les Anciens d'Éphèse, Paul fait cette déclaration : « Argent, or, vêtements, je n'en ai convoité de personne : vous savez vous-mêmes qu'à mes besoins et à ceux de mes compagnons ont pourvu les mains que voilà » (Ac 20,33-34). Cette attitude qui a inspiré toute la vie de l'apôtre est confirmée par les épîtres. En effet, dès ses premières lettres, il écrit : « Vous vous souvenez, frères, de nos labeurs et fatigues : de nuit comme de jour, nous travaillions, pour n'être à la charge d'aucun de vous, tandis que nous vous annoncions l'Évangile de Dieu » (1 Th 2,9). Il évoque encore ce comportement qu'il juge fondamental : « Nous nous épuisons à travailler de nos mains » (1 Co 4,12).

Pour assurer sa subsistance, Paul a travaillé. Les Actes des Apôtres le montrent à l'ouvrage dans l'atelier de Priscille et d'Aquilas, ces Juifs originaires du Pont qui, chassés de Rome par l'édit de Claude, s'étaient établis à Corinthe (Ac 18,2-3). Ils s'étaient mis à fabriquer des tentes, « et comme ils étaient du même métier, il [Paul] demeura chez eux et y travailla » (Ac 18,3). Il ne s'agit pas d'une profession au sens où nous l'entendrions aujourd'hui. C'était un travail circonstanciel ; il s'agissait probablement de préparer des tentes pour les spectateurs des jeux isthmiques qui avaient lieu à Corinthe tous les deux ans. Paul peut donc participer à ce travail puisque, par ses origines familiales, il appartient à ce monde de l'artisanat et du commerce textile qui lui a inculqué les rudiments de ce métier. Dans le monde juif, en effet, le travail manuel était estimé au point que les rabbis pharisiens* exerçaient souvent un travail dans l'artisanat.

Certains ont pensé que l'échoppe dans laquelle Paul travailla constituait un lieu de prédication. En fait, il prêchait plutôt dans la synagogue que sur son lieu de travail (Ac 18,4), mais cela ne l'empêchait sans doute pas de témoigner partout où il se trouvait. Il exerçait son métier pour assurer ses besoins quotidiens et ceux de ses compagnons et non pas pour s'enrichir. Il se démarquait ainsi de tant de prédicateurs itinérants qui vivaient de mendicité, comme les prêtres* de Cybèle, et qui étaient vivement critiqués pour cette raison. Cela ne l'empêchait pourtant pas d'avoir recours à des hôtes lors de ses déplacements – l'hospitalité était indispensable pour le logement et la sécurité du voyageur antique – et d'accepter des secours de certaines Églises qu'il avait fondées, telle celle de Philippes (Ph 4,16 ; 2 Co 11,8-9).

À plusieurs reprises dans ses épîtres, l'apôtre précise le sens qu'il donne à son travail manuel. Il affirme sa grande liberté dans ce domaine : « N'avons-nous pas le droit de ne pas travailler ? » (1 Co 9, 6) proteste-t-il devant les Corinthiens qui mettent en cause son ministère. Il ne revendique alors aucun droit, ni celui de travailler, ni celui de ne rien faire. Dans la société antique où le loisir prenait de plus en plus d'importance, il n'existait ni droit au travail, ni devoir. La vie sociale n'était pas organisée autour des activités de production. Le travail n'était en soi pas considéré comme une valeur, plutôt comme ennuyeux et méprisable. Travailler, pour Paul, n'a donc pas de signification sociale ou culturelle ; cela lui donne simplement l'indépendance nécessaire pour assurer son apostolat. Il sait que Jésus avait donné à ses disciples des consignes différentes dont Paul est l'écho quand il écrit : « Le SEIGNEUR a prescrit à ceux qui annoncent l'Évangile de vivre de l'Évangile. Mais je n'ai usé, moi, d'aucun de ces droits, et je n'écris pas cela pour qu'il en soit ainsi à mon égard ; plutôt mourir que de… Mon titre de gloire, personne le réduira à néant » (1 Co 9,13-15). Pourtant, au nom d'une liberté plus grande conforme au message de liberté qui est le sien, il choisit librement de tout faire pour éviter que la prédication de la Bonne Nouvelle semble intéressée. Le seul appel financier qu'il lancera sera celui de la collecte en faveur de l'Église de Jérusalem.

CH. R.

Paul écrivain

L'Antiquité gréco-romaine nous a laissé un grand nombre de lettres de toute nature qu'on répartit généralement en deux groupes : les lettres officielles et privées qu'on peut considérer comme le substitut d'un entretien de vive voix, les lettres dogmatiques ou fictives qui s'apparentent à un genre littéraire. En ce qui concerne le premier groupe, les Actes des Apôtres nous proposent un « courrier de service » envoyé par le tribun de Jérusalem au procurateur Felix résidant à Césarée et concernant la détention de Paul (Ac 23,25-33). Les épîtres de Paul, Jacques, Pierre et Jean relèvent de la seconde catégorie.

En choisissant la forme épistolaire pour transmettre son enseignement, Paul ne fait que se conformer à une technique littéraire en vogue depuis des siècles dans le monde hellénistique*. En effet les caractéristiques des correspondances échangées entre personnages officiels ou simples particuliers ont été reprises par les auteurs grecs, puis romains pour faire connaître leurs points de vue dans des domaines très variés. Les penseurs et les savants découvrent dans la lettre une forme privilégiée pour transmettre une thèse philosophique, religieuse ou scientifique sous une forme plus attractive qu'un traité anonyme. Platon, Épicure, Sénèque, entre autres, ont laissé des épîtres fort longues qui, tout en respectant les règles formelles d'une lettre (formules de salutation au début et à la fin du texte) sont en fait des exposés de leur doctrine. Il existe même des manuels d'épistolographie qui proposent des modèles adaptés au but de chaque catégorie de lettres. Il est donc logique que Paul, pour s'adresser aux différentes communautés dont il suit la vie, se soit mis à l'écriture d'épîtres didactiques adressées à l'ensemble des chrétiens d'une ville.

Il n'existe pas de poste publique pour la transmission du courrier (à l'exception des correspondances officielles). Par conséquent Paul confie ses épîtres à des esclaves qui, pour apporter la lettre à bon port, doivent emprunter les différents modes de transport en usage. La lettre peut aussi être transmise par un émissaire spécial choisi par l'apôtre, tel son collaborateur Timothée envoyé à Thessalonique (1Th 3,2). Enfin il a pu profiter d'un voyage effectué par des amis chrétiens : on peut supposer que Phoébé se rendant à Rome (Rm 16,1-2), Tychique et Onésime partant pour Colosses (Col 4,7-9) ont apporté aux communautés de ces villes les épîtres qui leur étaient adressées. Comme l'avait fait par exemple Cicéron, Paul confie à ces messagers occasionnels le soin de donner des précisions supplémentaires sur le contenu de l'épître.

En général une lettre n'est pas écrite directement par son auteur, car celui-ci fait appel à un secrétaire, esclave ou affranchi, spécialisé dans la technique de noter rapidement les paroles de son maître. L'histoire littéraire a conservé le nom de Tiron, serviteur dévoué de Cicéron, qui a joué un rôle important dans la conservation des œuvres de son maître. Dans l'épître aux Romains, apparaît le nom d'un secrétaire de Paul : « Moi, Tertius, qui ai écrit cette lettre » (Rm 16,22). La première épître de Pierre est transcrite par un ami du rédacteur : « Je vous écris ces quelques mots par Silvain que je considère comme un frère fidèle » (1 P 5,12). Cependant Paul a soin, à plusieurs reprises, d'authentifier sa lettre en ajoutant à la fin quelques mots écrits de sa main : « La salutation est de ma main, à moi, Paul » (1 Co 16,21). Parfois même, pour insister sur l'importance de cette authentification, Paul écrit sa salutation en caractères plus gros que le reste de l'épître : « Voyez quels gros caractères ma main trace à votre intention » (Ga 6,11) et, toujours pour éviter une falsification éventuelle, l'apôtre peut reprendre après la formule de conclusion les thèmes essentiels qu'il a développés dans l'épître (Ga 6,12-17).

Le support le plus fréquent de l'écriture est le papyrus, dont il existe plusieurs qualités, sur lequel le secrétaire écrit avec un calame, roseau taillé, trempé dans de l'encre. La dictée d'une épître est relativement longue, durant plusieurs heures au moins, et on peut mettre sur le compte de la fatigue du secrétaire les irrégularités et les incohérences qu'on a pu relever çà et là dans les épîtres pauliniennes. On peut supposer aussi qu'en relisant la lettre, Paul y fait parfois introduire des morceaux nouveaux, par exemple l'hymne à l'amour de la première épître aux Corinthiens (ch.13).

Comme ses prédécesseurs, Paul sacrifie aux règles de la correspondance en utilisant une formule de salut au début de l'épître : « Paul, apôtre du Christ Jésus par la volonté de Dieu, et Timothée le frère, à l'Église de Dieu établie à Corinthe, ainsi qu'à tous les saints qui sont dans l'Achaïe entière » (2 Co 1,1). Cette formule démarque la formule courante de l'époque : « Un tel à un tel, salut ! » (*chairein* en grec, *salutem dat* en latin). Souvent la lettre est envoyée par plusieurs expéditeurs dont les noms accompagnent celui de l'apôtre dans l'envoi de la lettre : Paul et Sosthène (1 Co 1,1), Paul et Timothée (2 Co 1,1, Ph 1,1 ; Col 1,1), Paul, Silvain et Timothée (1 Th 1,1, 2 Th 1,1). De même, à la fin de la lettre, se trouve la salutation finale « Porte-toi bien ! » (*eutuchei* en grec, *vale* en latin). Cependant, si l'adresse et la finale des épîtres de Paul sont conformes aux règles du genre, Paul a pris l'habitude de développer ces deux formulations stéréotypées pour y intégrer une salutation liturgique ou une doxologie, au début : « À vous, grâce et paix de par Dieu, notre Père, et le SEIGNEUR Jésus Christ ! » (1 Co 1,3) ; et à la fin : « La grâce du Seigneur Jésus Christ, l'amour de Dieu et la communion du Saint-Esprit soient avec vous tous ! » (2 Co 13,13). Parfois la lettre est écrite au nom de tout un groupe de personnes et on trouve une signature collective : ainsi huit personnes s'associent à Paul pour saluer la communauté de Rome (Rm 16,21-23).

Les épîtres de Paul relèvent aussi de la littérature contemporaine en ce sens que, comme tout enseignement philosophico-religieux de l'époque, elles utilisent en bien des points les règles de la rhétorique

DOCUMENT

CICÉRON ET TIRON

Les travaux du grand écrivain Cicéron doivent beaucoup à son secrétaire, l'esclave Tiron qu'il affranchit en 53 av.J.C. Confident de son maître, chargé des pleins pouvoirs dans l'administration financière de la fortune de ce dernier, Tiron, malgré une santé délicate, est constamment auprès de son maître pour prendre par écrit discours, traités philosophiques et poèmes que Cicéron lui dicte. Pour accélérer son travail, Tiron a inventé le système des notes tironiennes, une sorte de sténographie qui restera en usage jusqu'au Moyen Âge. C'est Tiron qui établit le catalogue des œuvres de son maître et qui a rassemblé sa correspondance en vue de l'édition. Comme le reconnaît Cicéron, Tiron le sert, selon le proverbe grec, « de la proue à la poupe », c'est-à-dire dans tous les domaines. Les lettres de Cicéron à son secrétaire traduisent l'affection qu'il portait à cet homme et les services que celui-ci lui rendait :

Cicéron à son cher Tiron, salut. [...]. Ils sont innombrables les services que tu m'as rendus, à la maison, au forum, à la ville, en province, dans le privé, dans le public, dans mon travail, dans mes écrits. Tu surpasserais tous ces services si, comme je l'espère, je te revois en bonne santé. [...] Plus tu apporteras de l'attention à ta santé, plus je croirai que tu as des égards pour moi. Bonne santé, mon cher Tiron, bonne santé, bonne santé et au revoir.

(Lettre de Cicéron à Tiron datée du 7 novembre 50 av.J.C. Trad. C. Salles)

codifiées à différentes reprises par les théoriciens grecs et latins. En effet, pour persuader les destinataires de sa lettre du bien-fondé de ce qu'il défend, Paul s'appuie sur des règles précises apprises à l'école du rhéteur et qui le guident dans le plan de sa lettre comme dans le choix des figures de style. Ce recours à la rhétorique permet de mesurer la culture des destinataires des épîtres qui doivent être capables de retrouver dans le texte de Paul les traces d'un enseignement qu'ils ont eux-mêmes reçu. La comparaison entre le style des évangiles* et celui des épîtres est à cet égard fort révélatrice. Les auteurs antiques avaient soin de distinguer la nature de l'écrit selon sa destination : éloquence délibérative, judiciaire ou démonstrative. En se référant aux définitions données par Cicéron et Quintilien, on a pu déterminer que certaines épîtres pauliniennes relèvent en totalité ou en partie de l'éloquence délibérative (1 Co, 2 Co 8-9 ; Ga 3-6), de l'éloquence judiciaire (2 Co 1-7 et 10-13 ; Ga 1-2), de l'éloquence démonstrative (1 et 2 Th).

DOCUMENT

La rhétorique selon Quintilien

Professeur de rhétorique, le Romain Quintilien (v.30-100 ap.J.C.) compose l'*Institution oratoire* dans laquelle il étudie la nature et les usages de la rhétorique, en s'inspirant des traités précédents composés en particulier par Aristote et Cicéron. Il accorde beaucoup d'importance à la définition de cet art du discours, qu'il présente comme inséparable d'une certaine morale :

La définition qui conviendra le mieux à la substance de la rhétorique est que c'est la « science du bien dire », car elle embrasse toutes les qualités du discours et les mœurs de l'orateur. Car personne ne peut bien parler s'il n'est pas un homme de bien. [...]. Il faut aussi approuver ceux qui pensent que le but de la rhétorique est de penser et de parler comme il faut.

(Institution oratoire, II, 15, 34-35. Trad. C. Salles)

Les règles proposées par les théoriciens antiques pour la composition d'un discours doivent amener l'auditoire à se rallier à la cause de celui qui parle :

Tout l'art du discours, comme la plupart des auteurs l'ont dit, tient en cinq parties : invention, disposition, élocution, mémoire, débit ou action (ces deux termes sont utilisés indifféremment). Mais chaque parole expressive implique nécessairement le fond et la forme.

(Institution oratoire, III, 3,1. Trad. C. Salles)

Enfin les catégories dans lesquelles s'exerce l'art de la parole sont spécifiques :

Il y a donc un premier genre qui contient l'éloge et le blâme, qui est appelé « laudatif », ou par d'autres « démonstratif » [...]. Le deuxième genre est le « délibératif », le troisième le « judiciaire ». Toutes les autres espèces se ramènent à ces trois genres, car on n'en trouvera aucun dans lequel nous ne devons louer ou blâmer, persuader ou dissuader, intenter une poursuite ou l'écarter. Voici ce qui est commun aux trois genres : concilier, raconter, enseigner, amplifier, diminuer, exciter les passions des auditeurs ou les calmer.

(Institution oratoire, III, 4,12...15. Trad. C. Salles)

« Persuader autrui », règle majeure de la rhétorique, c'est en un premier temps réfuter ses opinions et le déstabiliser, en un second temps le convaincre. Cet art se retrouve dans les interrogations fictives adressées aux lecteurs : « Quoi donc ? Si d'aucuns furent infidèles ? Leur infidélité va-t-elle annuler la fidélité de Dieu ? Certes non ! » (Rm 3,3-4) ; dans les dialogues reconstitués : « J'entends par là que chacun de vous dit : Moi, je suis à Paul – Moi, à Apollos – Et moi, à Céphas – Et moi, au Christ » (1 Co 1,12) ; dans les énumérations expressives (2 Co 6,3-10 ; 11,22-29) faisant appel à l'asyndète (juxtaposition de termes) ; dans les paradoxes ou oxymores : « Dieu n'a-t-il pas frappé de folie la sagesse du monde ? » (1 Co 1,20). De même l'annonce du sujet avec une citation qui prélude au sujet du commentaire est une des techniques de la rhétorique (1 Co 14,21). Les théoriciens conseillent aussi, pour étayer la démonstration, de faire appel à des *exempla* dont il existe des catalogues tout prêts. L'exemple de l'athlète courant dans le stade (1 Co 9,24-27), celui des péripéties des combats de gladiateurs (2 Co 4,8-11) ne sont pas propres à Paul, mais se retrouvent chez les écrivains païens. Tout l'arsenal des figures de style (antithèses, jeux de mots, métaphores, litotes ou hyperboles, etc.) est aussi mis à contribution par Paul pour faire ressortir la force de sa démonstration.

Cependant les épîtres pauliniennes se distinguent des autres textes dogmatiques de l'Antiquité par le recours à des procédés caractéristiques de la pensée juive. Le recours aux Écritures pour montrer que la prédication est compatible avec la Loi* et les Prophètes est constant. À soixante-seize reprises dans ses épîtres, Paul renvoie à un passage des textes sacrés du judaïsme*. Parfois cette référence à l'Écriture se développe sous forme d'allégories*, comme l'évocation d'Agar et de Sara représentant les deux alliances (Ga 4,21-31). Ces citations ne sont pas plaquées sur le texte, mais, par le système de références, sont réactualisées par leur prolongement dans la démonstration paulinienne : « Ces faits se sont produits pour nous servir d'exemples, pour que nous n'ayons pas de convoitises mauvaises, comme ils en eurent eux-mêmes » (1 Co 10,6).

On retrouve aussi l'influence rabbinique* qu'a subie Paul dans le recours aux targoums*. Ces paraphrases en araméen des textes en hébreu sont utilisées dans les synagogues* pour une meilleure compréhension du texte sacré et ont une place officielle depuis plusieurs siècles dans les commentaires juifs. Ainsi le passage de l'épître aux Éphésiens, « Montant dans les hauteurs, il a emmené des captifs, il a donné des dons aux hommes » (Ep 4,8), qui se présente comme une citation du Psaume 68,19, repose en fait sur un targoum comparant cette « montée vers les hauteurs » à la montée de Moïse sur le mont Sinaï. De même des expressions comme « le rocher spirituel qui les accompagnait » (1 Co 10,4), « la loi a été édictée par le ministère des anges » (Ga 3,19), « l'enfant de la chair persécutait l'enfant de l'Esprit » (Ga 4,29) sont empruntées aux commentaires des targums.

Paul, si l'on en croit les Actes des Apôtres, a été l'élève du pharisien Gamaliel : « C'est aux pieds de Gamaliel que j'ai été formé à l'exacte observance de la Loi de nos pères » (Ac 22,3). Gamaliel, héritier du célèbre Hillel, a reçu de ce dernier les règles concernant l'interprétation des textes. Les raisonnements analogiques et *a fortiori*, qui font partie de cette codification, sont très souvent représentés dans les épîtres : « Si d'autres ont ce droit sur vous, ne l'avons-nous pas davantage ? » (1 Co 9,12) ; « Si, étant ennemis, nous fûmes réconciliés à Dieu par la mort de son Fils, combien plus, une fois réconciliés, serons-nous sauvés par sa vie ! » (Rm 5,10).

En mélangeant différentes sources d'inspiration, Paul a rédigé des épîtres qui, par certains aspects, relèvent de la correspondance privée – anecdotes le concernant, confession personnelle, nouvelles données de part et d'autre –, par d'autres, répondent aux règles de la rhétorique gréco-romaine, par d'autres enfin, se rattachent aux commentaires juifs de l'Écriture.

C. S.

La théologie paulinienne

La théologie paulinienne ne peut se comprendre qu'en fonction de l'expérience du Ressuscité. Une telle expérience commande la vision paulinienne de l'homme, le mystère du salut et l'annonce de l'Évangile* aux nations*.

La Résurrection comme toile de fond

La rencontre avec le Ressuscité met Paul sur le même rang que ceux qui ont vécu avec Jésus au cours de son existence. Elle lui donne le titre d'apôtre, et lui confie la charge de parler au nom du Seigneur. La rencontre de Paul avec le Ressuscité sur le chemin de Damas constitue donc le point absolu de sa vocation et de sa mission. Dieu est pour lui, écrit-il, « Celui qui, dès le sein maternel, m'a mis à part et appelé par sa grâce, et daigna révéler en moi son Fils pour que je l'annonce parmi les païens » (Ga 1,15-16).

À la lumière de la Résurrection, Paul développe le fondement d'une vision spirituelle de l'homme qui n'est pas de l'ordre d'un système mais d'une expérience. En effet, l'identité de la personne du Christ n'est pleinement révélée que dans la Résurrection qui l'arrache à la mort. C'est donc qu'il vient « du ciel » (1 Co 15,47) et qu'il n'est pas un homme parmi d'autres, ou plutôt que son humanité relevant de son appartenance à Adam est pourtant celle du « second et dernier Adam » (1 Co 15,45).

Second Adam, le Christ a toutes les caractéristiques du premier au sens où il est pleinement homme et reconnu comme un homme à son comportement (Ph 2,7). Il assume notamment ce qu'il y a de plus universel et de plus indestructible en l'homme, c'est-à-dire la mort. Mais, parce qu'il triomphe de la mort dans sa Résurrection, il ne peut être réduit à la terre, et donc à la seule humanité. Son origine divine est définitivement attestée par sa Résurrection. C'est pourquoi il est le « dernier ». Il est Celui qui non seulement prend la mort sur lui et y est arraché, mais aussi Celui-là seul qui peut arracher l'homme à la mort. Il est le dernier puisqu'il est souverain dans et sur la nature. Aux Corinthiens qui refusent de croire à la résurrection des morts, Paul déclare : « S'il n'y a pas de résurrection des morts, le Christ non plus n'est pas ressuscité. Mais si le Christ n'est pas ressuscité, vide alors est notre message, vide aussi votre foi » (1 Co 15,13-14).

Étant, comme Ressuscité, Celui qui a « tout mis sous ses pieds » (1 Co 15,27), le Christ apparaît comme Celui qui réalise le programme que Dieu a confié à l'homme. En effet, le Psalmiste définit l'homme en disant de lui : « À peine le fis-tu moindre qu'un dieu ; tu le couronnes de gloire et de beauté, pour qu'il domine sur l'œuvre de tes mains ; tout fut mis par toi sous ses pieds » (Ps 8,6-7). Le Christ ressuscité assujettit « toutes choses » parce qu'il a assujetti la mort et qu'il l'assujettira en nous. Second et dernier Adam, il est la forme achevée de l'homme. Tout homme est alors invité à déployer ses potentialités : « Tout ce qu'il y a de vrai, de noble, de juste, de pur, d'aimable, d'honorable, tout ce qu'il peut y avoir de bon dans la vertu et la louange humaines, voilà ce qui doit vous préoccuper » (Ph 4,8).

Tant que dure l'histoire, les effets de la Résurrection ne sont pas manifestés. Non que le Christ ressuscité serait incapable de manifester sa gloire mais, par respect pour l'humanité, il la retient. Le Christ n'est pas venu pour détruire l'homme mais pour l'accomplir*. Le délai de la Parousie* implique pour l'homme que son existence soit menée dans l'attente du Christ et non dans son oubli. Elle renvoie le chrétien à l'engagement dans le monde. Elle rend possible la croissance de l'Église dans l'attente du Jour du Seigneur, c'est-à-dire la Parousie, lorsque éclatera la gloire de Celui qui est la clef de l'histoire et de la nature. Tout sera achevé et la mort à jamais détruite.

L'inachèvement du monde et le paradoxe de l'existence chrétienne affrontée au péché pourraient devenir cause de doute et de révolte. Pourtant, cet inachèvement n'est pas le dernier mot du monde :

J'estime que les souffrances du temps présent ne sont pas à comparer à la gloire qui doit se révéler en nous. Car la création en attente aspire à la révélation des fils de Dieu. [...] Nous le savons en effet, toute la création jusqu'à ce jour gémit en travail d'enfantement. Et non pas elle seule : nous-mêmes qui possédons les prémices de l'Esprit, nous gémissons nous aussi intérieurement dans l'attente de la rédemption de notre corps. (Rm 8,18-23)

Le dessein de Dieu ne concerne pas l'homme seulement mais aussi l'univers. Cet univers ne sera pas détruit par une déflagration comme le pensent les philosophes contemporains de Paul, mais il sera transformé par la Résurrection.

Le salut dans la croix – La Rédemption*

Paul, dont la mission dépend du Ressuscité, ne cesse pourtant de rappeler que le Messie* qu'il proclame est un Messie crucifié et que lui-même « n'a rien voulu savoir sinon Jésus Christ, et Jésus Christ crucifié » (1 Co 2,2).

La croix de Jésus

Il ne suffit pas que Jésus se dépouille de sa condition divine en renonçant à tout ce qui en elle pourrait constituer un obstacle à sa vérité d'homme, mais son humanité est au service de Dieu pour une tâche qui dépasse toutes les tâches humaines. De plus, le monde dans lequel il entre est un monde marqué par l'histoire du péché dont il doit détruire la puissance en se mettant par son corps au service de la sainteté de Dieu. C'est dans son corps qu'il va effacer la marque du péché qui vient de la désobéissance foncière de l'homme. C'est son corps qui va devenir l'emblème public d'une obéissance de l'homme à Dieu. C'est pourquoi il est le modèle absolu de la fidélité à Dieu aux dépens de sa vie :

Mais maintenant, sans la Loi, la justice de Dieu s'est manifestée, attestée par la Loi et les Prophètes, justice de Dieu par la foi en Jésus Christ, à l'adresse de tous ceux qui croient – car il n'y a pas de différence : tous ont péché et sont privés de la gloire de Dieu – et ils sont justifiés par la faveur de sa grâce en vertu de la rédemption accomplie dans le Christ Jésus : Dieu l'a exposé, instrument de propitiation par son propre sang moyennant la foi ; il voulait montrer sa justice, du fait qu'il avait passé condamnation sur les péchés commis jadis au temps de la patience de Dieu ; il voulait montrer sa justice au temps présent, afin d'être juste et de justifier celui qui se réclame de la foi en Jésus.* (Rm 3,21-26)

La mort du Christ en croix n'est pas un destin qui impliquerait une volonté aveugle de Dieu ou des hommes. Elle représente le résultat d'une oblation qui non seulement purifie l'humanité mais, en outre, éclaire d'un jour nouveau toute précompréhension de Dieu et de l'humanité.

Cette oblativité détruit complètement l'idée d'un Dieu qui apaiserait sa colère. Bien plus, tout en nous délivrant du péché qui nous sépare de lui, Dieu qui nous donne pour cela son propre Fils nous révèle à quel point la croix est la manifestation de son amour contre toute apparence. Celui qui paraît immoler son Fils est celui qui accepte de se sacrifier pour nous. S'il « le fait péché pour nous », c'est pour nous délivrer de ce péché et non pas pour une effusion de sang ou pour la satisfaction de sa colère. De même, lorsque Paul nous dit : « Vous avez été bel et bien achetés » (1 Co 6,20), il ne s'agit pas d'un commerce, mais d'un amour qui s'étant donné totalement attend une réponse de l'ordre de l'existence : « Glorifiez donc Dieu dans votre corps. » Au surplus, la croix lui permet de rejoindre l'humanité dans son scandale devant la mort. Par sa Résurrection, le Christ entraîne notre humanité vers le Père, de l'intérieur de cette humanité, dans le mouvement d'oblativité qui le porte vers son Père. La croix est donc le lieu par excellence où se manifeste l'amour réciproque du Fils et du Père : elle est véritable théophanie* pour nous. Le Fils révèle en elle l'amour qu'il a pour le Père et l'amour dont le Père peut et doit être aimé. Si imposée qu'elle soit par les circonstances, la croix est au cœur de l'histoire, le signe par excellence de l'amour du Père pour le Fils, et à travers lui pour le monde.

Par la croix, en effet, le Christ opère une réconciliation qui ne se limite pas à la seule humanité, mais qui concerne la création tout entière, celle du ciel et celle de la terre. L'événement de la croix a une portée cosmique (Col 1,20) qui ne peut être reconnue que si l'on accepte, dans la foi, son scandale à la lumière de la Résurrection (1 Co 1,21).

L'annonce du Crucifié et son rapport aux cultures

Aux yeux des Romains, la crucifixion était un supplice infamant, réservé aux esclaves (Tacite), indigne d'un citoyen romain et d'un homme libre (Cicéron). Les Juifs eux aussi éprouvaient de la répulsion pour ce supplice qui leur était infligé souvent de la part des Romains – ces derniers l'utilisaient pour pacifier les provinces conquises. Par ailleurs, un texte du Deutéronome qui ne semble pas exclure ce type de mort déclare que, « si un homme, coupable d'un crime capital, a été mis à mort et que tu l'aies pendu à un arbre, son cadavre ne pourra être laissé sur l'arbre ; tu l'enterreras le jour même, car un pendu est une malédiction de Dieu » (Dt 21,22-23). Crucifié ou pendu, celui qui est ainsi exposé sur le bois est maudit par la Loi.

Dans un tel contexte, annoncer que celui qui a été crucifié est le Messie ne pouvait que déclencher la réprobation conjuguée des Juifs et des païens* pour des raisons différentes (1 Co 1,22-23). Pour les Juifs, une telle annonce était irrecevable, car la mort de la croix est non seulement infra-humaine, mais encore elle est déclarée maudite par les Écritures. Le crucifié est rejeté de Dieu. C'est pourquoi les grands prêtres* avaient lutté pour obtenir de Pilate la mort de Jésus en croix, et, dépassant l'écœurement que ce genre de mort leur inspirait, pensaient ainsi faire taire à jamais les prétentions messianiques de Jésus.

Pour les païens, il en allait de même. Un homme de Dieu crucifié était pour eux folie et absurdité. Le panthéon gréco-romain, malgré ses dieux parfois si étranges, ne pouvait reconnaître comme dieu celui qui avait subi une mort si infamante. C'est pourquoi Pline, Tacite et Suétone considèrent que les chrétiens sont les adeptes d'une superstition déraisonnable. La mort ignominieuse de Jésus de Nazareth ne permet pas, en effet, de l'assimiler à un dieu caché sous les apparences d'un homme.

Le Messie crucifié n'est donc recevable, pour le Juif comme pour le païen, que si l'un et l'autre acceptent dans la foi le fait de la Résurrection. Sans la Résurrection, Jésus de Nazareth n'est qu'un pendu de plus. La Résurrection appose le sceau de l'authenticité sur la vie de Jésus. Accepter que Jésus crucifié soit le Messie ressuscité oblige et le Juif et le païen à dépasser la représentation qu'ils se font de Dieu et l'impression première que leur donne la croix.

« Nul ne connaît ce qui concerne Dieu, sinon l'Esprit de Dieu. Or nous n'avons pas reçu, nous, l'esprit du monde, mais l'Esprit qui vient de Dieu pour connaître les dons gracieux que Dieu nous a faits » (1 Co 2,11-12). C'est l'Esprit qui permet de confesser que, dans la croix, il s'agit de Dieu et d'un Dieu qui révèle ainsi qu'il est amour : « Personne, parlant avec l'Esprit de Dieu, ne dit : Anathème à Jésus, et nul ne peut dire : Jésus est Seigneur, s'il n'est avec l'Esprit Saint » (1 Co 12,3). Cet Esprit, encore inconnu des cultures, intervient dans une annonce qui ne peut s'exprimer qu'à travers des paradoxes de force et de faiblesse, de sagesse et de folie. Il ne s'agit pas d'une dialectique humaine mais du mystère de Dieu. C'est un tel message que Paul se sent responsable d'annoncer :

Le Christ ne m'a pas envoyé baptiser, mais annoncer l'Évangile, et cela sans la sagesse du langage, pour que ne soit pas réduite à néant la croix du Christ. Le langage de la croix, en effet, est folie pour ceux qui se perdent, mais pour ceux qui se sauvent, pour nous, il est puissance de Dieu. (1 Co 1,17-18)

La croix ne peut donc que donner accès à une connaissance toute nouvelle de Dieu. En faisant voler en éclats les cultures qui se ferment sur elles-mêmes, la croix introduit un langage contradictoire par rapport à toute sagesse et à toute puissance. Dieu se fait connaître en elle selon un dessein éternel d'amour et non par accident dû à la faute contingente des hommes. C'est ce que l'épître aux Éphésiens reprendra (Ep 1,3-14). Le Christ, en qui « nous sommes élus en Dieu, dès avant la fondation du monde, pour être saints et immaculés en sa présence, dans l'amour » (Ep 1,4), est aussi celui qui par la rédemption nous arrache aux ténèbres capables de voiler la connaissance et l'accueil d'une telle élection*. La rédemption est indispensable pour que nous puissions entrer dans les profondeurs de la Révélation. Le dessein de Dieu consiste à faire de nous des fils et par conséquent à nous sauver de ce qui contredit une telle vocation.

La croix dans la vie du chrétien

Dès lors, si ce langage vient de l'Esprit, il est aussi capable d'atteindre l'intériorité du croyant. Sans doute, l'annonce du crucifié implique-t-elle une manière de croire, mais celui qui adhère au Christ s'engage aussi à vivre selon les mœurs du Christ et à « crucifier le vieil homme » qui est en lui (Rm 6,6). Le chrétien trouve dans le Christ son identité d'homme qui ne consiste pas d'abord à beaucoup souffrir, tel un Sisyphe roulant son rocher, mais à recevoir le don de la vie qui lui est fait dans le Christ. Dans l'amour du Christ signifié par la croix, le chrétien est appelé à répondre dans un élan d'amour et d'oblativité analogue à celui du Christ.

L'amour que le chrétien a pour le Christ saisit donc toute son existence de la même manière que l'amour du Christ pour nous l'a conduit à se livrer tout entier sur la croix. C'est pourquoi Paul peut dire : « Je suis crucifié avec le Christ ; et ce n'est plus moi qui vis, mais le Christ qui vit en moi. Ma vie présente dans la chair, je la vis dans la foi au Fils de Dieu qui m'a aimé et s'est livré pour moi » (Ga 2,19-20).

Le chrétien acquiert ainsi une liberté par rapport au monde et à ses séductions, non pas en étant frustré de ce qui pourrait être légitime, mais en entrant dans le mouvement d'amour du Christ et donc dans son oblativité qui fait paraître vain tout ce qui le contredirait. Si croire au Christ contient toujours un aspect de scandale et de folie, l'existence chrétienne aussi.

La croix, enfin, a une composante ecclésiale. La communauté des croyants est le reflet du message qu'elle annonce. Elle est une communauté d'appelés et non de personnes qui se seraient choisies. De plus, c'est le sang de la croix qui des deux groupes constituant l'humanité, le peuple élu et les Nations, n'en fait plus qu'un (Ep 2,11-22). La communauté chrétienne est appelée à vivre dans l'action de grâces son témoignage au Christ qui « s'est livré pour elle » (Ep 5,25).

L'Évangile aux païens

Dans le Christ, l'attitude fondamentale qui définit le rapport de l'homme envers Dieu est la foi et non la loi. Son contenu spécifique, étranger aux cultures, implique une dimension personnelle qui caractérise l'engagement du croyant à la suite du Christ. « Ce n'est plus moi qui vis, mais le Christ qui vit en moi » (Ga 2,20). Cette affirmation paulinienne vaut pour tout homme qui accueille en lui la vie que seul le Christ peut donner par sa mort et sa Résurrection. Par conséquent, l'adhésion au Christ n'est pas réservée au seul peuple élu mais concerne tout homme. Pareille adhésion ne se limite pas à l'appropriation d'un message mais consiste en une relation de personne à personne. Paul en est l'exemple.

Paul et la loi

Paul n'a jamais renié ses origines juives. Il sait qu'il a été façonné par la tradition de ce peuple singulier dans lequel il est né. Au sein du peuple juif, il revendique une place spécifique : « Quant à la loi, un Pharisien* » (Ph 3,5). Avant Damas, Paul, fidèle à son appartenance sociale et religieuse, cherchait à servir le Dieu d'Israël dans un effort non seulement éthique mais légaliste. C'est pourquoi il prétendait être irréprochable dans le soin qu'il mettait à observer la loi juive. Son zèle et sa jalousie pour la loi étaient tels qu'ils le faisaient s'opposer par la violence à ceux qui osaient se dispenser de cette loi et avaient l'audace de reconnaître Jésus de Nazareth comme le Fils de Dieu (1 Co 15,9 ; Ga 1,13-14).

Mais, par la rencontre du Seigneur ressuscité sur le chemin de Damas, sa vision de Dieu est bouleversée. Paul qui cherchait dans les œuvres de la loi une voie d'accès à Dieu se trouve désarçonné : Celui que la loi déclare maudit parce qu'il fut cloué sur une croix, se trouve être le juste par excellence, étant le Bien-Aimé que Dieu ressuscite. Ce que Paul a cherché par lui-même lui est donné par un Autre, dans la plus absolue gratuité. Tous les avantages que représentait pour lui la loi sous ses aspects les plus divers, il les laisse et même les méprise : ce ne sont plus des gains mais une perte (Ph 3,5-14). Il découvre que la justice n'est pas dans la loi mais dans le Christ qu'au nom même de la loi il méprisait. Cette rencontre établit l'apôtre dans la conviction inébranlable que seul le Christ, parce qu'il est le Fils de Dieu, est capable de nous justifier, et de nous faire entrer dans la communion avec Dieu en nous ajustant à son mystère :

L'homme n'est pas justifié par la pratique de la Loi, mais seulement par la foi en Jésus Christ, nous avons cru, nous aussi au Christ Jésus, afin d'obtenir la justification par la foi au Christ et non par la pratique de la Loi, puisque par la pratique de la Loi personne ne sera justifié. (Ga 2,16)

L'homme n'a donc pas à compter, pour être justifié, sur l'accomplissement des œuvres de la loi. Celle-ci ne peut qu'enfermer l'homme dans son péché : ou bien il est poussé par le simple fait de se trouver devant des préceptes, à transgresser les interdits, ou bien il s'imagine se donner à lui-même l'accès à Dieu par l'observance stricte des préceptes, ce dont il est incapable. « La loi ne fait que donner la connaissance du péché » (Rm 3,20), telle est l'expérience de Paul : « Je n'ai connu le péché que par la loi » (Rm 7,7). Le Christ étant présent, la loi se révèle donc impuissante à nous donner la vie. La rencontre avec le Ressuscité inverse son effort : il ne cherche pas à atteindre Dieu par l'obéissance à une loi, mais il accepte d'être saisi lui-même par cet Autre dans toutes les dimensions de son existence, qu'elles soient morale, affective, sociale ou culturelle.

La Résurrection fait comprendre à Paul qu'il faut accepter en toute humilité de se laisser atteindre par Dieu sans mérite de notre part - ce qui arrive au chrétien dans le baptême. Par la plongée du baptisé dans l'eau, le baptême évoque la plongée du Christ dans la mort :

Ignorez-vous que baptisés dans le Christ Jésus, c'est dans sa mort que tous nous avons été baptisés ? Nous avons donc été ensevelis avec lui par le baptême dans la mort, afin que, comme le Christ est ressuscité des morts par la gloire du Père, nous vivions, nous aussi, dans une vie nouvelle. (Rm 6,3-4)

La foi par laquelle l'homme est justifié n'opère pas de façon juridique : il ne s'agit pas d'abord de supprimer une dette quelconque ou de décréter extérieurement l'homme juste. L'homme incorporé au mystère de la mort et de la Résurrection du Christ est ajusté au mystère de Dieu. La dépossession de soi – accepter de ne pas être soi-même la cause de son salut – passe par le dépassement des œuvres. Paul va développer ce que signifie ce dépassement – le refus de l'assujettissement à la circoncision et aux préceptes qui lui sont de fait concomitants (interdits alimentaires, néoménies...) – bien qu'il ait vécu lui-même en fonction de ces œuvres avant de rencontrer le Christ.

Paul et Israël

L'adhésion au Christ ne requiert aucune appartenance ethnique, culturelle ou religieuse. Elle n'est pas réservée à ceux qui observeraient la loi juive, pas plus qu'à ceux qui ont rencontré Jésus durant son existence terrestre ou au moment des apparitions. Elle vaut pour tous ceux qui reconnaissent que Jésus est Seigneur. Il n'y a donc pas deux systèmes de salut, un qui passerait par la loi et concernerait le peuple élu, l'autre qui passerait par le Christ et s'adresserait aux païens. S'il y a bien deux modalités historiques de la révélation, il n'y a qu'un seul accès à Dieu dans le Christ.

C'est pourquoi les nations, jadis exclues de la promesse à Israël, peuvent adhérer à l'Évangile après l'avoir entendu. Paul écrit qu'elles peuvent découvrir le Christ par l'annonce de la parole, sans qu'elles aient été préparées à l'entendre, et qu'elles sont « marquées du sceau » de la Promesse par l'Esprit en accueillant cette parole. Deux groupes se rejoignent ainsi dans l'écoute de l'Évangile, même si le chemin paraît historiquement différent. Pour les Juifs, c'est la découverte que cette parole contenue dans l'Ancien Testament annonce le Christ ; pour les païens, c'est la découverte que le Christ, contenu de la Bonne Nouvelle, est celui qui leur apporte le salut et leur révèle qu'eux aussi, depuis le commencement du monde, sont appelés à être fils. Dans les deux cas, c'est la connaissance du Christ qui est fondamentale et provoque la relecture de leur propre histoire.

S'il y a distinction historique entre les deux modalités de l'élection, il n'y a pourtant pas deux voies de salut, une pour les Juifs, une pour les nations. Le groupe des croyants se définit uniquement par son rapport au Christ et non en fonction de sa provenance. Le Christ est celui qui les constitue. Israël a été choisi dans le Christ. Quant aux nations, le Christ leur permet de croire en accueillant la Bonne Nouvelle qu'il est lui-même. Les croyants ne sont rien sans lui et n'ont de consistance qu'en lui. Jamais l'Église* n'est présentée comme le nouveau peuple du Messie ou le nouvel Israël. Paul a recourt principalement à l'image du corps pour parler de l'Église, mais il n'utilise pas pour elle le terme peuple, afin de montrer le caractère inouï et inattendu de l'Église par rapport à Israël.

Quiconque, après avoir confessé le Christ, retournerait aux pratiques de la loi devrait reconnaître qu'il a confessé le Christ en vain puisqu'il n'en fait pas le principe de son existence (Ga 2,17-18). La loi avant le Christ a rempli sa fonction de pédagogue : « Ainsi la loi nous servit-elle de pédagogue jusqu'au Christ, pour que nous obtenions de la foi notre justification. Mais la foi venue nous ne sommes plus sous un pédagogue » (Ga 3,24-25). Maintenant que le Christ est là, la loi perd sa raison d'être puisqu'elle est incapable de nous donner la vie. Paul découvre, à la lumière du Christ ressuscité, que celui qui fait vivre rend la loi caduque.

Le baptême, qui incorpore au Christ, n'a donc rien à voir avec la circoncision. Il ne la remplace pas. Il ne s'inspire même pas d'elle. La circoncision réservée aux seuls hommes du peuple élu était un signe extérieur signifiant l'appartenance à ce peuple. Elle était un symbole intérieur au seul peuple élu (Ga 5,1-12). Le baptême concerne toute l'humanité, hommes et femmes, et il est lié à l'événement historique de la mort et de la résurrection du Christ. En ce sens, on comprend qu'il soit pour Paul comme « une circoncision qui n'est pas faite de main d'homme » (Col 2,11). Celle-ci ne divise donc plus l'humanité mais l'unifie selon la promesse de l'Esprit. De même, le baptême n'est pas davantage apparenté aux rites d'initiation que comportent les cultes à mystères de certaines religions païennes.

Ce baptême dans l'Esprit met les chrétiens en communion avec le Fils et le Père. L'Esprit invite l'humanité à vivre des mœurs du Fils qui

REPÈRE

SACRIFICE ET BOUC ÉMISSAIRE

Le bouc émissaire est dans la Bible l'un des deux boucs appartenant à la liturgie juive de *Kippour**, le Jour des Expiations* (Lv 16) : l'un des deux animaux est sacrifié au Seigneur en sacrifice pour le péché, l'autre, « le bouc émissaire », est envoyé à Azazel, démon du désert, chargé des péchés d'Israël. [*voir* p. 479]

Le Christ mis à mort tient-il la place du bouc émissaire comme remède à la violence des sociétés humaines ? Dans son livre, *La violence et le sacré* (1972), l'anthropologue René Girard a favorisé un tel rapprochement. Il a en outre prolongé la même thèse dans ses écrits ultérieurs. La violence est pour lui essentiellement mimétique : tout individu désire ce que possède l'autre. Mais elle peut se résoudre par transfert sur une victime. Une remarque de Caïphe au moment où se décida la Passion peut en effet favoriser le rapprochement entre une telle figure et Jésus : « Il est de votre intérêt qu'un seul homme meure pour le peuple et que la nation ne périsse pas tout entière » (Jn 11,50). Pourtant, remarque R. Girard, la mort de Jésus est, dans le Nouveau Testament, celle d'un innocent dont la prédication a justement consisté à dénoncer la violence. Suite à cette mort, le seul remède à la violence est alors l'amour évangélique.

Pour Paul, le Christ n'est certes pas identifié au bouc émissaire. Sa mort est un sacrifice. Lui-même est la victime sacrifiée une fois pour toutes (ce que le bouc émissaire n'est pas), accomplissant la figure soit de l'agneau pascal (1 Co 5,7), soit de la victime très sainte d'un sacrifice offert pour le péché (2 Co 5,21). D'autres auteurs du Nouveau Testament, notamment saint Marc, insistent sur une autre figure, celle du Serviteur souffrant qui s'offre lui-même pour les pécheurs (Is 53).

Si les textes bibliques ne favorisent pas précisément la thèse de René Girard, reste qu'elle mérite d'être considérée comme illustrant la plupart des fonctionnements humains. La recherche anthropologique interroge sans cesse la théologie chrétienne.

M. Q.

l'affranchit de la loi du péché. En effet, « le fruit de l'Esprit est charité, joie, paix, longanimité, serviabilité, bonté, confiance dans les autres, douceur, maîtrise de soi : contre de telles choses il n'y a pas de loi » (Ga 5,22-23). Vivre selon l'Esprit, c'est le laisser s'approprier l'existence humaine pour qu'il la configure à celle du Christ. Ainsi tous ceux qui confessent une même foi constituent la communauté spécifique liée à l'annonce de l'Évangile. La communauté ne choisit pas ses membres (1 Co 1,26-29). Elle n'est pas le reflet d'un ordre social. La foi étant un don de Dieu, la communauté des croyants est constituée de tous ceux qui témoignent que « Jésus est Seigneur » (1 Co 12,3).

Et cependant, Paul, l'apôtre du Christ ressuscité, reste attaché à Israël. Dans l'épître aux Romains, après avoir dit que « rien ne pouvait nous séparer de l'amour de Dieu manifesté dans le Christ Jésus » (Rm 8,38-39), ne déclare-t-il pas qu'il voudrait « être lui-même anathème, séparé du Christ, pour mes frères, ceux de ma race selon la chair » (Rm 9,3) ? Paul se doit d'expliquer à Israël le sens de la gratuité de l'élection. Dieu, dans l'Alliance, n'a pas voulu changer de partenaire en se révélant aux nations, mais il a révélé que les nations faisaient partie de l'élection qu'a reçue Israël. Donc « sa parole n'a pas failli » (Rm 9,6). Si Israël s'estime exclu, c'est parce qu'il ne voit pas que son élection est faite pour s'ouvrir aux nations par l'Évangile. Israël a préféré sa propre voie qu'il identifie à la loi plutôt qu'à celle de la grâce révélée dans le Christ, sous prétexte de ne pas perdre son identité.

En ce sens Paul peut dire que ceux de son peuple qui refusent le Christ « refusent de se soumettre à la justice de Dieu » (Rm 10,3). Et pourtant Dieu n'a nullement rejeté son peuple, puisqu'il y a « un reste » qui a cru (Rm 11,2). Ce « reste » qui croit en Dieu dans le Christ est en parfaite continuité avec la foi d'Abraham : « Et l'Écriture, prévoyant que Dieu justifierait les païens par la foi, annonça d'avance à Abraham cette bonne nouvelle : En toi seront bénies toutes les nations. Si bien que ceux qui se réclament de la foi sont bénis avec Abraham le croyant » (Ga 3,8-9 ; cf. Rm 4) [*voir* vol. I, p. 90]. Et puisque les promesses de Dieu sont sans repentance, Paul peut annoncer, en se référant à Isaïe, le retour de tout Israël dans la dynamique de l'alliance lorsque arriveront les derniers temps de l'histoire du monde :

Une partie d'Israël s'est endurcie jusqu'à ce que soit entrée la totalité des nations, et ainsi tout Israël sera sauvé, comme il est écrit : « De Sion viendra le Libérateur, il ôtera les impiétés du milieu de Jacob. Et voici quelle sera mon alliance avec eux lorsque j'enlèverai leurs péchés. »* (Rm 11,25-27)

La rencontre de Paul et du Ressuscité a transformé sans la détruire son appartenance initiale à Israël, puisque le Christ auquel il s'est livré est le « oui à toutes les promesses de Dieu » (2 Co 1,20).

Ch. R.

Vivre selon sa foi

Le lecteur des écrits pauliniens cherchant un exposé systématique des principes éthiques de Paul se demandera rapidement s'ils existent ou même s'ils peuvent exister ! Certes, il trouvera une accumulation de conseils, surtout en fin de lettres, mais il aura du mal à discerner ce qui fait leur fondement. En même temps, il rencontrera des formulations péremptoires, du genre « Si l'Esprit vous anime, vous n'êtes plus sous la loi », justement situées dans les mêmes passages ou Paul accumule ses recommandations ! Ce paradoxe n'est d'ailleurs pas nouveau et les chrétiens des communautés pauliniennes avaient parfois du mal à s'y retrouver. En témoignent certaines exclamations de Paul comme celle-ci : « C'est à la liberté que vous avez été appelés » (Ga 5,13)... tempérée par un vigoureux « tout m'est permis... mais tout ne me convient pas » (1 Co 6,12). Faudrait-il en conclure que Paul n'a pas d'éthique, ou plus exactement qu'il ne propose qu'une morale de situation ? En fait, l'étude de ses lettres nous montre que son éthique est profondément enracinée dans la vocation spécifique du chrétien.

Une conséquence de l'appel

Je vous en conjure par tout ce qu'il peut y avoir d'appel pressant dans le Christ, de persuasion dans l'Amour, de communion dans l'Esprit, de tendresse compatissante, mettez le comble à ma joie par l'accord de vos sentiments : ayez le même amour, une seule âme, un seul sentiment ; n'accordez rien à l'esprit de parti, rien à la vaine gloire, mais que chacun par l'humilité estime les autres supérieurs à soi ; ne recherchez pas chacun vos propres intérêts, mais plutôt que chacun songe à ceux des autres. Ayez entre vous les mêmes sentiments qui sont dans le Christ Jésus :

Lui, de condition divine,
ne retint pas jalousement le rang qui l'égalait à Dieu.
Mais il s'anéantit lui-même,
prenant condition d'esclave, et devenant semblable aux hommes.
S'étant comporté comme un homme, il s'humilia plus encore,
obéissant jusqu'à la mort, et à la mort sur une croix !
Aussi Dieu l'a-t-il exalté et lui a-t-il donné le Nom

qui est au-dessus de tout nom, pour que tout, au nom de Jésus,
s'agenouille, au plus haut des cieux,
sur la terre et dans les enfers, et que toute langue proclame,
de Jésus Christ, qu'il est Seigneur, à la gloire de Dieu le Père. (Ph 2,1-11)

Dans sa lettre aux Philippiens, Paul prisonnier s'exprime de manière très personnelle : il exhorte la communauté à tenir bon en face d'agitateurs et de diviseurs, et l'exhorte à tout mettre en œuvre pour conserver l'unité. L'unique raison invoquée est l'appel pressant du Christ, qui le premier a su se mettre totalement au service de ses frères. Les Philippiens sont pressés de reproduire en eux ce qui a été vécu par le Christ. En fait, c'est une des constantes de Paul que de qualifier les chrétiens d'appelés et de saints (titres qu'il leur donne souvent en commençant ses lettres). C'est un appel à être saint alors même que le croyant l'est déjà ! « Dieu ne nous a pas appelés à l'impureté, mais à la sanctification » (1 Th 4,7). On se trouve ici au cœur de l'éthique paulinienne : la conduite morale de l'homme est conséquence de son appel ; en d'autres termes, il reproduit dans sa vie l'image même de l'homme idéal, créé par Dieu et qu'il a rencontré en Jésus Christ. « Ayez entre vous les mêmes sentiments qui sont dans le Christ Jésus. » Le terme « sentiment » ne doit pas nous faire illusion ; il ne s'agit aucunement de se laisser conduire par le cœur, mais d'appliquer dans sa vie ce qui a été le principe même de l'action du Christ. C'est pour Paul quelque chose d'ontologique, une acceptation qui a lieu au baptême, rite qui configure le chrétien au Christ (Rm 6,3-4). L'éthique paulinienne est donc au sens fort une éthique de l'imitation. S'en rendre compte permet d'ailleurs de comprendre les expressions de Paul qui, au premier abord, semblent d'un orgueil démesuré : « Je vous en conjure, soyez donc mes imitateurs » (1 Co 4,16)... mais expliqué par : « Soyez mes imitateurs, comme je le suis moi-même de Christ » (1 Co 11,1).

Une éthique optimiste

Cette éthique, fondée sur l'appel à la sainteté, peut alors être résolument optimiste. Bon nombre de pages pauliniennes paraissent désespérer de l'homme et de ses capacités à répondre à sa vocation. C'est le cas notamment du début de la lettre aux Romains, dans lequel Paul dépeint toute l'humanité sous l'emprise du péché. Mais la noirceur de ce tableau sert à mettre en lumière le salut apporté par le Christ. En effet, pour Paul, ce temps n'existe plus car l'humanité peut maintenant répondre à sa vocation grâce au Christ qui l'a fait pour elle et avec elle :

« Lorsque vous étiez esclaves du péché, vous étiez libres à l'égard de la justice. [...] Mais maintenant, libérés du péché et devenus esclaves de Dieu, vous portez les fruits qui conduisent à la sanctification » (Rm 6,20.22).

On peut être surpris par une telle affirmation, d'autant que la situation des communautés auxquelles Paul s'adresse est loin d'être reluisante. Mais c'est paradoxalement au cœur des difficultés que s'affirme cet optimisme. Il suffit de regarder la communauté de Corinthe pour voir que l'optimisme de Paul ne se fonde pas d'abord sur une situation idéale, mais sur la foi en la victoire du Christ qui communique l'Esprit : « Le Christ nous a rachetés de la malédiction de la Loi [...] afin que par la foi nous recevions l'Esprit, objet de la promesse » (Ga 3,13-14). C'est un point sur lequel Paul sera obligé de revenir. Son éthique ne repose pas sur la conviction personnelle que l'on peut bien faire, mais sur celle que Dieu agit en chacun par l'Esprit qui lui a été donné : « Si l'Esprit vous anime, vous n'êtes plus sous la loi » (Ga 5,18). Il est caractéristique que les expressions concrètes de cette éthique ne se traduisent pas en vertus, mais en fruit de l'Esprit (Ga 5,22), le terme « fruit » au singulier renvoyant sans doute au premier qui englobe l'ensemble, l'amour, comme le préciseront les lettres postérieures.

Une éthique universelle et sociale

On ne souligne pas assez l'extraordinaire dimension de cette éthique : elle permet, par sa nature même, de transcender les peuples et les cultures. Toute éthique, même la plus universelle, s'insère dans une culture. Celle de Paul lui permet d'être valable pour toutes les cultures. En cela, la fameuse déclaration « il n'y a plus ni Juif ni Grec, ni esclave ni homme libre, ni homme ni femme car vous ne faites tous qu'un dans le Christ Jésus » (Ga 3,28) ne cherche pas à être réductrice de la personnalité. Elle laisse entendre que les principes d'action sont les mêmes pour tous. Les débuts du christianisme risquaient de s'engluer dans les particularismes éthiques ; en proclamant le primat de l'action de l'Esprit, Paul permet à tous d'inventer leur manière de vivre en chrétien quelle que soit leur origine, tout en respectant leur particularité. Cette conception ne s'est pas fait jour sans luttes ni heurts : il n'a pas fallu moins que l'action de l'Esprit Saint lui-même (cf. Ga 2,11-21) !

Cette action de l'Esprit constitutive du peuple de Dieu sauvé par le Christ se traduit en une éthique sociale avant d'être individuelle. Les recommandations de Paul aux communautés portent essentiellement sur la qualité des relations, d'abord entre membres des communautés, mais aussi avec les non-chrétiens. On y chercherait vainement des qualités de bienséance ou de maîtrise de soi, comme celles que l'on trouve chez les moralistes grecs. La priorité est donnée à la constitution du peuple de Dieu, celui-ci étant devenu, selon son expression, le « Corps du Christ ». Il ne s'agit pas d'un anonymat mais du lieu privilégié où va se vivre concrètement la vocation humaine et chrétienne. Pour Paul, l'éthique n'existe pas sans référence aux autres.

C'est pourquoi la communauté elle-même vérifie que le croyant met réellement cette éthique en application. S'il s'en écarte, il s'en rend compte non parce qu'il a honte de ses actes, mais parce que la communauté va le lui dire. Elle a reçu la charge d'être le lieu où se fait le discernement : « Nous vous y engageons, frères, reprenez les désordonnés… » (1 Th 5,14) ; « S'il arrive à quelqu'un d'être pris en faute, c'est à vous, qui vivez selon l'Esprit, de le redresser dans un esprit de douceur » (Ga 6,1).

Le rapport à la société profane

On pourrait toutefois objecter que l'éthique paulinienne demeure dans la sphère du spirituel et reste étrangère aux réalités du monde. Un pas-

REPÈRE

PAUL ET L'ESCLAVAGE

Le texte de la première lettre aux Corinthiens (7,21) paraît bien ambigu : « Étais-tu esclave quand tu as été appelé ? Ne t'en soucie pas ; au contraire, alors même que tu pourrais te libérer, mets plutôt à profit ta condition d'esclave. » Paul recommande ici à l'esclave de ne pas chercher à se libérer ! Son éthique serait-elle contradictoire ? En fait, ce conseil s'explique de plusieurs manières :

– Le principe essentiel est que pour Paul, le nouveau chrétien peut vivre sa vie évangélique dans toutes les situations : il n'a pas à s'extraire du monde où il vit. « Que chacun demeure dans la condition où il se trouvait quand il a été appelé », dit-il à trois reprises dans ce même passage. Ce qui est premier, ce n'est pas le bouleversement des situations, c'est la manière de les vivre.

– Les premières communautés attendent pour un jour proche la venue en gloire de leur Seigneur : dans les lettres les plus anciennes, il n'y a pas de perspective à long terme. On n'a plus le temps de travailler à l'abolition de l'esclavage !

– On transpose souvent ce texte sur une autre réalité, celle de l'esclavage des XVIIe-XIXe siècles, qu'il a d'ailleurs servi à justifier. Or, en particulier à Corinthe, les formes d'esclavage variaient : certaines étaient souvent bien préférables à la liberté des dockers du port de Cenchrées et n'étaient en rien comparables à la traite des siècles postérieurs.

– L'éthique du Paul n'est pas celle du « tout tout de suite » qui de toute façon n'aurait pas réussi, mais bien celle d'une transformation de tout l'être pouvant conduire à une transformation progressive de la société.

Il faut alors relire la lettre à Philémon : Paul lui demande de reprendre son esclave fugitif, Onésime… mais lui montre aussi les chemins de cette transformation radicale des rapports maître / esclave, tous deux parvenus à la foi !

sage de la lettre aux Corinthiens leur reproche même de s'adresser à des tribunaux païens plutôt que de juger leurs affaires entre eux : « Quand vous avez un différend entre vous, comment osez-vous le faire juger par les païens et non par les saints ? [...] Ainsi, il ne se trouve parmi vous aucun homme assez sage pour pouvoir juger entre ses frères ? Mais on va en justice frère contre frère, et cela devant des non-croyants ! » (1 Co 6,1-6). On reproche alors volontiers à Paul de ne pas prendre en compte les réalités politiques et sociales de son époque pour les transformer selon l'Évangile : « Il n'y a plus ni esclave, ni homme libre »... mais le même Paul semble bien recommander la soumission à un esclavage peu compatible avec les droits de l'homme !

En fait, le souci de Paul est au contraire de ne pas distinguer le croyant du non-croyant, sous le prétexte qu'il est maintenant un homme nouveau. Certes, ses actions doivent être en conformité avec celles du Christ, et le converti « a honte » de sa conduite d'autrefois. Mais son comportement d'aujourd'hui est aussi en conformité avec la vocation profonde de tout l'homme, telle qu'elle été réalisée par le Christ. Il n'y a rien chez le chrétien qui ne soit humain. L'éthique de Paul conduira donc à vivre en société en discernant ce qui correspond réellement à la vocation de l'homme et ce qui lui est contraire : « Ne vous conformez pas au monde présent, mais soyez transformés par le renouvellement de votre intelligence, pour discerner quelle est la volonté de Dieu : ce qui est bien, ce qui lui est agréable, ce qui est parfait » (Rm 12,2). Il ne s'agit donc pas de s'évader du monde pour une sorte d'attentisme éthéré... L'auteur de la deuxième lettre aux Thessaloniciens, un disciple de Paul, sera d'ailleurs plus tard obligé de réagir contre ceux qui se retranchent derrière une interprétation erronée de la pensée de l'apôtre pour se dispenser de travailler ! Significatifs aussi sont les conseils relatifs à la soumission aux autorités, y compris pour l'impôt, que Paul donne aux Romains : une lecture attentive de Rm 13,1-7 montre bien que le croyant reste acteur de la vie publique, mais qu'il y exerce aussi son discernement. La soumission aux autorités a ses limites : elles sont « au service de Dieu » pour « inciter l'homme au bien ». En d'autres termes, l'organisation politique et sociale permet à l'homme de réaliser sa vocation à condition d'y trouver un chemin vers le bien. Un telle affirmation n'allait pas de soi, étant donné la répugnance vis-à-vis d'un pouvoir considéré comme « idolâtre » !

Le rôle de la conscience

Pour effectuer ce discernement, l'éthique paulinienne laisse place à la conscience du croyant. Là encore, on ne pourrait y voir rien que de très évident. Et pourtant... Il faut se souvenir de la place prépondérante donnée à la loi dans le judaïsme : la conduite de l'homme y est réglementée par Dieu au moyen de la loi – et pratiquement par elle seule, ce qui n'empêche pas, bien sûr, de la vivre avec esprit de foi. Le judaïsme restait méfiant devant l'exercice de la conscience pour éclairer la conduite personnelle, cette méfiance servant d'ailleurs à mettre en valeur la volonté de Dieu. Or Paul n'hésitera pas un instant à faire appel à la conscience de chacun pour le discernement. Alors qu'on ne trouve pratiquement pas le mot « conscience » dans le Premier Testament, il est employé de manière répétitive dans la première lettre aux Corinthiens (en particulier en 10,25-29) à propos des viandes immolées aux idoles et vendues au marché. Cette place accordée à la conscience repose sur deux réalités. La première, c'est l'optimisme de Paul relatif à la vie du croyant justifié et vivant sous l'action de l'Esprit Saint capable de guider l'homme qui le reçoit : il s'agit donc d'une conscience éclairée. La seconde, c'est la rencontre des cultures. Les courants moralistes grecs ont déjà développé le rôle de la conscience dans les choix humains ; Paul y trouve là l'occasion de présenter un christianisme répondant aux aspirations les plus nobles de l'homme.

Le Seigneur est proche

Malgré tout, l'impression demeure que l'éthique de Paul reste essentiellement tournée vers les croyants. Les conseils qu'elle génère concernent presque toujours les rapports entre membres de la communauté. Le souci manifeste d'ouverture nous défend toutefois d'y voir une tentation de repli sur soi, une fuite des réalités du monde. L'explication en est plus profonde. Le Christ que l'on veut imiter est le Christ de l'histoire, le Seigneur ressuscité, mais aussi celui « qui va venir » : en d'autres termes les communautés pauliniennes attendent la venue en gloire de leur Seigneur – la Parousie – pour un jour proche, même s'il n'est pas connu. L'éthique sera donc une éthique de l'attente, celle de la communauté des croyants se tenant prêts pour la venue de leur Seigneur qu'ils célèbrent et dont ils suivent les enseignements : « Ne dormons pas comme les autres, mais soyons vigilants et sobres » (1 Th 5,6). Cette dimension particulière se retrouve dans les premières lettres, accentuant encore le caractère d'éthique de relation. Une telle coloration aura tendance à s'atténuer au fil des lettres, au fur et à mesure que l'on prendra conscience de l'allongement des délais relatifs à la venue du Seigneur. L'aspect relationnel demeurera mais les conséquences de la venue auront tendance à se vivre de manière anticipée : il ne s'agira plus seulement d'être trouvés prêts, mais de vivre à la manière de ressuscités, membres à part entière du Royaume déjà commencé. Pour cela, la communauté deviendra plus que jamais le lieu où se vérifiera l'authenticité de la mise en pratique des principes fondamentaux.

Une éthique de situation ?

La remarque concernant l'évolution des perspectives soulève nécessairement le lien entre l'éthique paulinienne et la situation des communautés. En d'autres termes, au-delà des principes généraux qu'elle présuppose, l'éthique ne conduit-elle qu'à une morale de situation ? La réponse à cette question est d'autant plus nécessaire qu'elle en conditionne l'application à notre temps. Une constatation s'impose : si les lettres de Paul donnent une multitude de conseils ou de directives pratiques, elles ne les donnent jamais sans en avoir fondé la légitimité. Aux Corinthiens, dont la ville s'enorgueillit du célèbre culte d'Aphro-

REPÈRE

PAUL EST-IL ANTIFÉMINISTE ?

« Que les femmes se taisent dans les assemblées ! » (1 Co 14,34) « Pendant l'instruction, la femme doit garder le silence, en toute soumission. Je ne permets pas à la femme d'enseigner, ni de faire la loi à l'homme. Qu'elle garde le silence » (1 Tm 2,11-12). Voilà le genre de phrases qui font taxer Paul de misogynie. Sans vouloir *a priori* laver l'apôtre de toute imperfection, il convient cependant de regarder les choses de plus près.

La première phrase, lapidaire, est sans doute une glose ajoutée par un copiste après Paul. Dans la même première épître aux Corinthiens, en effet, Paul reconnaît à la femme la possibilité de prier et de prophétiser, deux activités qui, à l'époque, se font l'une et l'autre à haute voix (1 Co 11,5). Il convient simplement qu'elle ait la tête couverte, signe qui garantit son « autorité » (« soumission » est une traduction fautive de 1 Co 11,10). Quant à la première épître à Timothée, l'immense majorité des critiques estime qu'elle n'est pas de saint Paul.

On remarquera aussi que, dans une culture où la femme n'occupait pas une place sociale égale à celle de l'homme, Paul a des affirmations qui nuancent cette inégalité. Il suffit pour s'en convaincre de lire le chapitre 7 de la première épître aux Corinthiens. On y trouvera une parfaite réciprocité des devoirs de la femme et de l'homme dans le mariage ; l'un comme l'autre ont l'initiative et sont invités à agir d'un commun accord. L'apôtre tient tellement au principe d'égalité de tous devant Dieu qu'il remet en cause de nombreux fonctionnements sociaux : « Il n'y a ni Juif ni Grec, il n'y a ni esclave ni homme libre, il n'y a ni homme ni femme », écrit-il aux Galates (Ga 3,28).

Cela dit, ses principes ne contrebalancent pas le poids de l'organisation sociale de l'époque ; Paul ne se posa pas en critique des institutions, pas plus l'esclavage que la soumission des femmes à leur mari. Et il lui arrive de tenir des propos qui ne respectent pas la parfaite symétrie qu'il pose en principe. Ainsi celui-ci : « L'origine de la femme, c'est l'homme » (1 Co 11,3). En cela, il est bien un homme de son temps, moins subversif sans doute que Jésus. Mais les citoyens de pays qui n'ont donné le droit de vote aux femmes que très récemment auraient tort de lui faire un mauvais procès.

dite, Paul n'hésitera pas à interdire la débauche ; mais il va tout de suite en donner la motivation essentielle : « Le corps n'est pas pour la débauche, il est pour le SEIGNEUR et le SEIGNEUR est pour le corps. [...] Ne savez-vous pas que vos corps sont les membres du Christ ? [...] Ne savez-vous pas que votre corps est le temple du Saint-Esprit qui est en vous et qui vient de Dieu, et que vous ne vous appartenez pas ? » (1 Co 6,13...19). Contrairement à ce qui se dit souvent, il n'y a pas dans les lettres de Paul une partie théorique et une partie pratique : tout est intimement lié. Chaque directive est fondée par les principes éthiques. Cela revient à dire qu'il n'y a pas de catalogues de lois (ceux que l'on trouve sont des exemples types !), mais des cas d'espèce dénotant la manière paulinienne de réfléchir sur n'importe quelle situation. Paul ne propose pas une morale de situation mais bien une éthique de l'homme en situation : à lui, avec l'aide de l'Esprit Saint et de sa conscience dont l'authenticité sera vérifiée en communauté, d'appliquer à sa vie les conséquences de sa situation de sauvé. Vouloir appliquer sans discernement un conseil donné dans une autre situation conduit nécessairement à des aberrations : la prétendue misogynie de Paul en est l'exemple le plus courant.

L'éthique paulinienne demeure donc bien une éthique pour tous les temps car elle rejoint tout homme sauvé en situation ; elle propose d'appliquer les fondements de ses orientations et non une législation préétablie. Aussi le lecteur moderne n'est pas appelé à faire un tri en rejetant tout ce qui lui semblerait lié à une situation maintenant dépassée, mais à réaliser un travail d'herméneutique*. Il actualisera le texte non pas en le rapprochant artificiellement d'une situation contemporaine supposée analogue, mais en appliquant à sa propre situation les principes pauliniens qu'il aura mis en lumière en étudiant ce que Paul écrivait aux premières communautés. Ce type de travail est d'ailleurs déjà mis en œuvre dans les lettres postérieures attribuées à Paul dont les applications concrètes tiennent compte de communautés ayant déjà un certain nombre d'années et affrontant des problèmes nouveaux.

Le rôle de l'amour

« S'il me manque l'amour, je ne suis rien. » Cette phrase de l'hymne à l'amour (1 Co 13,1-13) résume bien l'éthique paulinienne, elle-même fondée sur la contemplation du Christ mettant en pratique jusqu'à la mort le commandement « Tu aimeras ton prochain comme toi-même », semblable au premier : « Tu aimeras le SEIGNEUR ton Dieu. » L'analyse des recommandations de Paul au travers de ses lettres ramène ses lecteurs à ce principe. Et si le croyant peut marcher sur les traces de son Seigneur, c'est parce qu'il a été pris dans cet acte d'amour. La pratique de l'unique commandement devient donc pour lui celle du Christ dont il est devenu, avec l'ensemble des sauvés, l'un des membres. L'éthique paulinienne ne s'impose pas de l'extérieur ; elle tend à devenir l'esprit même du croyant vivant sous l'action de l'Esprit Saint qui lui a été donné.

J. C.

PAUL EN CONFLIT AVEC LES JUDAÏSANTS

L'ÉPÎTRE aux Galates confronte le lecteur à une question capitale et controversée dans le christianisme naissant : le disciple de Jésus doit-il se soumettre à la loi* juive dans son intégralité, telle qu'elle est formulée dans l'Ancien Testament ? Doit-il, par exemple, se faire circoncire ? Ou respecter les prescriptions de pureté rituelle et les interdits alimentaires ? Ou encore se garder de tout contact avec les païens* ? L'identité chrétienne est-elle une identité qui s'ajoute à l'identité juive sans pour autant l'effacer ? Ou est-elle une identité qui met en question certains aspects de la foi héritée des Pères ?

L'OPPOSITION À JACQUES ET LA CRISE GALATE

Les communautés que l'apôtre Paul avait fondées, peu avant 50, lors de son premier voyage missionnaire vers l'Europe, dans l'actuelle Turquie, à proximité d'Ankara, étaient plongées dans un cruel dilemme. Le Tarsiote, parti d'Antioche sur l'Oronte pour poursuivre sa mission en terre païenne, leur avait annoncé un Évangile, libéré de la loi et de ses obligations. Or, peu après son départ pour la Grèce, d'autres missionnaires chrétiens, venus probablement de Jérusalem et proches de Jacques, le frère du Seigneur, leur avaient annoncé un autre Évangile : l'adhésion à la foi en Jésus Christ est vaine, prétendaient-ils, si elle ne s'accompagne pas d'un respect absolu de la loi telle qu'elle a été donnée à Moïse. Les païens convertis au christianisme doivent donc se faire circoncire et se soumettre aux commandements de la loi mosaïque. On appelle *judaïsante** cette conception de la foi chrétienne qui lie, pour les païens, adhésion à Jésus Christ et respect de la loi mosaïque.

Comment Paul réagit-il face à cette mise en cause de son message ? Le chapitre 2 de l'épître aux Galates est ici d'un grand secours, car il montre au lecteur comment cette question est apparue dans le christianisme naissant et comment elle a été résolue au gré de crises successives. Retraçons les étapes les plus importantes de ce conflit.

La communauté d'Antioche

Paul, peu après sa conversion sur le chemin de Damas, était devenu membre de l'Église* d'Antioche sur l'Oronte. Cette communauté, fondée par les partisans d'Étienne qui avaient dû quitter Jérusalem après le martyre de leur maître, avait une orientation libérale. D'une part, elle pratiquait la mission auprès des païens, d'autre part, elle professait une attitude ouverte quant à l'obligation pour les païens convertis de se soumettre à la loi.

Paul avait trouvé dans cette communauté ouverte sa patrie spirituelle, car l'apparition du Christ ressuscité sur le chemin de Damas lui avait fait comprendre l'inanité de sa conduite passée. Son adhésion sans nuance à la loi ne l'avait-elle pas conduit à persécuter les communautés chrétiennes naissantes ? Et à s'opposer ainsi au Fils de Dieu ? L'événement de Damas lui avait montré que Dieu ne demandait pas une obéissance aveugle à la loi dans son interprétation pharisienne*, mais bien la foi en Jésus Christ. Et cette foi nouvelle ne s'adressait plus aux Juifs seulement, mais à tous les hommes.

Cette compréhension ouverte et novatrice de la foi chrétienne ne pouvait manquer de soulever des oppositions. Des judaïsants venus de Judée – peut-être de Jérusalem – s'étaient offusqués de l'orientation prise par la communauté d'Antioche. C'est qu'en effet, la communauté de Jérusalem, dirigée par Jacques, le frère du Seigneur, défendait une autre vision. Pour elle, la foi en Jésus le Messie* s'accompagnait d'une stricte allégeance aux obligations traditionnelles de la foi juive : circoncision, fréquentation du Temple, mise en pratique sans concession de la loi mosaïque. Ces missionnaires judaïsants ne pouvaient donc tolérer les libertés prises par les chrétiens d'Antioche ; ils y voyaient une trahison intolérable de l'enseignement en usage dans la communauté primitive, à Jérusalem. Ce fut le premier incident d'Antioche, le premier conflit entre Paul et les judaïsants venus de Jérusalem.

L'assemblée de Jérusalem

Comment ce conflit pouvait-il être résolu ? La communauté d'Antioche prit l'initiative de former une délégation et de monter à Jérusalem pour soumettre la question à la communauté primitive et en particulier aux colonnes : Jacques, Céphas (Pierre) et Jean. Si Paul, qui faisait partie de cette délégation, évoque cet événement dans l'épître aux Galates (2,1-10), c'est qu'il entend montrer à ceux-ci qui se trouvent dans la même difficulté, comment la communauté primitive – la plus prestigieuse Église du christianisme naissant – a tranché cette question. Comment les Galates pourraient-ils ne pas se soumettre à ce qui fut décidé naguère par les disciples les plus illustres qui avaient accompagné Jésus durant son ministère terrestre ? [*voir* p. 188]

La rencontre entre la communauté d'Antioche et la communauté primitive de Jérusalem est connue sous le nom de concile apostolique ou assemblée de Jérusalem. Il s'agit sans doute de l'événement le plus important dans l'histoire du christianisme naissant, car pour la première fois, après Pâques*, les disciples de Jésus se trouvaient dans l'obligation de définir leur identité propre et notamment de clarifier le lien entre judaïsme* et christianisme.

Accompagné de Tite, un pagano-chrétien* non circoncis, et de Barnabé, Paul se fit l'avocat de la mission auprès des païens et de la liberté face à la loi mosaïque pour ces mêmes païens. Et il obtint gain de cause : son travail missionnaire fut reconnu ; son interprétation de l'Évangile*, elle aussi, fut acceptée. La décision de reconnaissance prise par la communauté primitive de Jérusalem, emmenée par Jacques, Pierre et Jean, signifiait la défaite des judaïsants. Ceux-ci momentanément vaincus, n'allaient pourtant pas se résigner. Notons cependant qu'à Jérusalem, Jacques, le frère du Seigneur, qui était devenu le chef de la communauté primitive – Pierre se vouant désormais à des tâches missionnaires – fut partie prenante dans l'accord. Les judaïsants qui, sans doute, se réclamaient de lui, incarnaient une position plus intransigeante.

Concrètement, l'assemblée de Jérusalem décida la création de deux champs missionnaires : l'un attribué à Pierre englobait les Juifs, l'autre, confié à Paul, les païens. Cette décision, qui semble purement pragmatique, reposait sur une décision théologique de la plus haute importance. Elle signifiait que chacun – quelle que fût son origine religieuse – pouvait croire en Jésus Christ, sans renier son identité culturelle. Le Juif n'avait pas à abandonner son identité juive pour croire ; c'est en tant que circoncis, membre du peuple de l'Alliance, soumis à la loi, qu'il était appelé à croire. Il pouvait recevoir le Christ dans la situation même où l'avait trouvé l'Évangile. Il pouvait vivre sa foi en demeurant fidèle à la tradition de vie dans laquelle il avait été élevé. Semblablement, le païen n'avait pas à se faire juif pour devenir chrétien ; il n'avait pas à se faire circoncire, ni même à endosser l'ensemble des commandements qui régentait la vie d'Israël. Seule la foi en Christ importait ; appelé comme païen, c'est en tant que païen converti – sans autre exigence – qu'il pouvait vivre sa foi. La seule base sur laquelle les communautés reposaient désormais et qui transcendait leur diversité était la foi en Christ. Pour la première fois, l'élément constitutif et rassembleur de l'identité chrétienne était défini : la foi dans la personne du Christ mort et ressuscité comme seule source de salut.

Les judaïsants ne pouvaient se satisfaire de cette décision, car pour eux, l'héritage des Pères n'était pas à option. Pas même pour les païens convertis. Sans mettre en cause la fonction décisive de la personne du Christ dans le salut du croyant, ils maintenaient le caractère normatif et sacré des traditions d'Israël. Qui voulait devenir membre du peuple de Dieu devait être circoncis ; qui voulait vivre fidèlement au sein du peuple de Dieu devait respecter sans restriction la loi donnée par Dieu à Moïse au Sinaï. Le contenu de l'Écriture n'était pas négociable, ni susceptible d'être révisé.

Le second incident d'Antioche

La prochaine crise était ainsi programmée et elle se produisit peu de temps après : c'est le second incident d'Antioche. Paul le relate dans les termes suivants :

> *Mais quand Céphas vint à Antioche, je lui résistai en face, car il s'était donné tort. En effet, avant l'arrivée de certaines gens de l'entourage de Jacques, il prenait ses repas avec les païens ; mais quand ces gens arrivèrent, on le vit se dérober et se tenir à l'écart, par peur des circoncis. Et les autres Juifs l'imitèrent dans sa dissimulation, au point d'entraîner Barnabé lui-même à dissimuler avec eux. Mais quand je vis qu'ils ne marchaient pas droit selon la vérité de l'Évangile, je dis à Céphas devant tout le monde : « Si toi qui est Juif, tu vis comme les païens et non à la juive, comment peux-tu contraindre les païens à judaïser ? »* (Ga 2,11-14)

Comment en arriva-t-on à cette confrontation entre Paul et Pierre ? Et quel fut le rôle de Jacques en cette circonstance ? L'assemblée de Jérusalem avait conforté Paul dans sa position. La communauté d'Antioche était, semble-t-il, en droit de maintenir le cap qu'elle avait choisi : mission auprès des païens et liberté face à la loi mosaïque pour ceux d'entre eux qui se convertissaient. Mais un cas de figure n'avait pas été réglé par l'assemblée de Jérusalem. L'arrivée de Pierre, puis celle des gens proches de Jacques allaient le faire apparaître en pleine lumière.

La communauté d'Antioche était en effet une communauté mixte. Elle regroupait aussi bien des juifs convertis (judéo-chrétiens*) que des païens gagnés à la cause de l'Évangile (pagano-chrétiens). Jusqu'à l'arrivée des gens proches de Jacques, judéo-chrétiens et pagano-chrétiens vivaient en bonne intelligence. Sans y voir le moindre problème, ils menaient vie commune et partageaient le repas du Seigneur. L'arrivée de Pierre n'y changea rien. Le prince des apôtres, qui avait cédé la direction de la communauté primitive à Jacques et qui se vouait désormais à des tâches missionnaires au sein de la Diaspora*, s'était rendu à Antioche et avait, dans un premier temps, et sans en éprouver la moindre gêne, participé à la vie de cette communauté mixte. Il partageait notamment le repas des païens certes convertis, mais non astreints à respecter les règles de pureté rituelle. Il faisait donc l'impasse sur ce non-respect, sur cette situation objective d'impureté qu'aucun Juif fidèle n'aurait tolérés.

Des gens de Jacques en séjour à Antioche allaient le rappeler à ce qu'ils jugeaient être son devoir. Se fondant sur l'accord réalisé lors de l'assemblée de Jérusalem, ils réclamèrent que les Juifs convertis se comportent conformément à leurs traditions, qu'ils respectent les règles de pureté rituelle – sans pour autant demander aux pagano-chrétiens de les suivre sur ce chemin. Cette exigence était pourtant lourde de conséquences. Elle signifiait que, désormais, judéo-chrétiens et pagano-chrétiens ne pouvaient plus coexister au sein de la même communauté, qu'ils ne pouvaient plus célébrer ensemble l'eucharistie. Le respect des règles de pureté rituelle empêchait désormais les judéo-chrétiens de se compromettre avec les pagano-chrétiens et de se souiller à leur contact. Pierre d'abord, Barnabé ensuite, se rendirent aux arguments des gens de Jacques. La communauté se scinda. Le point de vue judaïsant qui imposait le respect de la loi mosaïque – du moins pour les membres juifs de la communauté – avait triomphé.

Paul, scandalisé par la tournure que prenaient les événements, s'interposa et dénonça devant la communauté réunie la dérobade de Pierre. En effet, dans un premier temps, Pierre, en partageant la table des pagano-chrétiens, avait démontré par son comportement que la foi en Christ était le dénominateur commun de la communauté. Tout homme ou toute femme – quelle que fût son origine religieuse, juive ou païenne – était au bénéfice de la mort et de la résurrection du Christ et membre à part entière de sa communauté. Dans un deuxième temps cependant, en se retirant de la vie commune et en entraînant, du fait de sa position prestigieuse, les autres judéo-chrétiens à sa suite, Pierre avait laissé croire que le respect des règles de pureté rituelle, gouvernant, d'un point de vue juif, le bon déroulement des repas, primait la foi au Christ. Ce qui pouvait séparer les judéo-chrétiens des pagano-chrétiens – le respect des règles de pureté – était de fait jugé plus important que ce qui les unissait – la foi au Christ crucifié et ressuscité.

Pour Paul, c'était le fondement même de l'identité chrétienne qui était en cause. À nouveau, il entrait en conflit avec les judaïsants qui attribuaient une fonction décisive à la loi mosaïque dans la conduite de la vie religieuse. Certes, en cette occasion, ce n'était pas les pagano-chrétiens qui étaient appelés à se soumettre à la loi, mais bien les judéo-chrétiens. Pourtant la question fondamentale restait la même. Quel était le fondement de l'Église ? Quelle était la condition du salut ?

Pour Paul, le doute n'était pas permis. Dans cette situation où le judéo-chrétien devait choisir entre l'unité de l'Église, manifestée par la participation commune à l'eucharistie, et le respect des obligations rituelles, la foi en Christ avait une absolue priorité. Elle était, et elle seule, le fondement de la vie en Église. Elle était, et elle seule, la condition du salut. Avec une vigueur qui ne faisait acception de personne, Paul dénonça le jeu des judaïsants et reformula ce qu'il jugeait être l'Évangile qu'il avait reçu. La primauté de la grâce et de la foi en Christ relativisait l'obligation faite aux judéo-chrétiens de suivre la tradition des Pères.

Paul fut-il entendu par la communauté d'Antioche ? L'emporta-t-il sur les gens de Jacques ? Parvint-il à regagner Pierre et Barnabé à sa cause ? Il est impossible de le savoir de façon sûre. Pourtant, l'historien est en droit de penser que Paul perdit la partie. D'une part, il se sépara de Barnabé (Ac 15,36-40) et Antioche cessa d'être, dans la poursuite de son travail missionnaire, la communauté sur laquelle l'apôtre pouvait s'appuyer. D'autre part, il serait bien étonnant, si Paul l'avait emporté,

BIBLE

LE DÉCRET APOSTOLIQUE

Présenté par Luc en conclusion de l'assemblée de Jérusalem (Ac 15,23-29), le « décret apostolique » comporte quatre points destinés, dans la tradition vétéro-testamentaire juive, à permettre la coexistence entre Juifs et païens (voir Gn 9,3-7). Ces quatre points sont : a) s'abstenir des viandes destinées aux sacrifices païens, b) s'abstenir de l'immoralité (c'est-à-dire de mariages illégitimes aux yeux de la Loi, Lv 18,6-18), c) s'abstenir des animaux étouffés (viandes d'animaux qui n'ont pas été abattus selon le rituel juif), d) s'abstenir du sang (aliments préparés avec du sang).

L'Esprit Saint et nous-mêmes avons décidé de ne pas vous imposer d'autres charges que celles-ci, qui sont indispensables : vous abstenir des viandes immolées aux idoles, du sang, des chairs étouffées et des unions illégitimes.

(Ac 15,28-29)

qu'il ne fasse pas mention de son succès dans l'épître aux Galates. N'aurait-ce pas été un argument très fort que de pouvoir se réclamer du ralliement de Pierre, de Barnabé et des gens de Jacques à son point de vue ?

Un compromis

Il serait pourtant exagéré de penser que les gens de Jacques purent se réclamer d'un triomphe sans mélange à Antioche. En fait – pour autant qu'on puisse reconstruire l'issue de ce conflit – la solution choisie tint dans un compromis. Les judéo-chrétiens, représentants de l'aile judaïsante en faveur à Jérusalem, renoncèrent à leurs exigences maximalistes. En échange de quoi, les pagano-chrétiens acceptèrent de se plier à un respect minimal des exigences de la loi mosaïque. Ce minimum qu'il fut convenu de respecter tient dans ce qu'il est convenu d'appeler le décret apostolique.

La signification de ces conflits pour les Galates

En s'adressant aux Galates, tombés sous la coupe de missionnaires judaïsants, probablement proches des « faux frères » présents lors de l'assemblée de Jérusalem et des « gens de Jacques » à l'œuvre lors du deuxième incident d'Antioche, Paul peut se prévaloir d'un passé riche de péripéties. Il peut en particulier se réclamer de la décision prise lors de l'assemblée de Jérusalem et souligner que sa prédication à l'endroit des païens ne trahit pas l'enseignement des apôtres, mais a été ratifiée par Jacques, Pierre et Jean. Il peut montrer, à l'occasion du second incident d'Antioche, que c'est lui et non Pierre, ni même les proches de Jacques, qui a respecté l'accord de Jérusalem ; c'est lui qui a veillé à sa vigilante application. L'histoire est de son côté, veut-il signifier aux Galates, elle ne plaide pas en faveur des judaïsants qui se présentent sans doute comme les seuls héritiers légitimes des apôtres et de la communauté primitive. Pourtant, le conflit ne va pas s'éteindre. Il va poursuivre l'apôtre des Gentils jusqu'à la fin et, probablement, provoquer sa perte. C'est ce qui apparaît lorsqu'on examine l'histoire de la collecte que l'apôtre s'était engagé à récolter pour la communauté mère de Jérusalem.

La collecte, un signe d'unité ?

Lors de l'assemblée de Jérusalem, Paul s'était engagé à organiser dans les communautés qu'il avait fondées ou qu'il allait fonder une collecte en faveur de l'Église mère. Il ne s'agissait pas là d'une simple action caritative pour soutenir une communauté dans le besoin. Cette collecte avait un sens théologique. En la rassemblant, il s'agissait, pour Paul, de démontrer que l'Église constituait une unité. Même si les pagano-chrétiens avaient pris un chemin qui leur était propre et qui se distinguait de la voie prise par les judéo-chrétiens – et en particulier par les tenants d'une ligne judaïsante – ils entendaient, emmenés par Paul, montrer qu'ils reconnaissaient le rôle de l'Église mère et qu'ils se sentaient redevables à son égard. C'était d'elle qu'était venue la prédication de l'Évangile.

Aussi, lorsque Paul estima que son activité missionnaire en Orient était achevée et qu'il devait désormais se tourner vers l'Occident, jugea-t-il de son devoir de porter à Jérusalem la collecte longuement rassemblée dans les Églises d'Asie Mineure, de Grèce et de Macédoine. L'accueil qui lui serait fait serait riche de signification : son accueil positif démontrerait l'unité de l'Église. En recevant Paul et ses collaborateurs comme des frères et en acceptant leur aide, les chrétiens de Jérusalem reconnaîtraient du même coup la prédication et l'œuvre missionnaire de l'apôtre.

Pourtant, dans la lettre qu'il écrit aux Romains, l'apôtre se voit contraint d'admettre que le voyage à Jérusalem sera risqué et que l'accueil qui va être fait à la collecte ne sera pas nécessairement favorable :

Mais je vous le demande, frères, par notre Seigneur Jésus Christ et la charité de l'Esprit, luttez avec moi dans les prières que vous adressez à Dieu pour moi, afin que j'échappe aux incrédules de Judée et que le secours que je porte à Jérusalem soit agréé des saints, et qu'ainsi, venant à vous dans la joie, Dieu veuille me faire goûter avec vous quelque repos. (Rm 15,30-32)

Deux dangers guettaient l'apôtre. D'une part, pour les Juifs, Paul, le Pharisien converti au christianisme, était un renégat qui avait renié et discrédité dans tout l'Empire romain l'orgueil du judaïsme, à savoir la loi mosaïque. Il méritait d'être châtié. D'autre part, pour les judéo-chrétiens tenants de la ligne judaïsante, Paul était également un apostat : opportuniste, il avait diffusé un Évangile qui faisait l'économie de l'essentiel juif, à savoir la circoncision, la loi mosaïque, l'histoire de Dieu avec son peuple. Il n'avait pas servi l'Évangile de Jésus Christ, mais il l'avait perverti. Accepter la collecte qu'il apportait équivalait à se commettre avec un traître à la foi. Et pour les judéo-chrétiens regroupés autour de Jacques, c'était se mettre dans une position difficile par rapport à l'environnement juif.

Les craintes de l'apôtre étaient fondées. Peu de temps, après son arrivée à Jérusalem, il fut arrêté dans des circonstances peu claires. Alors même qu'à l'instigation de Jacques, il se rendait au Temple, accompagné de quatre judéo-chrétiens parvenus à l'échéance de leur vœu de naziréat*, pour accomplir l'acte de purification requis, et démontrer ainsi qu'il n'était pas l'ennemi tant décrié de la loi mosaïque, des Juifs de la Diaspora* le reconnurent et le firent arrêter. On ne sait pas si entre-temps Paul avait pu remettre la collecte pour laquelle il s'était tant battu. La conspiration qui conduisit à l'emprisonnement de l'apôtre, à son procès, puis à son martyre à Rome, fut-elle l'œuvre de Juifs isolés, ou furent-ils aidés en l'occurrence par les cercles judaïsants de la communauté primitive ? On ne le saura jamais. Un fait demeure : Paul a payé de sa vie sa conception de l'Évangile.

J. Z.

Le Deutéropaulinisme

Six lettres classées parmi les épîtres de Paul sont d'une authenticité discutée. Pour les unes, l'attribution à Paul lui-même est actuellement en débat : tel est le cas de la seconde épître aux Thessaloniciens, de l'épître aux Colossiens, de la seconde épître à Timothée. Pour d'autres, l'écriture par un disciple sous le nom de Paul après sa mort est très généralement admise. Il s'agit alors clairement de pseudépigraphes* : peut-être l'épître aux Éphésiens, la première épître à Timothée, l'épître à Tite. Cette seconde vague d'écrits pauliniens dont Paul n'est pas l'auteur assuré constitue le phénomène du « deutéropaulinisme ».

On appelle souvent « épîtres de la captivité » les lettres dans lesquelles Paul est présenté comme se trouvant en prison (qu'il s'agisse ou non d'épîtres authentiques) : Éphésiens, Philippiens, Colossiens et Philémon. Depuis le début du XVIIIe siècle, on a aussi attribué aux trois lettres adressées à un seul destinataire chef de communauté (les deux épîtres à Timothée et l'épître à Tite) l'appellation d'« épîtres pastorales ». [pour 2 Th *voir* p. 499]

Les épîtres aux Éphésiens et aux Colossiens

L'authenticité des lettres aux Colossiens et aux Éphésiens a été remise en question au XIXe siècle. Si l'apôtre n'en est pas l'auteur, il en est pourtant l'inspirateur, tant la forme et le contenu de ces écrits restent proches des écrits authentiquement pauliniens. Leur place dans le canon* des Écritures n'a d'ailleurs jamais été contestée. Un phénomène analogue joue pour les grands prophètes de l'Ancien Testament et leurs disciples. Il est à distinguer de l'intervention de faussaires, qui s'inspirent d'auteurs célèbres et déforment leur pensée (ainsi la correspondance entre Paul et Sénèque).

Les deux épîtres aux Colossiens et aux Éphésiens présentent entre elles bon nombre de points communs. Soixante-treize versets de l'épître aux Éphésiens sur les cent quinze qu'elle compte, ont un parallèle en Colossiens. De ce fait, on a souvent cherché à savoir laquelle des deux aurait servi de modèle à l'autre. L'analyse des thèmes donne l'antériorité à Colossiens. Les thèmes majeurs des épîtres aux Romains et aux Galates (ainsi loi* et justification) ont en effet disparu ; des mots utilisés par Paul revêtent ici un sens différent (par exemple *ethnê*, qui désigne les nations* et non les païens* dans leur comportement idolâtre) ; des thèmes nouveaux font leur apparition (par exemple la connaissance).

Si l'on s'en tient aux indications du texte, la lettre aux Colossiens s'adresse aux habitants d'une ville de Phrygie, située sur l'axe commercial qui relie Éphèse à Iconium, ville évangélisée par Épaphras pendant le séjour de Paul à Éphèse entre 51 et 54, et détruite en 60-61 par un tremblement de terre. La lettre est présentée comme écrite au cours d'une captivité de l'Apôtre (Éphèse, Césarée ou Rome). Elle serait alors à dater des alentours de l'année 60. Si on pense que, malgré ces indications, la lettre n'est pas de Paul, on doit considérer alors que des événements historiques sont réinterprétés et, dans ce cas, la lettre peut avoir été envoyée à une communauté qui serait sans rapport avec la ville détruite. Dans les deux cas, la rédaction se situe entre 60 et 70. L'épître est adressée à une communauté en crise : celle-ci détourne ses regards du Christ pour se tourner vers les puissances célestes et tente de réintroduire les pratiques judaïsantes* en matière de liturgie et d'observances. L'auteur recentre les croyants sur le Christ qui arrache les chrétiens aux ténèbres pour les mettre dans le Royaume. Il développe ensuite les conséquences de la primauté absolue du Christ sur tout le créé en trois grands mouvements. Ceux-ci concernent le ministère de Paul (1,24 – 2,5), l'invitation pressante à revenir à la foi au Christ (2,6 – 3,4) et une exhortation à entrer dans les mœurs de Celui-ci (3,5 - 4,6).

La lettre aux Éphésiens ne porte pas de mention précise de destinataires. Comme l'épître aux Colossiens, elle est placée sous l'autorité de Paul prisonnier. Cette lettre semble plutôt être une circulaire adressée à plusieurs communautés. Ce texte est tardif. S'il s'agit d'un texte de Paul, il est écrit avant 64 ou 67. La captivité pourrait être celle de Césarée ou de Rome. S'il s'agit d'un texte dont Paul ne serait pas directement l'auteur, il peut se situer entre 70 et 80. Il traite du rapport entre le Christ et la communauté des croyants à un moment où la Parousie* n'est plus perçue comme immédiate et où la communauté chrétienne est en pleine extension. L'analyse de cette nouvelle situation comporte un double aspect : une partie dogmatique (1,15 – 3,21) dans laquelle sont définis l'être chrétien, l'existence en Église* et le mystère qui nous fait découvrir l'Église par le Christ ; une seconde partie (4,1 – 6,20) qui est une exhortation à ne pas penser l'existence chrétienne en dehors de la croissance et de l'unité de l'Église.

Trois thèmes principaux sont abordés dans ces deux lettres : la christologie*, l'ecclésiologie et l'éthique chrétienne.

La christologie : le Christ dans la création

L'épître aux Colossiens développe un aspect entrevu par les épîtres de la maturité : la place centrale du Christ dans la création. Le Christ est celui qui a tout réconcilié par sa croix. Il peut en effet tout réconcilier puisqu'en lui et pour lui tout a été créé. Un tel médiateur exclut tout autre intermédiaire entre Dieu et les hommes, anges, dominations, puissances car toutes ces créatures visibles et invisibles sont soumises au Christ dont elles dépendent. Rien dans l'ordre de la création comme dans celui de l'histoire ne peut être substitué à la grandeur personnelle du Christ et à son rôle.

Cette vision trouve son aboutissement dans l'épître aux Éphésiens. À la lumière du Ressuscité, l'auteur, dont la réflexion s'est enrichie au cours des années, comprend que le dessein de Dieu consiste, dès l'origine, à nous faire « fils dans le Fils » (Ep 1,3-14). Dans le Christ, l'homme se découvre élu, choisi, aimé, dès avant la fondation du monde. L'accent est mis sur la dimension verticale de la relation au Christ (le Christ est au-dessus de tout) sans pour autant que cela nuise à son extension horizontale (le Christ est parmi nous et en nous). En effet, plus le Christ glorieux paraît absent de l'histoire en raison du retard de la Parousie, plus il exerce mystérieusement son influence dans le monde, en particulier sur l'homme et sur le cosmos. C'est pourquoi l'auteur ose dire que les chrétiens sont déjà ressuscités avec lui (Ep 2,6). Vu du côté du Christ, tout est donné. Du côté de l'homme, celui-ci sait, dans la foi, que sa vie est d'être avec le Christ en œuvrant dans l'histoire même si l'achèvement du monde n'est pas accompli.

L'ecclésiologie : le Christ et l'Église

Si le Christ est au sommet de la création, il est aussi la tête de la communauté des croyants qui confessent son nom, l'Église. Celle-ci n'est pas un groupe qui se définirait d'abord culturellement ou socialement mais elle se définit par rapport à Celui en qui elle croit et dont elle reçoit la vie.

L'épître aux Éphésiens développe, en fonction de l'expérience paulinienne, ce qu'est l'Église. À partir du moment où *ekklêsia* ne désigne plus une Eglise particulière, comme celle de Corinthe ou de Rome, mais l'Église universelle, elle peut être désignée comme étant le corps dont Christ est la tête : « Il [Dieu] l'a constitué au sommet de tout, tête de l'Église qui est son corps » (Ep 1,22 ; Col 1,18). Si la distinction tête / corps est propre aux épîtres de captivité, la notion de corps, elle, provient des premières épîtres de Paul. Le groupe des croyants y est appelé corps du Christ du fait de sa participation à l'eucharistie (1 Co 12,27). Cette image est associée au thème du corps, tel qu'il est utilisé par les stoïciens dans le contexte social. Éphésiens reprend cependant ces perspectives dans un sens universel. L'image du corps, en devenant une définition de l'Église, permet d'affirmer l'unité dans la différence. Le corps est inséparable de la tête et pourtant l'un et l'autre ont une fonction distincte. La tête suggère l'origine, l'autorité, la vie donnée tandis que le corps, dans son rapport à la tête, implique la cohésion, la vie reçue.

L'image du corps s'enrichit de celle de « l'homme nouveau ». Le Christ crée « un seul homme nouveau » en réconciliant deux entités (Juifs et nations) « en un seul corps « (Ep 2,14-15). Il s'agit d'une réalité nouvelle qui n'est le résultat ni d'une fusion, ni d'une addition, ni d'une juxtaposition de ces deux groupes.

L'Église est encore décrite en terme d'épouse. L'auteur ne reprend pas la thématique des noces de Dieu et d'Israël. La réflexion sur l'Église « corps du Christ » lui permet d'affirmer que le Christ aime l'Église comme son propre corps. Un tel langage de l'amour pour parler du rapport du Christ et de l'Église est capable de dissiper l'idée que l'Église serait un groupe de croyants fermé sur lui-même. Au contraire, ce groupe est voué à une croissance et à une extension qui, par l'annonce de l'Évangile, rend manifeste la grandeur du Christ au-delà de toutes frontières.

Pour l'épître aux Éphésiens, l'Église fait désormais partie de l'objet de la foi. Le Christ est incorporé de telle sorte à l'Église qu'il est impossible de proclamer la foi au Christ sans y associer son Église. Cela ne signifie pas pour autant que l'Église soit sur le même plan que le Christ ou qu'elle en prenne la place. La primauté du Christ sur elle est toujours fortement soulignée.

L'éthique chrétienne

Les deux lettres insistent non seulement sur la dimension cognitive dans laquelle le croyant doit entrer mais surtout sur la configuration vitale qu'il doit avoir avec le Christ. L'incompatibilité entre les mœurs païennes et la foi au Christ est absolue. Le chrétien doit quitter le « vieil homme » pour revêtir l'« homme nouveau », expression prise ici au sens éthique (Col 3,9-17 ; Ep 4,1-2.22-24). Les mœurs païennes sont une idolâtrie. L'auteur recourt à des exemples (vol, mensonge, méchanceté) qui sont des lieux communs de la morale élémentaire. Il vise par là les domaines fondamentaux de l'existence humaine où se construisent les rapports entre les hommes, à la lumière du Christ. L'homme nouveau n'est pas mis en face d'un idéal impossible puisque c'est l'Esprit Saint qui le met en communion avec Dieu (Ep 4,25-32). La nouveauté des mœurs dans le Christ ne retire pas le croyant du monde dans lequel il est appelé à vivre, étant donné que le Christ est la mesure respectueuse de la vérité de ce monde.

C'est dans les structures du monde que l'existence de fils doit être menée afin qu'elle soit une existence de témoin (Col 3,18 – 4,1 ; Ep 5,21 – 6,9). La nouveauté des mœurs atteint alors la vie sociale. Cependant, la question n'est pas abordée sous l'angle politique ou économique, mais bien sous l'angle de la communion indestructible qui doit unir les chrétiens entre eux au sein de l'Église. Cette nouveauté des mœurs bouleverse non seulement les rapports entre époux, mais aussi les rapports entre enfants et parents et entre maîtres et esclaves. En cela est proposé un type de relations humaines que le monde antique aurait eu du mal à imaginer. Ce qui compte pour les épîtres aux Éphésiens et aux Colossiens, c'est le rapport de tout homme, quel qu'il soit, avec Dieu. Aucun statut ni aucune condition ne doivent empêcher que la foi soit vécue.

Ch. R.

Les épîtres Pastorales

Les deux lettres à Timothée et la lettre à Tite sont à juste titre appelées « Pastorales » (depuis le début du XVIIIe siècle), car elles s'adressent à des responsables de communautés qui doivent faire face aux difficultés d'une existence chrétienne de groupe dans le monde et dans la durée. Elles se situent clairement dans un contexte nouveau par rapport au contexte paulinien, et une nouvelle situation d'Église.

La comparaison avec la première épître aux Thessaloniciens est éclairante : Paul y intervenait directement auprès d'une toute jeune communauté située en milieu païen, pour qu'elle reste fidèle à son choix monothéiste et sa foi dans le Seigneur ressuscité. Il s'agissait d'éviter à tout prix de retomber dans l'idolâtrie environnante et de rester pur et ferme dans l'attente urgente de la venue du Seigneur ; car l'apôtre attendait la Parousie pour sa génération, et la perspective était de se garder du monde, en ne laissant pas prise à la critique ou au jugement extérieur.

Au contraire l'Église des Pastorales est une Église de la troisième génération : Timothée a reçu la foi de sa mère Eunice et de sa grand-mère Loïs ; on s'éloigne des temps apostoliques, des temps de l'origine, et la question se pose de la façon de rester fidèle à cette origine. De fait, la conception du temps change aussi : le SEIGNEUR tarde à venir et les communautés qui vivent le retard de la Parousie se voient contraintes de penser autrement leur avenir. Pour elles la nécessité devient vitale de s'installer dans le monde et non plus face au monde, ce monde gréco-romain des « maisons » du début du IIe siècle.

Ces communautés sont d'ailleurs ébranlées de l'intérieur par la contestation, menacées de dislocation ou d'explosion par leurs propres membres : des tentations judaïsantes (goût des mythes et des généalogies, 1 Tm 1,4), des dérives enthousiastes* (avec l'affirmation que la Résurrection a déjà eu lieu, 2 Tm 2,18), des risques de révolte dans les couches défavorisées, femmes et esclaves (1 Tm 2,12 ; 6,1-2). Ces désordres accentuent la critique extérieure et pourraient mettre les communautés dans une situation difficile face aux autorités.

On assiste alors dans les lettres Pastorales à une reprise en main à la fois doctrinale et disciplinaire, avec une nouvelle représentation de Paul comme source et modèle du message à transmettre, ainsi qu'une nouvelle représentation du temps à vivre dans le monde, en donnant à ce message une nouvelle visibilité.

Une nouvelle figure de l'apôtre et du message à transmettre

Face à la montée des faux docteurs et des doctrines déviantes, il convenait de lier de façon définitive le présent des héritiers au temps des premiers témoins ; seule l'autorité de Paul peut assurer la légitimité des paroles prononcées dans une situation nouvelle. En effet son enseignement est devenu une autorité référentielle et son nom autorise les prises de position disciplinaires ou doctrinales des nouveaux dirigeants. C'est bien sa parole vivante qui résonne au milieu de la communauté (on a pu compter 85 occurrences des motifs ou du vocabulaire paulinien dans les Pastorales) ! Plus encore, il est devenu le modèle à suivre et, de façon paradoxale, le modèle du païen converti ! Il est à la fois celui qui a transmis, dans les chaînes et dans la souffrance, la tradition kérygmatique*, et celui qui a adapté la foi à un contexte nouveau : en annonçant son Évangile aux Grec*, il a été maître de tradition et de liberté.

La transmission du message et des pouvoirs apostoliques à Timothée et Tite devient le modèle et la garantie d'une transmission réussie, et donc d'une actualisation possible. Si Paul est le « modèle de base » de la foi et de la mission (1 Tm 1,16 ; 2 Tm 1,13), à leur tour Timothée et Tite doivent devenir des modèles pour les croyants et déposer l'héritage auprès d'hommes de confiance qui seront capables, eux aussi, d'enseigner d'autres. De nouveaux responsables apparaissent en effet, dont les qualités sont bien typées, mais dont les attributions respectives restent floues : l'épiscope, les presbytres, et les diacres. Même s'il est difficile de distinguer les fonctions du presbytre-épiscope d'une part, de celles du diacre d'autre part, il est clair que l'épiscope est en première ligne un enseignant, responsable de la saine « didascalie* » (1 Tm 3,2 ; 5,17 ; 2 Tm 4,3). Son rôle est à la fois pastoral et doctrinal ; il doit se consacrer à la lecture cultuelle, la proclamation de la parole et l'encouragement : réfutation, redressement, menaces soulignent le lien chez les déviants entre les fausses doctrines et les perversions du comportement (2 Tm 4).

Le destinataire doit surtout recueillir le donné traditionnel et le relire à la lumière de la situation nouvelle pour le transmettre à la génération qui monte. La formule d'authenticité, « la parole de confiance », est nouvelle ; elle inaugure un vocabulaire de doctrine et de discipline, qui vise à éclairer, affermir et rassurer, dans un climat communautaire fait d'incertitude, sinon de confusion. Ce vocabulaire s'attache notamment à l'image de « l'héritage déposé », du « dépôt confié » (1 Tm 1,18). Ces termes ont souvent été mal compris, et considérés comme le signe d'une mentalité conservatrice, ou pire, d'un repli frileux et craintif sur le passé. Le souffle de l'Esprit aurait-il déserté ces Églises ? À y regarder de plus près, on s'aperçoit que le dépôt confié à Timothée consiste en une reprise qui est à la fois sédimentation et actualisation des données traditionnelles de la foi : traditions évangéliques et motifs pauliniens se mêlent à des morceaux à caractère hymnique, frappés du style propre de ces communautés, et à des résumés normatifs de la foi, fragments de catéchèse ou confession de foi qui unissent fidélité au kérygme* et nouveauté de l'expression. On y voit l'exhortation se déployer en se nourrissant de morceaux liturgiques ou catéchétiques* antérieurs et en répondant aux besoins actuels des chrétiens. Il s'en dégage une haute christologie, qui insiste sur l'humanité de Christ comme unique médiateur, et n'hésite pas à le saluer comme Dieu et Sauveur. On trouve là l'amorce des symboles de la foi qui se développeront au IIe siècle chez Ignace d'Antioche ou chez Irénée de Lyon.

Le dépôt (grec *parathèkè*) n'est donc pas un corps de doctrine figé et statique ; à l'aide d'un subtil jeu de mots, il se donne comme la tradition de l'alliance (*diathèkè*) qui, en se transmettant (*para-*, « le long de ») d'une génération à l'autre, s'adapte et se construit.

Une nouvelle représentation du temps à vivre dans le monde gréco-romain

Le terme paulinien « parousie » a disparu des Pastorales ; il est remplacé par un nouveau vocabulaire qui est celui de la « manifestation » (*epiphaneia*). L'épiphanie ou manifestation du Seigneur Jésus Christ domine désormais le temps chrétien : elle lance un grand arc depuis la première venue de Jésus jusqu'à sa manifestation finale. En effet la grâce de Dieu s'est manifestée dans un événement passé (vie, mort et résurrection du Christ) qui ouvre un espace nouveau et propose une vie nouvelle. Cette vie est désormais tout entière axée sur la manifestation à venir, la dernière épiphanie attendue dans l'espérance.

Le temps ouvert dans l'intervalle se présente lui-même comme un temps épiphanique, un temps de salut et de grâce, qui engage tout un mode de vie. Si Jésus Christ a rendu dans l'histoire un « beau témoignage » (1 Tm 6,13-15), les chrétiens sont appelés à leur tour à rendre au quotidien ce témoignage (2 Tm 1,8 ; 2,14). La grâce qu'ils ont reçue au baptême, par le « bain de la nouvelle naissance » (Tt 3,5) leur apprend à vivre « avec modération, justice et piété dans le temps présent » (Tt 2,12) ; ils sont chargés de rendre visible dans leur comportement de chaque jour le règne et la manifestation de Jésus Christ, c'est-à-dire la proposition de salut faite à tous les hommes. Autrement dit, le temps chrétien doit être le temps de la visibilité de la grâce, et l'on comprend le rôle obsédant de l'exhortation tout au long des lettres Pastorales.

Pour offrir une visibilité à l'offre universelle de salut, les Pastorales font un choix qui n'est pas sans risque, celui que l'on pourrait désigner par le terme moderne d'inculturation. Dans le monde gréco-romain du début du IIe siècle, le modèle social dominant est celui de la maison à structure patriarcale, au centre de laquelle se trouve le couple dominé par le mari ; celui-ci a charge de modeler sa jeune épouse à son image pour qu'elle lui renvoie en toutes choses une fidèle réplique de lui-même ; les vieilles vertus romaines sont remises à l'honneur : civisme, fidélité, stabilité sociale, et les grandes vertus stoïciennes ornant la figure du sage sont largement vulgarisées. Modération, justice, piété, philanthropie décrivent l'idéal éthique de la meilleure société, tant en milieu païen qu'en milieu juif hellénisé.

Pour les communautés des épîtres Pastorales, la maison devient non seulement une métaphore de l'Église (« la maison de Dieu qui est l'Église », 1 Tm 3,15), mais aussi un modèle. Les qualités requises pour les dirigeants sont celles du père de famille stoïcien, et les vertus stoïciennes deviennent les vertus chrétiennes par excellence (« modération, justice, piété », Tt 2,12). Mais l'auteur des Pastorales n'oublie jamais que ces vertus sont toujours pour les chrétiens le fruit de la grâce, don gratuit de Dieu. Elles sont la mise en œuvre du témoignage que le chrétien responsable doit rendre à la suite du Christ et de Paul. On assiste à une véritable assomption des vertus stoïciennes, et notamment de la « piété » (*eusebeia*), qui devient l'équivalent de ce que Paul appelait « la foi agissant par l'amour » (Ga 5,6).

Une telle entreprise ne va pas sans risque. La critique allemande de la fin du XIXe siècle a suffisamment reproché aux lettres Pastorales la perte de la nouveauté évangélique, un certain aplatissement de la pensée paulinienne, en un mot ce qu'elle appelait avec mépris « leur catholicisme bourgeois » ! À vivre au rythme du monde stoïcien, on risque de perdre la pureté de l'appel et d'étouffer le dynamisme missionnaire. La tentation la plus grave est certainement celle d'un certain conformisme : pour garder sa crédibilité aux yeux du monde, les Églises de Timothée et de Tite exigent des femmes et des esclaves une soumission parfaite et un respect absolu de la hiérarchie sociale. Mais le vent de la contestation soufflait sans doute avec une certaine violence ; dans un temps d'insécurité, l'Église des Pastorales lutte pour sa survie, et elle veut d'abord s'assurer une stabilité dans le temps. N'en concluons pas trop vite à l'affadissement de ce christianisme ! Jamais les épîtres Pastorales n'oublient l'événement de salut qui fonde l'Église ni l'Esprit qui la traverse, et elles donnent au monde qui les entoure le témoignage d'une espérance qui tient ferme dans le combat, tout en lui renvoyant une image transfigurée de ce qu'il considérait comme son idéal : la piété. C'est aussi une façon de lui annoncer l'Évangile.

R. D.-R.

Nouveau Testament :
III. Marc et le phénomène synoptique

Des quatre évangiles canoniques, Marc est sans doute celui qui fut le plus anciennement rédigé : cela se fit peu après la mort de Pierre et de Paul, aux alentours de l'année 70. Il est en outre le plus court des quatre. Matthieu et Luc se sont pour une part inspirés de son plan, et rapportent de nombreux événements et paroles qui se trouvent déjà chez Marc. Les textes des trois œuvres peuvent alors être disposés en colonnes parallèles et lus en synopse. Cette relation remarquable entre trois des quatre évangiles constitue ce que l'on appelle le phénomène synoptique, phénomène dans lequel Marc occupe la place centrale.

Marc : auteur et destinataires

Le deuxième évangile*, pas plus que les trois autres, ne comporte la signature de son auteur. Il faut attendre le IIe siècle pour le voir attribué à Marc. Eusèbe de Césarée, au début du IVe siècle, nous rapporte le témoignage de Papias, évêque de Hiérapolis en Phrygie autour de 110 de l'ère chrétienne ; cet évêque rapporte lui-même les paroles d'un certain Jean le Presbytre :

Et voici ce que disait le presbytre : Marc, qui était l'interprète de Pierre, a écrit avec exactitude, mais pourtant pas dans l'ordre, tout ce dont il se souvenait de ce qui avait été dit ou fait par le Seigneur. Car il n'avait pas entendu ni accompagné le Seigneur ; mais, plus tard, comme je l'ai dit, il a accompagné Pierre. Celui-ci donnait ses enseignements selon les besoins, mais sans faire une synthèse des paroles du Seigneur. De la sorte, Marc n'a pas commis d'erreurs en écrivant comme il se souvenait. Il n'a eu en effet qu'un seul dessein, celui de ne rien laisser de côté de ce qu'il avait entendu et de ne tromper en rien dans ce qu'il rapportait. (*Histoire ecclésiastique*, III, 39. Traduction G. Bardy)

Ce témoignage donne des indications précieuses. D'une part, l'auteur serait Marc dont il est fait mention dans les Actes des Apôtres (Ac 12,12-25 ; 15,5.13.37.39) ; il a accompagné Paul et Barnabé dans leur premier voyage missionnaire. Il est plusieurs fois cité dans les lettres de Paul (Col 4,10 ; Phm 24) ; on le retrouve aussi dans une lettre à Timothée (2 Tm 4,11). Il est enfin cité dans la finale de la première lettre de Pierre, où Babylone désigne Rome (1 P 5,13). D'autre part, Marc est l'interprète de Pierre. « Interprète » ne doit pas être pris au sens restrictif de traducteur ; Marc fait véritablement œuvre d'écrivain.

Enfin, Papias semble répondre aux détracteurs de l'évangile de Marc qui trouvaient sans doute celui-ci manquant de précisions chronologiques ; certes, Marc n'a pas pris comme principe de composition l'ordre chronologique ; cela s'explique par le fait que telle n'était pas la préoccupation de Pierre lorsqu'il enseignait ; mais ce constat n'infirme en rien l'exactitude et la fidélité de ce qui est raconté par Marc.

À qui Marc destinait-il son évangile ? Là encore, nous n'avons aucune indication précise dans l'évangile lui-même. Les traditions anciennes citent habituellement Rome comme lieu de la rédaction, là où Pierre a été martyrisé. Ceci est d'autant plus vraisemblable qu'un certain nombre de latinismes émaillent le texte. La langue de Marc n'est d'ailleurs pas du tout le grec classique mais plutôt le grec populaire utilisé dans l'ensemble du bassin méditerranéen. Marc a donc utilisé la langue de ses destinataires, celle qui était utilisée en particulier par les Juifs de la Diaspora* installés à Rome.

Plus précisément, l'ensemble de l'évangile de Marc semble parfaitement adapté aux catéchumènes*. Dans une première partie, les récits amènent une question récurrente : qui est donc cet homme Jésus ? La réponse est donnée au centre de l'évangile : d'abord, dans la profession de foi de Pierre « Tu es le Christ » (Mc 8,29) ; puis à la Transfiguration : « Celui-ci est mon Fils bien-aimé ! » (9,7). La première affirmation peut être proclamée par un homme, la seconde ne peut venir que d'une révélation divine. Entre les deux, Jésus annonce sa passion et invite les disciples à le suivre jusqu'à la croix : « Si quelqu'un veut venir à ma suite, qu'il se renie lui-même, qu'il se charge de sa croix, et qu'il me suive ! » (8,34). Nous sommes là au cœur du message de l'évangile de Marc. Celui qui a découvert l'identité de Jésus ne peut qu'en tirer la conclusion pour sa propre vie : être disciple, c'est mettre ses pas dans ceux de Jésus, Christ, Fils de Dieu. Ce thème est abondamment rappelé dans la suite de l'évangile où Jésus se consacre à l'enseignement de ses disciples :

Si quelqu'un veut être le premier, il sera le dernier de tous et le serviteur de tous. (Mc 9,35)

En vérité, je vous le dis, nul n'aura laissé maison, frères, sœurs, mère, père, enfants ou champs à cause de moi et à cause de l'Évangile, qui ne reçoive le centuple dès maintenant, au temps présent, en maisons, frères, sœurs, mères, enfants et champs, avec des persécutions, et dans le monde à venir, la vie éternelle. (Mc 10,29-30)

À la demande des fils de Zébédée de siéger dans la gloire à sa droite et à sa gauche, Jésus répond : « Vous ne savez pas ce que vous demandez. Pouvez-vous boire la coupe que je vais boire et être baptisés du baptême dont je vais être baptisé ? Ils lui dirent : Nous le pouvons. Jésus leur dit : La coupe que je vais boire, vous la boirez, et le baptême dont je vais être baptisé, vous en serez baptisés » (10,38-39). De même que Jésus s'est fait le serviteur de tous, il invite ses disciples à prendre le même chemin :

Les ayant appelés près de lui, Jésus leur dit : Vous savez que ceux qu'on regarde comme les chefs des nations dominent sur elles en maîtres et que les grands leur font sentir leur pouvoir. Il ne doit pas en être ainsi parmi vous : au contraire, celui qui voudra devenir grand parmi vous, sera votre serviteur, et celui qui voudra être le premier parmi vous, sera l'esclave de tous. Aussi bien, le Fils de l'homme lui-même n'est pas venu pour être servi, mais pour servir et donner sa vie en rançon pour une multitude. (Mc 10,42-45)

Le lecteur de l'évangile de Marc est ainsi conduit jusqu'au récit de la Passion. Mais au cœur de ce récit, il découvrira, à travers la figure de Pierre, la difficulté de suivre Jésus jusqu'au bout : l'évangéliste a mis en parallèle le procès de Jésus devant le Sanhédrin* et le « procès » de Pierre lorsqu'il est au milieu des serviteurs et des servantes (14,53-72) ; aux faux témoignages contre Jésus et au silence de Jésus répondent les vrais témoignages contre Pierre ; à la question du grand prêtre* sur l'identité messianique de Jésus correspond l'affirmation par la servante que Pierre est bien du clan de Jésus ; à la réponse de Jésus « Je le suis » (14,62), s'oppose la réponse de Pierre : « Je ne connais pas cet homme dont vous parlez » (14,71). Jésus est condamné à mort alors que Pierre est libre… mais pleure.

F. B.

Marc dans la suite de Paul : une catéchèse pour les païens

Les traditions, à partir du IIe siècle, soulignent plus volontiers la relation de Marc avec l'apôtre Pierre que ses rapports avec Paul. Or, si l'auteur du second évangile* est bien le Marc ou Jean Marc qui a accompagné Paul et Barnabé dans leur premier voyage missionnaire, on peut s'attendre à retrouver l'influence des écrits pauliniens* dans l'évangile de Marc. Celle-ci ne se vérifie pas dans le vocabulaire utilisé par Marc. Il est donc inutile de chercher une quelconque dépendance littéraire de Marc par rapport à Paul. En revanche, une même préoccupation sous-tend les lettres de Paul et l'évangile de Marc : il s'agit de l'ouverture de l'évangile aux païens*. C'est à ce niveau de la préoccupation missionnaire que l'évangile de Marc, dans son état final, peut dépendre des écrits pauliniens ou, du moins, témoigner de la même préoccupation.

Les écrits du Nouveau Testament attestent du rôle essentiel joué par Paul pour l'ouverture de l'Évangile de Jésus Christ aux païens. Le livre des Actes signale plusieurs fois que ce rôle lui a été confié par Dieu : « Cet homme m'est un instrument de choix pour porter mon nom devant les nations païennes » (Ac 9,15) ; « Va ; c'est au loin, vers les païens, que moi, je veux t'envoyer » (Ac 22,21) ; « … des nations païennes vers lesquelles je t'envoie » (Ac 26,17). À Antioche de Pisidie, Paul annonce que désormais, il va se tourner vers les païens (Ac 13,46). Dans sa lettre aux Galates, Paul leur rappelle cette vocation particulière pour Barnabé et lui-même : « Nous irions, nous aux païens » (Ga 2,9).

Le souci des païens

L'évangile de Marc se présente comme une grande catéchèse* catéchuménale* où le lecteur est conduit pas à pas pour aboutir à la profession de foi. Le récit du ministère de Jésus en Galilée est d'abord l'occasion de poser la question de l'identité de Jésus : qui est donc cet homme qui parle avec autorité, guérit les malades, chasse les démons et proclame la venue du Règne de Dieu ? Une première réponse est donnée par Pierre : Jésus est le Christ (Mc 8,29) ; la deuxième réponse n'est pas accessible aux hommes par leur simple raisonnement humain, elle vient de Dieu : Jésus est le Fils bien-aimé (Mc 9,7). Ces titres sont vrais mais ils sont susceptibles de bien des contresens : Pierre lui-même se fera traiter de Satan par Jésus lorsqu'il refusera l'annonce de la Passion (Mc 8,31-32) ; c'est dire que l'identité de Jésus ne peut être clairement proclamée qu'après le récit de la mort de Jésus sur la croix. Il n'est alors pas indifférent pour notre propos de constater que Marc place dans la bouche d'un païen romain la première profession de foi en la filiation divine de Jésus ; c'est au pied de la croix, alors que Jésus vient de mourir, qu'un centurion romain proclame : « Vraiment cet homme était fils de Dieu ! » (Mc 15,39). Alors que les grands prêtres se moquaient de Jésus en disant « que le Christ, le Roi d'Israël, descende maintenant de la croix, pour que nous voyions et que nous croyions » (Mc 15,32), le centurion, le païen, est présenté par Marc comme le modèle du croyant : c'est en voyant comment Jésus avait expiré, c'est-à-dire en voyant Jésus au comble de sa faiblesse, que le centurion a proclamé la foi chrétienne. Nous retrouvons là une constante de la pensée paulinienne : alors que beaucoup de Juifs, à commencer par leurs responsables, ont rejeté Jésus, une multitude de païens a adhéré à la foi chrétienne. Le Centurion au pied de la croix les préfigure.

La communauté de table entre Juifs et païens

On imagine mal aujourd'hui les difficultés rencontrées par les premières communautés chrétiennes lorsqu'elles s'ouvrirent aux païens. Dans les premiers temps de l'Église*, tous ceux qui adhéraient à la foi en Jésus Christ Seigneur étaient juifs. Pour eux, Jésus mort et ressuscité était celui qui portait à sa perfection, qui accomplissait les Écritures. Ils avaient donc conscience d'être en continuité et non en rupture avec le peuple juif dont ils faisaient partie. Lorsque les païens commencèrent à adhérer à la foi chrétienne, un problème crucial fut posé : fallait-il que ceux-ci passent d'abord par l'intégration au peuple juif par la circoncision ? La question fut tranchée lors de l'Assemblée de Jérusalem [*voir* p. 189, 228]. Il n'en restait pas moins une question épineuse : les chrétiens d'origine juive continuaient tout normalement à respecter les interdits alimentaires qui les différenciaient des païens. Dès lors les païens convertis se voyaient rejetés des repas communautaires. C'est ce que révèle Paul dans la lettre aux Galates (Ga 2,11-14) où il reproche à Pierre de s'être laissé intimider par des chrétiens d'origine juive venus de Jérusalem : il n'osait plus prendre ses repas avec les chrétiens d'origine païenne. Or, c'est au cours des repas qu'était célébré le mémorial de la Cène. Le repas eucharistique étant signe de communion, les repas séparés mettaient fondamentalement en cause l'unité de l'Église.

Marc est l'écho de ces problèmes : il rapporte deux multiplications des pains, une première en Galilée juive (Mc 6,30-44) et une seconde en territoire païen de la Décapole (Mc 8,1-10). Y en eut-il deux ? Luc et Jean n'en rapportent qu'une. L'évangéliste a-t-il rapporté deux traditions différentes du même événement ? C'est possible mais guère probant. Nous émettrons l'hypothèse que l'évangéliste a volontairement reproduit deux fois le récit. Quel était son but ? Les allusions à l'eucharistie sont nettes : « Prenant alors les cinq pains et les deux poissons, il [Jésus] leva les yeux au ciel, il bénit et rompit les pains, et il les donnait à ses disciples pour les leur servir » (6,41) – « Et, prenant les pains, il rendit grâces, les rompit et il les donnait à ses disciples pour les servir, et ils les servirent à la foule » (8,6). Le lecteur de l'évangile perçoit dans le signe de Jésus l'annonce du double repas eucharistique : en territoire juif et en territoire païen. La question est donc de savoir ce qui va permettre de les rapprocher. Entre les deux récits, l'évangéliste a inséré deux textes importants : d'abord un discours de Jésus sur le pur et l'impur (7,1-23) puis un récit concernant une païenne (7,24-30).

Le début du chapitre 7 donne bien le contexte culturel : il oppose les pratiques rituelles de purification, utilisées en particulier dans la mouvance pharisienne*, aux disciples de Jésus qui ne pratiquent pas ces rites avant le repas. Après avoir dénoncé l'hypocrisie des critiques pharisiennes, Jésus s'adresse à toute la foule pour affirmer que ce n'est pas ce qui entre dans l'homme qui le rend impur mais ce qui en sort. Aux disciples est réservée l'explication de cette énigme. Ce qui rentre dans l'homme ne fait que passer et termine aux lieux d'aisance. Autrement dit, aucun aliment ne peut rendre l'homme impur. Au contraire…

C'est du dedans, du cœur des hommes, que sortent les desseins pervers : débauches, vols, meurtres, adultères, cupidités, méchancetés, ruse, impudicité, envie, diffamation, orgueil, déraison. Toutes ces mauvaises choses sortent du dedans et souillent l'homme. (Mc 7,21-23)

Ainsi se trouve levé l'obstacle qui empêchait l'unité des repas eucharistiques. Marc témoigne donc de l'enracinement évangélique du combat mené par Paul. Et le récit qui suit immédiatement le discours de Jésus sur le pur et l'impur illustre parfaitement à la fois l'enracinement juif de l'annonce de la venue du Règne de Dieu et l'ouverture aux païens. L'épisode de la Syro-Phénicienne se déroule en territoire païen dans la région de Tyr (le Liban actuel). Cette femme païenne vient supplier Jésus de guérir sa fille possédée par un esprit impur. La réponse de Jésus peut surprendre : « Laisse d'abord les enfants se rassasier, car il ne sied pas de prendre le pain des enfants et de le jeter aux petits chiens » (7,27). Les enfants désignent à l'évidence les enfants d'Israël et les petits chiens les païens. Mais il faut bien remarquer le « d'abord » : l'évangile de Marc souligne ainsi la division traditionnelle de l'histoire du salut : les Juifs d'abord, puis les païens. Le fait que Jésus se soit tourné essentiellement vers le peuple préparé de longue date à recevoir son message de salut ne doit pas laisser entendre qu'il voulait réserver celui-ci aux seuls Juifs. La suite de l'épisode le montre bien : la femme païenne rétorque sur le même registre : « Oui, Seigneur ! et les petits chiens sous la table mangent les miettes des enfants » (7,28). Il s'agit là d'un véritable acte de foi. Marc le souligne car c'est l'unique passage de tout son évangile où le titre christologique « Seigneur », largement usité dans les communautés chrétiennes, est utilisé par un interlocuteur de Jésus et qui plus est, par une païenne. La guérison, finalement opérée par Jésus, témoigne que le don du salut aux païens proclamé par les premiers missionnaires était bien conforme à la volonté de Jésus. Après Pâques*, par la foi, les païens auront accès à la même table que les Juifs. Marc illustre ainsi de façon narrative ce qui était proclamé par Paul :

Si tes lèvres confessent que Jésus est Seigneur et si ton cœur croit que Dieu l'a ressuscité des morts, tu seras sauvé. Car la foi du cœur obtient la justice, et la confession des lèvres, le salut. L'Écriture ne dit-elle pas : Quiconque croit en lui ne sera pas confondu ? Aussi bien n'y a-t-il pas de distinction entre Juif et Grec : tous ont le même Seigneur, riche envers tous ceux qui l'invoquent. En effet, quiconque invoquera le nom du Seigneur sera sauvé.* (Rm 10,9-13)

F. B.

Nouveau Testament :
III. Marc et le phénomène synoptique

Marc : un *Seder* pascal chrétien ?

Un évangile* est-il une littérature nouvelle et unique en son genre ou trouve-t-on, dans la littérature de l'époque des parallèles littéraires ? Ces dernières années, différentes tentatives ont été faites dans ce sens. Mais, qu'il s'agisse de modèles pris dans l'Ancien Testament, le judaïsme* rabbinique*, la liturgie synagogale, la littérature gréco-romaine, la tragédie, le discours rhétorique, les rapprochements sont peu convaincants. Plus récemment, un certain consensus s'est opéré autour du modèle biographique (ainsi la *Vie d'Appolonius de Tyane* par Philostrate, ou la Vie de personnages célèbres rédigée par Plutarque ou Suétone). Quoi qu'il en soit, et même en considérant qu'un évangile relève d'un sous-genre à l'intérieur de la biographie antique, les évangiles (et en particulier le premier d'entre eux, Marc) restent une littérature très particulière et ce pour plusieurs raisons dont deux nous paraissent décisives. D'abord, évidemment, la personnalité du personnage central de la narration évangélique rejaillit sur le style de la narration. Confesser le personnage central de l'intrigue comme Fils de Dieu et Seigneur ressuscité crée entre l'auteur et son œuvre un rapport très particulier. Secondement, et en lien direct avec ce qui précède, le but poursuivi par l'œuvre est clairement un souci d'édification de communautés de croyants qui, elles aussi, entretiennent un rapport particulier avec le personnage de l'histoire.

Une analyse des traditions relatives au dernier repas de Jésus avec les disciples (Mc 14,22-26 et parallèles), traditions recueillies conjointement par les évangiles synoptiques et par l'apôtre Paul, nous permettra de comprendre comment se constitue le récit évangélique et comment les récits sont porteurs de sens pour la communauté chrétienne qui les reçoit et les utilise pour la célébration et la catéchèse*.

1 Co 11, 23-26	Mc 14,22-25
23 Pour moi, en effet, j'ai reçu du Seigneur ce qu'à mon tour je vous ai transmis : le Seigneur Jésus, la nuit où il était livré, prit du pain 24 et, après avoir rendu grâce, le rompit et dit : « Ceci est mon corps, qui est pour vous; faites ceci en mémoire de moi ».	22 Et tandis qu'ils mangeaient, il prit du pain, le bénit, le rompit et le leur donna en disant : « Prenez, ceci est mon corps ».
25 De même après le repas, il prit la coupe, en disant : « Cette coupe est la nouvelle Alliance en mon sang ; chaque fois que vous en boirez, faites-le en mémoire de moi ».	23 Puis prenant une coupe, il rendit grâces et il la leur donna, et ils en burent tous. 24 Et il leur dit : « Ceci est mon sang, le sang de l'alliance, qui va être répandu pour une multitude. 25 En vérité, je vous le dis, je ne boirai plus du produit de la vigne jusqu'au jour où je boirai le vin nouveau, dans le Royaume de Dieu ».
26 Chaque fois en effet que vous mangez ce pain et que vous buvez cette coupe, vous annoncez la mort du Seigneur, jusqu'à ce qu'il vienne.	

Les traditions du dernier repas de Jésus : entre histoire et liturgie

Le récit du dernier repas de Jésus tel qu'il se donne à connaître dans les évangiles synoptiques a une allure biographique : il nous raconte l'un des moments particuliers que Jésus passa avec ses disciples durant des derniers jours qui précédèrent la Passion. Une lecture attentive laisse cependant penser que, dans ce récit, par-delà la narration des faits et paroles de Jésus, une autre réalité est à l'œuvre. Les tradi-

Mt 26,26-29	Lc 22,14-20
	14 Lorsque l'heure fut venue, il se mit à table, et les apôtres avec lui. 15 Et il leur dit : « J'ai ardemment désiré manger cette Pâque avec vous avant de souffrir ; 16 car, je vous le dis, jamais plus je ne la mangerai jusqu'à ce qu'elle s'accomplisse dans le Royaume de Dieu ».
	17 Puis, ayant reçu une coupe, il rendit grâce et dit : « Prenez ceci et partagez entre vous ;
	18 car, je vous le dis, je ne boirai plus désormais du produit de la vigne jusqu'à ce que le Royaume de Dieu soit venu ».
26 Or, tandis qu'ils mangeaient, Jésus prit du pain, le bénit, le rompit et le donna aux disciples en disant : « Prenez, mangez, ceci est mon corps ».	19 Puis, prenant du pain, il rendit grâces, le rompit et le leur donna en disant : « Ceci est mon corps donné pour vous ; faites cela en mémoire de moi ».
27 Puis, prenant une coupe, il rendit grâces et la leur donna en disant : « Buvez-en tous ; 28 car ceci est mon sang, le sang de l'alliance, qui va être répandu pour une multitude en rémission des péchés. 29 Je vous le dis, je ne boirai plus désormais de ce produit de la vigne jusqu'au jour où je le boirai avec vous, nouveau, dans le Royaume de mon Père ».	20 Il fit de même pour la coupe après le repas, disant : « Cette coupe est la nouvelle Alliance en mon sang, versé pour vous.

tions que recueille Marc ont, à l'évidence, une portée liturgique. Dit autrement, ce texte prend sa source dans la liturgie des communautés primitives. L'indice le plus probant se trouve dans le fait que Paul connaît lui aussi cette tradition qu'il introduit avec une formule similaire à celle que l'on trouvera en 1 Co 15,3 quand il rapporte une tradition ancienne, à savoir le Credo pascal de la mort et de la Résurrection du Christ : « Pour moi, en effet, j'ai reçu du Seigneur ce qu'à mon tour je vous ai transmis » (1 Co 11,23) ; « Je vous ai donc transmis en premier lieu ce que j'avais moi-même reçu » (1 Co 15,3).

Ce que Paul a ainsi reçu c'est la tradition liturgique et catéchétique des communautés primitives.

Avec cette tradition rapportée par Paul et les Synoptiques, on parle de récit étiologique (lit. récit qui explique l'origine d'une chose), c'est-à-dire d'un récit qui donne un fondement à une pratique, ici une pratique cultuelle : le partage eucharistique dans les communautés primitives.

Pâque juive et Pâque de Jésus

Le dernier repas de Jésus est-il un repas pascal ? Si, au plan historique, il est très difficile de se prononcer sur la nature du dernier repas de Jésus avec ses disciples, il n'en reste pas moins vrai que les événements se sont déroulés durant la fête de Pâque* et que Marc, le premier, a interprété ce repas comme un repas pascal.

*Le premier jour des Azymes** (c'est-à-dire des pains sans levain), *où l'on immolait la Pâque, ses disciples lui disent : « Où veux-tu que nous allions faire les préparatifs pour que tu manges la Pâque ? » Il envoie alors deux de ses disciples, en leur disant : « Allez à la ville ; vous rencontrerez un homme portant une cruche d'eau. Suivez-le, et là où il entrera, dites au propriétaire : Le Maître te fait dire : Où est ma salle, où je pourrai manger la Pâque avec mes disciples ? Et il vous montrera, à l'étage, une grande pièce garnie de coussins, toute prête ; faites-y pour nous les préparatifs. » Les disciples partirent et vinrent à la ville, et ils trouvèrent comme il leur avait dit et ils préparèrent la Pâque.* (Mc 14,12-16)

Un examen attentif de ce texte montre qu'il ne s'agit pas d'un compte rendu historique ni même d'un témoignage oculaire. La reconnaissance du lieu évoque un récit de l'Ancien Testament où Samuel retrouve les ânesses du roi Saul (1 S 10,3-5). On constate également un étroit parallélisme avec le récit de l'entrée de Jésus à Jérusalem en Mc 11,1-6 (envoi d'une ambassade de disciples pour assurer les préparatifs). On notera encore l'aspect surnaturel de la scène (la prescience de Jésus qui rend possible les préparatifs, par les disciples, du repas pascal) ainsi que la disponibilité d'une salle à une époque où Jérusalem voyait sa population augmenter de façon tout à fait exceptionnelle. En fait, Marc met en scène la Pâque de Jésus : « pour que *tu* manges la Pâque » ; « où est *ma* salle, où *je* pourrai manger la Pâque avec *mes* disciples ». Aux yeux de Marc, les disciples préparent la Pâque que Jésus va vivre.

À l'époque de Jésus, le repas pascal, le *Seder**, se déroulait selon une liturgie précise :
– Des hors-d'œuvre étaient d'abord servis dans une autre pièce que celle du repas lui-même dans le but d'apaiser la faim. Une formule de bénédiction consacrait ce jour de fête et une première coupe, dite de bénédiction, était distribuée.
– Ensuite, dans la salle principale commençait le repas proprement dit. Le repas servi, une seconde coupe était distribuée mais l'on ne touchait ni à l'un ni à l'autre. Auparavant, un enfant interrogeait le père de famille qui expliquait alors les rites en rappelant la sortie d'Égypte. Puis tous les convives s'associaient à se souvenir. On ne se bornait pas alors à répéter le récit fondateur : on s'y impliquait. La liturgie offrait

DOCUMENT

LE TARGOUM DES « QUATRE NUITS »

Le mot *targoum* provient d'un terme hébreu et signifie « traduction ». Il sert à désigner les versions araméennes de la Bible juive. Cette traduction peut se transformer en un véritable commentaire du texte. Ainsi en va-t-il du poème des « Quatre nuits » qui, après la traduction non littérale de la mention de la nuit pascale d'Ex 12,41-42, en explicite le sens par un commentaire. Ce commentaire insiste sur la dimension de mémoire, celle de Dieu qui intervient pour son peuple, et celle du peuple qui remercie et espère :

« Ce fut au terme des quatre cent trente ans, et ce fut ce jour-là même, que toutes les armées du SEIGNEUR sortirent, libérées, du pays des Égyptiens. C'est une nuit de veille et prédestinée pour la libération au nom du SEIGNEUR au moment où il fit sortir les enfants d'Israël, libérés, du pays d'Égypte. » Or quatre nuits sont inscrites dans le Livre des Mémoires.

La première nuit, quand le SEIGNEUR se manifesta sur le monde pour le créer. Le monde était confusion et chaos et la ténèbre était répandue sur la surface de l'abîme. Et la Parole du SEIGNEUR était la Lumière et brillait. Et il l'appela Première Nuit.

La deuxième nuit, quand le SEIGNEUR apparut à Abraham âgé de cent ans et à Sarah, sa femme, âgée de quatre-vingt-dix ans, pour accomplir ce que dit l'Écriture : « Est-ce qu'Abraham, âgé de cent ans, va engendrer et Sarah, sa femme, âgée de quatre-vingt-dix ans, enfanter ? » Et Isaac avait trente-sept ans lorsqu'il fut offert sur l'autel. Les cieux s'abaissèrent et descendirent et Isaac en vit les perfections et ses yeux s'obscurcirent à cause de leurs perfections. Et il l'appela Seconde Nuit.

La troisième nuit, quand le SEIGNEUR apparut aux Égyptiens, au milieu de la nuit : sa main tuait les premiers-nés des Égyptiens et sa droite protégeait les premiers-nés d'Israël, pour que s'accomplît ce que dit l'Écriture : « Mon fils premier-né, c'est Israël. » Et il l'appela Troisième Nuit.

La quatrième nuit, quand le monde arrivera à sa fin pour être dissous ; les jougs de fer seront brisés et les générations perverses seront anéanties et Moïse montera du milieu du désert et le Roi Messie viendra d'en haut. L'un marchera à la tête du troupeau et l'autre marchera à la tête du troupeau et sa Parole marchera entre les deux et eux marcheront ensemble. C'est la nuit de la Pâque pour le nom du SEIGNEUR, nuit réservée et fixée pour la libération de tout Israël au long de leurs générations.

(Targoum Ex 12,41-42.
Trad. R. Le Déaut)

un langage permettant de supprimer la distance temporelle en invitant les participants du *Seder* pascal à devenir acteurs de la sortie d'Égypte : « Quand Dieu *nous* a fait sortir du pays d'Égypte et de la servitude… » Après cela suivaient des chants de Psaumes. On buvait alors la seconde coupe qui avait été distribuée.

– Après cette liturgie pascale commençait le repas. La bénédiction sur le pain prononcée par le père de famille, le pain était distribué. Ensuite les convives mangeaient l'agneau pascal, le pain, les herbes amères et buvaient une troisième coupe. Une action de grâce concluait le repas et on chantait à nouveau des Psaumes après le partage d'une quatrième coupe.

L'interprétation du dernier repas de Jésus par Marc (14,22-25)

Chez Marc, le repas que Jésus a désiré célébrer avec ses disciples est tout orienté vers sa mort. Le but des paroles de Jésus est d'ailleurs de donner le sens de cette mort. Le récit lui-même comprend trois moments : une action et une parole sur le pain (v. 22), une action et une parole sur la coupe (v. 23-24), enfin une promesse eschatologique – c'est-à-dire qui concerne la fin des temps (v. 25).

« Ceci est mon corps. » L'action sur le pain est celle du père de famille juif qui prend le pain, prononce la bénédiction et le partage avec les convives. L'écart se situe bien évidemment dans les paroles que Jésus prononce ensuite. En parlant du corps de Jésus à propos du pain, le récit crée, dans le registre symbolique, une communion véritable entre le croyant et le Christ. La parole sur le pain affirme la nouvelle façon dont Jésus se rend désormais présent dans sa communauté : dans le pain partagé. L'absent désormais se donne à connaître d'une autre manière. Il ne comble pas le manque de son absence dans la surabondance d'une nourriture terrestre qui pourrait rassasier les corps mais pas les cœurs. Non. À travers le signe du pain rompu, Jésus se partage dans la communauté et se donne alors à connaître dans la communion des disciples au pain partagé.

« Ceci est mon sang, le sang de l'alliance. » Il en va de l'action sur le vin comme de celle sur le pain. Elle débute au départ sur l'usage juif de la table. Comme précédemment, l'écart se situe dans les paroles de Jésus assimilant le vin à son sang. « Ceci est mon sang » est suivi d'une explication : ce sang est mis en rapport avec le sacrifice du Sinaï scellant l'alliance entre Dieu et son peuple avec ici cependant un « pour beaucoup » qui fait exploser les limites nationales. La parole sur la coupe constitue un complément à celle sur le pain. La dimension communautaire symbolisée par le partage du pain est amplifiée par la notion d'alliance. Est ainsi repris le langage de l'ancienne alliance, cependant transfiguré par la personnalisation que la parole opère sur Jésus. Rattachement à une tradition religieuse et ouverture sur une autre dimension, une amplification de celle-ci. Dans la foi des premiers chrétiens, l'alliance « ancienne » se trouve ainsi accomplie dans la personne de Jésus, dans le sang versé, c'est-à-dire dans l'acceptation de la violence des hommes et son dépassement. Le rituel est non seulement assumé mais il devient un vécu personnel : ce n'est plus dans le sang des animaux que se conclut l'alliance entre Dieu et les hommes mais dans la vie d'une personne historique, Jésus de Nazareth dans lequel Dieu désormais inscrit sa volonté de réconciliation avec l'humanité. En participant à cette coupe les disciples sont intégrés dans cette alliance.

Puis vient la promesse : l'attente du banquet céleste où Jésus goûtera le vin nouveau du Royaume. Dans l'attente de ce rendez-vous donné aux disciples, attente où le récit creuse un vide, une absence entre le « jamais plus » et le « jusqu'au jour », il s'agira de « faire mémoire » de l'absent, de vivre l'absence du Christ en signifiant sa présence dans le partage du pain et du vin.

Au finale, le récit du partage du pain et du vin éclaire l'ensemble de la narration évangélique en même temps qu'il reçoit d'elle un surplus de sens : l'évangile de Marc est un parcours qui part de la présence du Christ pour aboutir à son absence et le récit se donne comme la mémoire / signe de celui qui est désormais absent du milieu des siens mais toujours présent dans sa parole, comme il l'est dans le pain et le vin dans lesquels il « signe » toujours à nouveau sa présence. Le récit du partage du pain et du vin explicite aussi cette tension propre à la narration évangélique d'une mort inéluctable en raison de la volonté des hommes et cependant totalement acceptée par celui qui donne du sens à la violence et à l'injustice des hommes.

Ce récit opère un véritable passage, celui qui va du rituel juif au rituel chrétien : Marc met en scène la Pâque de Jésus, Pâque dans laquelle s'accomplit, pour l'évangéliste, celle d'Israël. En effet, pour l'évangéliste, le repas que Jésus prend avec ses disciples est bien un repas pascal, le repas de la fête juive des « pains sans levain ». Or, en insérant ici le partage du pain et de la coupe Marc (et à sa suite Luc et Matthieu) montre que la fête effectivement célébrée par Jésus et ses disciples est la fête du Messie*, sa Pâque, son passage de la mort à la vie et la libération qu'elle offre à ceux qui la mangent avec lui.

Enfin, ce récit préfigure ce qui n'est pas encore, le banquet céleste où Celui qui est absent aujourd'hui et se donne dans le signe du pain et du vin ainsi que dans le récit qui en est fait, sera de nouveau présent auprès des siens. Dans cette attente, le langage liturgique permet d'affirmer que l'absent est mystérieusement présent au milieu des siens. Dans le partage des paroles du Maître désormais absent et le partage du pain et de la coupe, le Christ atteste, « signe » une présence particulière au milieu des siens dans l'attente d'une communion nouvelle dans le Royaume. Il s'agit désormais de vivre la présence de Dieu et de son envoyé au sein même de leur absence, d'avancer à la lumière d'une parole et à la faveur d'un signe, l'une et l'autre caractérisés par la fragilité.

Relire l'évangile à la lumière pascale

Les traces de liturgie du christianisme naissant que nous avons relevées dans le récit du dernier repas de Jésus, on peut en déceler d'autres dans l'ensemble de la narration évangélique. Elles attestent que l'évangéliste élabore son récit à partir des traditions reçues dans les communautés naissantes. Mentionnons quelques passages signi-ficatifs.

Tout d'abord, c'est l'ensemble du récit de la Passion qui existait comme récit avant même la rédaction de l'évangile de Marc. Il se présente comme un texte harmonieusement organisé qui devait circuler dans les communautés primitives et être lu lors des assemblées cultuelles.

Ensuite, on distingue, dans l'évangile de Marc, ce que l'on appelle communément la « section des pains » (Mc 6,6b-8,30). Cette section est articulée autour des deux récits de multiplication des pains (Mc 6,30-44 et 8,1-10) et pourrait bien être, à l'origine, une catéchèse eucharistique. En témoignent peut-être des traces de la parole eucharistique du dernier repas :

Mc 6,41	Mc 14,22
Prenant alors les cinq pains et les deux poissons, il leva les yeux au ciel, il *bénit* et *rompit* les pains et il les *donnait* à ses disciples pour les leur servir	Et tandis qu'ils mangeait, il *prit* du pain, le *bénit*, le *rompit* et le leur *donna* en disant…

Document

Le jour du Seigneur chez Justin

Justin est un philosophe païen converti au christianisme. Il vit au milieu du IIe siècle et meurt martyr en 165 à Rome. Dans sa *Première Apologie*, il décrit le culte dominical au cours duquel pour célébrer le repas du Seigneur sont reprises les traditions relatives au dernier repas de Jésus :

Au jour qu'on appelle le jour du soleil, tous, qu'ils demeurent en ville ou à la campagne, se réunissent dans un même lieu, et on lit les Mémoires des apôtres *ou les ourages des prophètes, pendant le temps disponible. Puis, quand le lecteur a fini, le président prend la parole pour nous adresser des avertissements et nous exhorter à imiter ces beaux enseignements. Ensuite, nous nous levons tous ensemble et nous prions à haute voix, et, comme nous l'avons dit, lorsque la prière est terminée, on apporte du pain avec du vin et de l'eau; le président prononce à haute voix les prières et les actions de grâces, avec toute la ferveur dont il est capable, et le peuple répond en proclamant l'Amen; puis, on fait à chacun la distribution et le partage de la nourriture eucharistique, et l'on envoie leur part aux absents, par le ministère des diacres.*

(Première Apologie, 67,3-5.
Trad. A. Wartelle)

Enfin, peut-être, un certain nombre de récits comme ceux du baptême de Jésus (1,9-11) ou de la Transfiguration (9,2-8), qui sont très directement empreints de la foi des communautés primitives : « Tu es mon Fils bien-aimé, tu as toute ma faveur » (Mc 1,9).

D'une certaine manière, l'évangile dans son ensemble se présente comme une anamnèse (lit. un « faire mémoire ») de ce qui est essentiel pour les jeunes communautés chrétiennes, à savoir le Christ mort et ressuscité. Rappelons qu'en Israël*, faire mémoire est un acte fondamental de la vie religieuse ; il rend présent et actualise la présence de Dieu. Autrement dit, se souvenir, ce n'est pas se tourner vers un passé révolu, mais c'est faire mémoire de celui qui vient. Par exemple, dans le texte d'Ex 20,24, Dieu dit à son peuple : « En tout lieu où je rappellerai mon nom, je viendrai vers toi et je te bénirai. » Ainsi, faire mémoire c'est en même temps se tourner vers ce qui est venu et vers celui qui vient. C'est exactement ce qui est en jeu dans la lecture communautaire de l'évangile et dans le partage eucharistique : confesser qu'il est venu et qu'il vient ici et maintenant dans l'aujourd'hui du croyant. Reconnaître l'absence et, en même temps, confesser que cette absence peut devenir présence.

Un évangile au service de la communauté

À la lecture de ce qui précède, faut-il aller jusqu'à dire qu'un évangile comme celui de Marc a été créé dès le début pour le culte ? Ou encore que l'évangile de Marc était lu la nuit de Pâque comme préparation au baptême des nouveaux convertis ? Il est clair que l'évangile est un témoignage de foi destiné à une lecture publique et non privée ou individuelle. Il est donc vraisemblable que cette lecture devait se dérouler dans les assemblées cultuelles ou les rassemblements communautaires. Mais, même si les traditions utilisées par Marc (en particulier dans le récit de la Passion) puisent dans la liturgie ancienne et qu'elles opèrent, pour certaines d'elles, une relecture de la fête juive de Pâque, sans doute faut-il rester prudent devant de telles affirmations pour lesquelles nous ne possédons aucune confirmation historique précise. Ne sont-elles pas, effet, trop réductrices, limitant l'utilisation et la fonction des évangiles à un usage liturgique ?

L'évangile de Marc n'a-t-il pas aussi, au-delà de sa dimension didactique, une portée contestataire ? En mettant en scène un Messie crucifié, en réduisant à sa plus simple expression le récit de la Résurrection, Marc ne conteste-t-il pas une communauté chrétienne qui court le risque de s'installer dans un christianisme glorieux ? Si une telle hypothèse n'exclut pas une dimension catéchétique, c'est à tout le moins d'une catéchèse en rupture que Marc se serait alors fait le défenseur.

Quoi qu'il en soit de ces discussions, une chose est sûre : la reprise par Marc de la tradition liturgique et cultuelle est tout sauf une simple répétition et un appauvrissement de celle-ci. Le récit du ministère de Jésus au sein duquel elle est insérée reçoit d'elle une réflexion théologique profilée. En retour la narration marcienne* l'éclaire d'une dimension existentielle que l'isolement de la tradition liturgique risquait d'appauvrir : c'est bien en l'homme de chair / corps et de sang, celui qui cheminait sur les routes de Galilée, c'est bien en lui que le mystère du Règne qui vient trouve son accomplissement*. Un accomplissement qu'assurément aucun des disciples historiques de Jésus n'avait envisagé sous cette forme.

ÉL. C.

Nouveau Testament :
III. Marc et le phénomène synoptique

Marc : une révélation en deux étapes

« *Commencement de l'Évangile de Jésus Christ Fils de Dieu* »
(Mc 1,1)

Telle est la première phrase de l'évangile* de Marc. Le mot français « évangile » est la traduction du mot grec *euangelion* (latin *evangelium*), littéralement « bonne nouvelle ». Ce terme vient du grec profane où il désigne les (bonnes) nouvelles liées à des naissances ou des victoires de rois, héros et autres personnages importants.

En Mc 1,1 le terme *euangelion* désigne le contenu de la prédication chrétienne à savoir la « bonne nouvelle « de la libération que Dieu promet et offre dans la personne de Jésus. L'évangile de Marc constitue la première narration de cette bonne nouvelle. Au temps où Marc est écrit c'est ce premier sens qui a court : « l'Évangile » c'est le message lui-même. Très rapidement cependant le terme « évangile » désigne le récit qui est fait des faits et gestes du prédicateur de la bonne nouvelle. Ainsi dira-t-on de Marc qu'il écrit un « évangile ».

Une christologie des titres

L'ouverture de l'évangile rassemble deux des titres principaux donnés à Jésus, titres autour duquel se déploie la réflexion christologique* de Marc, c'est-à-dire sa compréhension de Jésus : *Christ* et *Fils de Dieu* (dans certains manuscrits ce second titre est absent). À ces deux titres,

DOCUMENT

Les stèles d'Asie sur l'anniversaire d'Auguste

Le texte qui suit est une partie d'une inscription datant de 9 av.J.C., reproduisant un décret de l'assemblée des délégués des cités d'Asie. Pour honorer la grandeur du règne d'Auguste, cette assemblée décide de changer de calendrier et d'adopter comme début d'année la date de la naissance de l'Empereur, considérée comme le début des bonnes nouvelles pour le monde :

Puisque la Providence qui ordonne toute notre vie, dans son attention et dans son zèle, a prévu l'accomplissement le plus parfait de la vie humaine en lui accordant Auguste qu'elle a rempli de vertus pour le plus grand bien du genre humain et qu'elle nous l'a envoyé, à nous et à nos descendants, comme un Sauveur, lui qui a fait cesser la guerre et qui a établi l'ordre partout. Et puisque César Auguste, quand il est apparu, a surpassé toutes les espérances, car non seulement il est allé au-delà des bienfaiteurs antérieurs, mais il n'a même laissé à ceux qui viendront après lui aucun espoir de le surpasser, et puisque la date de naissance du dieu Auguste marque pour le monde le début des bonnes nouvelles (en grec : euangelia*), pour ces raisons, il a été décidé par les Grecs d'Asie que le nouvel an commencerait dans toutes les cités le neuvième jour avant les calendes d'octobre, qui est le jour de la naissance d'Auguste.*

il convient d'ajouter un troisième : *Fils de l'homme.* Ainsi, dès l'ouverture de son évangile, Marc semble affirmer très clairement l'identité du personnage principal dont il va tracer le destin et l'histoire : Jésus est bien le Messie* attendu. Cependant, la suite du récit ne va cesser de reprendre cette ouverture en fanfare. En effet, toute la narration ne cesse de poser des questions sur l'identité de Jésus, et ainsi, de poser la question de la véritable signification des titres qu'on lui attribue. De telle manière que l'auditeur de l'évangile est convoqué avec ce qu'il sait au préalable de Jésus (l'évangile s'adresse à une communauté chrétienne) et que le récit ne se présente pas pour lui comme l'acquisition progressive d'un savoir qui viendrait combler un manque. Au contraire, le récit prend la forme d'une mise en question et d'une redéfinition de ce savoir et de ce croire déjà donnés. À partir d'une confession première, celle des communautés primitives, Marc se propose d'interroger ses auditeurs sur ce qu'est véritablement la personne du Christ, ce que signifie le suivre et le connaître en vérité.

Le titre Christ

Le terme grec *Christos* vient de la racine *chriô*, « oindre ». Il traduit, dans la Septante*, l'hébreu *mâshiah* qui a donné le terme français « Messie ». C'est le titre qui, de manière privilégiée, sert à désigner dans l'espérance juive puis chrétienne le libérateur promis par Dieu. Ce terme apparaît sept fois dans l'évangile de Marc. Lorsqu'il ne conteste pas une compréhension erronée du Messie – ainsi en Mc 13,21 : « Alors si quelqu'un vous dit : Voici, le Christ est ici ! Voici, il est là ! n'en croyez rien » –, Marc prend soin de réinterpréter le titre par les deux autres expressions qui véhiculent, dans le deuxième évangile, l'essentiel de sa christologie* : la notion de Fils de Dieu et celle de Fils de l'homme. Il s'ensuit que si la destinée du disciple est bien liée au Messie, c'est, on va le voir, d'un Messie très particulier dont il s'agit.

Le titre Fils de Dieu

Dans le Proche-Orient Ancien, les rois des nations païennes se qualifient ou sont qualifiés de Fils de Dieu. Dans l'Ancien Testament, le roi est considéré comme Fils de Dieu, mais il s'agit toujours d'une adoption (Ps 2,7 : « Tu es mon fils, moi, aujourd'hui, je t'ai engendré »). Parce que l'expression plonge ses racines dans le polythéisme, le judaïsme évite d'appeler le Messie Fils de Dieu. Il ne s'agit donc pas d'un titre messianique courant.

Chez Marc, le titre a une dimension très particulière : Jésus est Fils de Dieu en ce qu'il est fils unique du Père (cf. 1,11 « Tu es mon Fils bien-aimé, tu as toute ma faveur »). Jésus se comprend alors en proximité toute particulière de Dieu. C'est sur cet arrière-plan théologique que se forgera l'idée de préexistence de Jésus auprès du Père telle qu'on la trouve dans l'évangile de Jean.

Mais l'évangéliste accompagne sa conviction de la cette filiation unique du Fils de Dieu, par une relecture de ce titre christologique dans la perspective de la Passion. C'est en effet dans le fils crucifié que Dieu se donne à connaître en vérité. C'est le Crucifié qui est véritablement « Fils de Dieu » (15,39).

REPÈRE

LES JUIFS ATTENDENT-ILS ENCORE LE MESSIE ?

Aujourd'hui, le judaïsme libéral a rejeté l'idée d'un Messie humain. L'attente messianique s'apparente alors à un idéal de progrès intellectuel et moral pour l'humanité. Dans sa réinterprétation occidentale contemporaine, le messianisme a été sécularisé. Si le judaïsme conservateur n'a, lui, pas abandonné l'attente du Messie, celle-ci se traduit plutôt par l'attente d'une ère messianique. Cette période sera caractérisée par la paix universelle, la justice sociale et la fin du mal.

La force de l'espérance messianique s'est manifestée, durant ce siècle, de façon particulièrement frappante pendant la *Shoah*. Emmenés aux chambres à gaz, les Juifs chantaient les paroles de Maïmonide (XIIe-XIIIe siècle) : « Je crois totalement que le Messie viendra, et même s'il tarde, je continue à le croire. »

Le titre Fils de l'homme

« Fils de l'homme » est une expression empruntée au judaïsme. Originellement elle désigne un membre de la race humaine : le titre signifiait donc homme, mais avec une certaine emphase. C'est dans le livre de Daniel que la figure du Fils de l'homme semble acquérir une dimension théologique plus précise : le Fils de l'homme est alors un personnage céleste qui, à la fin des temps, recevra de Dieu le pouvoir sur tous les royaumes de la terre et sur tous les peuples. Pour l'auteur du livre de Daniel ce Fils d'homme est sans doute la personnification du peuple juste, l'image parfaite de l'individu juste. Dans les évangiles synoptiques, Jésus est identifié au Fils de l'homme. Chez Marc, les paroles sur le Fils de l'homme sont de trois ordres :

– Le Fils de l'homme est d'abord perçu comme celui qui a autorité sur la terre. Ainsi Mc 2,10 : « Le Fils de l'homme est maître même du sabbat. »

– Il est bien le Fils de l'homme qui doit venir à la fin des temps. Ainsi Mc 13,26 : « Et alors on verra le Fils de l'homme venant dans les nuées avec grande puissance et gloire. »

– Il est enfin, chez Marc, le Fils de l'homme qui doit mourir et revenir à la vie. Ainsi Mc 8,31 : « Le Fils de l'homme doit beaucoup souffrir, être rejeté par les anciens, les grands prêtres et les scribes, être tué et, après trois jours, ressusciter. » Il y a une insistance très forte sur cette figure que Marc reçoit de la tradition comme les deux autres mais qu'il amplifie de façon toute particulière. [*voir* p. 104]

Une christologie en récit

La compréhension de Jésus que Marc propose se donne à connaître, non seulement dans les titres, mais dans la façon dont ceux-ci sont déployés dans l'ensemble de son récit.

Le récit de Marc est constitué en un véritable drame théologique, l'histoire du destin de Jésus entre son baptême et sa mort. Le lecteur de Marc est invité à découvrir le destin du héros principal mais sans qu'il puisse rester neutre. Le lecteur est en effet conduit à se situer par rapport à la destinée de héros (les personnages qui se situent tout au long de l'évangile vis-à-vis de Jésus permettent au lecteur de s'identifier à l'un ou l'autre des intervenants : foule, disciples, adversaires, miraculé, jeune homme riche…) : qu'en sera-t-il de lui-même devant le Fils de l'homme et face au chemin qu'il invite tout homme à prendre ? Ce projet prend forme en particulier dans l'organisation d'ensemble donnée au texte. Celle ci manifeste en effet un projet théologique précis et cohérent.

Les premiers versets de l'évangile (v. 1-15) constituent un prologue. Marc présente d'une manière très concise le ministère de Jean Baptiste, le baptême de Jésus, sa tentation et le contenu de sa prédication. Cet ensemble constitue un morceau à part dans l'ensemble de la narration. Il semble supposer un accord tacite des auditeurs potentiels de l'évangile. Comme si l'évangéliste captait l'attention de ses auditeurs en leur proposant, pour débuter, un accord doctrinal minimum.

La première partie de l'évangile (Mc 1,16-8,21) se compose pour l'essentiel de récits de miracles et d'exorcismes. Tout est centré sur l'activité thérapeutique de Jésus en Galilée, dans le but de formaliser un premier signalement de la personne de Jésus : il est celui qui a autorité, celui dont la parole intervient avec puissance dans les situations humaines. Mais les consignes de silence et les départs à l'écart sont là pour signifier que l'essentiel de l'autorité de Jésus réside ailleurs. Elle s'achève sur une question : « Ne comprenez-vous pas encore ? » (8,21).

La seconde phase de l'évangile (Mc 8,22-10,52) est dominée par les annonces de la passion et la thématique du chemin de Jésus qui est aussi celui des disciples, lesquels n'en finissent pas de ne pas comprendre. À l'intérieur de ce second moment de l'évangile, un récit central est celui de Mc 8,27-32 ; il s'agit de la confession de Pierre suivie de la première annonce de la Passion. Ce passage constitue l'axe central de la narration en orientant définitivement le récit vers la Passion.

Dans les dix premiers chapitres, l'activité de Jésus s'est déroulée en Galilée avec, à partir du ch. 10, une montée vers Jérusalem. L'arrivée à Jérusalem (cf. Mc 11,1 : « Lorsqu'ils approchent de Jérusalem ») marque donc la dernière étape du récit. Cette arrivée est le moment où culmine le conflit entre le Messie d'Israël et les autorités (Mc 11-13). Ce conflit aboutit à l'arrestation, au procès et la mort de Jésus, dont le sommet est constitué par la confession du centurion (Mc 15,39). Le récit se termine, de façon abrupte, sur la découverte du tombeau ouvert qui renvoie au début du récit (cf. Mc 16,7 : « Il vous précède en Galilée : c'est là que vous le verrez, comme il vous l'a dit »).

Reprenons deux épisodes centraux de cette narration : la confession de Pierre à Césarée et la confession du Centurion. On y retrouve les deux titres qui ouvraient l'évangile et celui de Fils de l'homme.

La confession de Pierre à Césarée : un malentendu ?

Jésus s'en alla avec ses disciples vers les villages de Césarée de Philippe, et en chemin, il posait à ses disciples cette question : « Qui suis-je, au dire *des gens ? » Ils lui dirent : « Jean le Baptiste ; pour d'autres, Élie ; pour d'autres, un des prophètes. » – « Mais pour vous, leur demandait-il, qui suis-je ? » Pierre lui répond : « Tu es le Christ. » Alors il leur enjoignit de ne parler de lui à personne. Et il commença de leur enseigner : « Le Fils de l'homme doit beaucoup souffrir, être rejeté par les anciens, les grands prêtres et les scribes, être tué et, après trois jours, ressusciter ; et c'est ouvertement qu'il disait ces choses (*lit. *il disait ouvertement la parole). Pierre, le tirant à lui, se mit à le morigéner. Mais lui, se retournant et voyant ses disciples, admonesta Pierre et dit : « Passe derrière moi, Satan ! car tes pensées ne sont pas celles de Dieu, mais celles des hommes. »* (Mc 8,27-33)

Ce récit de la confession* de Pierre à Césarée de Philippe est fondamental chez Marc. Il constitue un sommet du récit juste avant le récit de la Transfiguration (Mc 9,2-10). La confession de Pierre va aboutir à la première des trois annonces de la Passion : désormais la destinée de Jésus, jusque-là annoncée comme en pointillé, est clairement dévoilée.

À Césarée, la confession de Pierre est motivée par une question de Jésus qui résume la problématique fondamentale de l'ensemble de l'évangile. Elle concerne l'identité de celui que le récit a présenté comme Messie et Fils de Dieu. Pierre, comme représentant des Douze, confesse la messianité de Jésus semblant confirmer le bien-fondé de l'ouverture du récit en Mc 1,1. Cependant, deux détails du récit mettent plus qu'un bémol à cette confession.

D'abord la confession est immédiatement suivie d'un ordre de silence. Au pourquoi qui surgit immédiatement à l'esprit de l'auditeur, le récit propose en réponse la première annonce de la Passion. En contraste avec la consigne de silence qui suit la confession de Pierre, cette annonce de la Passion est claire annonce de la Parole (8,32) comme si là se situait le cœur de la prédication chrétienne telle que l'entend l'évangéliste. Or, à cette claire proclamation Pierre répond par un refus : sa compréhension du Messie n'est pas celle du Messie souffrant et mourant.

Le récit n'est pas tant une contestation de Pierre en tant que tel, que réflexion sur l'incompréhension fondamentale des disciples qui se déploie en puissance tout au long de l'évangile. Marc expose ainsi toute relation au Christ fondée sur la puissance et le savoir : il y a une façon démoniaque de confesser le Christ, de réduire son identité à un titre religieux et à ce qu'il suppose d'autorité et de puissance humaines. Il faudra pour le disciple passer par le sommeil de la veille au jardin, la fuite devant les gardes, le reniement du soir de l'arrestation et l'impossibilité de la présence lors des ténèbres du calvaire pour entendre et comprendre que le Messie ne se rencontre que dans la faiblesse assumée, le manque reconnu et l'impossible possibilité de la foi.

La confession du centurion à la croix : cœur de l'évangile

Quand il fut la sixième heure, l'obscurité se fit sur la terre entière jusqu'à la neuvième heure. Et à la neuvième heure Jésus clama en un grand cri : « Elôï, Elôï, lema sabachthani ? », ce qui se traduit : « Mon Dieu, mon Dieu, pourquoi m'as-tu abandonné ? » Certains des assistants disaient, en l'entendant : « Voilà qu'il appelle Élie ! » Quelqu'un courut tremper une éponge dans du vinaigre et, l'ayant mise au bout d'un roseau, il lui donnait à boire en disant : « Laissez ! que nous voyions si Élie va venir le descendre ! » Or Jésus, jetant un grand cri expira. Et le voile du Sanctuaire se déchira en deux du haut en bas. Voyant qu'il avait ainsi expiré, le centurion, qui se tenait en face de lui, s'écria : « Vraiment cet homme était Fils de Dieu. » (Mc 15,33-39)

La christologie de Marc est donc fondée sur un paradoxe qui est celui du Messie souffrant. Ce paradoxe culmine dans la confession du centurion romain. Le cœur du récit est contenu dans la confession elle-même : « Vraiment cet homme était Fils de Dieu. » Cette déclaration signifie d'une certaine manière : le Fils de l'homme souffrant, c'est le Fils de Dieu.

L'expression « Cet homme » (Mc 15,39) est essentielle chez Marc. Il y a en effet chez lui un contraste très fort entre Dieu et l'homme, une séparation totale entre la majesté, la justice, et la droiture de Dieu, et l'incrédulité, la méchanceté et le péché des hommes. Or, c'est dans ce cadre que l'humanité de Jésus devient porteuse de sens. « Cet homme » applique à Jésus un qualificatif qui, ailleurs dans l'évangile, manifeste la résistance anthropologique à Dieu (les hommes sont possédés, malades, pécheurs, leurs traditions s'opposent à la volonté de Dieu…). En Jésus l'humanité est réconciliée avec Dieu. C'est justement cette autorité de l'homme Jésus qui pose question aux scribes tout au long de l'évangile : l'accusation de blasphème s'explique par cette prétention de Jésus de résorber, en sa personne, et par l'autorité dont il se réclame, la radicale séparation entre l'humain et le divin. Ce conflit qui naît de ce qu'un homme fait exactement ce que seul Dieu peut faire, culmine dans la confession du centurion : « Cet homme était vraiment Fils de Dieu. » C'est-à-dire lui seul fait la jonction entre Dieu et l'homme. Mais le fait que cette confession soit celle du centurion à la croix indique bien le

renversement qu'opère Marc, renversement fondamental s'il en est : pour Marc Jésus n'est pas l'homme / Dieu (c'est-à-dire l'homme qui a acquis la puissance de Dieu, l'homme qui est devenu Dieu), c'est le Dieu / homme, le Dieu qui s'est fait homme qui s'est solidarisé avec l'homme, dans ce qui est le propre de la condition humaine : la finitude et la mort. La jonction entre Dieu et l'homme ne se fait pas dans l'ordre de la puissance et de la divinisation de l'homme mais dans l'ordre de la faiblesse et de la remise en question : ce n'est pas l'homme qui s'identifie à Dieu, qui acquiert ses qualités, mais c'est Dieu qui devient homme, en Jésus Christ, manifestant la folie de l'humanité donc la possibilité du salut. C'est en ce sens que l'on peut parler chez Marc d'une véritable théologie de la croix. Cette expression, employée également pour parler de la théologie de Paul, recouvre une triple dimension :
1. La croix du Christ révèle l'altérité de Dieu : on l'attendait puissant et glorieux, on se trouve devant un crucifié. Il se révèle totalement autre et totalement libre. Il brise toutes les rêveries humaines et conteste le disciple autant que les foules ou ses adversaires (l'attitude de Jésus dans son ministère terrestre selon Marc, est celle de l'homme libre par excellence).
2. La croix est, dans le même temps, comprise comme la révélation de la folie des hommes. Le Crucifié témoigne et dévoile la perdition des hommes : ils ont refusé l'envoyé de Dieu, ils ont crucifié celui qui les contestait dans leur suffisance (cf. la figure des opposants à Jésus, mais également le revirement des foules, le lamentable échec des disciples et la figure de Judas toujours présenté comme « l'un des Douze »).
3. Au finale, la croix ouvre la voie à une nouvelle compréhension de l'existence humaine (cf. les figures d'identification proposées à l'auditeur qui sont autant de possibilités de se comprendre soi-même devant Dieu) : dans la reconnaissance de ce que le Dieu de Jésus se rencontre dans le manque assumé et la faiblesse reconnue et dans la communication paradoxale de l'Évangile de la croix, l'homme est introduit dans une création nouvelle où le possible de Dieu vient rencontrer l'impossible de l'homme et où la foi même est reconnaissance de son incrédulité.

Vidé de son savoir, mis à nu dans ses illusions (tel le jeune homme qui s'enfuit tout nu lors de l'arrestation de Jésus ; Mc 14,51-52), le disciple / auditeur est invité à reprendre sans cesse la lecture du récit où l'attend, en Galilée un Messie qui se découvrira à lui sous un autre visage, le visage du Dieu absent du tombeau mais désormais proche de l'homme sur sa route.

ÉL. C.

Nouveau Testament :
III. Marc et le phénomène synoptique

La Passion selon saint Marc

Un exégète du début du XXe siècle a dit un jour des évangiles qu'ils étaient des « histoires de la Passion avec introduction circonstanciée ». Cet aphorisme est particulièrement adapté à Marc : tout son récit est centré autour de la destinée tragique du héros principal de l'histoire, Jésus de Nazareth. Cette histoire est circonscrite à la vie de Jésus de Nazareth entre son baptême (pas de récit de l'enfance comme chez Matthieu et Luc) et sa mort (pas de récit d'apparition du Ressuscité dans le texte court). Dans cet espace, l'homme de Nazareth se révèle de manière paradoxale (cf. les récits de miracles ponctués de consignes de silence) et conflictuelle (cf. les récits de controverses) sur fond d'incompréhension des disciples.

La Passion inéluctable

Le conflit qui aboutira à la Passion oppose Jésus aux responsables religieux : pendant le ministère en Galilée, les « scribes et les Pharisiens* », puis, à Jérusalem, les « chefs du peuple et les anciens ». Ce conflit se donne à connaître tout au long de la narration. Cependant, en ouverture du ministère en Galilée (Mc 2,1-3,6) et au seuil de la Passion (Mc 11,27-12,40), Marc a rassemblé deux séries de controverses qui donnent les clefs de compréhension de cette opposition mortelle. Dès les premières controverses, Jésus conteste les valeurs religieuses des scribes et Pharisiens (compréhension du sabbat, du pardon, du jeûne) et avec elles le rôle de ces derniers. Le motif d'accusation qui ressort alors est celui de blasphème, un motif qui sera repris lors du procès final. Tentons de comprendre plus précisément les tenants et les aboutissants de ce conflit. Pour cela examinons le court récit qui clôture la première série de controverses.

Il entra de nouveau dans une synagogue et il y avait là un homme qui avait la main desséchée. Et ils l'épiaient pour voir s'il allait le guérir le jour du sabbat, afin de l'accuser. Il dit à l'homme qui avait la main sèche : « Lève-toi, là, au milieu. » Et il leur dit : « Est-il permis, le jour du sabbat, de faire du bien plutôt que de faire du mal, de sauver une vie plutôt que de la tuer ? » Mais eux se taisaient. Promenant alors sur eux un regard de colère, navré de l'endurcissement de leur cœur, il dit à l'homme : « Étends la main. » Il l'étendit et sa main fut remise en état. Étant sortis, les Pharisiens tenaient aussitôt conseil avec les Hérodiens contre lui, en vue de le perdre.* (Mc 3,1-6)

Ce récit débute comme un récit de miracle. Cependant l'expression « ils l'épiaient » – « ils » c'est-à-dire les Pharisiens de 2,23 – laisse augurer que, par-delà le miracle de guérison, le conflit qui en résulte est au cœur de l'épisode. L'objet du litige est le sabbat, plus exactement la façon dont il convient de lui obéir. Pour les adversaires de Jésus, le commandement du sabbat prime toute autre considération : c'est la lettre du commandement qui conditionne l'attitude du croyant. Le Jésus de Marc, lui, met en question ce rapport au commandement. Il ne demande pas : « Faut-il faire ou ne pas faire quelque chose ? » Mais : « Que faut-il faire ? » Plus exactement : « Est-il permis, le jour du sabbat, de faire du bien plutôt que de faire du mal, de sauver une vie plutôt que de la tuer ? »

Dit autrement, il y a une façon d'obéir au commandement du repos qui est une trahison (quand la personne est oubliée au profit de la lettre de la loi) et il y a une façon de désobéir au commandement du repos qui est une façon d'entendre la voix de Dieu (quand la personne est prise en compte dans sa situation de créature). Ainsi, Jésus en transgressant le commandement l'accomplit* !

Le Jésus de Marc, à la manière de Paul, dénonce un rapport mortifère à la loi* juive : ses adversaires – tels du moins que Marc nous les présente – font de la loi un prétexte pour défendre une image de Dieu ainsi que d'eux-mêmes et de leurs privilèges religieux. Jésus propose de laisser place à la liberté que Dieu donne dans sa parole, établissant de fait un rapport différent et à Dieu et au texte de la loi.

Mais, pour ses adversaires, cette liberté est blasphème (cf. Mc 2,7 : « Comment celui-là parle-t-il ainsi ? Il blasphème ! Qui peut remettre les péchés, sinon Dieu seul ? »). Celui qui met en danger les sécurités religieuses, qui ébranle les réponses doctrinales rassurantes, celui-là doit mourir. C'est parce que sa liberté conteste radicalement l'homme qu'il va mourir ! Car dans la figure des Pharisiens tout homme peut se reconnaître : prisonnier de ses sécurités religieuses ou idéologiques et ainsi contesté par la parole d'autorité de Jésus. La mort de Jésus est donc, pour Marc, l'aboutissement de la révélation même que sa parole fait advenir : devant Jésus, l'homme se découvre révélé à lui-même. Si cette révélation peut être synonyme de guérison et de libération, elle produit chez ceux qui sont prisonniers de leurs fausses sécurités, une opposition irréductible qui conduira Jésus à la mort. Cela, Marc en indique le caractère inéluctable dès le début de son récit et tout au long de celui-ci.

Ce caractère inéluctable de la mort de Jésus, l'évangéliste l'indique en particulier à travers trois annonces de la Passion qui scandent la montée de Jésus à Jérusalem. C'est au tournant du récit, lorsque Jésus décide de quitter la Galilée pour Césarée de Philippe (8,27), présage du voyage à Jérusalem, que Marc situe la première annonce de la Passion (8,31). La deuxième annonce (Mc 9,30-32) est suivie d'une discussion des disciples préoccupés de la primauté des places dans le Royaume : « Ils avaient discuté entre eux qui était le plus grand » (Mc 9,34). La troisième et dernière annonce (Mc 10,32-34) est suivie de la demande des fils de Zébédée qui s'apparente à une question de primauté : « Accorde-nous de siéger, l'un à ta droite et l'autre à ta gauche, dans ta gloire » (Mc 10,37). Marc a soin de nous présenter les disciples comme n'étant pas encore conscients de la destinée de leur Maître. Il souligne ainsi l'écart fondamental qui existe entre l'idée qu'ils se font du Messie* et la réalité paradoxale qui se révèle à eux en Jésus de Nazareth. Dans l'évangile de Marc, cet écart ne va cesser de croître jusqu'à la cassure.

La Passion à la lumière des chants du Serviteur

La mort de Jésus a été, dès les origines, interprétée à la lumière des traditions de la Bible juive. Parmi les nombreux textes prophétiques qui ont servi à dire la signification de la mort de Jésus, et la signification qu'elle revêtait pour la foi, les « chants du Serviteur » occupent une place de choix. [*voir* vol. I, p. 336]

On peut repérer quelques traces des chants du Serviteur chez Marc. D'abord en dehors du récit même de la Passion, ensuite au cœur même de celui-ci :

– En Mc 9,12 : « Et comment est-il écrit du Fils de l'homme qu'il doit beaucoup souffrir et être méprisé ? », un *logion** sur le Fils de

BIBLE

LES CHANTS DU SERVITEUR

Les chants du Serviteur se trouvent dans les chapitres 42 à 53 du livre du prophète Isaïe (appelé aussi second Isaïe) [*voir* vol. I, p. 336]. Dans ces chapitres, le projet de Dieu s'ac-complit dans un serviteur qui fait office de médiateur entre le peuple et son Dieu. Le sang des sacrifices d'animaux est remplacé par l'engagement d'un homme, Serviteur fidèle jusqu'à donner sa vie. Dans sa mort, il rétablit non seulement l'alliance entre Dieu et son peuple, mais son « sacrifice » a une portée universelle. On comprend dès lors que la mort de Jésus a pu être interprétée à l'aide de cette figure. Un des « chants » les plus repris par la tradition chrétienne est Is 53. En voici la traduction d'après le texte hébreu :

Qui a cru ce que nous entendions dire,
et le bras du SEIGNEUR, à qui s'est-il révélé ?
Comme un surgeon il a grandi devant lui,
comme une racine en terre aride ;
sans beauté ni éclat pour attirer nos regards,
et sans apparence qui nous eût séduits ;
objet de mépris, abandonné des hommes,
homme de douleur, familier de la souffrance,
comme quelqu'un devant qui on se voile
la face,
méprisé, nous n'en faisions aucun cas.
Or ce sont nos souffrances qu'il portait
et nos douleurs dont il était chargé.
Et nous, nous le considérions comme puni,
frappé par Dieu et humilié.
Mais lui, il a été transpercé à cause
de nos crimes,
écrasé à cause de nos fautes.
Le châtiment qui nous rend la paix est sur lui,
et dans ses blessures nous trouvons
la guérison.
Tous, comme des moutons, nous étions
errants,
chacun suivant son propre chemin,
et le SEIGNEUR a fait retomber sur lui
nos fautes à tous.
Maltraité, il s'humiliait, il n'ouvrait pas
la bouche,
comme l'agneau qui se laisse mener
à l'abattoir,
comme devant les tondeurs une brebis
muette,
il n'ouvrait pas la bouche.
Par contrainte et jugement il a été saisi.
Parmi ses contemporains, qui s'est inquiété
qu'il ait été retranché de la terre des vivants,
qu'il ait été frappé pour le crime
de son peuple ?
On lui a donné un sépulcre avec les impies
et sa tombe avec le riche,
bien qu'il n'ait pas commis de violence
et qu'il n'y ait eu de tromperie
dans sa bouche.
le SEIGNEUR a voulu l'écraser
par la souffrance ;
s'il offre sa vie en sacrifice expiatoire,
il verra une postérité, il prolongera ses jours,
et par lui la volonté du SEIGNEUR
s'accomplira.
À la suite de l'épreuve endurée par son âme,
il verra la lumière et sera comblé.
Par sa connaissance, le juste,
mon serviteur, justifiera les multitudes
en s'accablant lui-même de leurs fautes.
C'est pourquoi il aura sa part
parmi les multitudes,
et avec les puissants il partagera le butin,
parce qu'il s'est livré lui-même à la mort
et qu'il a été compté parmi les criminels,
alors qu'il portait le péché des multitudes
et qu'il intercédait pour les criminels.

(Is 53,1-12)

l'homme souffrant qui renvoie peut-être à Is 53,3 : « Objet de mépris, abandonné des hommes, homme de douleur, familier de la souffrance. »

– Dans la troisième annonce de la Passion, l'annonce des moqueries, des crachats et de la flagellation du Fils de l'homme (Mc 10,34 : « Ils le bafoueront, cracheront sur lui, le flagelleront... ») rappelle Is 50,6 : « J'ai tendu le dos à ceux qui me frappaient, et les joues à ceux qui m'arrachaient la barbe ; je n'ai pas soustrait ma face aux outrages et aux crachats. »

– Bien qu'il n'y ait pas de citation littérale, il est vraisemblable qu'à l'arrière-plan de Mc 10,45 (« Le Fils de l'homme lui-même n'est pas venu pour être servi, mais pour servir et donner sa vie en rançon pour une multitude ») se trouve Is 53,12 où il est dit du Serviteur « qu'il portait le péché des multitudes ».

La figure du Serviteur souffrant est ensuite à nouveau déployée au cœur même du récit de la Passion :

DOCUMENT

LA PASSION ET LES CHANTS DU SERVITEUR CHEZ CLÉMENT DE ROME

À la suite des évangélistes, les Pères* de l'Église interprètent la destinée de Jésus à la lumière des textes de l'Ancien Testament. Clément de Rome, dans sa lettre aux chrétiens de Corinthe (vers 95-96), fait une relecture de la Passion du Christ à la lumière du chant du Serviteur d'Isaïe 53 :

Le Christ appartient aux âmes humbles et non pas à ceux qui s'élèvent au-dessus de son troupeau. Le sceptre de la majesté de Dieu, le SEIGNEUR Jésus Christ, n'est point venu avec le train de la fierté et de l'orgueil, encore qu'il l'eût pu, mais avec d'humbles sentiments, selon que le Saint-Esprit l'avait annoncé de lui dans ces termes : « SEIGNEUR, qui a cru à notre parole ? À qui le bras du SEIGNEUR s'est-il révélé ? Nous l'avons annoncé en sa présence : il est comme un petit enfant, comme une racine dans une terre desséchée ; il n'a ni extérieur ni gloire. Nous l'avons vu : il n'avait ni extérieur ni beauté, son aspect était pitoyable, il n'avait plus forme humaine. Homme tout chargé de coups et de souffrances, exercé à supporter la langueur, il détourne sa face, il est méprisé, on ne le compte plus. Il porte nos péchés et il souffre pour nous : nous l'avons considéré comme voué aux peines, aux coups et aux mauvais traitements. Il a été blessé pour nos péchés, meurtri pour nos iniquités ; le châtiment qu'il a subi nous a valu paix, nous avons été guéris par ses plaies. Nous allions tous à l'aventure comme des brebis, l'homme s'était égaré dans sa route. Et le SEIGNEUR l'a livré pour nos péchés. Quant à lui, tout maltraité qu'il est, il n'ouvre pas la bouche. Comme une brebis il a été conduit à l'égorgement ; comme un agneau sans voix devant le tondeur, il n'ouvre pas la bouche. Dans son humiliation, sa condamnation a été levée. Qui racontera sa génération, puisque sa vie est retranchée de la terre ? Les iniquités de mon peuple l'ont conduit à la mort. Je relâcherai les impies comme prix de sa sépulture, et les riches comme prix de sa mort : car il n'a point commis l'iniquité et la tromperie ne s'est point trouvée dans sa bouche. Et le SEIGNEUR veut le purifier de ses plaies. Si vous offrez des sacrifices pour le péché, votre âme verra une longue postérité. Le SEIGNEUR veut l'arracher aux douleurs de son âme, lui montrer la lumière, le former avec intelligence, justifier ce juste qui se fait serviteur d'un grand nombre. Et lui-même portera leurs péchés. Aussi une foule d'hommes seront son héritage et il distribuera les dépouilles des forts, comme récompense de ce que son âme a été livrée à la mort et qu'il a été compté parmi les scélérats. Il a porté les péchés d'un grand nombre, et il a été livré à cause de leurs péchés. »

(Clément de Rome,
Épître aux Corinthiens, 16,1-14.
Trad. H. Hemmer)

– C'est à nouveau Is 53,12 auquel fait écho la parole de Jésus sur le sang de l'alliance, lors du dernier repas avec ses disciples (cf. Mc 14,24 : « le sang de l'alliance qui va être répandu pour une multitude »).
– C'est ce même chapitre d'Isaïe que l'on doit évoquer quand on lit, en Mc 15,27, la mention de la crucifixion de deux brigands en même temps que Jésus (cf. Is 53,12 : « il a été compté parmi les criminels », un écho qui n'a pas échappé à un scribe sans doute responsable de l'adjonction secondaire de Mc 15,28, citation explicite du passage d'Isaïe).

Une lecture du récit de la Passion

Longuement préparé dans l'ensemble de la narration, le récit de la Passion proprement dit débute au chapitre 14 par l'annonce du complot des responsables religieux alors que se prépare la fête de Pâque* (14, 1-2). Un lien est établi entre les deux événements qui ne va cesser de se tisser tout au long du récit.

C'est un premier repas (14,3-9) qui est l'occasion d'un geste à haute portée symbolique, celui de la femme de Béthanie. Elle répand son parfum sur les pieds de Jésus et, sans le savoir, offre par avance l'onction pour l'ensevelissement de Jésus, une onction qui n'aura pas lieu au tombeau, faute de corps. De cette onction il sera fait mémoire, partout où l'Évangile* sera prêché. Comme la veuve avait donné toute sa vie pour le temple, cette femme donne tout ce qu'elle possède pour celui qui, par sa mort, remplacera le Temple.

Un second repas (14,12-25), le dernier que Jésus va partager avec ses disciples, va devenir le signe d'une alliance scellée du corps et du sang du Serviteur de Dieu qu'est Jésus. Il est aussi l'occasion de l'annonce de la trahison de « l'un des Douze » (14,10) et du reniement de Pierre lors du chant des Psaumes dans le jardin des Oliviers. Cette annonce du reniement n'empêchera pas le disciple de succomber à la tentation du sommeil à Gethsémani puis de renier pendant le procès. Mais le souvenir de la parole prononcée sur lui par Jésus rend possible le retour sur soi et le pleur libérateur qui ouvre au repentir : « Et Pierre se ressouvint de la parole que Jésus lui avait dite : Avant que le coq chante deux fois, tu m'auras renié trois fois. Et il éclata en sanglots » (14,72). Ce reniement de Pierre est aussi le reniement collectif du groupe des disciples qui s'enfuient tous lors de l'arrestation, le laissant seul abandonné : « Et l'abandonnant, ils prirent tous la fuite » (14,50). Le jeune homme nu (14,50-51) est peut-être une figure symbolique de la condition du disciple, vidé peu à peu de ses certitudes et laissé nu face à Jésus arrêté.

Deux procès sont au cœur du récit de la Passion : devant le Sanhédrin* (14,53-65) et devant Pilate (15,1-20). L'identité de Jésus est, toujours et encore, au cœur de ces scènes. « Fils du Béni » (14,61), « Fils de l'homme » (14,62), « roi des Juifs » (15,2 et 18). Jésus meurt alors dans la solitude, le face-à-face avec son Dieu et une ultime question : « Mon Dieu, mon Dieu, pourquoi m'as tu abandonné ? » (15,34). Cette mort tragique, signe évident de l'échec de sa mission devient pourtant le lieu où se découvre en vérité le Fils de Dieu.

Le récit s'achève alors très rapidement (15,42-16,8) sur la peur et le silence des femmes, précédé de l'ordre donné aux disciples de revenir en Galilée là où les attend Jésus. Comme s'il s'agissait de ne pas s'échapper trop vite d'un récit dont il faut reprendre et reprendre encore la lecture afin d'y rencontrer Celui que les disciples (et les auditeurs / lecteurs) croyaient connaître mais qui se découvre toujours et encore en écart de leurs (nos) certitudes et de leurs (nos) sécurités.

Passion du Fils et « suivance » du disciple

Si la volonté de placer au cœur de son récit la mort de Jésus est une évidence que la narration ne cesse de manifester, Marc articule ce thème à une invitation à suivre le Christ (on parle de la « suivance », terme qui vient d'un mot allemand intraduisible en français, *Nachfolge*). En chemin vers la Passion, le Christ de Marc ne cesse d'inviter ses disciples à le suivre. Cette thématique de la suivance renvoie à la figure des disciples, mais aussi à tous les personnages qui peuplent le récit. Au finale, c'est le lecteur / auditeur de l'évangile lui-même qui est conduit à se situer par rapport à la destinée de héros : qu'en sera-t-il de lui-même devant le Fils de l'homme et face au chemin qu'il invite tout homme à prendre ? Les personnages qui peuplent l'évangile permettent de se faire une idée de la façon dont Marc envisage les réponses possibles à cette question.

Il y a chez Marc un prototype de l'incrédulité, avec la figure des adversaires (scribes et Pharisiens, puis grands prêtres*, anciens et chefs du peuple). Mais, du point de vue de l'évangéliste, tout le monde porte, volontairement ou non, la responsabilité de la mort de Jésus : les scribes surtout bien sûr (avec anciens et grands prêtres), les Pharisiens également (avec les Hérodiens). Mais aussi Judas, « l'un des Douze », la foule qui crie « crucifie-le ! ». Mais encore les disciples en fuite et

Pierre le renégat. Tout le monde, dans le même temps, est appelé à s*uivre* Jésus : les disciples, bien sûr, mais aussi un scribe (« proche du Royaume de Dieu », cf. 12,28-34), les foules, Bartimée (Mc 10, 46-52) … Nul n'est donc, pour Marc, prisonnier de ses étiquettes, de ses choix initiaux : pour tous la rencontre est possible avec Jésus. Le refus aussi.

Si elle n'est donc pas exclusivement réservée au groupe des Douze, l'invitation à suivre Jésus caractérise bien le disciple ; elle constitue l'essence même de la condition du disciple. Mais cette suivance est là comme une question ouverte qui s'adresse au lecteur : que ferai-je moi devant Jésus ? La réponse de l'évangéliste peut se dire ainsi : seul l'homme ne peut rien, il ne peut de lui-même suivre le Maître jusqu'au bout. Suivre le Christ, « cela est impossible aux hommes » (10,27). Au terme du récit, les disciples en sont la preuve manifeste (cf. 15,50 : « Alors tous l'abandonnèrent et prirent la fuite »). Chacun peut pourtant, dans une rencontre de foi qui est reconnaissance de son incrédulité (cf. 9,24 : « Je crois ! viens au secours de mon incrédulité ! »), s'ouvrir au possible de Dieu (10,27 : « Tout est possible à Dieu »). L'advenue de Jésus aux côtés du disciple ou, plus exactement, advenue de Jésus comme celui que l'on suit « sur les chemins de Galilée » sans jamais savoir où mènera ce chemin, est sans doute le commencement d'une lecture véritablement croyante de l'évangile de Marc.

ÉL. C.

LE SECRET MESSIANIQUE : UNE PÉDAGOGIE POUR LE LECTEUR DE MARC

AU CINÉMA, le spectateur se laisse prendre par le film qui lui est projeté, il oublie le montage ; à moins d'être un critique avisé et d'en faire un objet d'analyse. Alors seulement il prend conscience de l'angle de la caméra, de la technique du cinéaste et des moyens artistiques mis en œuvre, les uns perceptibles d'emblée, d'autres étant parfois beaucoup plus subtils.

Ainsi en va-t-il dans la lecture de toute œuvre littéraire, d'un évangile* en particulier. Pendant longtemps l'Église a lu chacun d'entre eux spirituellement, posant parfois la question des différences entre eux mais en cherchant surtout à unifier l'ensemble du point de vue de l'unique événement du Christ. Mais le XIXe siècle pose la question des sources des évangiles et l'on découvre peu à peu en Marc l'écrit le plus ancien. On espère y découvrir la tradition la plus fiable sur le Jésus terrestre. Or, en 1901, W. Wrede publie en Allemagne un ouvrage très critique intitulé *Le secret messianique dans les évangiles, Contribution à la compréhension de l'évangile de Marc.* La thèse est radicale : la tradition chrétienne et particulièrement l'évangéliste Marc ont inventé ce stratagème d'un Jésus imposant silence à ceux qui proclamaient son identité messianique, pour rendre compte d'un fait : Jésus n'en avait rien dit. C'est là une proclamation post-pascale de la foi chrétienne. La thèse est outrancière, les études ultérieures apporteront des correctifs. Mais pour la première fois était posé le problème de la théologie marcienne*. On prenait en compte la médiation littéraire : c'est en distinguant le plan de l'histoire et celui de sa présentation par l'évangéliste que les exégètes feront justice au projet éditorial de Marc. Partant de la difficulté qu'a eue Jésus à faire comprendre sa véritable identité et à entraîner ses disciples à sa suite, cet évangéliste en a fait une véritable clé de lecture.

De plus, depuis quelques décennies, les exégètes* s'intéressent non seulement à ce qui relève de la théologie propre à Marc mais à son récit, à son art de raconter. Le « secret messianique » devient alors non seulement la clé d'une théologie mais aussi le ressort dramatique d'une œuvre. La narratologie (discipline qui étudie le récit comme tel) déplace le regard de l'auteur et des lecteurs historiques pour découvrir l'auteur et les lecteurs construits par le récit lui-même tout au long de l'œuvre. On ne s'intéresse plus seulement au titre de l'évangile et aux scènes qui les reprennent (comme la confession de Césarée au ch. 8 et celle du centurion au ch. 15), mais à la manière dont un auteur, interne au récit, conduit un lecteur du premier au dernier verset. Où veut-il le conduire et pourquoi ?

Révélation et secret

En lisant Marc on est frappé par la tension qui s'instaure entre la proclamation de l'identité de Jésus et ce que l'on a appelé depuis Wrede le « secret messianique ». Dès le premier verset de l'évangile, le lecteur est orienté : « Commencement de l'Évangile de Jésus, Christ Fils de Dieu. » L'essentiel semble dit et les étapes de cette révélation annoncées. Pourtant c'est un drame qui va se nouer : de quel messianisme s'agit-il ? comment Dieu établit-il son Règne ? Le Baptiste attise encore le désir : un « plus fort » va venir, baptisant dans un Souffle Saint. En fait Jésus se laisse baptiser par Jean… dans le Jourdain. Mais le lecteur reçoit une information capitale par le Père disant à Jésus : « Tu es mon Fils bien-aimé, tu as toute ma faveur » (1,11). Remarquons que, chez Marc, cette théophanie s'adresse à Jésus seul et au lecteur qui est omniscient et s'introduit dans les coulisses de l'action. Information et discrétion vont de pair. Pourquoi ?

Une telle nouvelle ne peut être tue : les démons se chargent de la proclamer ! Cette étrange association (le Père et les démons) souligne le fait que l'identité de Jésus ne peut qu'être dévoilée par un regard qui vienne d'ailleurs. Mais cette fois, et cela paraît contradictoire, l'ordre de garder le silence jaillit dès que l'identité de Jésus est proclamée. Cette atmosphère de secret, accolée à des scènes de révélation, va marquer particulièrement la première partie de l'évangile. Prenons le premier acte de Jésus : un exorcisme (Mc 1,21-28). En musique, on parlerait de l'ouverture de l'œuvre, ici de l'ouverture du ministère de Jésus. Le combat est frontal. En pleine synagogue* et le jour du sabbat, un homme possédé d'un esprit impur s'écrie : « Que nous veux-tu, Jésus le Nazarénien ? Es-tu venu pour nous perdre ? Je sais qui tu es : le Saint de Dieu. » Et Jésus le menaça en disant : « Tais-toi et sors de lui » (1,24-25). Révélation et secret voisinent. Mais quel secret ? La scène est publique, elle se déroule en pleine synagogue ; les assistants n'ont-ils pas entendu le cri de l'esprit impur ? S'il s'agissait véritablement de secret à garder, l'ordre viendrait trop tard ! Il faut passer du plan historique au plan littéraire : c'est le lecteur qui une fois encore est entraîné dans cette révélation pourtant aussitôt mise sous embargo ! Les êtres spirituels savent qui est Jésus, mais pas question de les laisser parler. Marc insiste dans le sommaire qui suit : « Il ne laissait pas parler les démons, parce qu'ils savaient qui il était » (1,34). Et de même les malades se jettent sur lui pour le toucher : « Les esprits impurs, lorsqu'ils le voyaient, se jetaient à ses pieds et criaient en disant : Tu es le Fils de Dieu ! Et il leur enjoignait avec force de ne pas le faire connaître » (3,11-12). Le secret, intimé après coup et en pleine foule, n'est pas absolu : il souligne l'importance de ce qui est dit, même s'il est inopportun de le dire ainsi, ou de le dire maintenant. Tous les titres connotant une idée de puissance (Saint de Dieu, Messie*, voire Fils de Dieu) semblent ambigus, ou demandent une explicitation : la croix les donnera. Pour l'instant il y a embargo sur l'information. Parmi les récits d'exorcismes figure pourtant une exception : celle du démon de Gerasa. À peine voit-il Jésus qu'il se prosterne et crie : « Que me veux-tu Jésus, fils du Dieu Très-Haut ? » (5,7). Ici Jésus ne le fait pas taire. C'est que la scène se passe à l'écart, en pays païen* et surtout sans témoins autres que les disciples. Mais le lecteur assiste à la scène. Quant au malade qui a retrouvé son calme, il est même invité à proclamer auprès des siens ce que Jésus a fait pour lui (5,19), prémices de ce que sera plus tard la prédication aux païens.

Envisageons maintenant quelques récits de miracles qui parfois subissent aussi une sorte d'embargo. Commençons par le lépreux (Mc 1,40-45). Il demande à Jésus de le purifier, et Jésus le fait. Marc ajoute pourtant qu'il le fait « en colère » (cette leçon textuelle est à préférer à l'autre, harmonisante : « ému de compassion »). Puis Jésus chasse le lépreux en lui imposant le silence et l'envoie se montrer au prêtre qui devait être à même d'interpréter ce signe. En effet, guérir un lépreux selon les rabbis équivalait à ressusciter un mort. Le geste de Jésus est donc fort, c'est un geste de révélation. C'est précisément pour cela qu'il est mis sous scellé par le secret. Au lecteur de comprendre !

Un deuxième miracle reçoit le même traitement : la résurrection de la fille de Jaïre (Mc 5,21-43). En présence seulement des parents de l'enfant et des disciples Pierre, Jacques et Jean, Jésus rend la vie à l'enfant : « Ils furent saisis aussitôt d'une grande stupeur. Et il leur recommanda vivement que personne ne le sût » (5,42-43). Le lecteur est là, avec les trois mêmes disciples privilégiés, que l'on verra associés à la Transfiguration comme aussi à l'agonie de Gethsémani. Le troisième récit est la guérison d'un sourd bègue : « Jésus leur recommanda de ne dire la chose à personne : mais plus il le leur recommandait, de plus belle ils la proclamaient. Ils étaient frappés au-delà de toute mesure… » (Mc 7,36-37). On retrouve le même mélange de révélation et de silence. Le quatrième miracle est la guérison de l'aveugle de Bethsaïde dont la vue est d'abord brouillée mais qui finit par voir tout clairement (Mc 8,22-26). Il annonce symboliquement la clairvoyance de Pierre dans la scène qui va suivre. À cet aveugle aussi qui n'a pourtant rien dit de l'identité de Jésus, ce dernier interdit d'entrer dans le village. Ces quatre miracles ont été retenus par Marc parce qu'ils sont des gestes messianiques. Chez Matthieu, Jésus répond aux envoyés de Jean Baptiste qui avait des doutes sur son identité messianique : « Les aveugles voient et les boiteux marchent, les lépreux sont purifiés et les sourds entendent, les morts ressuscitent » (Mt 11,5). Mais ce qui est le plus parlant en Matthieu est à nouveau soumis au silence chez Marc ! Si Jésus est le Messie, pourquoi est-il interdit de le dire ?

Après la première journée du ministère de Jésus à Capharnaüm, se déroulent les controverses galiléennes, avec pour les encadrer, deux guérisons. D'abord celle du paralytique (Mc 2,1-12) : le pardon de Jésus y engage l'autorité de Dieu. C'est ce que les scribes pensent en eux-mêmes, mais Jésus lit dans leur cœur (et le lecteur est associé à sa perspicacité) : « Comment celui-là parle-t-il ainsi ? Il blasphème ! Qui peut remettre les péchés, sinon Dieu seul ? » (2,7). Indice donc de révélation et lointaine annonce de la Passion : l'accusation de blasphème anticipe celle que l'on retrouvera dans la bouche du grand prêtre* lors du procès (14,64). L'autre miracle, la guérison de l'homme à la main desséchée, aboutit à la conspiration des Pharisiens* et des Hérodiens (3,6). La même ombre de mort plane d'ailleurs dès le début du récit sur celui qui le premier a annoncé la venue du Règne : Jean Baptiste, dont Marc nous dit qu'il a été « livré » (1,14). En ira-t-il de même de Jésus ? L'opposition passe même par les proches de Jésus : sa famille et sa parenté (3,20-21.31).

À partir du chapitre 4, Jésus prend les disciples à part pour les introduire à son mystère : « Quand il fut à l'écart, ceux de son entourage avec les Douze l'interrogeaient sur les paraboles. Et il leur disait : À vous le mystère du Royaume de Dieu a été donné ; mais à ceux qui sont dehors tout arrive en paraboles, afin qu'ils aient beau regarder, ils ne voient pas, qu'ils aient beau entendre et ils ne comprennent pas, de peur qu'ils ne se convertissent et qu'il ne leur soit pardonné » (Mc 4,10-12). Langage brusque qui annonce non pas l'intention dernière de Dieu mais la conséquence concrète de la prédication du Règne : elle aveugle autant qu'elle éclaire ! Les disciples seront-ils plus perspicaces ? Trois scènes nous montrent au contraire leur incompréhension profonde : les trois se passent dans la barque, sur le lac : lieu d'épreuve et d'instabilité. À l'issue de la première, le récit de la tempête apaisée (Mc 4,35-41), Jésus demande à ses disciples : « Pourquoi avez-vous peur ? n'avez-vous pas de foi ? » (4,40). La deuxième, la marche sur les eaux (Mc 6,45-52) a lieu après le signe majeur de la première multiplication des pains au désert, où Jésus se donne à connaître comme le pasteur de son peuple, dans le sillage de Moïse et de David. Le soir, les disciples sont dans la barque, au milieu de la mer. Jésus vient à eux, marchant sur les eaux, ils croient voir un fantôme et sont au comble de la stupeur. Marc précise : « Ils n'avaient pas compris le miracle des pains, mais leur esprit était bouché » (6,52). La troisième scène (Mc 8,14-21) a lieu après la seconde multiplication des pains. De nouveau Jésus les interroge par deux fois : « Vous ne comprenez pas encore ?… vous ne saisissez pas ? » (8,17.21). Les voilà guère mieux lotis que la foule. Pendant la première partie de l'évangile, on assiste donc à la fois à des gestes de révélation avec embargo, et à un enseignement spécial pour les disciples qui n'a pas l'air d'aboutir. Au cœur de cette problématique : l'identité de Jésus, en particulier son messianisme.

Levée progressive du secret

Ce n'est pas par hasard que Marc fait précéder la confession* de Pierre par la guérison d'un sourd bègue et d'un aveugle qui finit par voir clair, figure de Pierre proclamant : « Tu es le Christ » (8,29). Le secret paraît levé, pour la première fois par un homme. Mais aussitôt Pierre de s'opposer à la destinée souffrante de Jésus. La seconde partie de l'évangile est une longue catéchèse pour faire comprendre à Pierre, aux disciples et finalement au lecteur qu'il leur faut communier au véritable messianisme de Jésus. Il s'agit de le suivre. Pierre est brusquement remis derrière Jésus (8,33). La montée à Jérusalem est rythmée par les trois annonces de la Passion, chacune suivie d'incompréhension : celle de Pierre (8,31-33), celle des disciples se demandant dans son dos qui sera le plus grand dans le royaume (9,33-37), celle des fils de Zébédée soucieux de siéger à la droite du Seigneur dans la gloire (10,35-40). À chaque fois suit une véritable catéchèse* de la part de Jésus : « Si quelqu'un veut venir à ma suite, qu'il se renie lui-même, qu'il se charge de sa croix, et qu'il me suive » (8,34). L'image du chemin se superpose alors à celle de la confession. Un chemin qui passe par le rejet, la souffrance et la croix : un Messie faible et rejeté.

Au cours de ces chapitres, une seconde fois le secret semble levé, mais par le Père, dans une théophanie* semblable à celle du baptême, à une différence près : elle s'adresse non plus seulement à Jésus mais aux disciples Pierre, Jacques et Jean, et le lecteur est intégré à cette expérience. Le Père y révèle à nouveau la filiation de Jésus mais il ajoute : « Écoutez-le » (9,7). Tout l'enjeu est là, et l'on retrouve l'embargo sur cette information encore réservée jusqu'à la croix et la résurrection : « Comme ils descendaient de la montagne, il leur ordonna de ne raconter à personne ce qu'ils avaient vu, si ce n'est quand le Fils de l'homme serait ressuscité d'entre les morts » (9,9).

Le secret continue pourtant d'être levé. Une guérison d'aveugle (encore !) précède l'entrée messianique de Jésus à Jérusalem (Mc 10, 46-52). Scène étonnante puisque l'homme crie : « Fils de David, Jésus, aie pitié de moi ! », et même par deux fois alors que les gens le rabrouent. Pourtant, Jésus ne lui fait aucun reproche. Notons que, guéri, l'homme « cheminait à sa suite », image du parfait disciple. Ce sont ensuite les foules qui prennent le relais : « Hosanna ! Béni soit celui qui vient au nom du Seigneur ! Béni soit le Royaume qui vient, de notre père David ! Hosanna au plus haut des cieux ! » (Mc 11,9-10). Il y a pourtant un quiproquo. La révélation est claire pour le lecteur mais révoltante pour les opposants de Jésus. Parvenu au Temple, ce dernier s'affronte aux scribes dans une série de controverses et annonce la ruine de Jérusalem.

La levée du secret a lieu dans une scène particulièrement solennelle : devant le grand prêtre qui l'interroge, « Tu es le Christ, le Fils du Béni ? », Jésus répond : « Je le suis, et vous verrez le Fils de l'homme siégeant à la droite de la Puissance et venant avec les nuées du ciel » (Mc 14,62). Tous les titres se trouvent ici réunis, et la perspective messianique associée à l'origine céleste du Fils de l'homme constitue le blasphème. Le secret n'est levé par Jésus lui-même que parce que tout est désormais joué : le grand prêtre déchire ses tuniques et « tous prononcèrent qu'il était passible de mort » (14,64).

Une ultime levée du secret se fait par le centurion au pied de la croix : « Vraiment cet homme était Fils de Dieu » (15,39). Un païen a le dernier mot sur Jésus : il représente la communauté chrétienne issue des païens pour lesquels cet évangile a été écrit. Un tel parcours venant de la proclamation du règne de Dieu pour aboutir à la mise en croix du Messie et du Fils était particulièrement à même de stimuler l'espérance d'une communauté chrétienne en proie à la persécution. Elle reste d'actualité pour tout lecteur appelé à découvrir Dieu et son Règne non dans la force mais dans l'humanité faible du Fils.

J.-M. P.

Nouveau Testament :
III. Marc et le phénomène synoptique

Marc, un évangile qui s'achève sur un silence

À la différence des autres évangiles canoniques* qui s'achèvent sur des récits d'apparition de Jésus aux disciples, celui de Marc se termine au tombeau de Jésus, ouvert et vide. Selon la tradition manuscrite la plus fiable, le texte se clôt sur le silence et la peur des visiteuses.

Les femmes au tombeau

La tradition de la visite au tombeau, tôt le matin, le jour de Pâques, comporte les éléments suivants communs aux récits évangéliques : une visite des femmes à l'aube, la découverte du tombeau ouvert, l'annonce de la Résurrection par un messager (ange ou Jésus), l'envoi en mission. Voici le récit de la visite des femmes au tombeau selon Marc :

Quand le sabbat fut passé, Marie de Magdala, Marie, mère de Jacques, et Salomé achetèrent des aromates pour aller oindre le corps. Et de grand matin, le premier jour de la semaine, elles vont à la tombe, le soleil s'étant levé. Elles se disaient entre elles : « Qui nous roulera la pierre hors de la porte du tombeau ? » Et ayant levé les yeux, elles virent que la pierre avait été roulée de côté : or elle était fort grande. Étant entrées dans le tombeau, elles virent un jeune homme assis à droite, vêtu d'une robe blanche, et elles furent saisies de stupeur. Mais il leur dit : « Ne vous effrayez pas. C'est Jésus le Nazarénien que vous cherchez, le Crucifié : il est ressuscité, il n'est pas ici. Voici le lieu où on l'avait mis. Mais allez dire à ses disciples et à Pierre, qu'il vous précède en Galilée : c'est là que vous le verrez, comme il vous l'a dit. » Elles sortirent et s'enfuirent du tombeau, parce qu'elles étaient toutes tremblantes et hors d'elles-mêmes. Et elles ne dirent rien à personne, car elles avaient peur… (Mc 16,1-8)

Il est intéressant de repérer les caractéristiques propres au récit de Marc. Les femmes sont de celles qu'il avait campées au pied de la croix. Pourquoi viennent-elles au tombeau ? Chez Matthieu, c'est pour voir le tombeau, et, chez Jean, Marie de Magdala vient y pleurer, mais chez Marc elles viennent pour oindre le corps. Premier étonnement : était-il bien raisonnable d'avoir attendu, au-delà du sabbat et de la nuit suivante, pour procéder à cet hommage ? Et qui plus est à un corps torturé et scellé dans un tombeau ? On dit souvent que la sépulture avait été faite rapidement, sans les soins habituels. Rien de tel dans le texte de l'ensevelissement : Jésus est enveloppé dans le linceul et déposé dans le tombeau, la pierre est roulée par-devant ; une telle sépulture n'a rien de provisoire. Jean parle d'ailleurs d'un ensevelissement avec les aromates, selon la coutume (Jn 19,40). Nouvel étonnement : la pierre. Marc introduit le lecteur dans le questionnement des femmes en chemin : « Qui nous roulera la pierre hors de la porte du tombeau ? » N'auraient-elles pas pu y penser auparavant, requérir de l'aide à cet effet ? Lorsque les femmes découvrent la pierre roulée, Marc note qu'elle était fort grande mais il se préoccupe fort peu de nous dire comment cela s'est passé, ou de décrire la réaction des femmes. Entrées, elles rencontrent un ange qui semble les attendre : le cœur du récit est occupé par son message. Marc ne nous décrit ni son arrivée ni son départ. L'important est la proclamation du message pascal.

La narration de Marc pose donc plus d'une question au plan historique. C'est sans doute l'indice qu'il faut passer de l'histoire au plan littéraire, entrer dans la dynamique et la dramatique de ce récit : que veut-il nous dire ? Les femmes ont été témoins de la mort en croix de Jésus et de son ensevelissement. Elles viennent au tombeau non dans l'espoir de trouver un tombeau ouvert et de rencontrer le Ressuscité. Elles sont au contraire obsédées par la mort de Jésus qui maintenant repose dans un tombeau scellé. Leur interrogation à propos de la pierre, la remarque du rédacteur et la mention des aromates pour honorer le corps du défunt : tout cela va dans le sens d'une dramatisation autour de la mort et de son impact. Le messager va renverser la perspective. Il s'agit d'un jeune homme, mais la couleur de son vêtement blanc désigne sa provenance (Matthieu et Jean parlent d'anges). Il est assis (signe d'autorité) à la droite du tombeau (position d'honneur : c'est un témoin privilégié). Les commentateurs se sont interrogés sur ce « jeune homme » : le messager céleste prendrait-il les traits d'un catéchumène pour proclamer la confession* de foi de l'Église ? La réaction des femmes est à l'unisson de ce que les disciples ou les auditeurs de Jésus ont ressenti face à ses paroles, ses gestes de puissance (Mc 1,27 ; 10,24.32 ; 9,15 ; 14,33) : un étonnement plein de crainte devant l'irruption du divin au milieu des hommes.

Au centre de la scène s'exprime le message pascal dans un contraste saisissant. On retrouve face à face : la quête de Jésus « le Nazarénien » (expression de Marc) qui est maintenant « le Crucifié » : ce participe parfait grec désigne un état et confère à Jésus une sorte de titre. On sait l'importance de la croix dans l'évangile de Marc, mais aussi dans le kérygme* paulinien* dont Marc est ici très proche. Face à la mention du Crucifié on trouve l'annonce de la Résurrection : Il est ressuscité ! Il n'est pas ici. C'est le mouvement de la première prédication chrétienne (cf. Ac 4,10). Et c'est seulement ensuite que vient la mention du lieu, vide. La tradition ultérieure, perceptible dès Matthieu, soulignera davantage l'importance du tombeau vide comme signe, et l'apologétique chrétienne abusera de cette scène pour en faire une preuve de la résurrection. Ici, la révélation pascale est proclamée dans le tombeau. La foi ne naît pas du constat d'un tombeau ouvert et vide (cf. chez Jean la réaction de Marie de Magdala : on a enlevé le Seigneur du tombeau ; ou la rumeur d'un vol du corps à l'arrière de la tradition matthéenne) mais d'une révélation et des apparitions du Christ.

Suit l'envoi en mission : il leur faut apporter la nouvelle à Pierre et aux disciples en reprenant le chemin de la Galilée où avait débuté l'itinéraire de Jésus dans l'évangile de Marc. C'est sur les chemins de la mission que se fera désormais la rencontre du Ressuscité. Or la finale est surprenante : crainte, fuite et silence. La crainte est l'indice du mystère en train d'être révélé. Mais la fuite ? et le silence ? On mesure la différence de cette finale en lisant les autres récits en Matthieu, Luc ou Jean : Marie ou les femmes courent annoncer la nouvelle aux disciples. C'est donc dans le récit de Marc tout entier qu'il faut chercher la réponse. L'évangéliste n'a cessé de souligner l'incompréhension des disciples devant le messianisme et la destinée de Jésus, en particulier devant sa souffrance et sa croix. Pierre le premier et les disciples avaient l'intelligence épaisse et le cœur endurci. À Gethsémani, ils dorment, à l'arrestation tous s'enfuient. « Un jeune homme le suivait (sorte d'icône du disciple ou du catéchumène) n'ayant pour vêtement qu'un drap, et on le saisit ; mais lui, lâchant le drap, s'enfuit tout nu » (Mc 14,52). Il est à noter qu'aussitôt après Marc mentionne Pierre qui avait suivi Jésus « de loin » (Mc 14,54) ! Les femmes, elles, assistent à la crucifixion, celles « qui le suivaient et le servaient lorsqu'il était en Galilée, beaucoup d'autres encore qui étaient montées avec lui à Jérusalem » (15,41). On s'attendrait à un traitement privilégié de ces femmes par l'évangéliste, la tradition va d'ailleurs dans ce sens : elles courent porter la nouvelle. Y avait-il ensuite une péricope de ce type, aujourd'hui perdue ? Une chose est sûre : l'évangile de Marc se termine sur ce silence (la finale, courte ou longue, est secondaire). Il n'a pas dû être total, et le lecteur le sait bien qui connaît aujourd'hui le récit des apparitions. Ce silence souligne au plan littéraire l'incapacité de quiconque à pénétrer ce mystère de mort et de vie de Jésus : hommes, femmes, disciples, tous sont comme aveugles ou réduits au silence. Après la Transfiguration, les disciples se demandaient entre eux ce que signifiait : « ressusciter d'entre les morts » (9,10). Ici les femmes sont hors d'elles-mêmes et gardent le silence, marque de l'emprise du mystère sur elles. C'est le Ressuscité qui va se donner à connaître sur les chemins de la mission.

La finale canonique

Les éditions annotées de la Bible mentionnent diverses finales pour l'évangile de Marc : la finale longue, dite canonique* (Mc 16,9-20), ou une finale courte. Données par certains manuscrits anciens, elles ont été vraisemblablement composées pour casser le côté abrupt de l'évangile et combler le vide d'un récit s'arrêtant avant les apparitions. Certains pensent que primitivement Marc comportait un récit d'apparition notamment à Pierre. En fait aucun manuscrit n'appuie cette supposition. Au IVe siècle Eusèbe de Césarée notait que « les exemplaires exacts » des manuscrits à sa disposition s'arrêtent au silence des femmes (Mc 16,8), et que ce qui suit (la finale longue) manque dans presque tous les exemplaires. Vont dans le même sens le témoignage de Jérôme, des grands onciaux (Sinaïticus et Vaticanus du IVe siècle), de plusieurs versions et des Pères*. La finale dite « canonique » (16,9-20) fait cependant partie du texte actuel du Nouveau Testament : elle est attestée déjà par Irénée au IIe siècle, ainsi que par le *Diatessaron* de Tatien. Datant peut-être du début du IIe siècle, elle est un témoignage du christianisme ancien mais n'est pas de la main de Marc. Telle est la conclusion que l'on doit tirer à partir de plusieurs raisons (critique textuelle, style, et autres motifs) : par exemple, l'expression « le premier jour de la semaine », au verset 9, ne désigne plus la date de la visite au tombeau, mais celle de la Résurrection du Christ. La tradition ultérieure chez Justin ou Clément d'Alexandrie atteste ce motif. [*voir* p. 564]

La composition de cette finale canonique est claire et dynamique : en trois vagues successives, le Ressuscité apparaît à Marie de Magdala, puis à deux disciples en chemin, enfin aux Onze. À chaque fois, c'est l'incrédulité qui est soulignée par le rédacteur : on ne crut pas Marie, on ne crut pas les disciples non plus, et Jésus de reprocher aux Onze leur incrédulité. L'incrédulité, attestée par la tradition évangélique, porte cependant ici non pas sur le Ressuscité lui-même mais sur le porteur du message, avec une mise en lumière des conséquences de foi ou de l'incrédulité accordée à la proclamation évangélique : le salut. De quoi interpeller les lecteurs, la communauté chrétienne. Sur ce point, cette finale prolonge bien la dynamique de l'évangile qui insistait tant sur l'incrédulité des disciples. Autre point de prolongement : l'universalisme de la prédication souligné par trois termes : « le monde entier, toute la création, partout ».

La finale canonique mentionne ensuite une série de signes placés sous l'invocation du nom de Jésus : les deux premiers prolongent son agir (expulser les démons) et de la première communauté chrétienne (la glossolalie* dans les Actes des Apôtres). Le serpent devenu inoffensif renvoie aussi à une promesse de Jésus (Lc 10,19, en lien avec le démon). Quant au poison, il était utilisé lors de condamnations ou de persécutions : le motif est connu dans la littérature apocryphe. Enfin l'imposition des mains aux malades. Il faut souligner l'extension de ces signes à tous les croyants et non aux seuls apôtres : c'est un signe d'ancienneté. La finale culmine sur l'intronisation de Jésus, enlevé au ciel (comme Élie) et assis à la droite de Dieu. La thématique est proche de celle de Luc. Et dans le même temps, la prédication se répand en tout lieu, le Seigneur agissant et confirmant la Parole par les signes qu'il donne.

J.-M. P.

La tradition chrétienne du IIe siecle attribue à l'apôtre Matthieu l'évangile le plus lu dans les Églises antiques. Certains identifient ce Matthieu, un publicain, au Lévi des autres évangiles (voir Mt 9,9 ; 10,3 et Mc 2,14). Mais l'auteur se révèle surtout par son œuvre, comme en cette notice : « Tout scribe qui s'est fait disciple du Royaume des Cieux est semblable à un maître de maison qui tire de sa réserve du neuf et du vieux » (Mt 13,52). Spécialiste juif de la Loi et des Prophètes (*scribe*), il est devenu chrétien (*disciple du Royaume*), et responsable d'une Église* (*maître de maison*). Avec une équipe (*tout scribe*), il a mis sa science de l'Ancien Testament au service du message de Jésus. Son évangile contient du vieux, les traditions sur Jésus, et du* neuf, *une manière d'organiser et de compléter ces traditions pour éclairer une situation nouvelle.*

Matthieu : auteur et destinataires

Pour élaborer son œuvre, Matthieu s'est servi de l'évangile* de Marc et d'un document rassemblant des paroles de Jésus et quelques récits. Les spécialistes nomment « source *Q** » (de l'allemand *Quelle*, source) ce document disparu auquel Luc a eu également accès. Matthieu a aussi exploité des traditions propres à son Église*, par exemple la parabole des ouvriers envoyés à la vigne (Mt 20,1-16). Cette hypothèse est parfois contestée. Mais on ne saurait situer trop tôt la rédaction de Matthieu car elle reflète une Église aux courants complexes, fruit d'une longue histoire. Il semble que l'évangile de Matthieu fut publié à l'intention de l'Église d'Antioche de Syrie, vers l'année 90, quelque vingt ans après la destruction de Jérusalem et de son Temple, événement dont le texte porte des traces (Mt 22,7 ; 24,1-2).

Cette Église inclut des héritiers de Paul, qui déforment sa pensée en prétendant que Jésus a aboli la loi* (Mt 5,17-19). Se profilent, à l'opposé, des fidèles de Jacques, le frère du Seigneur. Liés aux Pharisiens*, ils suivent les règles juives avec minutie (Mt 23). Ils s'ouvrent peu aux païens*, rappelant que Jésus n'a été envoyé « qu'aux brebis perdues de la maison d'Israël » (Mt 15,24). Entre les extrêmes, Matthieu préfère le cercle de ceux qui se réclament de Pierre. Ce dernier s'était signalé, malgré Paul, par une attitude modérée face aux courants opposés. Matthieu partage sa modération et, en filigrane, il laisse volontiers s'exprimer les différents cercles.

Son évangile défend les petits, les enfants, ceux qui peinent. Cette tendresse contraste avec une sévérité extrême à l'égard de ceux qui font peser leur pouvoir, c'est-à-dire les prophètes et les scribes qui œuvrent dans l'Église (Mt 7,15-23). Réprouvant leur autoritarisme, l'évangéliste voudrait voir en eux des modèles ; or « ils disent et ne font pas » (Mt 23,3).

Les tensions entre les courants de la communauté et les critiques à l'encontre de ses chefs se focalisent sur le problème de la loi : la vie chrétienne consiste-t-elle en la fidélité à une loi ? Cette loi équivaut-elle à la loi de Moïse, telle que les scribes en précisent les obligations à partir de « la tradition des anciens » (Mt 15,1-6) ?

Le Jésus de Matthieu fustige l'hypocrisie d'une religion réduite à une casuistique sans âme (Mt 23,23-24). Il y a là un conflit d'autorité : les Pharisiens, mouvement juif le plus influent, et les scribes, interprètes de la loi, sont rendus responsables d'une complexité des règles par laquelle ils assujettissent les gens simples à leur pouvoir. Mais l'attaque vise aussi les chefs chrétiens enclins à la même dérive (Mt 23,1-11).

En revanche, en matière de juste pratique de la loi, les disciples doivent surpasser les scribes et les Pharisiens (Mt 5,20), et le fils qui dit non, mais qui finalement « fait la volonté du père » vaut mieux que celui qui dit oui, mais ne fait rien (Mt 21,28-32). Le verbe « faire » revêt chez Matthieu une force particulière. Docteur ou simple disciple, tous n'ont qu'un même objectif, dit Jésus : « faire la volonté de mon Père qui est dans les cieux » (Mt 7,21). Or cette insistance rejoint l'âme du judaïsme* pharisien pour lequel la religion authentique est moins un penser juste qu'un agir juste. Où situer alors la ligne de partage ?

Pour l'évangéliste, l'autorité du Christ supplante celle des scribes et s'impose seule en matière d'interprétation de la loi. Le Sermon sur la montagne (Mt 5-7) prône la recherche de l'intention profonde des commandements, une pratique empreinte de miséricorde et l'attention à ceux que les lois pourraient écraser. L'interprétation de Jésus est recevable, parce qu'il s'est impliqué en maître « doux et humble de cœur » (Mt 11,18-30), réalisant lui-même les béatitudes (Mt 5,3-10). Matthieu bâtit son évangile autour de cinq sermons dans lesquels Jésus parle comme un maître à des disciples. Mais aussi comme le Messie* qui jugera l'Église et l'humanité, selon le seul critère de l'amour exercé envers les déshérités de la vie (Mt 25,31-46). Or ce critère n'est pas sans lien avec la pensée pharisienne : « Ce qui te déplaît, ne le fais pas à autrui : voilà toute la loi. Tout le reste n'est que commentaire » (Hillel).
[*voir* p. 102]

Cl. T.

MATTHIEU : UN ÉVANGILE POUR DES CHRÉTIENS D'ORIGINE JUIVE

DES TENSIONS complexes divisent les destinataires de l'évangile* de Matthieu, et l'évangéliste œuvre à leur réconciliation. Aux ministres de sa communauté, il reproche un autoritarisme qui les assimile aux scribes du parti pharisien* (Mt 23,1-11). Dans ce débat animé, c'est la loi* mosaïque qui est en jeu, sa place et son interprétation dans la vie chrétienne. Matthieu accepte le caractère central du problème et, dans le Sermon sur la montagne, l'autorité de Jésus est celle d'un nouveau Moïse. Par comparaison avec Marc et Luc, on conclut, de cette insistance, que l'évangéliste s'adresse à des chrétiens issus du judaïsme*, et mis en cause par leur environnement quant à leur rapport au judaïsme.

D'APRÈS LE TEXTE DE L'ÉVANGILE

Marc doit expliquer les usages juifs à ses destinataires romains. Matthieu, lui, sait ses lecteurs d'Antioche de plain-pied avec les directives des scribes. De fait, les chrétiens auxquels il s'adresse sont en majorité d'origine juive. Ils observent le repos du sabbat au point que, dans le danger, ils doivent prier pour que leur fuite n'ait pas lieu un jour de sabbat (Mt 24,20) : au malheur, s'ajouterait une infraction. Chez Matthieu (12,1-8), les disciples qui arrachent des épis un septième jour sont excusés d'esquisser le geste de moissonner parce qu'ils avaient faim et parce que Jésus exige la miséricorde. Mais celui-ci ne remet pas en cause le sabbat en tant que tel. Dans le débat où Jésus oppose la pureté rituelle en matière de nourriture et la pureté morale, Marc saisit l'occasion pour décréter que Jésus « déclarait purs tous les aliments » (Mc 7,19). Rien de tel chez Matthieu pour qui les pratiques rituelles vont de pair avec les exigences éthiques : « faire ceci sans négliger cela » (Mt 23,24), tel est le mot d'ordre.

Ces chrétiens devaient-ils, comme tout Juif, verser leur tribut annuel au Temple ? À la question répond un récit subtil : le miracle du poisson qui offre à Jésus et à Pierre le montant de leur redevance (Mt 17,24-27). En principe, dit Jésus, les chrétiens sont exemptés, en raison de leurs relations nouvelles avec le Père. En pratique, « pour ne pas scandaliser » les Juifs, qu'ils paient ! Certes, quand paraît l'évangile de Matthieu, le Temple est en ruines. Mais les Romains avaient maintenu cet impôt juif et ils en versaient le produit au Temple de Jupiter capitolin. Dès lors, l'Église matthéenne n'avait pas la lâcheté de se désolidariser des vaincus.

Elle ne le pouvait pas, si elle prétendait, de fait, donner l'exemple des valeurs juives. Le Juif qui cherche à être « juste » aux yeux de Dieu ne se contente pas de satisfaire aux exigences de la loi. Sa justice s'exprime par l'aumône, la prière et le jeûne. Ces trois piliers ont leur place dans la communauté de Matthieu. L'évangéliste les met en valeur dans le Sermon sur la montagne (Mt 6,1-18), tout en dénonçant la pratique ostentatoire de certains chrétiens enclins à rivaliser de piété avec d'autres cercles juifs. Le juste prouve aussi son amour de Dieu en accomplissant les « œuvres de miséricorde » ou « bonnes œuvres ». Variables selon les listes des Sages, elles incluent la charité envers qui est nu ou affamé, la visite des malades, la consolation de ceux qu'afflige le deuil. Or, selon Matthieu, les chrétiens ont pour mission d'honorer Dieu et l'Église* par la pratique de ces œuvres, lesquelles serviront de critère lors du jugement final de l'humanité.

Les autres évangiles ignorent pareille ambiance juive parce qu'ils visent des cultures différentes, et seule l'Église matthéenne a conservé cet ordre de Jésus : « Ne prenez pas le chemin des païens et n'entrez pas dans une ville de Samaritains* ; allez plutôt vers les brebis perdues de la maison d'Israël » (Mt 5,5-6). Voilà qui légitime l'option de chrétiens axant leur effort missionnaire sur les Israélites, même si l'évangéliste aspire à une plus grande ouverture. Selon lui, en effet, Jésus ressuscité ordonne que son enseignement atteigne « toutes les nations* », sans discrimination (Mt 28, 16-20).

Au reste, cette Église accueille des non-juifs, surtout des femmes. D'où l'insertion de quatre figures féminines dans la généalogie de Jésus

(Mt 1,1-18). Elles représenteraient les étrangères converties : Thamar, selon la tradition juive, est syrienne, Rahab est cananéenne, Ruth, une Moabite ; Bethsabée est désignée par le nom de son mari : Urie, un Hittite. La rencontre entre la Cananéenne et Jésus (Mt 15,21-28) a valeur d'anticipation. Elle dessine une Église qui voit en Jésus l'Envoyé de Dieu à Israël et qui, en même temps, intègre des non-juifs qui confessent le Messie* d'Israël.

Entre le judaïsme et ce christianisme-là, il y a donc une intime parenté, et il arrive parfois que l'évangéliste refaçonne les paroles de Jésus pour les rapprocher des maximes des Sages juifs. Pourquoi alors de solides arguments accusent-ils Matthieu d'« antijudaïsme » ? Jusqu'à quel point les attaques de Matthieu relèvent-elles d'un débat interne au judaïsme ? Le contexte historique répond en partie à ces questions.

Dans le contexte historique juif

« Le monde tient debout sur trois choses ; la loi, le culte et les œuvres de miséricorde » (*Pirqé Abot** 1,2). Cette maxime juive, antérieure à notre ère, trouva un cruel démenti dans l'incendie du Temple, en août 70. Un des trois fondements disparaissait : le culte, c'est-à-dire les

Document

Yavneh

La ruine de Jérusalem offrit une célébrité inattendue au bourg de Yavneh (*Jamnia*, selon le nom grec), à 20 km au sud de Tel Aviv. La légende veut que Yohanan ben Zakkaï, caché dans un cercueil, sortit de Jérusalem assiégée et atteignit le camp des Romains. Ceux-ci auraient alors accédé à sa requête d'établir à Yavneh une académie de Sages juifs. En réalité, on date plutôt du début des années 80 la fondation de cette « maison d'étude », et c'est surtout Rabban Gamaliel II qui lui donna son essor, au tournant des Ier et IIe siècles. Des scribes et des maîtres spirituels vinrent là « se faire disciples », selon un terme cher à Matthieu.

Résidant ou non à Yavneh, les générations de Sages couvrant les deux premiers siècles sont appelés les *Tannaïm** (« répétiteurs »). Prenant acte de la fin du Temple et de l'État, leur souci fut ceci : faire de la loi de Moïse la base des prescriptions pratiques en matière de droit civil, criminel, religieux. Pour réaliser ce projet, il leur fallut constituer une jurisprudence à partir de traditions antérieures, déterminer quels livres on devait considérer comme sacrés (le canon des Écritures) et commenter, collectionner les homélies qui avaient nourri la foi juive.

Ce long travail aboutit, au seuil du IIIe siècle, à la promulgation de la *Mishna**, code central des règles de la vie juive qui, aux IVe et Ve siècles allait s'enrichir de la rédaction du *Talmud**. Les scribes, salués comme rabbis* (titre honorifique), allaient devenir les rabbins (titre de fonction). Du judaïsme ancien, on passait au judaïsme rabbinique. Yavneh en fut le berceau.

sacrifices qu'on ne pouvait offrir que dans le sanctuaire de Jérusalem. Sombrait aussi le parti sadducéen*, puisqu'il tenait son pouvoir de la supervision du Temple, maintenant détruit, et de sa puissance politique, à présent sans objet, puisque Israël n'était plus un État. Un seul parti survivait à la débâcle, celui des Pharisiens. Il allait assurer la renaissance du judaïsme et une autre forme de culte, à l'époque où, précisément, Matthieu édite son évangile.

En hébreu, le culte est « le service » de Dieu. Tant que le Temple se dressait dans Jérusalem, ce service s'exprimait par l'immolation d'animaux. Mais, dès avant le cataclysme, les homélies des scribes ou Sages enseignaient que le véritable service de Dieu consistait en une obéissance de tous les instants à sa loi. Des sacrifices qu'il offrait, le fidèle attendait aussi la restauration de ses relations avec Dieu, et l'on saluait le Temple comme « le lieu où étaient expiées les iniquités d'Israël ». Mais, après sa destruction, Yohanan ben Zakkaï affirmait : « Nous avons une autre expiation, aussi efficace que celle-là. Laquelle ? Les œuvres de miséricorde, selon qu'il est dit : C'est la miséricorde que je veux, et non le sacrifice » (Os 6,6).

Peu après 70, le Sage, auteur de cette sentence, ben Zakkaï, attira à Jamnia (ou Yavneh) des spécialistes qui constitueraient une maison d'étude, une académie. Ainsi se réunirent des scribes (ou « docteurs de la loi » ou « Sages »), des Pharisiens et d'autres élites du judaïsme

DOCUMENT

LA BÉNÉDICTION CONTRE LES *MINIM*

La prière juive des Dix-huit Bénédictions (*Shemoneh Esreh*) incluait, au moins en Palestine, cette 12e bénédiction : *Qu'il n'y ait nulle espérance pour les apostats. [...] Que les Nazaréens* et les minim* périssent à l'instant. [...] - Béni sois-tu, Seigneur, qui courbes les orgueilleux.*

Une notation laconique de la *Mishna* (IIIe siècle) prétend que la bénédiction contre les *minim* apparut à Jamnia, à l'instigation de Gamaliel II (fin du Ier siècle). Selon l'opinion reçue, le texte vise les chrétiens : ne pouvant se maudire eux-mêmes dans cette prière publique, ils se voyaient par là exclus des synagogues*. Il est vrai que des chrétiens de l'Église de Jean subirent cette exclusion (Jn 9,22 ; 16,2), et que Matthieu marque un début de rupture lorsqu'il note que Jésus enseignait « dans *leurs* synagogues » (9,35).

Mais les chercheurs restent intrigués : les *minim* (« sectaires », plutôt que « hérétiques ») sont des Juifs. Mais qui sont les *Nazaréens* : une secte juive ? les chrétiens juifs ? une secte judéo-chrétienne ? La conclusion doit rester prudente. D'abord, il ne s'agit pas des chrétiens non-juifs. Ceux-là laissent les scribes indifférents. Le mot *minim* recouvre des groupes juifs, qui peuvent être fort divers et se voient fustigés parce qu'ils se dérobent ou s'opposent au recentrage théologique et disciplinaire opéré par les Sages de Jamnia. Dans ce cadre, les Juifs chrétiens, dont l'Église de Matthieu, se trouvaient particulièrement dans la ligne de mire.

© Dagli Orti

Le Bon Pasteur. Marbre, Musée du Louvre, Paris.
Le devant de ce sarcophage du IIIe siècle
en provenance de Rome est décoré de strigiles, cannelures dont le mouvement
évoque l'eau vive et la résurrection. Le Christ, sous les traits du Bon Pasteur (Jn 10),
est représenté selon les canons de l'esthétique gréco-romaine,
imberbe et éternellement jeune.

Ci-contre :
Adoration des mages.
Pierre Bruegel l'Ancien
National Gallery, Londres.
La tradition apocryphe parle de trois mages et en fait des rois. Le texte évangélique (Mt 2) ne fournit pas ces détails.

Ci-dessous :
La vocation de saint Matthieu.
Le Caravage,
église Saint-Louis-des-Français, Rome.
Matthieu faisait tranquillement son métier de publicain. Son étonnement d'être appelé se lit sur son visage (Mt 9).

Ci-dessus :
La Cène, (détail).
Andrea del Castagno,
couvent Santa Apollonia, Florence.
Dans cette disposition
classique de la Renaissance,
tous les apôtres sont vus de face,
sauf Judas à qui Jésus tend la bouchée.
Pierre est à droite de Jésus.
Jean, plus jeune,
repose sur la poitrine
du Maître (Jn 13,25).

Ci-contre :
Le Christ au jardin des Oliviers.
Le Greco,
Musée des Beaux-Arts, Budapest.
La scène est représentée
selon la version de Luc :
Jésus, redoutant la mort,
est réconforté par un ange (Lc 22,43).
Les apôtres Pierre,
Jacques et Jean dorment.
Au fond à droite, arrive la troupe
qui vient arrêter Jésus.

Ci-contre :
Crucifix (XIIe siècle),
Braunschweig, Allemagne.
Le Christ des crucifix romans est éveillé, vêtu, ses bras horizontaux couvrent le monde. L'image figure à la fois la souffrance et la gloire.

Ci-dessous :
La Résurrection. Fresque, Chapelle Saint-Sébastien, Lanslevillard (Savoie).
Les artistes ont souvent représenté le moment de la Résurrection. Les textes évangéliques n'en montrent que les effets.

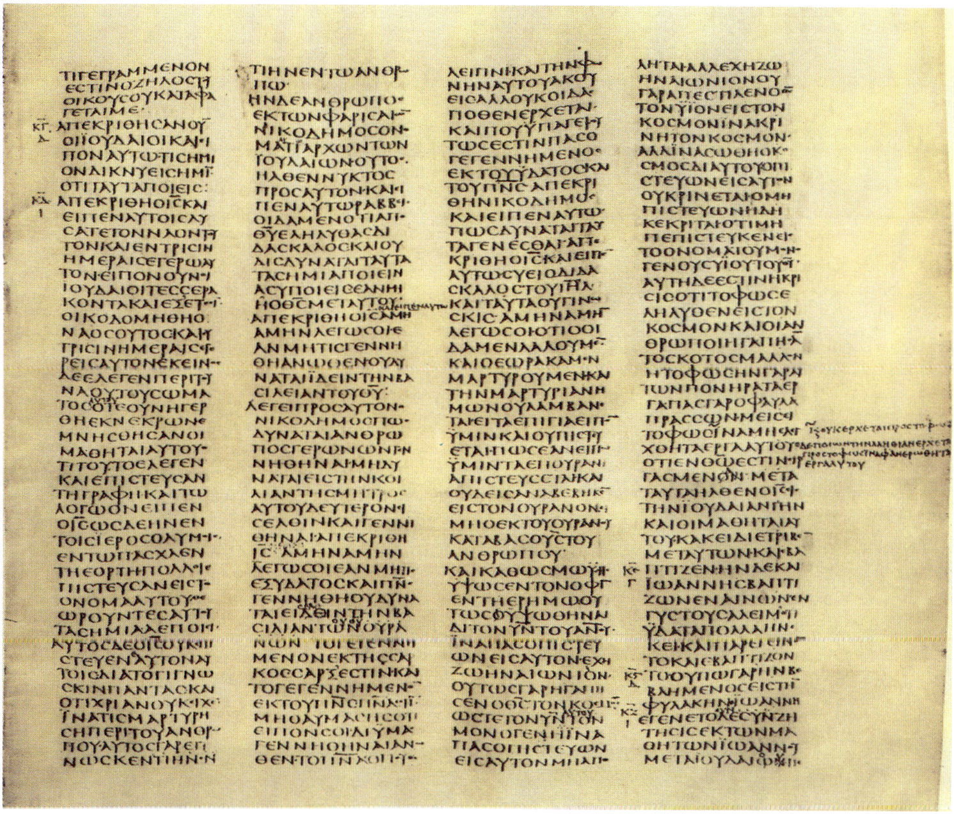

Ci-dessus :
Nouveau Testament, Codex Sinaiticus.
Parchemin (IVᵉ siècle),
British Museum, Londres.
Avec le *Vaticanus*, ce manuscrit écrit en lettres majuscules est le plus ancien témoin connu reproduisant la totalité du Nouveau Testament. Il a été découvert au monastère Sainte-Catherine du mont Sinaï.

Ci-contre :
Nouveau Testament,
Papyrus p52 (vers 125 ap.J.C.).
John Rylands Library,
Manchester, Grande-Bretagne.
Le plus ancien fragment connu du Nouveau Testament. Écrit recto verso, il reproduit quelques versets du chapitre 18 de Jean.

© Dagli Orti

Ci-dessus : *Navire chargé de marchandises.* Mosaïque, Ostie antique, Italie.
Les cargos chargés de marchandises acceptaient pour un prix modique quelques voyageurs à qui l'on fournissait l'eau potable.
Paul et ses compagnons sillonnèrent la Méditerranée sur des bateaux de ce type.

Ci-dessous : *Deux gymnastes luttant.* Détail d'une coupe, Musée de l'Agora, Athènes.
Les jeux du stade étaient très populaires dans le monde grec.
Ils avaient même été introduits à Jérusalem. Paul les évoque dans ses lettres (1 Co 9).
Les athlètes concouraient nus, ce qui suscitait la réprobation des Juifs observants.

© Dagli Orti

Statue d'Artémis. Marbre, Musée de Selcuk-Ephèse, Turquie.
Identifiée à la Diane romaine, l'Artémis grecque avait subi l'influence des religions de fécondité orientales et possédait de nombreuses mamelles. Paul eut des difficultés avec les orfèvres qui fabriquaient des reproductions du temple d'Artémis à Éphèse, l'une des sept merveilles du monde (Ac 19).

© Dagli Orti

Christ en gloire entouré des symboles des quatre évangélistes. Pierre (VIIe siècle), ancienne abbaye de Jouarre (Seine-et-Marne).
L'amande, ou mandorle, figure la gloire du Ressuscité.
Il est entouré de quatre vivants ailés, symboles des quatre évangélistes, empruntés à la Mésopotamie à travers le livre d'Ézéchiel (1,10).
L'attribution s'est faite à partir du début de chaque œuvre.
Un homme pour Matthieu : la généalogie humaine de Jésus.
Un lion pour Marc : la prédication de Jean Baptiste dans le désert.
Un taureau pour Luc : le sacrifice de Zacharie au Temple de Jérusalem.
Un aigle pour Jean : le Verbe de Dieu vient du ciel.

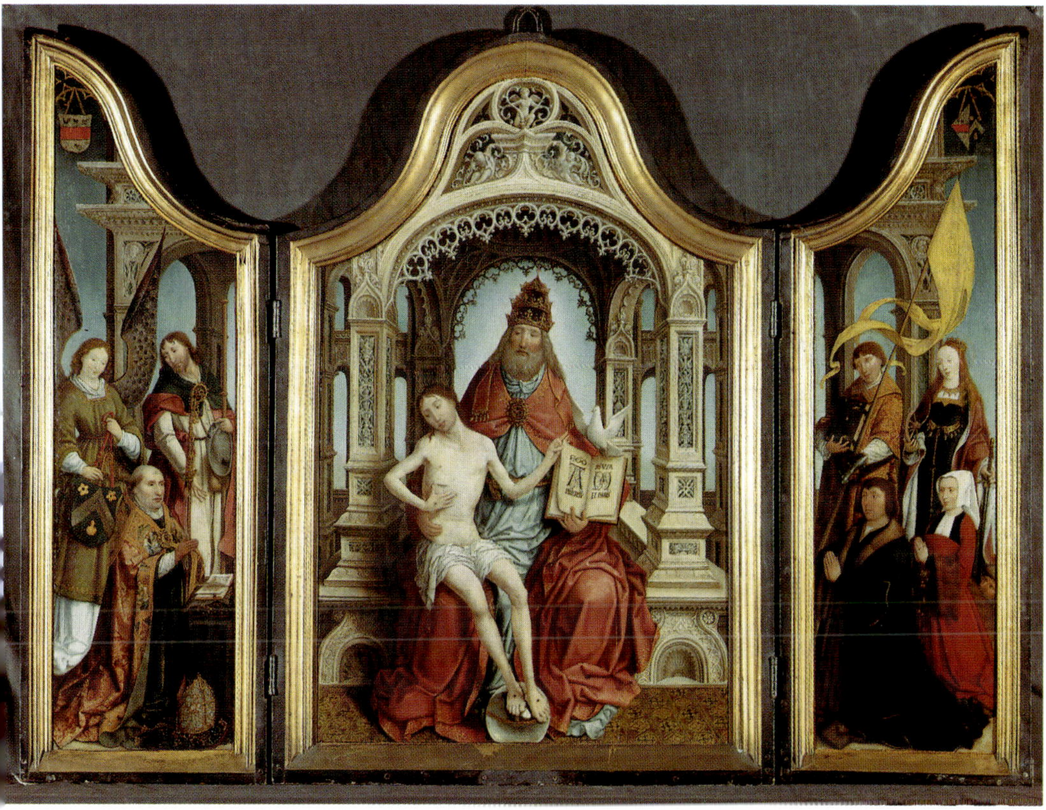

La Trinité. Triptyque,
Jean Bellegambe (XVIe siècle), Musée des Beaux-Arts, Lille.
À partir de la fin du Moyen Âge, les artistes osèrent représenter la Trinité,
contrevenant ainsi au commandement biblique de ne pas faire d'image de Dieu (Ex 20,4).
Les Réformateurs s'insurgèrent vivement contre cet usage.
Le Père est un vieillard portant tiare. Il tient sur ses genoux le Fils
marqué des plaies de la Passion. La représentation de l'Esprit Saint
s'inspire de la scène du baptême de Jésus au Jourdain,
où il se manifesta « comme une colombe » (Mt 3,16).
Conformément à l'habitude médiévale, les donateurs
et leurs saints protecteurs sont peints sur les panneaux latéraux.

Ci-dessus :
La conversion de saint Paul. (XIVe siècle),
Monastère de Decani, Serbie.
Trois scènes sont représentées :
Paul demande des lettres
pour persécuter les chrétiens de Damas ;
en chemin, il est saisi par la lumière
et tombe à terre ; aveugle,
il est conduit par la main
jusqu'à Damas (Ac 9).

Ci-contre :
La conversion de saint Paul.
Ludovic Carrache (fin XVIe siècle),
Pinacothèque de Bologne, Italie.
L'idéal de chevalerie influença
les représentations de la scène.
Le cheval de Paul et les autres cavaliers
firent leur apparition
dans l'art de l'Europe occidentale
à partir du XIIIe siècle.

À gauche :
Sainte Marie-Madeleine. Pierre, collégiale d'Écouis (Eure).
La pécheresse aux longs cheveux de l'évangile
a parfois été confondue avec sainte Marie l'Égyptienne,
découverte nue par l'ermite Zosime vers l'an 400.

À droite :
Saint Jean Baptiste.
Pierre, portail nord de la cathédrale de Chartres.
Le précurseur est reconnaissable à sa silhouette ascétique,
à sa longue barbe et à son vêtement de poils de chameau (Mc 1,6).
Il porte un agneau sur la poitrine, rappelant la parole
qu'il prononça sur Jésus : « Voici l'agneau de Dieu » (Jn 1,36).

Melchisédech. Mosaïque du VIe siècle (détail), église Saint-Vital, Ravenne, Italie.
La fonction mystérieuse de Melchisédech, prêtre roi de Salem (Gn 14,18), préfigure, selon l'épître aux Hébreux, le sacerdoce du Christ (He 7). Les artistes antiques et médiévaux l'ont représenté dans l'attitude d'un prêtre chrétien célébrant la messe ; les offrandes déposées sur l'autel évoquent le pain et la coupe eucharistiques.

REPÈRE

MATTHIEU ANTIJUIF ?

Pilate condamna Jésus, dit Marc, parce que les notables du Sanhédrin* l'y poussèrent : « Les grands prêtres excitèrent la foule » (Mc 15,11). Matthieu élargit les responsabilités : « *Tout le peuple dit* : *Son sang, [il est] sur nous et sur nos enfants* » (Mt 27, 25). L'histoire s'arma de ce verset pour en induire que les Juifs, déicides, appelaient sur eux une malédiction dont les chrétiens étaient les justes exécuteurs. On oubliait qu'en saine théologie chrétienne et juive, nul ne peut être déicide : qui tuerait l'Immortel ? En outre, ce verset de Matthieu a subi des distorsions désastreuses.

D'abord, chez l'évangéliste, le mot « peuple » ne désigne pas l'ensemble des Juifs. Il n'inclut ni « les foules », hésitantes vis-à-vis de Jésus, ni « les brebis perdues d'Israël », mal guidées, à qui il s'adressait en priorité. Le mot « peuple » (en grec *laos*), chez Matthieu, implique une dimension juridique, comme lorsqu'il parle des « anciens du peuple ». En d'autres termes, les administrés (le « peuple ») des « anciens » et des grands prêtres se sont laissé entraîner dans la condamnation de Jésus. En second lieu, la formule « son sang, sur nous et sur nos enfants ! » n'a rien d'une automalédiction déterminant l'avenir. Elle dit simplement ceci : dans notre sentence, nous engageons ce que nous avons de plus cher, nous-mêmes et notre famille.

L'opinion supporte qu'un Français critique la France, parce qu'il parle de l'intérieur d'une communauté de destin. Elle se fait plus réticente devant une attaque étrangère. De même, l'antijudaïsme reproché à Matthieu vient du dedans. Convaincu que l'avenir du judaïsme repose sur le message de Jésus, Messie d'Israël, Matthieu interpelle ses frères juifs qui parient sur la renaissance s'opérant chez les Sages de Yavneh. Sa virulence (surtout en Mt 23) est l'indice d'un sentiment de défaite.

d'alors. Prenant acte de la fin du culte et de l'autonomie politique, ils s'employèrent, durant de longues années, à concrétiser une orientation qui se dessinait depuis longtemps : la loi mosaïque sera l'unique point de ralliement du judaïsme. Pour que cette loi éclaire la vie quotidienne jusque dans les détails, il fallait en actualiser le sens, légiférer, collecter et compléter les traditions d'interprétation forgées par les scribes.

À n'en point douter, les Pharisiens tinrent un rôle prépondérant dans cette tâche. Mais on aurait tort d'imaginer qu'ils imposèrent leurs propres idées. Ils cherchèrent plutôt à enregistrer et à organiser les traditions qui pouvaient recevoir l'adhésion d'une majorité, parfois même en adoptant certaines traditions des Sadducéens, leurs adversaires. En même temps, ils exclurent d'emblée certaines interprétations de la loi qui, défendues par des groupes trop spécifiques, ne pouvaient pas recueillir l'assentiment général. Ils éliminaient ainsi les opinions et les pratiques des cercles baptistes*, chrétiens, esséniens*, et de tout mouvement trop messianique. Ces courants se trouvaient dès lors considérés comme sectaires et désignés globalement par le mot hébreu *minim* (« gens particuliers »). Bientôt, la liturgie de la synagogue allait creuser le fossé en insérant dans sa prière une « bénédiction contre les *minim* ».

Matthieu conteste la réorientation qui s'opère à Yavneh. Pour lui, c'est à Jésus que Dieu avait confié ce renouveau. D'une part, la ruine de Jérusalem, pulvérisant les institutions juives, sanctionnait, à ses yeux, l'élimination du Christ. D'autre part, quel crédit accorder à présent à des scribes et autres Pharisiens naguère sourds au Messie ? Il y a maintenant « un autre peuple (*ethnos*) » (Mt 22,43), Église composée de juifs et de non-juifs, à qui il incombe de faire fructifier l'héritage de la Loi et des Prophètes, à l'écoute d'une seule autorité : Jésus, Messie d'Israël. Aux yeux des Sages de Yavneh, cette position reflétait bien l'orgueil des *minim*. Au vrai, Matthieu prêche que l'Église elle-même sera jugée à ses fruits et il engage réelle compétition en laquelle il revient à Dieu de voir lequel des deux camps aura produit le plus de fruit.

Si l'historien admire le monument spirituel qui se construit à Jamnia, il n'est pas douteux que certains chrétiens d'Antioche aient été eux-mêmes séduits. En ce cas, l'antipharisaïsme virulent que Matthieu attribue à Jésus vise à enrayer cette séduction. En outre, au vu des sources juives, les scribes de Yavneh s'efforçaient de reconquérir le pouvoir socio-politique qu'avait eu le Sanhédrin de Jérusalem sur le monde juif. L'autoritarisme que l'évangéliste dénonce dans sa propre communauté, chez certains responsables, montre que la tentation est contagieuse. Pris entre ces deux feux, Matthieu propose un autoportrait de Jésus, modèle de quiconque a mission d'interpréter la loi : « Venez à moi, vous tous qui peinez et ployez sous le fardeau, et moi je vous soulagerai » (Mt 11, 28).

Cl. T.

Conception et enfance de Jésus selon Matthieu

Les traditions évangéliques commencent avec la prédication de Jean Baptiste et le baptême de Jésus (Mc 1 ; Ac 1,21-22). Pourtant, Matthieu et Luc préfacent leur livre par deux chapitres relatifs à la petite enfance de Jésus, des épisodes sur lesquels ils ne reviennent jamais dans la suite de leur œuvre. Dans ces deux évangiles de l'Enfance se reconnaît l'influence des auteurs grecs et romains qui aimaient recueillir les légendes concernant les grands hommes (sur le thème : « déjà, quand il était petit… »). On s'acharnerait en vain à harmoniser les informations historiques fournies par les deux évangiles* de l'Enfance. Les convergences se limitent à ceci : la conception virginale de Jésus, le nom de Joseph, les mentions de Bethléem comme lieu de la nativité et de Nazareth comme lieu de résidence de la famille de l'enfant. [*voir* p. 61]

Six séquences

Les deux premiers chapitres de Matthieu reprennent à nouveaux frais le genre légendaire, puisque l'évangéliste puise dans les formes littéraires de l'Ancien Testament, telle l'Annonciation, et que, surtout, il engage ses lecteurs sur la voie du *midrash**. Ce dérivé du verbe hébreu *darash* (« rechercher, scruter ») recouvre, d'une part, la démarche du sage (scribe) qui scrute l'Écriture ancienne pour en dégager le sens actuel et, d'autre part, le produit de son travail – de même que le mot « commentaire » couvre à la fois l'activité du commentateur et la publication de son étude. C'est dire que ces deux premiers chapitres de Matthieu ont un statut bien particulier. Ils visent, d'une part, à enraciner Jésus dans l'histoire d'Israël, telle qu'elle se dessine dans la Bible et dans les légendes juives prolongeant celle-ci. Mais, d'autre part, l'évangile de l'Enfance constitue ce que le cinéaste appellerait une bande-annonce couvrant par avance toute la mission de Jésus. Les six séquences qui se succèdent dans ce récit exploitent cette double visée.

La généalogie (Mt 1,1-17)

La généalogie de Jésus, par laquelle s'ouvre l'évangile de Matthieu, place en tête deux noms : celui de David, puisque le Messie* attendu doit être de sa lignée (cf. 1 Ch 17,10-14), et celui d'Abraham, puisque la mission de Jésus doit apporter à « toutes les nations* » (Mt 28,19) la bénédiction universelle promise au patriarche (Gn 12,3). Ainsi « s'accomplit* », en la personne de Jésus, toute l'histoire d'Israël. Mais cette généalogie déborde de son cadre convenu. Tout d'abord, son intitulé (litt. *Livre de la genèse de Jésus Messie*) renvoie aux derniers mots de l'évangile : « Avec vous je suis jusqu'à la fin du monde » (Mt 28,20). Ainsi, pour l'auteur, l'histoire du monde, de l'origine à la fin, se concentre et se déploie en la personne de Jésus. En second lieu, quatre femmes s'insinuent dans ce catalogue masculin : Thamar, Rahab, Ruth et la femme d'Urie (Bethsabée). Matthieu aurait pu nommer de grandes figures de la Bible, telles Sara ou Rachel. Il a préféré insérer des étrangères (selon les légendes juives), des non-juives. De l'avis des

REPÈRE

LES GÉNÉALOGIES

Dans le judaïsme ancien, à commencer par la Bible même, les généalogies ont valeur de carte d'identité. Mais l'arbre généalogique, d'ordinaire paternel, peut bifurquer vers des branches collatérales et il revient au généalogiste de choisir l'ancêtre dont le descendant veut se réclamer. Ainsi l'ascendance de Jésus en Matthieu part d'Abraham, tandis que Luc aboutit à Adam (Lc 3,23-38). Ces deux listes ne se recouvrent guère ; la première insiste sur la lignée royale, la seconde ne cite qu'un roi et intègre des noms de prophètes. Les deux sont schématisées : 3 fois 14 générations en Matthieu, 11 fois 7 en Luc.

C'est dire le caractère artificiel de ces généalogies et la diversité de leur orientation. En effet, à la différence de l'engouement d'aujourd'hui pour la généalogie, les listes juives anciennes ne mettent pas forcément l'accent sur la génération biologique et le cadre familial étroit. Leur but est de fonder des droits. Elles peuvent donc être claniques et tribales et se réclamer d'un processus d'adoption – c'est le cas de Jésus (Mt 1) entrant dans la lignée de David grâce à son adoption par Joseph –, ou d'un processus de « naturalisation » – c'est le cas de la descendance de Ruth la Moabite (Rt 4). Les généalogies tribales servent éventuellement à légitimer des revendications foncières. Lors des fêtes, les pèlerins juifs consultaient les archives du Temple pour mettre à jour leur généalogie. Le cas personnel de Flavius Josèphe (*Vie*, I, 4-6) confirme le soin avec lequel les prêtres* veillaient sur leur généalogie afin de fonder leurs droits, notamment en matière de dîmes, et pour éviter les mésalliances matrimoniales. Comme le fait Matthieu à propos de Jésus, certains Juifs de ce temps, semble-t-il, étaient capables d'établir leur ascendance davidique.

REPÈRE

SAINT JOSEPH DANS LA BIBLE

Dans le corps des évangiles, Jésus se voit désigné comme le fils du *tektôn* (Mt 13,55). Ce mot grec, traduit d'ordinaire par « charpentier », englobe diverses branches artisanales (maçonnerie, ferronnerie, menuiserie). Qui exerce ce métier a un statut social honorable.

Seuls les évangiles de l'Enfance, de Luc et de Matthieu, nomment ce *tektôn* : Joseph. Tous deux déclarent que, par l'initiative de Dieu à travers son Esprit créateur (voir Gn 1,2), Marie se trouva enceinte de Jésus avant qu'elle ait vécu avec son fiancé (Mt 1,18 ; Lc 1,26-38). Ils conviennent que Jésus naquit à Bethléem, mais que Joseph vivait à Nazareth. Pour Luc, Joseph amena Marie enceinte de Nazareth à Bethléem en raison d'un recensement (Lc 2). Au contraire, selon Matthieu, Joseph vivait à Bethléem (Mt 2,1), mais, après l'exil en Égypte, préféra se retirer à Nazareth (Mt 2,22-23).

Ce lieu de naissance souligne que Jésus est le Messie, Fils de David, puisqu'il paraît dans « la ville de David » (Lc 2,11 ; Mt 2,5). Dans leurs généalogies (Mt 1 ; Lc 3,23) et leurs commentaires (Lc 1,26 ; 2,3 ; Mt 1,20), Luc et Matthieu soutiennent que Joseph appartenait à la lignée de David et que, adoptant légalement Jésus, il faisait de lui le Fils de David.

Les deux évangélistes n'en savent guère plus sur Joseph. Luc le dit fils de Héli (Lc 3,23). Matthieu le croit fils de Jacob (Mt 1,16), et on soupçonne chez lui une harmonisation avec le patriarche Joseph, fils de Jacob (Gn 37-50). Si le patriarche était « l'homme aux songes » (Gn 37,19), rien d'étonnant à ce que Matthieu rédige en forme de songe l'annonce divine faite au fiancé de Marie (Mt 1,18-25). Les légendes juives louaient la probité et la chasteté du patriarche Joseph. Matthieu, lui, salue un « juste » dans le nouveau Joseph (Mt 1,19) parce que ce dernier, alors que la loi lui demandait de répudier sa fiancée enceinte, a préféré s'en remettre au dessein énigmatique de Dieu.

commentateurs, elles représentent les « paroissiennes » de l'Église* de Matthieu dans les années 80.

La liste s'organise de manière à totaliser 3 fois 14 générations (Mt 1,17). Parmi diverses interprétations, on constate ici l'influence des apocalypses* juives qui aiment découper l'histoire en périodes prédéterminées. Ce symbolisme arithmétique instille l'idée que Dieu a un plan lisible et que, selon cette généalogie, Jésus accomplit la plénitude des temps.

L'Annonce à Joseph (Mt 1,18-25)

L'annonce à Joseph de la naissance de Jésus relève du stéréotype « annonciation », fréquent dans l'Ancien Testament (par exemple Jg 13). Cette forme littéraire est enrichie par une autre, celle du songe, puisque l'homonyme patriarcal de Joseph était « l'homme aux songes » (Gn 37,19), et elle remplit ici de multiples fonctions. [*voir* vol. I, p. 112] D'abord, elle révèle au lecteur que, par l'Esprit Saint, la genèse de Jésus relève d'un acte créateur de Dieu (voir Gn 1,2), et qu'en adoptant l'enfant à naître Joseph l'insérera légalement dans la lignée de David.

En même temps, toute la séquence est comme irradiée par le vocabulaire de l'oracle d'Isaïe qui, selon la Bible grecque (Is 7,14), annonçait que le Messie naîtrait d'une vierge. Dans la naissance de Jésus s'accomplira la prophétie. Mais il existait aussi une légende juive selon laquelle Dieu était apparu en songe à Amram, le père de Moïse, pour lui annoncer que son fils serait le libérateur d'Israël (Flavius Josèphe, *Antiquités juives*, II, 210-216). Joseph tient ici le rôle d'Amram, puisque, selon les séquences suivantes, Jésus est le nouveau Moïse, sauveur et législateur, envoyé à Israël.

L'enfant à naître est surtout le Messie, l'Emmanuel* promis par Dieu au roi Achaz. Ici apparaît la première citation d'accomplissement de l'évangéliste, littéralement : « Voici que la vierge concevra et enfantera un fils, et ils appelleront [ou invoqueront] son nom : Emmanuel (Is 7,14), ce qui se traduit : Avec nous Dieu » (Mt 1,23). [*voir* p. 166]

La Bible grecque a choisi le mot « vierge » (« jeune femme » dans l'hébreu originel), ce qui permet à l'évangéliste de fonder dans l'Écriture la conception virginale de Jésus, mais aussi de dessiner d'avance la pleine personnalité du Christ. En effet, celui que la prophétie appelle « avec nous Dieu » est celui qui dira, au terme de l'évangile : « Avec vous Je Suis tous les jours jusqu'à la fin du monde » (Mt 28,20), l'expression *Je Suis* étant l'un des noms bibliques de Dieu. En outre, l'expression « ils appelleront son nom », une retouche de Matthieu à la prophétie, élargit à toutes les nations la future reconnaissance de Jésus comme l'Emmanuel. [*voir* vol. I, p. 295]

La visite des mages (Mt 2,1-12)

Le récit de la visite des mages multiplie les symboles qui annoncent la destinée de Jésus et montrent en lui l'accomplissement des Écritures. En voici le texte :

Jésus étant né à Bethléem de Judée, au temps du roi Hérode, voici que des mages venus d'Orient arrivèrent à Jérusalem en disant : « Où est le roi des Juifs qui vient de naître ? Nous avons vu, en effet, son astre à son lever et sommes venus lui rendre hommage. » L'ayant appris, le roi Hérode s'émut, et tout Jérusalem avec lui. Il assembla tous les grands prêtres et les scribes du peuple, et il s'enquérait auprès d'eux du lieu où devait naître le Christ. « À Bethléem de Judée, lui dirent-ils ; ainsi, en effet, est-il écrit par le prophète : Et toi, Bethléem, terre de Juda, tu n'es nullement le moindre des clans de Juda ; car de toi sortira un chef qui sera pasteur de mon peuple Israël. » Alors Hérode manda secrètement les mages, se fit préciser par eux le temps de l'apparition de l'astre, et les envoya à Bethléem en disant : « Allez vous renseigner exactement sur l'enfant ; et quand vous l'aurez trouvé, avisez-moi, afin que j'aille, moi aussi, lui rendre hommage. » Sur ces paroles du roi, ils se mirent en route ; et voici que l'astre, qu'ils avaient vu à son lever, les précédait jusqu'à ce qu'il vînt s'arrêter au-dessus de l'endroit où était l'enfant. À la vue de l'astre, ils se réjouirent d'une très grande joie. Entrant alors dans le logis, ils virent l'enfant avec Marie sa mère, et, se prosternant, ils lui rendirent hommage ; puis, ouvrant leurs cassettes, ils lui offrirent en présents de l'or, de l'encens et de la myrrhe. Après quoi, avertis en songe de ne point retourner chez Hérode, ils prirent une autre route pour rentrer dans leur pays. (Mt 2,1-12)

Lire l'épisode comme un récit historique entraînerait d'énormes difficultés. À s'en tenir aux lois du genre mis en œuvre, on découvre d'abord une préfiguration de l'avenir : déjà le Messie est rejeté par Jérusalem et ses autorités, ces « grands prêtres et scribes » qui décide-

REPÈRE

LES ÉVANGILES DE L'ENFANCE SONT-ILS HISTORIQUES ?

Des mages vinrent-ils réellement adorer l'enfant (Mt 1,1-12) ? Jésus a-t-il, à douze ans, dialogué avec les scribes du Temple (Lc 2,46) ? Ainsi posée, la question revêt un sens de l'historicité trop étroit et négligeant les règles d'écriture que se fixaient les auteurs de ces chapitres particuliers. Il convient de reformuler l'interrogation : dans ces récits, quelle « histoire » Matthieu et Luc envisagent-ils ? La réponse se bâtit alors en trois temps.

1. Nul ne conteste le fait que le jeune Jésus allait en pèlerinage avec ses parents (Lc 2,41). Nul n'ignore que Hérode le Grand ordonna des massacres, d'abord dans sa propre famille, et que son fils Archélaüs usa aussi de cruauté (Mt 2,16-23). Mais aucun écrit de l'époque n'a laissé trace d'un massacre de bébés à Bethléem. Luc et Matthieu font œuvre d'historiens en cela qu'ils tracent le paysage culturel et politique dans lequel est né Jésus.

2. Sauf hypothétiques informations propres à Luc et à Matthieu, la première génération chrétienne, y compris Luc (Ac 10,37), ne connaît pas d'autre « commencement » de l'histoire de Jésus que son baptême par Jean Baptiste. En revanche, selon les règles littéraires que se donnent les deux auteurs, les récits de l'enfance constituent un « micro-évangile ». Chez Luc, Joseph et Marie représentent par avance les disciples qui, « pendant trois jours », sans comprendre, chercheront le Ressuscité, qui est « chez son Père » (Lc 2,41-50). Chez Matthieu, déjà les Hérode, père et fils, veulent perdre Jésus, déjà les scribes juifs se ferment, déjà les (mages) païens viennent l'adorer (Mt 2, 1-12), avant-garde de toutes les nations auxquelles s'adressera l'évangile (Mt 28,18-19). Luc et Matthieu sont donc historiens en cela que, dans leurs récits de l'Enfance, ils résument par avance symboliquement la destinée de Jésus et de son message.

3. Enfin, tout historien qui refuse de n'être qu'un conteur, a ses clés d'interprétation : pour les uns, l'histoire s'explique par l'économie, pour d'autres par les tensions ethniques. Pour Luc et Matthieu, des théologiens, l'histoire s'éclaire par un plan de Dieu. Historiquement, Jésus est envoyé par Dieu comme un nouveau Moïse. Matthieu le montre en construisant l'épisode du meurtre des Innocents, parallèle au massacre des enfants hébreux (Ex 1-2).

ront la mort de Jésus (Mt 26,57). Déjà, à l'inverse, les mages, avant-garde de « toutes les nations » (Mt 28,19), reconnaissent le Roi des Juifs. En outre, la Bible n'aime pas les mages, astrologues et interprètes de songes, dont les plus réputés sont ceux de Chaldée. Dans le livre de Daniel, ils sont vaincus par la sagesse du jeune Juif, et les Églises primitives ont eu affaire à ce genre de personnages, tels Simon le magicien (Ac 8) ou Élymas (Ac 13,6.8). Matthieu, lui, ne condamne pas leur quête ambiguë.

L'ambiguïté touchait déjà Balaam. La tradition juive le considérait comme un mage païen*, mais lui reconnaissait l'honneur d'avoir annoncé à Israël la venue du Messie dans l'oracle sur l'Astre de Jacob (Nb 24,17). L'étoile des mages n'est pas à chercher dans le ciel des astronomes, mais dans l'Écriture, comme l'accomplissement de la prophétie de Balaam. De nouveau, en effet, l'épisode des mages enracine la venue de Jésus dans l'histoire biblique et légendaire d'Israël. Hérode tient le rôle du Pharaon mauvais qui, selon une légende, avait vu en songe la naissance de Moïse comme une menace pour son pouvoir. La localisation de la naissance de Jésus à Bethléem accomplit la prophétie de Michée (5,1) selon qui la ville verrait naître un nouveau Moïse et, pour qu'on ne s'y trompe pas, Matthieu contamine la finale de cet oracle par une citation (2 S 5,2) assimilant Jésus à David, pasteur d'Israël. [*voir* vol. I, p. 213] Enfin, l'adoration des mages et leurs dons accomplissent la prophétie de l'hommage rendu au Messie par toutes les nations (Ps 72,9-11).

La fuite en Égypte (Mt 2,13-15)

Tel Moïse dont le Pharaon voulait la perte (Ex 2,15), l'enfant doit fuir à l'étranger. Mais, par là, il accomplit la destinée d'Israël exilé en Égypte. En effet, la déclaration divine « d'Égypte j'ai appelé mon fils » (Os 11,1) visait le peuple d'Israël. Jésus est donc Fils de Dieu, en cela aussi qu'il assume les épreuves d'Israël « fils premier-né de Dieu » (Ex 4,22).

Le massacre des Innocents (Mt 2,16-18)

Le meurtre des enfants de Bethléem sur ordre d'Hérode a des liens étroits avec la séquence précédente. D'abord Hérode renouvelle le triste exploit du pharaon faisant périr les enfants hébreux (Ex 1) et, selon la légende en vogue dans les synagogues*, cette tuerie visait à faire disparaître Moïse dès sa naissance. Pour l'heure, le nouveau Moïse échappe à la mort, mais il n'échappera pas à la croix qui se profile ici pour la première fois. Par une nouvelle citation d'accomplissement, l'auteur apporte une autre clé d'interprétation :

Ainsi s'accomplit l'oracle du prophète Jérémie (Jr 31,15) : Une voix dans Rama s'est fait entendre, pleur et longue plainte : c'est Rachel pleurant ses enfants ; et elle ne veut pas qu'on la console, car ils ne sont plus. (Mt 2,18)

Sous la plume de Jérémie, cette voix vient d'outre-tombe : Rachel, la mère du patriarche Joseph, pleure ses descendants, les Israélites du Nord déportés par les Assyriens en 721 av.J.C. Matthieu recourt à ce texte parce que la tradition faisait de Rama une localité proche de Bethléem et le site du tombeau de Rachel. Par là, l'évangéliste relie de nouveau la destinée du Messie à celle d'Israël, à son histoire marquée par les massacres et les déportations.

Le retour d'Égypte (Mt 2,19-23)

Le voyage de retour, aboutissant à Nazareth, reprend les harmoniques des deux séquences qui précèdent. D'abord, Jésus accomplit encore le destin de Moïse : Matthieu (Mt 2,22-23) reprend quasi littéralement les termes décrivant le retour de Moïse en Égypte après la mort de Pharaon (Ex 4,19-20). Les peintres ont saisi ce parallèle lorsqu'ils campent un âne dans la Fuite en Égypte, alors que cet âne vient, non de l'évangile, mais de l'histoire de Moïse (Ex 4,20). Mais Jésus refait aussi le voyage qui conduisit le peuple de Dieu de l'Égypte vers la Terre promise.

Cependant, l'histoire subit ici une étrange inversion : c'est la Judée qui est une menace pour le Messie et fait de lui un étranger. Et le retour n'aboutit pas en Judée, mais en Galilée. Cette géographie sinueuse joue symboliquement sur deux plans. D'une part, le ministère futur de Jésus aura pour cadre la Galilée que, s'appuyant sur la Bible, l'évangéliste appelle « Galilée des Nations (païennes) » (Mt 4,16). C'est depuis cette Galilée que Jésus enverra ses disciples à « toutes les nations » (Mt 28,16-20). D'autre part, après le départ du Maître et la ruine de Jérusalem, l'Église de Matthieu rencontrera l'hostilité non pas de la Galilée ou des païens, mais des *leaders* juifs de Judée.

La dernière citation d'accomplissement est attribuée globalement aux prophètes : « Il sera appelé Nazôréen » (Mt 2,18). Elle ne renvoie à aucun texte précis de la Bible, mais joue sur un puzzle de paronymes hébreux, à partir de l'adjectif géographique « nazaréen ». Comme Samson (Jg 13,5), Jésus est *nazir**, consacré à Dieu ; il est aussi le *néçèr* (« surgeon ») de la souche de Jessé (Is 11,1), nouveau David, Emmanuel. Enfin, il est solidaire des *noçrîm*, un nom par lequel les Juifs désigneront les chrétiens ou les Baptistes : or Jean le Baptiste va apparaître au verset suivant (Mt 3,1).

Une histoire d'accomplissement

Un contrepoint musical s'emploie à vêtir un « chant ferme » par des lignes mélodiques les plus autonomes possibles entre elles et qui, tantôt se contrarient, tantôt se conjuguent. L'art consiste à faire jaillir, de l'entrecroisement, une réelle harmonie. En cet évangile de l'Enfance (Mt 1-2), Matthieu semble prendre pour « chant ferme » une belle histoire qu'on est en droit de lire naïvement. Mais une lecture attentive découvre rapidement que la multiplication des songes et des interventions de l'Ange du Seigneur confère à ces deux chapitres une couleur bien différente de la suite de l'évangile. Au reste, l'Ange du Seigneur

Repère

Jésus accomplit-il les Écritures ?

Matthieu sollicite souvent les Écritures, l'Ancien Testament, pour éclairer la personne de Jésus. Insistance bien compréhensible, puisque l'évangéliste s'adresse à des Juifs qui, chrétiens ou non, ne reconnaîtront Jésus comme le Messie que si la vie de celui-ci correspond aux prophéties de la Bible. Une sorte de systématisation se remarque dans les « citations d'accomplissement », ainsi nommées parce que les citations de l'Ancien Testament sont introduites par une formule de ce type : « Ceci arriva pour que *s'accomplît* ce qui avait été dit par le prophète... » Sur une douzaine d'exemples pour l'ensemble de l'évangile, cinq apparaissent dans les chapitres de l'enfance : l'Écriture s'accomplit en cela que Jésus a été conçu par une vierge (Mt 1,22-23), qu'il est né à Bethléem (2,5-6), qu'il a fui en Égypte (2,15) échappant au massacre des enfants de Bethléem (2,17-18), et qu'il a vécu à Nazareth (2,23).

Le procédé, par son automatisme apparent, a quelque chose de troublant. Ainsi (Mt 8,16-17), Jésus aurait guéri des malades *pour* accomplir l'oracle d'Isaïe : « Il a pris nos infirmités et s'est chargé de nos maladies » (Is 53,4). Le rapport semble étrange, puisque ce verset d'Isaïe est détourné de son sens par l'évangéliste. Le texte, en effet, ne parle nullement de guérisons, mais du martyre du Serviteur de Dieu assumant les souffrances de ses frères. Fin lecteur de l'Ancien Testament, Matthieu a évidemment conscience de son propre artifice.

Cet exemple montre qu'il faut distinguer deux aspects du problème. En premier lieu, Jésus ne pose pas tel geste ou tel autre *afin* d'accomplir ce que dit l'Ancien Testament ; il ne lui arrive pas tel événement *pour* donner raison aux prophéties. En revanche, l'auteur et son lecteur croyant postulent qu'il y a une continuité globale entre les projets de Dieu, inscrits dans la Bible, et leur réalisation dans la personne de Jésus. Pour cela, en second lieu, l'évangéliste sélectionne, comme autant d'émergences du tissu des prophéties, des prophéties dignes d'être mémorisées, surtout si elles peuvent servir le dialogue apologétique avec le monde juif. D'une part, son interprétation peut être allégorique*, comme lorsqu'il applique à Jésus cette phrase, « d'Égypte j'ai appelé mon fils » (Os 11,1), le procédé de l'allégorie visant à montrer que, d'un texte, on peut tirer plus encore que son sens littéral. D'autre part, c'est la personne historique de Jésus qui, entre des messages parfois contradictoires de l'Ancien Testament, inspire à l'évangéliste de citer tel texte plutôt que tel autre. Si Jésus est le Serviteur de Dieu, prophète martyr du livre d'Isaïe (en Mt 3,17 ; 8,17 ; 12,18), s'il est le Messie des Écritures, Matthieu évite toute citation traçant du personnage attendu un portrait guerrier.

qui, dans l'Ancien Testament, peut désigner Dieu lui-même, ne reviendra qu'à la fin de l'évangile comme messager la Résurrection de Jésus (Mt 28,2.5), c'est-à-dire un événement qui déborde « l'histoire » au sens courant du mot.

La richesse des six séquences de l'Évangile de l'enfance vient du « contrepoint » que Matthieu bâtit à l'aide des techniques du *midrash* juif. Il trace un portrait qui, en amont, enracine la personne de Jésus dans l'Ancien Testament et, en aval, esquisse les traits d'un Christ contesté par son propre peuple, et reconnu par les autres nations comme ayant « tout pouvoir au ciel et sur la terre » (Mt 28,18).

L'évangéliste privilégie l'enracinement dans l'Ancien Testament : fils d'Abraham, fils de David, l'enfant est aussi le nouveau Moïse. Certes, il rivalisera avec le législateur du Sinaï (voir le Sermon sur la montagne, Mt 5-7). Mais, avant cela, persécuté comme Moïse dès sa naissance, il est le sauveur d'Israël. En outre, Matthieu lit en Jésus le destin d'Israël, son Exode et ses exils.

À s'en tenir à la théologie de l'auteur, Jésus, dans les années 80, est devenu le pôle religieux de la vie de chrétiens non-juifs. Mais ceux-ci, tels les mages étrangers, doivent reconnaître en lui « le Roi des Juifs » (Mt 2,3). Là se manifeste la tension qui habite la pensée de Matthieu : d'une part, l'évangile est destiné à tous les hommes, mais, d'autre part, cet évangile proclame que Jésus reste à jamais le Messie d'Israël. D'une part, les autorités juives (les Hérode, les grands prêtres* et les scribes), suivies par « tout Jérusalem » rejetant le Messie, ont dépouillé les institutions juives de leur droit légitime à faire fructifier les promesses émises par Dieu dans l'Ancien Testament. Mais, d'autre part, menacé de mort et exilé, fils de David vénéré par les nations, l'enfant récapitule en sa personne l'histoire d'Israël.

En réalité, Matthieu ne bâtit pas ces deux chapitres autour des épisodes de l'enfance de Jésus. Au contraire, le texte a pour trame les cinq citations d'accomplissement que les récits viennent illustrer. En effet, selon le propos fondamental de l'évangéliste, si Jésus est le Messie, ses origines doivent correspondre à ce que l'Écriture annonçait à son sujet. Et si ce prologue évangélique a de quoi dérouter, c'est que l'auteur juif ne lit pas une Bible nue, mais une Bible assortie, dans les synagogues, de commentaires légendaires, notamment de récits édifiants sur l'enfance de Moïse.

Cl. T.

Jésus chez Matthieu : le maître de la loi

La plupart des chercheurs considèrent que l'évangile* selon Marc est non seulement plus ancien que celui de Matthieu, mais encore qu'il a servi de source à Matthieu lors de la composition de son œuvre. Il est dès lors intéressant pour le lecteur de comparer les deux évangiles et d'observer en quoi ils diffèrent. Une telle enquête aboutit à un résultat aussi incontestable que significatif. Par rapport à Marc, l'évangile selon Matthieu contient un nombre incomparablement plus important de paroles de Jésus. La plupart de ces paroles qui ne figurent pas dans l'évangile selon Marc ont cependant un parallèle dans l'évangile selon Luc si bien que les exégètes en tirent une conclusion simple : mis à part l'évangile de Marc, Matthieu a disposé d'une seconde source qui contenait essentiellement des paroles de Jésus. On nomme cette seconde source : source des *logia** ou source Q*.

L'homme de la Parole : les discours

Matthieu se distingue donc de Marc par le fait qu'il dispose d'une documentation beaucoup plus étoffée concernant la prédication de Jésus. Cette accumulation de la matière n'est pas sans conséquence, car l'évangéliste témoigne d'un intérêt particulier pour l'enseignement du Christ. Cet intérêt trouve son expression littéraire dans le fait que Matthieu regroupe les différentes traditions dont il dispose, dans de grands discours. On en dénombre cinq : le Sermon sur la Montagne (chap. 5-7), le discours d'envoi en mission (chap. 10), le discours en paraboles (chap. 13), le discours communautaire (chap. 18) et le discours sur la fin (chap. 24-25). Ces cinq discours sont aisément identifiables, car ils s'achèvent par une formule analogue : « Et il advint, quand Jésus eut achevé ces discours... » (Mt 7,28 ; 11,1 ; 13,53 ; 19,1 ;

26,1). À ces cinq discours, on ajoute parfois celui dirigé contre les scribes et les pharisiens* (Mt 23).

Ces discours ont une portée théologique qu'il s'agit de bien mesurer, car ils expriment une interprétation profilée de la personne de Jésus. Deux brèves comparaisons permettent de faire ressortir l'originalité de Matthieu. Matthieu attache certes une importance capitale à l'enseignement du Jésus terrestre, mais à la différence de l'évangile de Thomas, il insère cet enseignement dans le récit d'une vie. La prédication de Jésus n'est pas un enseignement qui se suffit à lui-même, il est inséparable du récit de la destinée de celui qui l'a prononcé. Il ne prend son véritable sens qu'intégré à l'histoire de Jésus de Nazareth, de sa naissance à sa mort, de son baptême à sa Résurrection.

La comparaison avec Paul nous confronte à un autre aspect, tout aussi important. Dans ses lettres, l'apôtre des gentils ne fait jamais allusion à la prédication de Jésus, pas plus d'ailleurs qu'à ses actes. Pour lui, la destinée de Jésus se récapitule dans sa mort et sa Résurrection. La prédication de la croix et de Pâques sont l'expression suffisante de l'Évangile. L'écart avec Matthieu est patent. Pour ce dernier, Jésus n'est pas seulement le Crucifié ressuscité, il est un maître et son enseignement est partie intégrante de l'Évangile. D'ailleurs, chez Matthieu, le terme « évangile » ne désigne pas tellement la proclamation de la mort et de la résurrection du Christ comme étant l'événement du salut, mais bien le contenu de l'enseignement du Nazaréen (Mt 4,23 ; 9,35 ; 24,14). Aux yeux de l'évangéliste, une part capitale de la signification de Jésus tient dans l'enseignement qu'il a délivré durant son ministère terrestre. Comment se présente cet enseignement ?

Le Sermon sur la montagne (Mt 5-7)

Le Sermon sur la montagne est sans doute le discours le plus connu du premier évangile. Non seulement il a profondément marqué l'histoire du christianisme de ses origines jusqu'à aujourd'hui, mais encore il a largement débordé les frontières des Églises. Il a imprégné la culture occidentale. Il a pénétré certaines traditions spirituelles non chrétiennes (par exemple Gandhi).

Dans le premier évangile, le Sermon sur la montagne se veut un exposé programmatique de l'enseignement de Jésus. Quels sont les traits caractéristiques de cet enseignement ? L'introduction du discours livre une série d'indices intéressants. Elle a la teneur suivante : « Voyant les foules, il [Jésus] gravit la montagne, et quand il fut assis, ses disciples s'approchèrent de lui. Et prenant la parole, il les enseignait en disant… » (Mt 5,1). Jésus tient son discours dans un lieu précis : sur une montagne. Cette notation est d'importance, car dans la tradition vétéro-testamentaire et juive, la montagne est le lieu de la révélation. La parole que le Christ prononce est donc une parole qui a valeur de révélation, c'est la parole de Dieu. Mais, pour Matthieu et ses auditeurs qui sont fermement enracinés dans la tradition juive, la montagne à laquelle le familier des Écritures pense immédiatement quand il s'agit de la révélation de la volonté de Dieu, c'est le mont Sinaï. N'est-ce pas sur le Sinaï que Moïse a reçu la Tora* ou si, l'on préfère, les deux tables de la loi ? L'allusion est claire. La montagne que gravit Jésus a pour arrière-fond symbolique le Sinaï, et le Christ qui va parler se tient dans le sillage de Moïse. C'est donc bien de la volonté de Dieu qu'il va être question dans le Sermon sur la montagne. Cependant, Jésus ne va pas se contenter de contribuer à l'interprétation de la Tora donnée à Moïse au Sinaï. À la révélation de Moïse répond désormais la révélation du Christ du Sermon sur la montagne ; elle prétend en être à la fois le dépassement et l'achèvement. La position assise du Christ et l'usage du verbe « enseigner » complète le tableau : c'est le Christ enseignant, c'est le maître de la loi* qui s'exprime ici.

L'enseignement qu'il délivre s'adresse à un double auditoire. Les « disciples » en constituent le premier cercle. Il ne s'agit pas seulement des compagnons historiques du Jésus terrestre ; les disciples qui s'approchent du maître symbolisent tous les croyants à venir. Le Christ du Sermon sur la montagne s'adresse en fait à l'Église, il lui dit la volonté de Dieu qui la régira jusqu'à la fin des temps. Mais il ne s'agit pas d'un enseignement ésotérique : les « foules » forment le second cercle de l'auditoire de Jésus. Ces foules en arrière-plan rappellent qu'il s'agit d'un enseignement public destiné à être connu et reçu par l'ensemble du monde.

Quel est alors le contenu de ce discours inaugural qui récapitule la volonté de Dieu révélée par le Christ à l'intention des hommes ? Le début (Mt 5,3-16) a un caractère déclaratif prononcé. Avant même que le thème de la loi soit abordé, les béatitudes (5,3-12) prononcent une parole de bonheur sur leurs destinataires. Le premier mot de l'Évangile, dans son acception matthéenne, est une déclaration de bonheur. L'horizon du discours est ainsi fixé : tout ce qui va être dit a pour finalité non pas un accroissement des connaissances religieuses, pas davantage un code moral, mais le bonheur auquel tout homme aspire. À cette première déclaration s'en ajoute une seconde, tout aussi surprenante, et qui définit la vocation des disciples : « Vous êtes le sel de la terre… Vous êtes la lumière du monde… » (5,13… 16). Notons-le bien : le Christ ne propose pas un but à atteindre, mais il dit quel est l'être des disciples. Ils sont ce qu'il y a de plus nécessaire pour que le monde reçoive ce dont il a besoin pour vivre.

À cette entrée en matière placée sous le signe d'une promesse extraordinaire succède la thèse (Mt 5,17-20) qui surplombe l'ensemble du Sermon sur la montagne : « N'allez pas croire que je sois venu abolir la Loi ou les Prophètes : je ne suis pas venu abolir, mais accomplir* » (5,17). L'affirmation est capitale, car le Christ prend appui sur le cœur même de la foi juive – la loi – pour situer la place et la signification de son enseignement. La Tora, qui a été donnée par Dieu à Moïse au Sinaï puis qui a été interprétée par les prophètes, cette Tora qui a trouvé son expression écrite dans la Bible juive, est le point de référence du Christ qui s'exprime dans le Sermon sur la montagne. Il n'entend en aucune façon en nier la validité ou en récuser le contenu. Sa mission consiste à « accomplir la Loi et les Prophètes ». Comment faut-il comprendre cet accomplissement de la Loi qui advient dans la personne et la mission du Christ ?

Cet accomplissement a un double visage. D'une part, l'existence même du Sermon sur la montagne montre que cet accomplissement de la Loi se réalise dans l'enseignement dispensé par le Christ. « Accomplir la Loi » signifie alors l'interpréter en vérité, en dire le sens à la fois originaire et ultime. Le Christ du Sermon sur la montagne prétend donc établir le sens véritable de la Loi, donner à la volonté de Dieu sa formulation plénière et dernière. Mais d'autre part, l'accomplissement de la Loi n'est pas seulement une prise de parole – aussi importante soit-elle –, c'est également un acte de vie. La suite de l'évangile montre que le Christ instaure dans les faits la volonté de Dieu qu'il proclame. Que ce soit par ses actes de miséricorde (par exemple des guérisons), que ce soit par sa fidélité sans faille démontrée dans la Passion, le Christ accomplit la volonté de Dieu qu'il a proclamée. Le fameux « Que ta volonté soit faite ! » (Mt 26,42) prononcé à Gethsémani et qui reprend la troisième demande du « Notre Père », cœur du Sermon sur la montagne, a ici valeur de démonstration.

Que le Christ du Sermon sur la Montagne se présente comme celui qui accomplit la Loi ne doit pourtant faire accroire qu'il serait lui-même soumis à la Loi. Certes la Loi constitue le point de départ et le cadre de son enseignement. Mais c'est en tant qu'interprète souverain, parlant directement au nom de Dieu, qu'il établit le sens ultime de la loi. La différence avec un rabbi* est patente : alors que ce dernier se situe dans une tradition d'interprétation faite de fidélité et de soumission à la Tora reçue au Sinaï, le Christ fait preuve d'une autorité et d'une liberté scandaleuses aux yeux de la Synagogue*.

Cette autorité et cette liberté sont particulièrement perceptibles dans les antithèses du Sermon sur la montagne (Mt 5,21-48). Ces six antithèses, aisément reconnaissables à la formule « Vous avez entendu qu'il a été dit aux ancêtres… Eh bien ! moi je vous dis », illustrent parfaitement ce que Matthieu entend par accomplissement de la loi. À chaque fois le Christ commence par rappeler « ce qui a été dit aux ancêtres » : il cite alors l'Ancien Testament, soit littéralement, soit en le paraphrasant. Puis à ce rappel de la loi succède son souverain « Eh bien ! moi je vous dis » ; aussi étonnant que cela puisse paraître, cette formulation ne vise pas à abolir la loi, mais à en établir le sens véritable. Le lecteur sera pourtant attentif à deux éléments très typiques des antithèses. D'une part, la volonté de Dieu telle qu'elle est proclamée par le Christ ne reprend que la deuxième table du Décalogue et ne concerne que les relations interpersonnelles. Les problèmes de pureté rituelle, la loi cérémonielle et sacrificielle ne sont plus au centre de l'enseignement du Christ. D'autre part, la dernière antithèse qui clôt la série des six et en récapitule l'accent essentiel, culmine dans le commandement de l'amour de l'ennemi. Elle donne ainsi la clef de la réinterprétation de la loi par le Christ dans le Sermon sur la montagne : c'est l'exigence de l'amour qui devient le critère théologique guidant la reformulation de la volonté de Dieu.

Si les antithèses du Sermon sur la montagne s'efforcent de montrer comment le disciple, dans ses relations avec son prochain, est appelé à réaliser l'exigence de justice formulée dans la loi, c'est de la justice devant Dieu qu'il y va dans le chapitre 6 et le début du chapitre 7. Cette nouvelle thématique est développée en deux temps.

Dans un premier temps, l'évocation des grandes œuvres de la piété juive – l'aumône, la prière et le jeûne (6,1-18) – permet de montrer quand et seulement quand un acte de piété exprime une relation authentique à Dieu. Le Notre Père (Mt 6, 9-15), qui apparaît dans cette section, constitue le cœur du Sermon sur la montagne. Cette prière, qui se distingue par sa simplicité et sa brièveté, dévoile qui est le Dieu dont les disciples se réclament et ce dont ils besoin pour vivre. [*voir* p. 381]

Dans un deuxième temps (Mt 6,19-7,11), la relation du disciple à Dieu est envisagée à partir des questions posées par les richesses, les soucis et le jugement. Cependant, comme dans la partie qui précède, et cela est profondément significatif, la prise au sérieux de l'existence dans ses aspects quotidiens aboutit à une nouvelle réflexion sur la prière et son exaucement.

La partie centrale du Sermon sur la montagne s'achève par la célèbre « règle d'or » (Mt 7,12) : « Ainsi, tout ce que voulez que les hommes fassent pour vous, faites-le vous-mêmes pour eux ; voilà la Loi et les Prophètes. » Cette règle est d'importance, car elle attire l'attention du lecteur sur un double aspect. D'une part, la Loi et les Prophètes sont désormais régis par le critère qui est au centre de la loi et qui doit en guider l'interprétation. Ce critère est l'amour du prochain. Mais d'autre part, cet amour du prochain n'est pas simplement bienveillance, tolérance ou philanthropie. Ce que cette exigence signifie aux yeux du Christ a été clairement défini dans la dernière antithèse : l'amour inclut l'amour de l'ennemi ou il n'est pas.

Le Sermon sur la montagne s'achève par une série d'exhortations (Mt 7,13-27), appelant à une obéissance sans faille. La métaphore de la porte étroite, la mise en garde contre les faux prophètes et la parabole des deux maisons soulignent la nécessité d'une vie religieuse où les actes concrets d'obéissance sont seuls en mesure de prémunir les fidèles d'un rejet lors du jugement dernier.

L'exemple des béatitudes

Le lecteur du Sermon sur la montagne est à la fois émerveillé et effrayé par le message qu'il y découvre. La clarté avec laquelle la volonté de Dieu y est formulée, la redécouverte de ce qui en fait le centre – l'amour –, l'appel à se donner sans la moindre restriction et dans une absolue confiance à un Dieu qui se veut le Père bienveillant de ses créatures, tout cela suscite l'émerveillement. Rarement la vie religieuse a été décrite avec plus d'intensité, de clarté et de profondeur. Mais cet émerveillement se conjugue avec le sentiment d'une profonde incapacité : y a-t-il un seul homme qui puisse être à la hauteur de l'exigence de justice et de perfection formulée dans ce texte ? Tous ne courent-ils pas à l'échec et ne sont-ils pas en danger de jugement ? Toute l'histoire de l'Église est habitée par cette réaction ambivalente. Y a-t-il place pour la grâce dans le Sermon sur la montagne ? Ou est-ce le manifeste d'une exigence impossible ? Comment s'articulent grâce et obéissance dans ce texte si impressionnant ? Les huit premières béatitudes permettent à la fois de découvrir ce problème et de voir le chemin tracé par l'évangile de Matthieu. En voici la traduction :

Heureux ceux qui ont une âme de pauvre, car le Royaume des Cieux est à eux.

Heureux les doux, car ils posséderont la terre.

Heureux les affligés, car ils seront consolés.
Heureux les affamés et assoiffés de la justice, car ils seront rassasiés.
Heureux les miséricordieux, car ils obtiendront miséricorde.
Heureux les cœurs purs, car ils verront Dieu.
Heureux les artisans de paix, car ils seront appelés fils de Dieu.
Heureux les persécutés pour la justice, car le Royaume des Cieux est à eux. (Mt 5,3-10)

La comparaison entre les béatitudes qui se trouvent dans l'évangile selon Matthieu et celles qui se trouvent chez Luc (Lc 6,20-23) est riche d'enseignement. Elle nous permet de constater que les deux évangiles ont trois béatitudes en commun : la béatitude des pauvres, celles des affligés et celle des affamés. Ces trois béatitudes qui ont certainement été prononcées par Jésus lui-même formulent le cœur même de l'Évangile : sans poser la moindre condition, Dieu s'approche de ceux qui n'ont rien – les pauvres –, de ceux qui n'attendent plus rien de la vie – les affligés –, et de ceux qui n'ont pas même accès à la nourriture qui assure le lendemain. Ce sont ces exclus, ces désespérés, ces victimes de la précarité, ceux qui ne sont rien aux yeux du monde, qui sont déclarés heureux par Dieu, qui sont mis au bénéfice de son amour et de sa solidarité indéfectible. Ce sont eux qui ont un avenir auprès de Dieu. Dans la bouche de Jésus, les béatitudes sont donc grâce et don, élection de ce qui n'est rien. [voir 319]

Ces trois béatitudes, Matthieu les a reçues et commentées. Les pauvres deviennent « ceux qui ont une âme de pauvre » (litt. les « pauvres en esprit »), les affamés, « les affamés et assoiffés de la justice ». Par ailleurs, à ces trois béatitudes initiales, l'évangéliste en en ajouté quatre autres qui étaient en usage dans son Église* : la béatitude des doux, celle des miséricordieux, celle des cœurs purs et celle des artisans de paix. Enfin, il a probablement composé lui-même la dernière, la béatitude des persécutés. Peut-on repérer une cohérence dans ce développement de la tradition ?

Si Jésus s'adressait en priorité à des personnes tombées dans une situation de détresse pour leur annoncer la promesse divine, Matthieu a plutôt en vue des comportements éthiques qui sont appelés à structurer la vie chrétienne. Serait-ce alors dire que Matthieu trahit Jésus ? Nullement ! Mais il en réinterprète le message dans la situation qui est la sienne. Aux membres de son Église, les béatitudes rappellent tout d'abord que le Christ est solidarité et promesse pour tous ceux qui sont tombés dans la détresse : les pauvres en esprit – ceux qui savent qu'ils n'ont rien dont ils puissent se prévaloir devant Dieu et qui ont tout à attendre de lui –, les affligés et les persécutés demeurent les destinataires de la promesse extraordinaire du Christ. Le don et la grâce liés à la venue de Dieu demeurent. Mais à ce don s'ajoute une exigence : ceux qui ont tout reçu du Père sont appelés à être doux, miséricordieux, purs de cœur, artisans de paix. Le don du Règne qui vient est inséparable d'un engagement, d'une fidélité. Aussi bien le lecteur lorsqu'il lit les béatitudes dans Matthieu entend-il une double note : à la fois la promesse et l'exigence. Les deux aspects ne sont pas distingués – comme chez Paul, par exemple – mais forment une unité. Ce lien indissoluble entre la grâce et l'exigence est, pourrait-on dire, la signature du Sermon sur la montagne.

La finale de Matthieu

Le Sermon sur la montagne a permis de mesurer l'importance de l'enseignement du Christ pour l'auteur du premier évangile. À ses yeux, le Christ est, en premier lieu, un maître, plus précisément le maître qui, en s'appuyant sur la Loi consignée dans l'Ancien Testament, donne à la volonté de Dieu sa forme pleine et définitive. Mais est-ce là un aspect parmi d'autres ? Ou, au contraire, s'agit-il du centre même du message de Matthieu ?

Un texte célèbre nous permet de répondre à cette question. Il s'agit de la dernière scène de l'évangile au cours de laquelle le Christ ressuscité apparaissant aux siens sur une montagne de Galilée les envoie en mission parmi toutes les nations. Ce texte connu sous le nom de « finale de Matthieu » a le contenu suivant :

Quant aux onze disciples, ils se rendirent en Galilée, à la montagne où Jésus leur avait donné rendez-vous. Et quand ils le virent, ils se prosternèrent ; d'aucuns cependant doutèrent. S'avançant, Jésus leur dit ces paroles : « Tout pouvoir m'a été donné au ciel et sur la terre. Allez donc, de toutes les nations faites des disciples, les baptisant au nom du Père et du Fils et du Saint-Esprit, et leur apprenant à observer tout ce que je vous ai prescrit. Et voici que je suis avec vous pour toujours jusqu'à la fin de l'âge. » (Mt 28,16-20)

Ce passage occupe une fonction clef dans l'évangile. Il en constitue la conclusion aussi bien narrative que théologique. Le Christ ressuscité apparaît sur une montagne, lieu de révélation par excellence aux yeux de l'évangéliste. Il y indique comment le temps qui s'ouvre avec Pâques* et s'achève avec la parousie* doit être vécu. Le Ressuscité dispose souverainement de ce temps qui est le temps de l'Église et lui donne un contenu. On a d'ailleurs souvent souligné que si la finale relate l'apparition et l'instruction du Christ aux siens, elle ne dit rien, en revanche, sur sa disparition et son retour auprès de Dieu. C'est donc par cette ouverture illimitée à l'avenir, placée sous la parole du Christ que s'achève l'évangile.

Quel est alors le sens de cette ultime rencontre ? Ce sont ses onze disciples que le Christ rencontre (Judas n'a pas survécu à la Passion). Comme tout au long de l'évangile, ce groupe a une valeur symbolique : il figure l'Église appelée à se répandre sur toute la terre habitée. Que les disciples soient le paradigme des croyants à venir est signifié par deux détails. D'une part, tous les traits anecdotiques susceptibles de donner un caractère local et passé à la scène sont évités ; plus encore, l'apparition du Ressuscité est simplement présupposée ; elle n'est pas décrite. Le Christ rejoint les siens, non pas en se servant de supports matériels tels que la nourriture, mais par sa parole. Mais n'est-ce pas là la situation typique des croyants, toutes générations confondues ? D'autre part, ce sont des disciples partagés entre la foi et le doute qui viennent à la rencontre de leur maître. Des disciples écartelés entre leur fidélité au maître qu'ils ont suivi et aimé, et leur doute quant à la réalité de sa résurrection. Une tension qui caractérise la vie dans la foi durant le temps de l'Église.

À ces disciples partagés, le Christ prodigue un ultime enseignement. Il commence par leur rappeler que son autorité s'exerce désormais sur l'ensemble de la création. L'ordre missionnaire qui suit (« Allez donc, de toutes nations faites des disciples ») signifie que la seigneurie cosmique du Christ élevé va revêtir un visage surprenant : le visage de ses envoyés parmi les nations*.

DOCUMENT

LES SOURCES JUIVES DU NOTRE PÈRE

Le Notre Père que Jésus a enseigné à ses disciples s'inscrit dans la longue tradition de la prière juive. Ainsi les deux premières demandes du Notre Père (la demande de la sanctification du nom et de la venue du Règne) ont un étroit parallèle dans le début du *Qaddish*, prière qui, au temps de Jésus, était prononcée après l'homélie durant le service synagogal :

Que soit magnifié et sanctifié son grand Nom dans le monde qu'il a créé selon sa volonté ; et qu'il établisse son règne de votre vivant, et de vos jours et du vivant de toute la maison d'Israël, bientôt et dans un temps proche, et dites : Amen ! [*voir* texte complet du Qaddish p. 383]

La cinquième demande du Notre Père, la demande de pardon, a quant à elle un parallèle dans la prière par excellence du judaïsme, à savoir la prière des Dix-huit Bénédictions (*shemoneh 'esreh*) ; la sixième bénédiction a, en effet, le contenu suivant :

Pardonne-nous notre Père, car nous avons péché. Fais-nous grâce, notre Roi, car nous avons failli. Car tu es Celui qui fait grâce et pardonne. Béni es-Tu, Seigneur, qui fais grâce et multiplies le pardon.

Quelle est alors la mission des envoyés du Christ élevé ? Il s'agit de faire de toutes les nations des disciples. Cette formulation de la mission – unique dans le Nouveau Testament – signifie que chaque homme est appelé à entrer dans la condition du disciple. Cette condition, l'évangile l'a abondamment illustrée en décrivant la relation qui a prévalu entre Jésus et ses compagnons tout au long de son activité terrestre. Pour Matthieu, il n'y a pas de différence qualitative entre le disciple d'avant Pâques et celui d'après Pâques, si bien que le croyant des générations à venir est appelé à se reconnaître dans les disciples qui ont accompagné Jésus.

Le Christ élevé n'en reste pourtant pas à une affirmation générale. Il spécifie ce qui fait d'un homme un disciple. Le baptême est la première condition à remplir. Il scelle l'appartenance du catéchumène* au Christ et à l'Église. Le nom qui est invoqué sur le baptisé dit le salut qui lui est accordé. Mais, simultanément, en recevant le baptême, le candidat s'engage à accepter dans l'obéissance l'appel et l'exigence du Christ.

DOCUMENT

LA MONTAGNE DU SINAÏ

Le Sinaï joue un rôle de première importance dans le judaïsme* ancien. Il est le lieu où Moïse a reçu sa vocation (*Jubilés*, 48,2) et les commandements : « Sur le mont Sinaï, je t'ai parlé aussi des sabbats de la terre, je t'ai parlé des années jubilaires... » (*Jubilés*, 50,2). « Lorsque [...] Moïse fut arrivé au mont Sinaï, Dieu lui donna du haut du ciel, la Loi dont il avait écrit sur deux tables toutes les ordonnances » (*Oracles sibyllins*, III, 256s). Selon la tradition juive, le don de la loi fut accompagné de coups de tonnerre, d'éclairs et de fumée, mais simultanément les Israélites qui étaient au Sinaï furent miraculeusement transportés dans un état paradisiaque, délivrés pour un instant de la maladie, de la souffrance et de la mort. C'est un peuple saint et pur qui reçut la Tora. L'épisode du veau d'or mit fin à ce moment privilégié.

Dans la tradition rabbinique, le Sinaï est présenté comme le lieu où furent données la Tora orale et écrite. Ainsi le traité *Pirqé Abot** qui figure dans la *Mishna** s'ouvre par la sentence suivante :

Moïse reçut la Tora au Sinaï et la transmit à Josué. Josué la transmit aux Anciens et les Anciens la transmirent aux Prophètes. Les Prophètes la transmirent aux hommes de la Grande Assemblée. Ceux-ci dirent trois choses. Soyez pondérés dans l'exercice de la justice ; suscitez beaucoup de disciples ; faites une haie d'amour autour de la Tora. (Trad. J. Bonsirven)

Parce qu'Israël a reçu la Tora au Sinaï, ce lieu est par excellence un des lieux de la présence divine sur la terre. Il partage ce privilège avec quatre autres lieux : « Car le Seigneur possède quatre endroits sur la terre : le jardin d'Éden, la montagne de l'Orient, la montagne sur laquelle tu te trouves aujourd'hui, (à savoir) le mont Sinaï, et le mont Sion. » (*Jubilés*, 4,26)

Le Sinaï devient ainsi l'endroit de la révélation par excellence. Lieu jadis de la révélation de la Tora, il sera également le lieu de la manifestation ultime de Dieu lors de la fin du monde : « Le Saint, le Grand quittera sa demeure, le Dieu d'éternité viendra sur terre, marcher sur le mont Sinaï. » (*1 Hénoch*, 1,3-4)

En rappelant cette première condition, Matthieu ne fait que rappeler la tradition des premiers chrétiens. Mais il y ajoute une seconde condition qui fait son originalité. Pour devenir disciple, il convient d'apprendre à observer tout ce que le Christ a prescrit. Le disciple est donc invité à se mettre à l'écoute de l'enseignement du Christ et à le mettre en pratique. Cet enseignement (le temps passé du verbe « prescrire » le confirme) est un enseignement qui a été donné dans le passé, c'est-à-dire durant l'activité terrestre du Christ. Et, pour Matthieu, cet enseignement est consigné dans les grands discours qui rythment son évangile. Mais le verbe « prescrire » a un accent particulier qu'il convient de relever : l'enseignement passé de Jésus est présenté comme l'expression d'une volonté impérative, la volonté de Dieu, laquelle appelle l'homme à l'obéissance et à la fidélité.

La finale de l'évangile met un point d'orgue au récit de Matthieu en en rappelant l'harmonique essentielle. Le Christ du premier évangile est un maître ou plutôt le Maître qui enseigne la volonté de Dieu dans sa forme ultime. Cette volonté de Dieu est – comme l'ont montré de façon exemplaire les béatitudes – à la fois grâce et exigence. Devient disciple celui qui s'y soumet. Et celui qui s'engage sur la voie de la justice – pour utiliser une expression chère à Matthieu – est assuré de l'appui actif et indéfectible du Christ jusqu'à la fin du monde.

J. Z.

Matthieu : l'évangile de l'Église

L'évangile selon Matthieu est un évangile* où l'Église* tient une place essentielle. Certes le Christ est au centre du propos – c'est de son histoire qu'il y va –, mais cette histoire est une histoire construite en lien avec les disciples. L'histoire du Christ – telle qu'elle est racontée dans le premier évangile – s'adresse de façon privilégiée à la communauté des disciples. Elle montre comment cette communauté des disciples – toutes générations confondues – doit vivre sa foi.

Les deux discours à dimension ecclésiale

Les cinq grands discours fournissent un exemple frappant de cette orientation ecclésiale de l'évangile. Ils ont, en effet, pour auditoire privilégié les disciples et sont par excellence le lieu où le Christ instruit son Église. Parmi ces cinq grands discours, deux s'intéressent plus spécifiquement à la réalité de l'Église comme telle. Le premier, appelé ordinairement « discours d'envoi en mission » (9,35-11,1), traite du rapport de l'Église avec le monde qui l'entoure. Le second, connu sous le nom de « discours communautaire » (18,1-19,1), s'attache à montrer comment la vie en Église doit être conçue et assumée. Quelle est alors la vision de l'Église qui est développée dans chacun de ces deux discours ?

Le discours d'envoi en mission (Mt 10)

Le discours d'envoi en mission achève la présentation du Christ tel que le conçoit le premier évangile. Cette présentation comprend trois volets. Le Sermon sur la montagne (Mt 5-7) constitue le premier volet ; sa fonction consiste à présenter l'enseignement du Christ. Le second volet comprend les chapitres 8 et 9 qui contiennent pour l'essentiel les miracles opérés par le Christ. La signification de cet enchaînement est claire. Le Christ ne fait pas qu'enseigner la volonté ultime de Dieu – qui est volonté d'amour. Il agit de telle façon que cette volonté ultime de Dieu entre dans les faits, transforme concrètement la condition des hommes et des femmes rencontrés. Le Messie* de la Parole ne saurait être séparé du Messie de l'action. La volonté de Dieu révélée par le Christ du Sermon sur la montagne est une volonté libératrice et transformatrice, elle est amour en acte. Le discours d'envoi en mission (Mt 10) forme le troisième volet. Le Christ du Sermon sur la montagne n'est pas un Christ solitaire, mais il associe ses disciples à son œuvre, il en fait ses collaborateurs. Et c'est seulement après que Jésus a associé ses disciples à sa mission que Jean Baptiste peut poser la question : « Es-tu celui qui doit venir ou devons-nous en attendre un autre ? » (Mt 11,3), car à ce moment-là seulement le Christ – tel que le conçoit Matthieu – a révélé l'ampleur de son projet. Le discours d'envoi en mission marque donc le moment décisif où le Christ fait de ses disciples des collaborateurs qui endossent une responsabilité capitale vis-à-vis du monde. Quels sont les éléments caractéristiques de cette mise en responsabilité ? Quelle est la conception de l'Église qui s'y manifeste ?

Le discours d'envoi en mission s'ouvre par un prologue narratif (Mt 9,35-38). Ce prologue est d'importance car il définit le sens de la mission qui va être confiée aux disciples. Pour le premier évangile, la nécessité de la mission ne résulte pas de la volonté de répandre un enseignement nouveau et d'y gagner l'adhésion du plus grand nombre. C'est la lassitude des foules, leur désarroi, leur déficit de vie qui suscitent la pitié du Christ. C'est pour rendre à ces foules abattues et désorientées la plénitude de vie à laquelle elles ont droit que les disciples sont appelés. La fameuse déclaration, « La moisson est abondante, mais les ouvriers peu nombreux ; priez donc le Maître de la moisson d'envoyer des ouvriers à sa moisson » (Mt 9,37-38), souligne bien cette volonté de secours et de salut. L'image de la moisson n'est plus d'abord la métaphore du jugement – comme dans la prédication de Jean Baptiste, par exemple –, mais l'occasion de prodiguer amour et libération.

Avant même que le Christ ne prononce son discours, il appelle à lui les « douze disciples ». Alors que dans l'évangile selon Marc l'appel des Douze et la mention de leurs noms se situent au début de la narration (Mc 3,13-19) et précèdent clairement l'envoi en mission (Mc 6,7-12), Matthieu attend cet envoi pour appeler les disciples et énumérer leurs noms. Ce déplacement est hautement significatif. Il montre que, pour Matthieu, être disciple est inséparable de l'accomplissement* d'une mission. Certes l'évocation du cercle des « Douze » et plus encore l'apparition de la notion des « douze apôtres » (Mt 10,2) pourraient faire penser que seuls les compagnons historiques du Jésus terrestre sont concernés par les instructions qui suivent. Or il n'en est rien, car les douze apôtres sont également des disciples (Mt 10,11), plus précisément, ils sont à l'origine de l'Église et ils incarnent le modèle dans lequel chaque disciple des générations ultérieures est appelé à se reconnaître. La meilleure preuve de cette portée générale du discours tient dans le fait qu'à la différence de Marc et de Luc, Matthieu n'a pas jugé bon de raconter comment les premiers disciples avaient concrètement exécuté la mission qui leur était confiée. Le lecteur cherche vainement une trace du départ ou du retour des envoyés. Pour Matthieu, c'est la mission comme telle des envoyés et non sa première réalisation qui est significative. Quelle est alors la mission confiée aux Douze ? La première partie du discours (10, 5-16) souligne la parfaite identité qui existe entre la mission du Christ et celle des disciples. Cette identité dans l'exercice de la mission peut être repérée à quatre niveaux.

Tout d'abord, les disciples sont appelés à proclamer le même message que Jésus lui-même (cf. Mt 4,17) : « Proclamez que le Royaume des cieux est proche » (10,7). Cette identité de contenu est profondément significative. Comme le signale la finale de l'évangile (Mt 28,16-20) et à la différence des lettres de Paul, les disciples ne sont pas chargés d'abord de prêcher le Christ, et en particulier la signification salutaire de sa mort et de sa résurrection. Ils reçoivent mission de répéter son enseignement. Ils doivent redire ce qu'ils ont entendu de sa bouche.

En deuxième lieu, l'identité entre Jésus et ses disciples tient dans la même habilitation charismatique*. De même que le Christ a chassé les esprits impurs et guéri toute maladie (Mt 10,1), ainsi en est-il des disciples. Ils sont appelés à accomplir toute la gamme des actes miraculeux qui sont attribués au Christ dans les chapitres 8 et 9 : « Guérissez les malades, ressuscitez les morts, purifiez les lépreux, expulsez les démons » (Mt 10,8). La parole qu'ils ont charge de répandre est donc une parole toute-puissante.

En troisième lieu, les disciples, dans l'exercice de leur mission, sont invités à adopter l'éthique de vie qui était celle de Jésus. Cette éthique de vie est celle du prophète itinérant qui a renoncé à toute sécurité matérielle (pas d'argent, ni de sac pour la route) et à la violence (pas de bâton pour repousser les brigands et les chiens sauvages), et qui vit dans la pauvreté (pas de sandales, ni deux chemises ; Mt 10,9-10). Par leur comportement même, les disciples doivent montrer qu'ils attendent tout du Dieu qu'ils prêchent.

En quatrième lieu, enfin, comme le montre la bénédiction à accorder ou à refuser en entrant dans une ville ou un village (Mt 10, 11-15), la parole des disciples est une parole qui crée la vie ou qui consomme la perdition de ceux auxquels elle s'adresse. Certes seul le jugement final dira le dernier mot sur toute existence, mais son critère sera celui de la position prise vis-à-vis de l'Évangile. De même que la parole de Jésus avait une signification ultime pour ses auditeurs, ainsi en est-il de la prédication de ses collaborateurs.

Ces quatre niveaux où ministère de Jésus et mission des disciples se recouvrent parfaitement, disent la grandeur de la condition du disciple : il participe à la toute-puissance de son maître. La suite du chapitre (Mt 10,16-42) apporte un correctif important. Cette haute mission pour laquelle le disciple hérite des prérogatives de son maître va être placée sous le signe de l'opposition, du rejet et de la persécution. Si les disciples participent à la grandeur de leur maître, ils sont également associés à son abaissement. De même que le proclamateur du Règne a été rejeté par les siens, ainsi en est-il de ses envoyé (10,24-25). Le rejet ne sera pas épisodique, mais général ; Juifs et païens* s'uniront dans le refus (10,17-20). Même les familles seront divisées par l'Évangile (10,21-22). Cette situation d'extrême précarité ne doit pourtant pas être considérée comme tragique ou absurde, elle est au contraire l'occasion d'un témoignage rendu dans la force de l'Esprit (10,20) et d'une confession hardie. Le Père bienveillant, dont la bonté est apparente dans la création, ne soustrait pas les disciples à l'épreuve, mais il les accompagne et les soutient dans l'adversité (10,26-33). Le temps de la mission n'est pas un temps paisible, mais un temps de tension, de conflit et de déchirement (10,34-39). Mais c'est simultanément le temps où se décide l'accès à la vie ou sa perte irrémédiable.

C'est simultanément à une destinée de grandeur et d'abaissement que le discours d'envoi en mission appelle les disciples. C'est une Église porteuse de vie et pourtant sous la croix que dessine le chapitre 10. Comment alors les disciples dont le rapport au monde est fait de tensions et de promesses sont-ils appelés à vivre ensemble ?

Le discours communautaire (Mt 18)

Comme le discours d'envoi en mission, le discours communautaire concerne les seuls disciples. À nouveau, les destinataires ne sont pas les seuls compagnons historiques du Jésus terrestre, mais, à travers eux les croyants, toutes générations confondues. Le thème traité tout au long du chapitre est celui des relations qui doivent prévaloir entre les membres de la communauté.

Le cœur de ce discours est constitué par la description de la procédure disciplinaire qu'il faut engager à l'encontre du frère pécheur. Selon la règle énoncée, le membre de la communauté qui s'est rendu coupable doit être l'objet d'une correction fraternelle visant à lui faire admettre la faute commise et à lui rappeler le chemin de l'obéissance. Si, au terme de trois démarches successives, entreprises d'abord par un frère isolé, puis par plusieurs et enfin devant la communauté, le frère pécheur refuse d'écouter ce qui lui est dit, il est excommunié (Mt 18,15-17).

Quelle est alors la faute qui appelle pareille sanction ? Le discours, dans son ensemble, montre qu'il s'agit d'un comportement menaçant la communion ecclésiale. Le péché commis est un péché qui met en danger d'autres membre de la communauté. Le mépris des petits qui aboutit à ruiner leur foi (18,5-6.10) ou le pardon refusé (18,23-35) sont autant d'exemples de la faute fatale qui mène à l'excommunication. Le péché, dans le discours communautaire, se situe certes au niveau des relations interpersonnelles qui doivent prévaloir en Église, mais, pour Matthieu, transgresser l'exigence d'amour dû au prochain, c'est s'opposer à Dieu et à sa volonté.

Comme le montre le déroulement de la procédure en trois phases, le pouvoir disciplinaire est exercé par l'ensemble de la communauté. C'est d'ailleurs à l'ensemble de la communauté qu'est remis le pouvoir de lier ou de délier – et non pas à une élite ministérielle (18,18). Cette procédure entreprise à l'encontre des membre défaillants indique que, pour Matthieu, il existe une limite entre la communauté et le monde et que le disciple se doit de ne pas transgresser cette limite s'il entend rester membre de l'Église. La communauté se distingue du monde et doit veiller à conserver sa sainteté.

Cette ferme défense de l'identité religieuse et éthique, appuyée par le geste disciplinaire, pourrait faire penser que, d'un point de vue sociologique, l'Église telle que la conçoit Matthieu trahit des tendances sectaires. Ce jugement est cependant inéquitable, car il néglige la façon dont cette règle de correction fraternelle est mise en contexte dans l'ensemble du discours. Trois remarques s'imposent à cet égard.

Premièrement, le texte qui suit immédiatement l'énoncé de la règle disciplinaire est une instruction sur la prière en commun (18,19-20). L'enchaînement n'est pas fortuit. Il signifie que c'est dans la prière et devant Dieu que le litige doit être porté. La communauté n'est pas par elle-même en mesure de prendre pareille décision. La célèbre parole du Christ qui clôt cette instruction (« Que deux ou trois, en effet, soient réunis en mon nom, je suis là au milieu d'eux » ; Mt 18,20) assure la communauté priante de la présence du Christ élevé, mais cette présence se concrétise notamment dans l'enseignement qu'il a prodigué. Une première mise en contexte est ainsi opérée. La correction fraternelle doit être certes exercée, mais dans la prière et dans le respect du Christ, présent par enseignement.

En second lieu, il faut être attentif au début du discours qui achemine le lecteur vers la règle disciplinaire. Cette première moitié du discours comprend trois moments. Le dialogue sur la véritable grandeur qui ouvre le discours (Mt 18,1-5), définit l'éthique qui doit prévaloir dans la communauté. La véritable grandeur consiste – à l'image de l'enfant – à reconnaître sa fragilité, sa petitesse et son absolue dépendance face à Dieu. Les membres de la communauté sont appelés à se montrer humbles, disposés à servir et sans appétit de pouvoir, sachant que c'est de Dieu qu'ils reçoivent toute chose. Ils sont invités à accueillir les plus petits, car ce faisant, c'est le Christ même qu'ils accueillent. C'est habités par cette conviction qu'ils sauront exercer la discipline.

Le second passage concerne la mise en garde contre les fauteurs de scandale (Mt 18,6-10). Matthieu sait que la communauté chrétienne compte parmi ses membres des « petits », c'est-à-dire des hommes et des femmes qui vivent leur foi sous le signe de la fragilité. Ces « petits », loin d'être une charge ou un danger pour la communauté, sont les préférés de Dieu (18,10). Les mettre en danger, les amener à trébucher dans leur vie de foi constitue une faute d'une gravité irrémédiable. Seule la communauté qui veille avec attention sur les « petits » et les protège, peut exercer la discipline.

Le troisième texte qui précède immédiatement l'instruction disciplinaire est la parabole de la brebis perdue (18,12-14). La réinterprétation qu'en donne Matthieu est profondément significative. Si dans l'évangile selon Luc (Lc 15,3-7 [*voir* p. 401]), la parabole de la brebis perdue célèbre la joie suscitée dans le ciel par la conversion d'un pécheur, ce même récit a une autre pointe dans le premier évangile. Il souligne la responsabilité illimitée de la communauté à l'égard d'un « petit » en danger de perdition. Seule la communauté qui, à l'image du berger abandonnant son troupeau pour retrouver la brebis perdue, ne ménage aucun effort pour regagner le croyant égaré peut exercer la discipline.

Tout aussi intéressante est la façon dont le discours poursuit la réflexion après l'énoncé de la règle disciplinaire. La partie finale du chapitre 18 est en effet constituée par une instruction sur le pardon. Cette réflexion est introduite par une question de Pierre s'interrogeant sur l'étendue du pardon à accorder au frère péchant contre lui (18,21-22). La réponse du Christ qui tient dans le fameux « soixante-dix-sept fois » supprime toute limite et en appelle à un pardon illimité. Le bien-fondé de sa réponse est développé dans la parabole du débiteur impitoyable (Mt 18,23-35). Cette dernière met en balance pardon divin et pardon humain : celui qui est bénéficiaire du pardon divin – et tous le sont ! – doit faire preuve à l'égard du frère de la générosité même dont il a été l'objet. Refuser le pardon au frère qui en a besoin, c'est s'exposer au jugement qui vient. L'accent est à nouveau parfaitement clair : seuls les frères qui vivent et pratiquent l'exigence d'un pardon infini peuvent exercer la discipline.

Le discours communautaire est donc habité par une tension. Lorsqu'il y va de la vie en communauté et des liens qui unissent ses membres, il convient de veiller à ce que des comportements pécheurs ne mettent pas l'Église en danger et, le cas échéant, de sévir, afin de préserver son intégrité. Mais le geste disciplinaire ne peut être entrepris et accompli que dans la prière et face au Christ présent. Il trouve sa juste place dans une éthique du service, dans la vigilance à ne pas mettre les petits en danger, dans la volonté de les regagner lorsque survient l'épreuve et dans une disponibilité au pardon infini.

La mission de Pierre

Mis à part les deux discours dont nous venons d'esquisser la perspective théologique, un autre élément de la narration de Matthieu est d'importance quand il s'agit d'aborder le thème de l'Église : c'est la personne de l'apôtre Pierre. Quel rôle Pierre joue-t-il dans l'évangile selon Matthieu ? Quelle est la signification de cet éminent personnage pour l'Église ?

Un survol de l'évangile montre l'importance que Matthieu accorde à Pierre. Il est le disciple dont le nom est le plus souvent cité. De plus, l'évangéliste introduit dans sa narration des épisodes connus de lui seul, et liés au nom de Pierre (Mt 14,28-31 ; 16,17-19 ; 17,24-27). Cette abondante documentation fait apparaître deux traits majeurs dans le portrait de Pierre tracé par l'évangéliste.

En premier lieu, Pierre incarne la figure typique du disciple et ceci d'une double manière. D'une part, il est le porte-parole des disciples. C'est lui qui, au nom du groupe, pose des questions à Jésus (Mt 15,15 ; 18,21). C'est lui qui formule des objections et qui se voit corrigé par Jésus (Mt 16,22-23 ; 19,27-30 ; 26,33-34). Pierre est ici dans le rôle de

DOCUMENT

« TU ES PIERRE » : LE COMMENTAIRE DE SAINT CYPRIEN

Cyprien vivait au IIIe siècle. Natif de Carthage en Afrique du Nord, il en fut l'évêque et y mourut martyr. Dans une de ses lettres, il commente « Tu es Pierre » (Mt 16,18) dans les termes suivants :

Notre Seigneur, dont nous devons révérer et garder les commandements, réglant ce qui concerne les égards dus à l'évêque, et l'ordre de son Église, parle dans l'Évangile et dit à Pierre : « Je te dis que tu es Pierre, et que sur cette pierre je bâtirai mon Église et que les portes de l'Enfer ne prévaudront point contre elle. Je te donnerai les clés du royaume des cieux, et ce que tu auras lié sur la terre, sera lié dans le ciel, et ce que tu auras délié sur la terre sera délié dans le ciel. » De là découle, à travers la série des temps et des successions, l'élection des évêques et l'organisation de l'Église : l'Église repose sur les évêques et toute sa conduite obéit à la direction de ces mêmes chefs. Les choses ayant été ainsi établies par disposition divine, je m'étonne de l'audace téméraire de certains qui m'ont écrit, en affectant de parler au nom de l'Église, alors que l'Église est établie sur les évêques, le clergé et ceux qui sont restés fidèles. (Lettres, 33,1. Trad. Ch. Bayard)

Ce bref extrait donne un exemple parmi d'autres de la façon dont la fameuse déclaration du Christ sur Pierre fut reçue et interprétée dans l'Église ancienne. Deux éléments qui n'apparaissent pas dans le texte original sont au centre du propos de Cyprien. D'une part, la mission de Pierre est assimilée à la charge épiscopale. D'autre part, il s'agit d'une charge transmissible (principe de succession).

l'élève qui se met à l'écoute de son maître et qui se fait instruire par lui. Il incarne la condition qui est celle de tout disciple : recevoir et assimiler l'enseignement de Jésus. Dans cet apprentissage, Pierre apparaît néanmoins comme le *primus inter pares*. D'autre part, Pierre revêt une signification typique de par son comportement fait de grandeur et de faiblesse. Le récit de la marche sur les eaux montre à la fois son attachement à Jésus et son manque de foi (Mt 14,28-31). La scène à Césarée de Philippe (Mt 16,13-23) fait ressortir simultanément son indiscutable confession* de foi et son refus de la Passion. Lors du dernier repas, il assure le Christ de son indéfectible fidélité (Mt 26,33-35) pour le renier ensuite et tout aussitôt s'en repentir (Mt 26,69-75). Dans son ambivalence même de confesseur renégat, de croyant douteur, de fort faible, Pierre devient le paradigme du disciple, toutes générations confondues.

En second lieu, au-delà de sa fonction paradigmatique, Pierre endosse un rôle unique. Sa forte présence dans les chapitres 13 à 18 où il y va fondamentalement de l'édification de la communauté chrétienne, le fait qu'il soit présenté comme le « premier » d'entre les disciples (Mt 10,2) sont de solides indices. Mais la note décisive est donnée par la fameuse déclaration du Christ sur Pierre après que celui-ci eut reconnu en lui le Messie :

En réponse, Jésus lui dit : « Tu es heureux, Simon fils de Jonas, car cette révélation t'est venue, non de la chair et du sang, mais de mon Père qui est dans les cieux. Eh bien ! moi je te dis : Tu es Pierre, et sur cette pierre je bâtirai mon Église, et les Portes de l'Hadès ne tiendront pas contre elle. Je te donnerai les clefs du Royaume des Cieux : quoi que tu lies sur la terre, ce sera tenu dans les cieux pour lié, et quoi que tu délies sur la terre, ce sera tenu dans les cieux pour délié. »* (Mt 16,17-19)

Cette déclaration instituant Pierre fondement de l'Église n'apparaît que dans le premier évangile. Le but du commentaire qui suit n'est

REPÈRE

JÉSUS A-T-IL FONDÉ L'ÉGLISE ?

Selon l'évangile selon Matthieu, la déclaration de Jésus à Césarée de Philippe déclarant Pierre, fondement de l'Église, et lui attribuant le pouvoir des clefs semble trancher la question : Jésus a fondé l'Église. Mais qu'en est-il des autres écrits du Nouveau Testament qui ne connaissent pas cet épisode ? Et comment Jésus s'est-il historiquement lui-même prononcé sur cette question ?

Selon l'ensemble des écrits du Nouveau Testament, la fondation de l'Église coïncide avec la Résurrection du Christ. Le cercle des disciples qui avait été dispersé par l'arrestation, le procès et l'exécution de leur Maître, est réuni par les apparitions du Ressuscité. Forts de la conviction que le Crucifié est vivant, les apôtres se voient investis d'une double mission : annoncer à l'ensemble du monde habité la nouvelle de cet événement décisif et regrouper en communautés de foi les hommes et les femmes qui acceptent l'Évangile de la mort et de la Résurrection du Christ. Les épîtres de Paul et les Actes des Apôtres témoignent abondamment de ce tournant marquant l'émergence de l'Église. En ce sens, on peut dire que c'est le Christ ressuscité qui fonde l'Église et en est le Seigneur.

Faut-il alors en déduire que le Jésus de l'histoire n'a jamais envisagé la création de l'Église, laquelle devait précisément perpétuer son enseignement et son œuvre ? Une pareille affirmation est assurément erronée. Trois observations suffisent à le montrer :

– Durant son ministère terrestre, Jésus a appelé des hommes et des femmes à le suivre. Cette « suivance » supposait une adhésion à la personne même de Jésus, la foi en sa mission divine. Naquit ainsi un groupe soudé par la conviction d'avoir trouvé en Jésus l'envoyé ultime de Dieu pour les hommes. Ce groupe de disciples rassemblé avant Pâques et réuni définitivement par la foi en la résurrection du Christ constitue le noyau primitif duquel naîtra l'Église.

– Parmi les disciples, se détacha un cercle plus étroit, distingué par Jésus : le cercle des Douze. Le nombre Douze est hautement symbolique ; il renvoie à celui des douze tribus d'Israël. Le choix des Douze signifiait que Jésus s'adressait à tout Israël, mais simultanément il manifestait sa volonté de rassembler le nouveau peuple de Dieu.

- Les paroles prononcées par Jésus lors du dernier repas pris avec ses disciples indique que le Nazaréen était persuadé de la pérennité de son œuvre. La proclamation du Règne de Dieu avait – c'était sa ferme conviction – un avenir au-delà même de sa mort imminente (Marc 14,22-25).

Ces trois observations permettent de penser que Jésus a historiquement rassemblé ce qu'il considérait être le peuple de Dieu de la fin des temps. En ce sens, la Résurrection n'a fait que donner toute sa signification et son ampleur à un mouvement amorcé avant Pâques.

pas d'établir que Jésus a historiquement tenu pareil propos, ni sous quelle forme, mais de montrer le sens de ce passage dans le premier évangile.

Après avoir validé la confession de foi de Pierre en dévoilant son origine divine, le Christ déclare Pierre fondement de l'Église. La métaphore de la pierre qui joue avec le nom de l'apôtre veut accréditer l'idée de la solidité, de la stabilité et de la durée. Aucune puissance d'aucune sorte – pas même les portes de l'Hadès* – ne pourra ébranler ou mettre en danger le fondement qui a été posé. Le nouveau rocher choisi s'oppose à l'ancien – celui de Sion* ; il symbolise l'érection du Nouveau Temple. Ce nouveau Temple, c'est l'Église comprise au sens universel, à la fois dans son étendue et son histoire. C'est d'ailleurs la première fois que Matthieu utilise le terme d'« Église ».

La grande question consiste à savoir comment Pierre remplit cette fonction capitale : être le fondement stable et durable de l'Église. Le pouvoir des clefs (v.19) apporte l'éclaircissement attendu. Pierre est le fondement de l'Église dans la mesure où il « lie » et « délie ». Or dans la tradition rabbinique*, le pouvoir des clefs désigne en premier lieu l'habilitation du scribe à prendre des décisions en matière d'interprétation de la loi. « Lier » ou « délier » consiste à promulguer ce qui est interdit ou permis par la Loi*. Par analogie et tenant compte de l'enracinement de l'évangile de Matthieu dans la tradition juive, il est légitime de penser que le pouvoir des clefs attribué à Pierre concerne l'enseignement de Jésus. Pierre est chargé de veiller à la transmission et à la juste interprétation de l'enseignement de Jésus. C'est en remplissant cet office qu'il est fondement de l'Église.

Que ce soit comme figure typique du disciple, que ce soit dans son rôle unique, Pierre fait apparaître le trait fondamental de l'Église telle que Matthieu la conçoit. L'Église est constituée par son lien infrangible à celui qui est son origine, le Christ. En tant que personne dans le comportement de laquelle tout croyant peut se reconnaître, Pierre signale que l'histoire unique qu'il a vécue avec le Jésus terrestre devient l'espace dans lequel chaque disciple est appelé à comprendre et à vivre sa foi. En tant que personnage unique, fondement de l'Église, Pierre fait apparaître que l'Église ne peut vivre que reliée à ses origines et notamment à l'enseignement de son Maître.

J. Z.

MATTHIEU, ISRAËL ET LES NATIONS

On a dit de Matthieu qu'il est, de tous les évangiles*, à la fois le plus juif et le plus antijuif. La théologie matthéenne* vit de cette double particularité ; d'une part ses catégories de pensée proviennent intégralement de la tradition juive, d'autre part ces mêmes catégories sont tournées de façon polémique contre Israël. L'évangéliste s'est en effet attaché à dénoncer l'incrédulité rencontrée en Israël par Jésus et ses disciples ; la dramatique du récit ménage une place capitale à ce refus du Messie*, depuis l'enfance de Jésus (la violence meurtrière du roi Hérode ; Mt 2,16-18) jusqu'au terrible cri des foules de Jérusalem réclamant la mise à mort de Jésus : « Que son sang soit sur nous et sur nos enfants ! » (Mt 27,25). Mais si l'affirmation du jugement de Dieu contre son peuple endurci est maintes fois répétée, ce même jugement menace l'Église* et sanctionnera sa fidélité à la fin des temps.

CHRONIQUE D'UNE RUPTURE

Quelle image d'Israël se profile dans le premier évangile ? Un coup d'œil fait immédiatement réaliser que le portrait du peuple juif brossé par le narrateur ressemble plus au judaïsme* qui lui est contemporain qu'à l'Israël du temps de Jésus.

Voici les traits les plus manifestes :

1. Ce judaïsme s'est séparé de la chrétienté à laquelle appartient Matthieu. Aussi est-il dit que Jésus enseignait « dans leurs synagogues » (Mt 4,23 ; 9,35 ; 13,54). Le récit s'adresse à des lecteurs auxquels les synagogues sont fermées.
2. À la différence de ce qui apparaît chez Marc ou Luc, Israël se mure face à Jésus dans un front du refus. Si les foules manifestent un certain

intérêt, les autorités religieuses se montrent d'emblée agressives ; parmi elles, les Pharisiens* prennent une place prédominante.
3. L'hostilité juive à l'égard des chrétiens se concrétise, lors de la Résurrection, dans la rumeur du vol du cadavre de Jésus par les disciples. Or, le narrateur tient à faire remarquer que cette légende, initiée par les grands prêtres et les anciens, « s'est colportée parmi les Juifs jusqu'à ce jour » (Mt 28,15).

Ce portrait correspond en tout point au judaïsme contemporain de Matthieu, qui refait son unité après la catastrophe de 70 sous la haute main des rabbis* pharisiens. Église et Synagogue* ne partagent plus le même culte. Dans sa réécriture de la tradition de Jésus, Matthieu veut penser théologiquement l'échec d'Israël, et la rupture qui vient d'intervenir entre juifs et chrétiens ; son évangile se présente comme le récit fondateur de la rupture.

L'échec d'Israël

En quoi consiste l'échec d'Israël ? La réécriture matthéenne* de l'histoire du centurion de Capharnaüm (Mt 8,5-13) livre un premier indice. Un centurion romain supplie Jésus de guérir son serviteur ou son enfant ; mais il est conscient de son indignité de païen* et de l'impossibilité pour Jésus de pénétrer chez lui sans se mettre en état d'impureté : « Seigneur, je ne mérite pas que tu entres sous mon toit ; mais dis seulement un mot et mon enfant sera guéri » (8,8). Après avoir reconnu que la guérison ne pourrait être qu'imméritée, il suggère d'opérer la guérison d'un mot, à distance, ce qui provoque l'admiration de Jésus : « En vérité, je vous le dis, chez personne je n'ai trouvé une telle foi en Israël » (8,10).

La confiance dans le pouvoir guérir de Jésus, dont fait preuve l'officier païen, n'a donc pas son pareil en Israël. À cette foi exemplaire, qui est reconnaissance de la puissance libératrice de la parole de Jésus, s'oppose l'incrédulité juive. Ce qui fait défaut à Israël, c'est précisément cette confiance dans le pouvoir qu'a Jésus de venir à bout des forces du mal. Les conséquences de ce refus sont énoncées dans un commentaire que Matthieu insère sitôt après, et qu'il a puisé dans la source des *logia** :

« Eh ! bien, je vous dis que beaucoup viendront du levant et du couchant prendre place au festin avec Abraham, Isaac et Jacob dans le Royaume des cieux, tandis que les fils du Royaume seront jetés dans les ténèbres extérieures : là seront les pleurs et les grincements de dents » (Mt 8,11-12 ; cf. Lc 13,28-29).

Le bouleversement qui s'annonce ici est considérable. Prendre part au festin de la fin des temps avec Abraham, Isaac et Jacob, c'est bénéficier des promesses de salut faites à Israël. Si les bénéficiaires attitrés de la promesse en sont exclus, cela signifie que le salut n'est plus lié à l'élection*. Il n'est plus délivré à une collectivité nationale, mais à tout individu et sur la base de sa foi. Autrement dit : l'appartenance à Israël n'est pas une garantie de salut. Abraham, Isaac et Jacob sont les pères de tout croyant ; ils n'offrent désormais aucune protection à leurs descendants endurcis. La figure du centurion romain devient ainsi le prototype des païens vers lesquels, dorénavant, va se tourner la chrétienté matthéenne.

Les paroles de Jean le Baptiste, que Matthieu a fortement rapprochées de l'enseignement de Jésus, résonnaient identiquement au seuil de l'évangile : « Produisez donc un fruit qui soit digne de la conversion et ne vous avisez pas de dire en vous-mêmes : Nous avons pour père Abraham. Car je vous le dis, Dieu peut, des pierres que voici, faire surgir des enfants à Abraham » (Mt 3,8-9). Abraham n'est d'aucun recours pour les incrédules. Lier le salut à la foi, c'est faire entendre que l'alliance avec Dieu est désormais offerte à quiconque croit, indépendamment de son origine et de son passé.

Un défaut de fidélité

Mais le premier évangile n'en reste pas au constat du manque de foi d'Israël face à Jésus. L'incrédulité se concrétise par un défaut de fidélité dans l'alliance, et cette carence caractérisait déjà Israël dans le passé. La parabole des vignerons meurtriers (Mt 21,33-43) en est une claire illustration :

> *Un homme était propriétaire, et il planta une vigne ; il l'entoura d'une clôture, y creusa un pressoir et y bâtit une tour ; puis il la loua à des vignerons et partit en voyage. Quand approcha le moment des fruits, il envoya ses serviteurs aux vignerons pour en recevoir les fruits...* (Mt 21,33-34)

La citation d'Isaïe 5,1-2, qui façonne le début du texte, annonce que le récit va traiter de l'histoire de Dieu avec son peuple. Derrière le propriétaire, il faut voir Dieu ; derrière les vignerons qui refusent de lui livrer les fruits de sa vigne, c'est Israël ; derrière les serviteurs réclamant ce qui est dû au maître, il faut voir les prophètes et derrière le fils assassiné : Jésus.

Le sort violent réservé aux prophètes, puis au Fils, manifeste l'ampleur de la révolte du peuple élu contre son Dieu. La question en litige est la reddition des « fruits » : ce motif est une métaphore biblique classique pour désigner le comportement, la fidélité pratique requise des croyants. Ne pas livrer les fruits, c'est transgresser le contrat d'alliance en refusant l'obéissance requise. Israël s'est fermé aux initiatives répétées de son Dieu au cours de l'histoire ; la fidélité qu'implique son appartenance à l'alliance lui a fait défaut. Vue dans cette perspective, la croix est l'apogée d'une attitude de refus dont les prophètes furent déjà les victimes dans le passé.

À quoi attribuer ce défaut de fidélité ? L'évangile y revient à plusieurs reprises. La définition juive de la « justice » est insuffisante (5,20), parce que la configuration de l'éthique juive ne retient pas le primat du commandement d'amour sur toute autre prescription (12,1-8 ; 22,34-40). La longue série d'invectives contre les « scribes et pharisiens hypocrites » (23,13-32) dénonce en termes incantatoires l'égarement de l'interprétation de la Tora* chez les Pharisiens : ils égarent autrui par une casuistique trompeuse, ils respectent les plus infimes prescriptions rituelles tout en négligeant les impératifs essentiels de la loi* (« la justice, la miséricorde et la bonne foi » ; 23,23). Ces « guides aveugles » ont conduit le peuple à sa perte.

Le résultat de ce fiasco est le déchaînement de la colère de Dieu. « Lors donc que viendra le maître de la vigne, que fera-t-il à ces vignerons-là ? », demande Jésus en conclusion de la parabole des vignerons meurtriers. Et ses interlocuteurs de répondre correctement : « Il fera misérablement périr ces misérables, et il louera la vigne à d'autres vignerons, qui lui en livreront les fruits en leur temps » (21,40-41). La sanction consiste d'abord dans l'anéantissement des coupables ; force est ici de penser à la destruction de Jérusalem par les troupes romaines en l'an 70, car dans cette catastrophe nationale, Matthieu a vu s'accomplir la colère divine. La sanction consiste ensuite en une dépossession : le contrat de fermage est reporté sur d'autres avec le mandat de livrer les fruits attendus. En clair : l'alliance est conclue avec d'autres hommes, qui ont pour mission de pratiquer la fidélité à laquelle Israël a failli. Le temps de l'alliance privilégiée de Dieu avec le peuple choisi est révolu.

L'élection perdue

N'est-ce pas une simplification scandaleuse que de récapituler l'histoire sainte de Dieu et de son peuple sous le signe du refus des envoyés ? En fait, il ne s'agit pas d'une invention de l'évangile. L'idée remonte à la théologie deutéronomiste (voir Néhémie 9,26), dans sa tentative de comprendre la cause de la disparition du royaume d'Israël en 722 et de la destruction du Temple en 587. La réponse fut une lecture simplificatrice de l'histoire sainte : malgré les exhortations répétées de Dieu rappelant à lui son peuple rebelle, celui-ci a toujours répondu en assassinant les envoyés, s'attirant le juste châtiment de Dieu. Au Ier siècle de notre ère, des prédicateurs juifs de conversion rappelaient le destin violent des prophètes pour convoquer Israël à faire pénitence.

Le motif est ici repris, et conduit à son paroxysme par la crucifixion du Messie. Dans le désastre de 70 et la fin du Temple, Matthieu – à l'image de quelques rabbis juifs – a vu la signature du Dieu de colère. Mais différemment des rabbis, Matthieu interprète ce châtiment comme la fin de l'histoire privilégiée d'Israël. Le jugement dernier s'est abattu dans l'histoire. Israël a perdu l'élection. Contrairement à l'apôtre Paul (Rm 11,25-29), l'évangéliste considère en effet que le bénéfice des promesses n'est plus acquis à ce peuple. Désormais, les Juifs ne sont pas maudits, mais leur droit exclusif sur le salut est abrogé ; seule la foi agissante dans la fidélité leur ouvre un accès à l'approbation de Dieu.

Le cri de la foule jérusalémite à la Passion (« Que son sang soit sur nous et sur nos enfants ! » ; Mt 27,25) n'est pas une déclaration d'automalédiction. Le peuple notifie à Pilate, qui proteste de l'innocence de Jésus, qu'il endosse l'entière responsabilité juridique de la condamnation. La croix ne fut pas le fruit d'un tragique accident, insiste Matthieu. La décision d'éliminer Jésus résulta d'une volonté délibérée, mais à aucun moment, cet acte ne fonde dans le premier évangile une position antisémite. Israël n'est pas un peuple maudit parce qu'il est juif. Dieu le condamne, selon Matthieu, parce que son infidélité est allée jusqu'à tuer le Messie qui lui était pourtant destiné. Si désormais l'octroi du salut ne passe plus par la circoncision, mais par la seule foi, cette promesse est offerte à quiconque, qu'il soit Juif ou non.

Un destin en suspens

Quelle est, dans l'évangile de Matthieu, l'identité de ce nouveau peuple bénéficiaire de l'alliance ? La lecture attentive du commentaire conclusif de la parabole des vignerons meurtriers est extrêmement instructive : « Aussi je vous le dis : le Royaume de Dieu vous sera retiré pour être confié à un peuple qui lui fera produire ses fruits » (Mt 21,43). Cette parole est propre à Matthieu. Le transfert du Royaume de Dieu indique le transfert de l'accès au salut.

Si l'identité du peuple dépossédé ne fait pas de doute, qu'en est-il des nouveaux bénéficiaires ? Il serait assurément précipité d'y voir l'Église ! Certes, cette déclaration s'adresse aux chrétiens et vise leur communauté ; mais le fait que les bénéficiaires ne soient pas désignés autrement que par la tournure « un peuple qui lui fera produire ses fruits » implique que le transfert a lieu sous condition. Le salut sera accordé à ceux qui auront été fidèles ; cette fidélité se confond avec l'obéissance telle que la présente l'enseignement du Jésus matthéen sur la loi (5,21-48). Le salut est donc promis sous réserve de fidélité avérée. Il n'est pas acquis que tout croyant puisse y souscrire : le Juge de la fin des temps tranchera.

D'Israël à l'Église

La parabole des invités au festin (Mt 22,1-14), qui suit immédiatement celle des vignerons meurtriers, poursuit la réflexion sur ce point. Le récit déploie à nouveau une allégorie de l'histoire axée sur la réception d'envoyés, mais avec un déplacement dans le temps ; on est passé des prophètes à Jésus et à ses envoyés :

Il en va du Royaume des cieux comme d'un roi qui fit un festin de noces pour son fils. Il envoya ses serviteurs convier les invités aux noces, mais eux ne voulaient pas venir. De nouveau il envoya d'autres serviteurs avec ces mots : « Voici, j'ai apprêté mon banquet, mes taureaux et mes bêtes grasses ont été égorgés, tout est prêt, venez aux noces. » Mais eux, n'en ayant cure, s'en allèrent, qui à son champ, qui à son commerce ; et les autres, s'emparant des serviteurs, les maltraitèrent et les tuèrent. Le roi fut pris de colère et envoya ses troupes qui firent périr ces meurtriers et incendièrent leur ville. Alors il dit à ses serviteurs : « La noce est prête, mais les invités n'en étaient pas dignes. Allez donc au départ des chemins, et conviez aux noces tous ceux que vous pourrez trouver. » Ces serviteurs s'en allèrent par les chemins, ramassèrent tous ceux qu'ils trouvèrent, les mauvais comme les bons, et la salle de noces fut remplie de convives. (Mt 22,2-10)

Là aussi, l'allégorie* perce sous le texte. Dans la personne du roi il faut reconnaître Dieu, dans celle du fils Jésus, et dans les noces l'irruption du Royaume. Les deux envois successifs de messagers correspondent à la mission des disciples avant Pâques* et après Pâques. La persécution qui s'abat sur eux coïncide avec les propos du chapitre 10 (v.16-25). L'allégorie commande aussi la description de l'expédition punitive du roi, dont l'ampleur (détruire la ville des invités absents !) outrepasse le cadre du récit : les événements dramatiques de l'an 70 sont à deviner derrière ce courroux destructeur. Que les premiers invités soient jugés non « dignes » de l'invitation n'incline à aucune prédestination : c'est l'acte qui qualifie la personne ; en l'occurrence, le comportement de refus opposé par Israël à la mission chrétienne l'a rendu indigne de participer aux noces messianiques.

Le déroulement du récit fait apparaître que seul l'échec de la mission auprès d'Israël conduit le roi à convier d'autres invités. En clair, seul le double refus de l'invitation au Royaume conduit Dieu à lancer l'appel en direction d'autres hommes. S'exprime fortement ici la conscience de l'Église matthéenne d'hériter d'une vocation destinée primitivement à Israël. Mais cet héritage est grevé de deux conditions dont il faut impérativement tenir compte.

Première condition : si l'Église naît de la faillite d'Israël, elle n'en accapare ni les titres, ni les privilèges. L'Église n'est ni un nouvel Israël, ni le véritable Israël. Elle n'est pas la simple continuatrice de l'histoire du peuple de Moïse, qui conserve son rôle historique dans le projet de Dieu, même si ce rôle est désormais révolu. L'Église est un peuple entièrement déterminé par sa mission : « livrer les fruits » (21,41), « être digne » de l'invitation reçue (22,8).

Deuxième condition : si les chrétiens sont bénéficiaires de la nouvelle invitation, aucune garantie de salut ne leur est accordée. Le groupe des nouveaux invités est rassemblé à la hâte, et se compose de « mauvais » comme de « bons ». Ce rassemblement au hasard est l'image d'une grâce divine qui convoque chacun, sans préférence, sans que quiconque puisse se déclarer méritant. Peut-on discerner déjà, sous ces mots, les traits d'une Église de masse accueillant les multitudes au baptême ? Peut-être. Le plus important est que la parabole continue. Alors que son parallèle chez Luc s'achève sur l'accueil universel des croyants (Lc 14,16-24), le texte matthéen poursuit par l'épisode de l'homme sans habit de noce :

Le roi entra alors pour examiner les convives, et il aperçut là un homme qui ne portait pas la tenue de noce. « Mon ami, lui dit-il, comment es-tu entré ici sans avoir une tenue de noce ? » L'autre resta muet. Alors le roi dit aux valets : « Jetez-le, pieds et poings liés, dehors, dans les ténèbres : là seront les pleurs et les grincements de dents. » Car beaucoup sont appelés, mais peu sont élus. (Mt 22,11-14)

Il apparaît clairement que, si la première invitation visait un cercle bien défini, la seconde est destinée à qui veut bien la recevoir. Mais l'accepter engage. Car dans la foule ambiguë, composée de gens de toutes qualités, le roi vient faire sa visite. L'homme dépourvu d'habit de noce symbolise le croyant qui n'a pas revêtu une tenue adéquate, à la hauteur de l'invitation dont il est gratifié. Que faut-il comprendre ici ? Les Pères* de l'Église y ont souvent lu une allusion à la robe baptismale. Dans la perspective du premier évangile, il s'agit plutôt de penser à la « justice » à laquelle les croyants sont inlassablement invités ; le convive démuni représente les croyants qui ont accueilli la grâce de Dieu, mais sans y répondre par une vie d'obéissance. Il ne suffit donc pas d'être appelé ; pour être élu, c'est-à-dire reçu par le Juge de la fin des temps, il faut voir fait fructifier la grâce dans sa vie en gestes de fidélité et de miséricorde. Le slogan final sonne comme un avertissement : s'il y a beaucoup d'appelés, le Jugement dernier procédera au tri et retiendra peu d'élus.

On ne saurait faire entendre plus clairement que l'Église ne se réinstalle pas dans une certitude de salut qui pouvait appartenir à Israël. La communauté croyante est une collectivité mélangée, un *corpus mixtum*, dont seul le Juge eschatologique dévoilera l'identité de chacun – élu ou réprouvé.

Un rôle de prévention

Constater qu'Israël a été jugé par Dieu n'installe donc pas l'Église de Matthieu dans la satisfaction des élus. Au contraire, le jugement qui s'est dramatiquement abattu sur ce peuple n'épargnera pas l'Église ; les abondantes références au Jugement dernier, tout au long de l'évangile, rappellent inlassablement que le verdict du Christ Juge s'inscrit à l'horizon de l'histoire du monde.

L'évocation du jugement d'Israël au sein de l'évangile ne joue donc pas un rôle essentiellement polémique, mais parénétique*. Traumatisé par la catastrophe de 70, Matthieu tente de conjurer la répétition de ce désastre pour son Église. Car la méditation de l'histoire récente d'Israël l'a conduit à cette évidence : on peut déchoir de la grâce. Le sort tragique de Jérusalem en est la démonstration : Dieu a déserté la Ville sainte (23,38) pour cause d'endurcissement du peuple. Dans son interprétation de la tradition de Jésus, l'évangéliste ne manquera pas une occasion de rappeler à ses auditeurs / lecteurs qu'un malheur identique peut les atteindre. Cette insistance sur la menace que fait planer le Jugement joue un rôle éminent de prévention.

Le Jugement universel

La plus célèbre évocation du Jugement dernier est située à la fin du discours sur les temps derniers (Mt 24-25). Une fresque grandiose (Mt 25,31-46) rassemble « toutes les nations » devant le Fils de l'homme qui séparera les bénis des maudits comme le berger sépare les brebis des boucs. Aux uns, il dira :

« *Venez, les bénis de mon Père, recevez en héritage le Royaume qui vous a été préparé depuis la fondation du monde. Car j'ai eu faim et vous m'avez donné à manger, j'ai eu soif et vous m'avez donné à boire, j'étais un étranger et vous m'avez accueilli, nu et vous m'avez vêtu, malade et vous m'avez visité, prisonnier et vous êtes venus me voir.* » (Mt 25,34-36).

Et alors que ceux-ci s'étonnent, demandant quand il leur est arrivé de le voir ainsi et d'agir ainsi, le Roi répond : « En vérité, je vous le dis, dans la mesure où vous l'avez fait à l'un de ces plus petits de mes frères, c'est à moi que vous l'avez fait » (25,40). Avec les autres, les réprouvés, le même dialogue se déroule, mais en négatif : ils ont refusé ces gestes d'aide, et c'est comme s'ils ne l'avaient pas fait au Christ.

Cette présentation du Jugement universel est destinée aux disciples, donc aux croyants, en vue de préciser quel critère sera appliqué par le Juge final. Plusieurs textes l'avaient annoncé auparavant (7,21-23 ;

Repère

Le Jugement dernier

L'existence d'un Jugement dernier au terme de l'histoire humaine est une évidence pour le judaïsme ancien, même si ses représentations sont multiples. Cet acte ultime vise à rétablir le droit de Dieu sur une humanité et une histoire qui lui échappent. Il permet aussi le dévoilement de la vérité des individus et du monde, que seul Dieu connaît. Plusieurs traits sont communs à l'attente juive et chrétienne du Jugement dernier :
– le jugement est universel ; l'idée d'un jugement collectif est progressivement abandonnée au profit d'un verdict sur chaque individu ;
– le jugement porte sur les œuvres de l'homme, car dans la conception juive de l'humain, le faire (et non les pensées) est révélateur de l'être ;
– le jugement est souvent lié à l'espérance de la résurrection, qui constitue son préalable ; les hommes sont relevés de la mort afin de recevoir le verdict de Dieu.

13,41 ; 16,27 ; 19,28). Il est détaillé ici : les six gestes énumérés se caractérisent par leur simplicité, leur évidence, leur urgence quand il s'agit de répondre au besoin d'autrui ; ils mettent en pratique le commandement d'amour d'autrui, dont Jésus a fait le principe d'interprétation de la Tora (22,34-40). Qui sont ces « plus petits de mes frères » ? La réponse la plus probable est que le récit désigne par là toutes les personnes en état de détresse, dont le Christ Fils de l'homme se solidarise au point de les désigner comme ses frères. Voilà le critère selon lequel le Juge décidera du destin ultime des croyants : la compassion manifestée à toute forme de détresse. Une autre lecture, moins vraisemblable, voit dans la personne des « frères » du Christ les disciples ; le récit annoncerait alors que le monde sera jugé sur la base de la miséricorde accordée aux chrétiens (une telle conception n'est pas familière à Matthieu).

La surprise des justiciables doit encore être notée : « Seigneur, quand nous est-il arrivé de te voir affamé et de te nourrir, assoiffé et de te désaltérer… ? » (25,37). Cette surprise met en évidence le choc du texte : le vécu quotidien devient le lieu où s'actualise la relation des croyants à leur Seigneur. Il n'est donc pas de foi authentique en dehors d'une fidélité éprouvée dans le geste et la parole. L'attention portée au besoin d'autrui est désignée à jamais comme le lieu où doit se cristalliser la piété chrétienne.

D. M.

L'ÉVANGILE DE LUC EST, DANS LES BIBLES, SÉPARÉ DES Actes des Apôtres par l'évangile de Jean. Cette disposition est due au fait que le canon du Nouveau Testament a, depuis toujours, regroupé les quatre évangiles en début de corpus* et à la suite les uns des autres. Elle a l'inconvénient de mal mettre en valeur le fait que l'évangile de Luc et les Actes sont les deux volumes d'une même œuvre, une histoire continue du christianisme qui couvre soixante-dix années, depuis l'annonce de la naissance de Jean Baptiste jusqu'à l'arrivée de Paul à Rome. La critique regroupe souvent ces deux volumes, troisième évangile et Actes des Apôtres sous un titre global : l'œuvre de Luc.*

Les deux volumes de l'œuvre de Luc

L'unité d'auteur entre l'évangile* de Luc et les Actes des Apôtres a toujours été reconnue, car le texte lui-même des deux livres le postule. En effet, des quatre évangélistes, Luc est le seul à ouvrir son récit par une dédicace en bonne et due forme, généralement appelée « Prologue » :

Puisque beaucoup ont entrepris de composer un récit des événements qui se sont accomplis parmi nous, d'après ce que nous ont transmis ceux qui furent dès le début témoins oculaires et serviteurs de la Parole, j'ai décidé, moi aussi, après m'être informé exactement de tout depuis les origines, d'en écrire pour toi l'exposé suivi, excellent Théophile, pour que tu te rendes bien compte de la sûreté des enseignements que tu as reçus. (Lc 1,1-4)

Le même dédicataire est mentionné en ouverture du livre des Actes des Apôtres :

J'ai consacré mon premier livre, ô Théophile, à tout ce que Jésus a fait et enseigné, depuis le commencement jusqu'au jour où, après avoir donné ses instructions aux apôtres qu'il avait choisis sous l'action de l'Esprit Saint, il fut enlevé au ciel. (Ac 1,1)

Le rapprochement de ces deux textes indique à l'évidence que le « premier livre » auquel le second fait allusion n'est autre que l'évangile de Luc. Avant la constitution du recueil des quatre évangiles, celui qui est aujourd'hui placé entre Marc et Jean devait être articulé avec le livre des Actes, comme les deux parties d'une même œuvre, à lire à la suite l'une de l'autre. Cette unité d'auteur est confirmée par bien des similitudes dans la manière d'écrire et de composer, dans le vocabulaire récurrent et les thèmes qu'il privilégie.

Notons d'abord comment ces dédicaces communiquent l'essentiel du projet de l'auteur. Il s'y exprime à la première personne, mais sans se nommer. S'il nomme en revanche celui à qui il dédie son œuvre, ce n'est pas sans intention. Théophile, un nom grec, signifie « ami de Dieu ». Il est difficile de décider s'il s'agit d'un personnage historique, inconnu par ailleurs (qui pourrait être un mécène favorisant la diffusion de l'ouvrage), ou si l'auteur a choisi ce nom pour symboliser le type de lecteur qu'il visait. Quoi qu'il en soit, la dernière phrase du prologue de l'évangile le présente comme un récent converti, probablement d'origine païenne*, qui a reçu une catéchèse* orale élémentaire, et à qui l'évangéliste veut offrir un ouvrage écrit, très élaboré, afin de lui permettre d'approfondir ce premier enseignement et d'être conforté dans ses convictions chrétiennes. Ce prologue présente avant tout l'auteur comme un catéchète, désireux d'apporter à son lecteur un enseignement théologique. Son projet est donc essentiellement didactique. Ce constat est valable pour les Actes comme pour l'Évangile, car la seconde dédicace, faisant allusion au premier livre, se réfère au prologue de celui-ci et n'a pas besoin d'en reprendre tout le contenu.

Une histoire du salut

Le genre littéraire annoncé par Luc dans sa première dédicace est explicitement un récit, prenant la suite de divers essais du même genre concernant « les événements qui se sont accomplis parmi nous » (Lc 1,1). Il prend soin de préciser qu'il a fait une enquête approfondie à ce sujet, et a mis en forme les données recueillies dans un « exposé suivi » : bref, il se présente aussi comme ayant entrepris un travail d'historien. Son œuvre soutient la comparaison avec les écrits des historiens grecs de son époque, par la manière de planter le décor géopolitique des événements qu'il relate, d'en préciser les dates, de mettre en vedette quelques personnages principaux, en reconstituant leurs discours, et d'organiser les traditions partielles qu'il a recueillies en un récit cohérent. Pour instruire Théophile, Luc n'a donc pas songé à présenter un catéchisme systématique, il a choisi de lui raconter une histoire significative, susceptible de fortifier sa foi. Ce choix est important, car par ce caractère historique l'évangile se démarque de toute mythologie. Un regard global sur cette catéchèse narrative en deux volets fera apparaître les significations essentielles dont elle se veut porteuse.

Que la question du salut soit au cœur des deux livres apparaît déjà dans la fréquence du vocabulaire sur ce thème. Si l'on totalise les occurrences du verbe « sauver », des substantifs « salut » et « sauveur », le résultat est exactement 27 pour chacun des deux (contre seulement 16

DOCUMENT

Les dédicaces dans l'Antiquité

Le genre de dédicace rédigée par Luc rencontre des analogies dans la littérature grecque de son temps. Par exemple Dioscoride, médecin grec du Ier siècle, ouvre ainsi son *Traité des plantes médicinales* :

Puisque beaucoup, non seulement des anciens mais aussi des derniers venus, ont rassemblé les données sur la préparation, la puissance et les effets des remèdes, je vais tenter de te montrer, illustre Area, que j'ai, sur ce sujet, une pensée ni déraisonnable ni vaine. (Trad. éditeur)

Plus frappant sans doute est le rapprochement avec Flavius Josèphe, contemporain de Luc, comme lui historien soucieux de transmettre les traditions juives dans la culture gréco-romaine, chez qui l'on trouve la double dédicace suivante :

Dans mon Histoire des Antiquités, très excellent Épaphrodite, j'ai, semble-t-il, suffisamment rendu compte [...] de la très grande ancienneté de notre race juive. Puisque néanmoins, je constate qu'un nombre important de personnes porte le discrédit sur mes affirmations, je considère comme un devoir de consacrer un bref traité à la question [...] pour instruire tous ceux qui désirent connaître la vérité concernant l'ancienneté de notre race. À l'appui de mes affirmations, je propose d'appeler les écrivains qui, selon le jugement des Grecs, sont les autorités les plus compétentes concernant l'histoire ancienne. (Contre Apion I, 1-2. Trad. éditeur)

Dans le premier volume de cet ouvrage, mon cher Épaphrodite, j'ai démontré la grande ancienneté de notre race ; [...] je me propose maintenant de réfuter le restant des auteurs qui nous ont contestés. (Contre Apion, II, 1-2)

chez Matthieu et 8 chez Jean) ! Cette indication statistique est confirmée par l'examen du contenu de l'histoire racontée par Luc. Lue en continuité, elle nous présente un tableau d'événements de salut qui s'enchaînent : la naissance de Jean Baptiste puis de Jésus (au temps d'Hérode, roi de Judée) – le ministère du Précurseur et celui de Jésus, sa Passion, sa Résurrection, et son élévation au ciel (sous l'empereur Tibère) – puis la naissance de l'Église*, la prédication apostolique à Israël, enfin l'ouverture du salut aux païens, où la mission paulinienne* dans le monde gréco-romain occupe une large place, s'achevant sur l'arrivée de Paul à Rome (sous le règne de Néron). Si l'on met à part, du point de vue historique, les récits de l'Enfance au caractère légendaire et théologique très particulier, le travail d'historien de Luc couvre la période décisive des origines du christianisme, dans les années 30 à 60 de notre ère.

Il est intéressant de relever comment Luc conçoit ce temps du salut, ainsi exprimé par Jésus : « Jusqu'à Jean ce furent la Loi et les Prophètes ; depuis lors, le Royaume de Dieu est annoncé » (Lc 16,16). On distingue ici deux époques, celle de l'ancienne alliance considérée comme le temps des promesses annonçant le Règne de Dieu, et celle de ce temps nouveau où le Royaume est inauguré et proclamé. La première époque va jusqu'à Jean (le Baptiste) sans que la formulation précise s'il faut l'y inclure comme celui qui récapitule la prophétie, ou le considérer comme celui qui ouvre le temps de l'évangile. Le fait que Luc ne mette pas dans la bouche de Jean l'annonce explicite du Royaume (ce que fait Matthieu) semble justifier la première lecture. Cependant son récit commence avec le ministère du Précurseur, selon la tradition évangélique unanime. À la charnière de l'histoire biblique, le Baptiste est bien en réalité celui qui inaugure l'ère nouvelle, le temps de l'accomplissement, cette seconde époque que va relater le double récit de Luc (évangile et Actes).

L'originalité de l'œuvre de Luc, c'est que cette histoire du salut accompli se divise elle-même en deux parties : le temps de Jésus, objet de son premier livre, et le temps de l'Église, auquel il consacre le second. Si ces deux temps se succèdent et doivent être distingués, il n'y a pas lieu de les opposer. Au contraire, l'auteur, de diverses façons, tend à suggérer que le ministère des apôtres prolonge celui de leur Seigneur et présente avec lui bien des similitudes. On le repère déjà au niveau de la construction globale des deux livres, qui présente un remarquable parallélisme : chacun des deux volets peut être divisé en quatre grandes parties précédées d'un prologue et conclues par un épilogue. Sans le démontrer ici en détails, nous pouvons indiquer les grandes lignes de ce parallélisme dans un tableau. Le parallélisme structurel mis en évidence par ce tableau (ci-contre) manifeste globalement que pour Luc, les Actes des Apôtres prolongent ceux de Jésus, plus exactement que le Seigneur lui-même poursuit son œuvre par celle de ses envoyés, animés comme lui par l'Esprit Saint.

Une visée plus spécifique

En observant de plus près le contenu de la double narration lucanienne, il est possible de découvrir l'intention théologique particulière de l'auteur. Tout au long de son œuvre apparaissent de manière récurrente trois thèmes fondamentaux : la continuité de l'Évangile par rapport à la révélation de Dieu dans la Loi* et les Prophètes, l'opposition à l'évangile des chefs religieux du judaïsme, l'ouverture de l'Évangile au monde païen.

La continuité

La continuité entre révélation à Israël et Évangile est évidente dès les récits de l'Enfance (Lc 1-2) où l'auteur plagie le style de la Bible

Évangile de Luc	Actes des Apôtres
1,1-4 **Prologue** Adresse à Théophile.	1,1-11 **Prologue** Adresse à Théophile. Jésus annonce la mission des apôtres et se sépare d'eux (Ascension).
1,5 - 4,13 **Récits introductifs** Annonciation / Naissance de Jean et de Jésus. Syméon annonce la révélation aux nations (Is 49,6). Prédication de Jean : baptême, conversion, rémission des péchés.	1,12 - 2,41 **Récits introductifs** Annonciation / Naissance de l'Église. Prédication de Pierre : conversion, rémission des péchés, baptême.
4,14 - 9,50 **La pratique libératrice de Jésus** Dans la puissance de l'Esprit, Jésus prêche, enseigne et guérit. Il suscite l'opposition des scribes et des pharisiens.	2,42 - 5,42 **La pratique libératrice des apôtres** Avec la puissance de l'Esprit, les apôtres prêchent, enseignent et guérissent. Ils suscitent l'opposition des chefs juifs.
9,51 - 19,28 **Le salut exposé dans toutes ses dimensions** Dialogues, discours, paraboles traitent les divers aspects de la notion du salut. Il est offert aux pauvres et aux exclus, et promis aux païens.	6,1 - 15,35 **Le salut exposé dans toutes ses dimensions** De la critique radicale du Judaïsme (Étienne) à la prise de conscience de l'universalisme du salut (Pierre et Corneille). Paul et Barnabé justifient le passage aux païens par Is 49,6.
19,29 - 24,46 **L'accomplissement du salut** L'affrontement final entre Jésus et les chefs juifs. Il comparait devant le Sanhédrin et le Gouverneur romain. Sa mort et sa résurrection.	15,36 - 28,15 **L'accomplissement du salut** La mission paulinienne dans le monde gréco-romain. Affrontement de Paul avec les autorités juives. Il comparait devant le Sanhédrin et les gouverneurs.
24,47-53 **Épilogue** Jésus annonce aux apôtres leur mission : prêcher la conversion et la rémission des péchés à toutes les nations. Il se sépare d'eux (Ascension).	28,16-31 **Épilogue** Paul à Rome adresse un ultime appel aux Juifs et déclare le salut de Dieu envoyé aux nations.

grecque des Septante* pour montrer que la venue du Christ est à comprendre à la lumière des promesses de Dieu à Israël. Zacharie et Élisabeth, Marie et Joseph, Siméon et Anne sont des juifs pieux nourris de ces promesses. Jésus, dans son discours inaugural à Nazareth (Lc 4,16-21) présente sa mission comme l'accomplissement de l'Écriture. C'est au peuple élu qu'il réserve d'abord l'annonce de la bonne nouvelle.

Parallèlement, dans les Actes, Luc prend soin de souligner que les missionnaires, notamment Paul et Barnabé, en annonçant l'évangile dans les synagogues* de la Diaspora* ont toujours donné priorité aux Juifs (Ac 13,5.14). Ils le théorisent en déclarant à ceux d'Antioche de Pisidie : « C'était à vous d'abord qu'il fallait annoncer la parole de Dieu. Puisque vous la repoussez, [...] nous nous tournons vers les païens » (Ac 13,46). À Rome, dans l'épilogue du livre, c'est encore aux Juifs de la ville que Paul s'adresse, « cherchant à les persuader au sujet de Jésus, en partant de la Loi de Moise et des Prophètes » (Ac 28,23).

L'opposition des chefs religieux

L'opposition des autorités juives apparaît dès le ch. 5 de l'évangile (Lc 5,21.30), et se développe dans des controverses de plus en plus dures. Jésus dénonce le légalisme hypocrite des Pharisiens* (Lc 11,37-54). L'affrontement aboutit à son arrestation (Lc 22,47-53) et sa condamnation à mort par le Sanhédrin* (22,66-71). On voit la même opposition se poursuivre dans le récit des Actes : les apôtres à Jérusalem (Ac 4,1-22 ; 5,17-42), puis Paul tout au long de ses voyages missionnaires (13,50 ; 14,19 ; 17,5 ; 18,12) rencontrent eux aussi l'hostilité des chefs juifs, comparaissent devant le Sanhédrin (23,1-10), et sont dénoncés à l'autorité romaine (24,1-9). Certains meurent martyrs comme leur Seigneur : Étienne (7,54-60) et Jacques fils de Zébédée (12,1-2).

L'ouverture aux païens

L'ouverture de l'Évangile aux païens est montrée dans les deux parties de l'œuvre comme accomplissant le dessein de Dieu. Dès la prophétie de Syméon, Jésus est présenté comme le porteur du salut que Dieu « a préparé à la face de tous les peuples, lumière pour éclairer les nations » (Lc 2,31). Le ministère de Jésus reste limité à Israël, mais la mission de 72 disciples (nombre des nations païennes dans la tradition biblique) que Luc seul mentionne (Lc 10,1-20) préfigure la mission universelle de l'Église. Le livre des Actes est écrit pour raconter la mise en œuvre de cette mission, qui se fait d'abord timidement, puis de plus en plus résolument, jusqu'à devenir la grande aventure de l'évangélisation « jusqu'aux extrémités de la terre ».

Mais Luc ne se borne pas à relater en historien les étapes de cette marche en avant. Il souligne en théologien que ce processus est justifié par le témoignage de l'Écriture, par l'ordre du Ressuscité, et par l'action de l'Esprit Saint, qui a conduit toute l'aventure.

L'auteur et ses destinataires

La constante conjugaison des trois thèmes fondamentaux que nous venons de signaler apparaît comme révélatrice d'une visée essentielle de Luc et nous permet d'avancer une hypothèse concernant l'auteur et les destinataires de cette œuvre originale.

Les analyses précédentes confirment l'hypothèse selon laquelle Théophile symbolise les lecteurs d'origine païenne auxquels Luc consacre son ouvrage. Or il est facile d'imaginer les questions que pouvait se poser un néophyte de culture grecque dans une Église pagano-chrétienne* d'Asie Mineure ou de Grèce, dans les années 80, date probable de la rédaction lucanienne*. Après le drame de la chute de Jérusalem, la rupture est pratiquement consommée entre l'Église et le Judaïsme* (qui va survivre dans sa forme rabbinique* et pharisienne). Ce néophyte peut se demander : comment se fait-il qu'un prophète juif crucifié à Jérusalem ait pu être promu au rang de Sauveur du monde ? Pourquoi son propre peuple a-t-il dans sa majorité refusé son message et persécuté ses porteurs ? Et encore : pourquoi cette tension, qui a frôlé la déchirure irréparable entre les Églises nées de la mission de Paul et le courant judéo-chrétien*, lequel peut se réclamer de la tradition apostolique primitive ? La fresque historique brossée par Luc répond à ces questions. Elle tend à démontrer à ses lecteurs que le salut accompli par le Christ était profondément enraciné dans la révélation faite à Israël, mais qu'il est légitimement offert à toutes les nations, et représente un nécessaire dépassement du judaïsme.

C'est là un message propre à conforter la foi de Théophile et de ses semblables, et cela conduit à penser que les destinataires de cet ouvrage étaient avant tout les communautés nées de la mission paulinienne, majoritairement d'origine païenne, troublées par la rupture entre l'Église et la Synagogue* comme par les critiques des judéo-chrétiens qui avaient tant contesté l'œuvre de Paul. Il n'est pas impossible que Luc ait aussi visé à rassurer les Églises judéo-chrétiennes, si elles recevaient son ouvrage, en leur montrant la légitimité de la mission auprès des païens, voulue par le Seigneur et conduite par l'Esprit Saint, et en cherchant à écarter leurs préventions à l'égard de Paul, qui selon lui n'avait jamais renié son judaïsme.

Reste la question de l'identité de l'auteur de Luc-Actes. Le texte nous permet de déceler son intention fondamentale et sa théologie. Mais qui est-il, cet auteur qui tait son nom ? La tradition ecclésiastique, à la fin du IIe siècle, a attribué cette œuvre à Luc, médecin et compagnon de voyage de Paul, auquel ce dernier fait allusion dans ses lettres (Col 4,14 ; Phm 24 ; 2 Tm 4,11), et par commodité les exégètes ont gardé cette appellation traditionnelle. Mais la majorité des spécialistes contemporains conteste pour diverses raisons pertinentes cette attribution, en ce qui concerne l'œuvre achevée. On l'attribue plutôt à un chrétien d'origine païenne et de culture hellénistique* de la seconde ou troisième génération, appartenant à l'une des Églises fondées par Paul en Asie et en Grèce. Fut-il lui-même missionnaire itinérant ? Certains l'imaginent, mais rien ne permet de le prouver. L'auteur a pu intégrer au récit de la mission paulinienne des notes de voyage rédigées à la première personne du pluriel qui, elles, proviennent vraisemblablement d'un compagnon de Paul, peut-être bien le médecin Luc, ou Silas comme on l'a suggéré (Ac 15,40 ; 16,6). Mais, comme pour les autres évangélistes, il est malséant de chercher à percer l'anonymat volontaire du rédacteur. C'est son message qui compte.

CH. L'É.

Avec Luc, de Jérusalem à Rome

Depuis toujours l'histoire et la géographie sont indissociables. L'histoire du salut relatée par Luc comporte aussi une géographie du salut. Non seulement le narrateur omet rarement d'indiquer les lieux où se passent les événements racontés, mais il connaît la charge symbolique de certains d'entre eux. C'est pourquoi il est intéressant de suivre avec précision le plan géographique de son œuvre, qui nous mène de Jérusalem, haut lieu de la religion juive, à Rome, capitale d'un empire qui se prétend universel.

La géographie de l'évangile

À première vue, la comparaison synoptique amène à constater que, pour raconter le ministère public de Jésus, Luc reprend, comme Matthieu, le schéma géographique très simple de l'évangile* de Marc : une activité de prédication et de guérisons qui se déroule en Galilée et qui est suivie d'une unique « montée à Jérusalem » où très vite le Maître est arrêté, condamné et crucifié. Chez Marc et Matthieu, la Galilée joue un rôle symbolique important, puisque c'est sur ces lieux de son ministère terrestre que le Galiléen ressuscité donne rendez-vous aux onze disciples. Luc gomme cette donnée et, comme le quatrième évangile, il situe à Jérusalem l'apparition aux Onze (Lc 24,33-43). Pour lui en effet, c'est la ville sainte et son Temple qui jouent un rôle central dans sa géographie du salut. Son évangile y commence et s'y achève.

Les récits introductifs

Les premiers chapitres ont pour théâtre Jérusalem et son Temple, ainsi que certaines contrées voisines de Judée, à l'exception de l'annonce faite à Marie, qui se situe à Nazareth.

Le tout premier récit est celui de la vision de Zacharie dans le Temple (Lc 1,5-25). C'est au cœur de la religion d'Israël que l'ange du Seigneur annonce la venue de celui qui va récapituler et actualiser les anciennes prophéties, lui-même « prophète du Très Haut » chargé de préparer les voies du Seigneur, comme le proclame son père (Lc 1,76). C'est dans une ville du haut pays de Juda que Marie de Nazareth monte saluer sa cousine Élisabeth. Alors qu'elle est près d'accoucher, elle doit à nouveau quitter Nazareth avec Joseph pour « monter en Judée, à la ville de David qui s'appelle Bethléem » à cause d'un édit de recensement ordonné par César Auguste (Lc 2,1-4). Notons ici une première apparition discrète de la confrontation entre le monde juif ou évangélique et le monde romain, qui semble intéresser spécialement notre historien. La naissance du Messie* dans la ville de David, accomplissant une prophétie biblique (Mi 5,1), est historiquement conditionnée par la politique de l'Empire romain. Sa mort le sera également, à travers la décision de Pilate qui aurait pu le libérer, ayant reconnu son innocence (Lc 23,13-16). Or la visée finale de Luc sera de nous montrer le crucifié paradoxalement proclamé « Seigneur » par Paul, prisonnier sur parole de César, à Rome même, la capitale de celui qui se prétend le Seigneur du monde (Ac 28,31).

Le Temple de Jérusalem est encore le lieu où les parents de l'enfant Jésus le portent pour le présenter au Seigneur, selon la loi* ; où Syméon et Anne, des juifs justes et pieux, poussés par l'Esprit, annoncent la destinée de cet enfant porteur d'un salut répondant à l'attente de ceux « qui attendaient la délivrance de Jérusalem » (Lc 2,22-38). N'évoquant que sommairement la vie cachée de l'enfant à Nazareth (2,39-40), Luc rapporte une autre « montée à Jérusalem » avec ses parents, pour célébrer la Pâque, quand Jésus atteint l'âge de douze ans (Lc 2,41-50). Le récit le montre chez lui dans le sanctuaire, qu'il appelle « la maison de mon Père » (v.49). Ce Père est celui que son peuple vient depuis des siècles adorer dans ce Temple. Si Jésus plus tard critiquera sévèrement le système religieux établi dans la maison de Dieu (Lc 19,45-46) et annoncera la destruction du Temple (21,5-6), son message n'en sera pas moins en continuité avec la révélation de la Loi et des Prophètes.

C'est dans le désert de Judée, aux bords du Jourdain que retentit l'appel à la repentance de Jean Baptiste, qui annonce la venue de celui qui « baptisera dans l'Esprit Saint et le feu ». C'est là que Jésus reçoit le baptême et qu'a lieu son intronisation par le Père (Lc 3,1-22). C'est là encore qu'il jeûne pendant quarante jours et qu'il est « tenté par le diable » (Lc 4,1-13).

Le ministère de Jésus en Galilée

Luc reste fidèle aux données de la tradition selon laquelle l'annonce du Royaume de Dieu par Jésus, accompagnée de guérisons miraculeuses et d'un enseignement dans les synagogues*, s'est déroulée premièrement et essentiellement dans sa province de Galilée. Il situe à Nazareth un discours inaugural, puis, à la suite de Marc, fait de Capharnaüm, ville de Simon Pierre, le centre d'une activité qui rayonne dans toute la région. Cette partie de l'évangile nous apprend que Jésus « cheminait à travers villes et villages » (Lc 8,1), mais ne comporte aucun itinéraire précis de ses déplacements : les divers épisodes ne sont pas toujours localisés avec précision, plusieurs se passent aux bords du lac de Gennésaret, mais aussi dans une ville (Lc 5,12) ou sur un plateau (6,17) anonymes, ou encore dans une synagogue quelconque (6,6).

La montée à Jérusalem

Bien plus nettement que chez Marc ou Matthieu, la troisième partie de l'évangile de Luc insiste sur la montée de Jésus à Jérusalem, que mentionnent quatre chevilles rédactionnelles jalonnant le récit. Elles sont sans parallèle synoptique. La première est particulièrement solennelle : « Or, il advint, comme s'accomplissait le temps où il devait être enlevé, qu'il prit résolument le chemin de Jérusalem » (Lc 9,51). C'est avec une résolution inflexible que Jésus se met en marche vers cette ville « qui tue les prophètes et lapide ceux qui lui sont envoyés » (Lc 13,34). C'est là que doit avoir lieu son « enlèvement », terme ambivalent qui désigne à la fois sa mort et son « enlèvement au ciel » (Lc 24,51). Dans la troisième annonce de la Passion, le thème de la montée à Jérusalem est repris, comme chez Marc et Matthieu, mais Luc ajoute une note théologique : c'est là que doivent s'accomplir les prophéties concernant le Fils de l'homme (Lc 18,31).

À Jérusalem : ministère de Jésus, Passion et Résurrection

Le récit rejoint ensuite le schéma traditionnel pour évoquer l'entrée messianique à Jérusalem (Lc 19,29-39), l'enseignement de Jésus dans le Temple, ses controverses avec les grands prêtres* et les scribes (Lc 20, 1-47), le repas pascal et l'institution de l'eucharistie (Lc 22,1-38), la prière au mont des Oliviers (Lc 22,39-46), l'arrestation de Jésus (Lc 22,47-53), son procès, sa crucifixion (ch. 23).

Un trait propre à Luc accentue le caractère passionnel de sa relation avec la ville sainte, à savoir le sentiment tragique d'un rendez-vous manqué entre Dieu et son peuple : « Quand il fut proche, à la vue de la ville, il pleura sur elle, en disant : Ah ! si en ce jour tu avais compris, toi aussi, le message de paix ! Mais non, il est demeuré caché à tes yeux » (Lc 19,41-42).

C'est surtout le dernier chapitre de l'évangile qui manifeste le caractère de cette cité comme lieu de l'accomplissement du salut. Tout se passe à Jérusalem ou dans ses environs proches, et pour commencer, bien sûr, la découverte du tombeau vide. Jérusalem se trouve en situation privilégiée d'inclusion dans l'admirable récit propre à Luc, les pèlerins d'Emmaüs : au début, les deux disciples accablés par ce qui s'y est passé tournent le dos à la ville sainte qui a tué leur maître. À la fin, après l'avoir reconnu au moment où il rompait le pain, ils se hâtent de revenir à Jérusalem pour partager leur joie avec leurs compagnons.

Et voici que, ce même jour, deux d'entre eux faisaient route vers un village du nom d'Emmaüs, distant de Jérusalem de soixante stades, et ils conversaient entre eux de tout ce qui était arrivé. Et il advint, comme ils conversaient et discutaient ensemble, que Jésus en personne s'approcha et il faisait route avec eux ; mais leurs yeux étaient empêchés de le reconnaître. Il leur dit : « Quels sont donc ces propos que vous échangez en marchant ? » Et ils s'arrêtèrent, le visage sombre. Prenant la parole, l'un d'eux, nommé Cleophas, lui dit : « Tu es bien le seul habitant de Jérusalem à ignorer ce qui y est arrivé ces jours-ci ! » – « Quoi donc ? » leur dit-il. Ils lui dirent : « Ce qui concerne Jésus le Nazarénien, qui s'est montré un prophète puissant en œuvres et en paroles devant Dieu et devant tout le peuple, comment nos grands prêtres et nos chefs l'ont livré pour être condamné à mort et l'ont crucifié. Nous espérions, nous, que c'était lui qui allait délivrer Israël ; mais avec tout cela, voilà le troisième jour depuis que ces choses sont arrivées ! Quelques femmes qui sont des nôtres nous ont, il est vrai, stupéfiés. S'étant rendues de grand matin au tombeau, et n'ayant pas trouvé son corps, elles sont revenues nous dire qu'elles ont même eu la vision d'anges qui le disent vivant. Quelques-uns des nôtres sont allés au tombeau et ont trouvé les choses tout comme les femmes avaient dit ; mais lui, ils ne l'ont pas vu ! »

Alors il leur dit : « Ô cœurs sans intelligence, lents à croire tout ce qu'ont annoncé les Prophètes ! Ne fallait-il pas que le Christ endurât ces souffrances pour entrer dans sa gloire ? » Et, commençant par Moïse et parcourant tous les Prophètes, il leur interpréta dans toutes les Écritures ce qui le concernait.

Quand ils furent près du village où ils se rendaient, il fit semblant d'aller plus loin. Mais ils le pressèrent en disant : « Reste avec nous, car le soir tombe et le jour déjà touche à son terme. » Il entra donc pour rester avec eux. Et il advint, comme il était à table avec eux, qu'il prit le pain, dit la bénédiction, puis le rompit et le leur donna. Leurs yeux s'ouvrirent et ils le reconnurent… mais il avait disparu de devant eux. Et ils se dirent l'un à l'autre : « Notre cœur n'était-il pas tout brûlant au dedans de nous, quand il nous parlait en chemin et qu'il nous expliquait les Écritures ? »

À cette heure même ils partirent et s'en retournèrent à Jérusalem. Ils trouvèrent réunis les Onze et leurs compagnons, qui dirent : « C'est bien vrai ! Le Seigneur est ressuscité et il est apparu à Simon ! » Et eux de raconter ce qui s'était passé en chemin, et comment ils l'avaient reconnu à la fraction du pain. (Lc 24,13-35)

Après l'évocation de ces deux apparitions particulières, celle aux disciples d'Emmaüs et celle à Simon Pierre, Luc situe, comme Jean, une apparition plus institutionnelle du Ressuscité aux Onze et à leurs compagnons, non pas en Galilée, mais toujours à Jérusalem (Lc 24,36-49). C'est alors qu'il les charge de prêcher en son Nom « à toutes les nations, à commencer par Jérusalem » et leur demande de « demeurer dans la ville jusqu'à ce qu'ils soient revêtus de la force d'en-haut » (v.47-49). Dans la foulée de ce long jour de la Résurrection, Luc achève son récit là où il a commencé : après que Jésus a été « emporté au ciel » à Béthanie, les disciples « retournèrent à Jérusalem en grande joie, et ils étaient constamment dans le Temple à bénir Dieu » (Lc 24,52-53).

Lieu de l'accomplissement du salut, Jérusalem va être le point de départ de l'évangélisation du monde, dans le second volet de l'œuvre de Luc.

La géographie du livre des Actes

Le prologue des Actes des Apôtres (Ac 1,1-11) se superpose comme en « tuilage » sur l'épilogue de l'évangile. Il rappelle à Théophile, sous forme d'un sommaire, le fait décisif des apparitions du Ressuscité, lequel répète aux apôtres l'injonction de « ne pas quitter Jérusalem » (v.4), puis explicite la promesse et les ordres énoncés à la fin de l'évangile de Luc :

« Vous allez recevoir une force, celle de l'Esprit Saint qui descendra sur vous. Vous serez alors mes témoins à Jérusalem, dans toute la Judée et la Samarie, et jusqu'aux extrémités de la terre » (Ac 1,8).

À ces mots, sous leurs regards, il s'éleva, et une nuée le déroba à leurs yeux. Et comme ils étaient là, les yeux fixés au ciel pendant qu'il s'en allait, voici que deux hommes vêtus de blanc se trouvèrent à leurs côtés ; ils leur dirent : « Hommes de Galilée, pourquoi restez-vous ainsi à regarder le ciel ? Ce Jésus qui, d'auprès de vous, a été enlevé au ciel viendra comme cela, de la même manière que vous l'avez vu s'en aller vers le ciel. » (Ac 1,9-11)

Par là est marquée la limite temporelle ultime de la mission : la venue sur les nuées du ciel du Fils de l'homme, la Parousie. Luc n'oublie pas cette perspective eschatologique, mais il laisse entendre qu'elle n'est nullement imminente, et qu'en attendant ce jour connu de Dieu seul l'histoire continue, où les apôtres ont un programme à remplir. L'ultime parole du Ressuscité en Ac 1,8 leur a précisé ce programme d'évangélisation, dans une perspective d'extension géographique. Par là, Luc annonce à ses lecteurs le plan de son second livre. Il relatera assez longuement la naissance de l'Église à Jérusalem, sa croissance et ses premiers affrontements avec les chefs juifs, jusqu'à la lapidation d'Étienne (ch. 2 à 7). Une première extension, due à la fuite des partisans d'Étienne, a lieu effectivement dans les campagnes de Judée et en Samarie (ch. 8).

L'ordre de mission se bornait à indiquer ensuite sa perspective finale, « jusqu'aux extrémités de la terre ». En fait, le lecteur va être conduit par diverses étapes et péripéties jusqu'à Rome, qui est à l'époque le centre du monde connu.

Les grandes étapes de l'évangélisation

Le ch. 9 des Actes raconte à la fois la conversion de Saul, futur évangéliste des nations, et l'activité de Pierre dans les villes du littoral judéen, Lod et Jaffa. Le récit admirablement construit de la rencontre de Pierre et de Corneille, le plus long du livre (Ac 10,1 à 11,18), nous mène à Césarée, et constitue surtout une importante charnière théologique du livre. Pour tenir l'équilibre entre les deux figures apostoliques qui dominent son récit (et sans doute pour atténuer les tensions entre Églises judéo-chrétiennes* et pauliniennes*), Luc veut montrer que le grand tournant de l'ouverture aux païens n'est pas le fait d'un individu charismatique* isolé (Paul), mais que c'est le fondateur de l'Église mère de Jérusalem (Pierre) qui, le premier, a été poussé par l'Esprit Saint à prendre conscience de la dimension universelle de l'Évangile. Éclairé par une vision et par l'appel du centurion romain Corneille, Pierre en arrivant chez ce dernier confesse tout simplement qu'il vient de découvrir que Dieu a désormais renversé le mur de séparation entre Juifs et païens* : « Vous le savez, il est absolument interdit à un Juif de frayer avec un étranger ou d'entrer chez lui. Mais Dieu vient de me montrer, à moi, qu'il ne faut appeler aucun homme souillé ou impur » (Ac 10,28).

Pierre annonce alors l'Évangile à cette petite assemblée de craignant-Dieu* (païens sympathisants du judaïsme) sur qui tombe l'Esprit Saint (Ac 10,44) « tout comme sur nous au début », dira Pierre (Ac 11,15), faisant allusion au jour de la Pentecôte où l'Esprit était descendu sur le groupe apostolique (Ac 2,1-4).

Aux yeux de Luc, l'épisode prend la valeur d'une nouvelle Pentecôte, qui vient attester la volonté divine d'un salut élargi à toute l'humanité. Pierre revenu de sa surprise baptise ces gens au nom de Jésus Christ. De retour à Jérusalem, il lui faut se justifier de son audace devant l'Église en racontant comment lui-même a été bousculé dans ses préjugés par l'action de l'Esprit. Convaincus, les frères glorifient Dieu en disant : « Ainsi donc aux païens aussi Dieu a donné la repentance qui conduit à la vie » (Ac 11,18). La suite montrera que cette belle profession de foi universaliste n'a pas fait disparaître toutes les réticences des judéo-chrétiens. Mais le message au lecteur est clair. À travers l'expérience de Pierre, le principe de l'extension de l'Évangile au monde païen est définitivement acquis.

L'étape suivante est la fondation de l'Église d'Antioche (Ac 11, 19-26). L'épisode est important à double titre : ce sont d'humbles chrétiens anonymes, dispersés par la persécution après le martyre d'Étienne, qui annoncent l'Évangile ; et ils vont au-delà de l'expérience de Pierre. Alors que Corneille et son entourage étaient des sympathisants du judaïsme*, ce sont des Grecs à qui ils prennent l'initiative de s'adresser, c'est-à-dire à la population païenne de cette grande métropole syrienne. C'est là une avancée décisive.

Barnabé, venu de Jérusalem, s'est installé à Antioche et, devant la foule de convertis à instruire, il va chercher Saul de Tarse en renfort. Quelque temps après, tous deux partent en mission, envoyés par cette Église d'Antioche qui sera désormais la base de départ de la mission paulinienne (Ac 13,1-3). Les ch. 13 et 14 racontent ce premier voyage missionnaire de Paul et Barnabé, qui les conduit successivement à Chypre, à Antioche de Pisidie, à Iconium, à Lystre et Derbé, villes de la Lycaonie (au sud de l'actuelle Turquie). Le narrateur prend soin de souligner comment les missionnaires, de ville en ville, s'adressent en priorité aux Juifs et aux craignant-Dieu dans les synagogues, mais rencontrant l'hostilité des Juifs qui refusent le message, se tournent en second lieu vers les païens.

Luc insère après cette première mission, le récit de l'assemblée de Jérusalem où Paul et Barnabé, à la suite de l'agitation fomentée par des circoncis intransigeants, exposent l'œuvre de Dieu parmi les païens et obtiennent un compromis qui sauvegarde l'unité de l'Église (Ac 15). À partir du ch. 16, le récit se concentre exclusivement sur l'œuvre de Paul.

La mission paulinienne dans le monde gréco-romain

Un second voyage, où Paul est accompagné par Silas et Timothée, conduit les missionnaires en Europe, après une traversée de l'Asie Mineure jusqu'au port de Troas. C'est l'évangélisation de Philippes, de Thessalonique, de Bérée, puis le bref séjour à Athènes où Paul, conduit devant l'Aréopage, ne convainc guère les Athéniens curieux et moqueurs (Ac 17). Après un séjour plus fructueux d'un an et demi à

REPÈRE

PIERRE ET PAUL, FIGURES PARALLÈLES

Par le survol du livre des Actes, on peut repérer que la figure de Pierre domine le récit des ch. 1 à 11, et celle de Paul les ch.16 à 28, tandis que les deux s'entrecroisent au milieu du livre (ch.12 à 15). Il y a ainsi un équilibre presque parfait entre ces deux personnages dominants de l'histoire du christianisme primitif. En y regardant de plus près, on s'aperçoit qu'un véritable parallélisme peut être noté, qui se manifeste par de nombreux rapprochements dans leur activité comme dans leur destin. Sans être exhaustif, voici un relevé des principaux éléments de ce parallélisme.

Les deux apôtres sont l'un et l'autre « remplis du Saint-Esprit » (Ac 4,8 ; 9,17 ; 13,2) et « parlent avec assurance » (2,29 ; 4,13 ; 9,27 ; 19,8). Ils reçoivent des directives divines à travers des visions (10,11-16 ; 18,9) et connaissent l'extase (10,10 ; 22,17). Des signes semblables accréditent leur prédication : la guérison d'un paralytique (3,2-8 ; 14,8-10) et même la réanimation d'un mort (9,32-43 ; 20,7-12) sont attribuées à chacun, ainsi qu'une réputation de guérisseur qui suscite parfois une attente un peu magique (5,15 ; 19,11-12), alors que l'un et l'autre ont l'occasion de s'opposer violemment à un magicien (8,18-24 ; 13, 8-11).

On peut relever un parallèle significatif dans l'argumentation de leur discours aux Juifs, lorsque le narrateur choisit de la développer (2,14-36 ; 13,16-41). On l'a vu, si Paul devient par excellence l'évangéliste des nations*, Luc a pris soin de montrer que le principe en a été révélé à Pierre (10,1 à 11,18).

La similitude de leur destin dans l'épreuve est frappante. L'un et l'autre, emprisonnés, connaissent une délivrance miraculeuse (12,3-17 ; 16,19-40). Le premier récit, par son vocabulaire, suggère que Pierre a vécu une sorte de passion et de résurrection symbolique, l'associant au sort de Jésus (12,7). De son côté, Paul, lapidé et laissé pour mort, « se relève » (14,19-20) : dans les deux cas, se trouve le verbe grec qui désigne la résurrection. Pourtant, l'un et l'autre protestent qu'ils « ne sont que des hommes », quand on veut leur rendre un hommage qui n'est dû qu'à Dieu (10,26 ; 14,15). Mais Luc n'écrit pas une hagiographie des deux apôtres. Après avoir tenu leur rôle dans l'histoire du salut, ils disparaissent sans que l'auteur nous renseigne sur leur sort final. S'il suggère leur martyre, c'est par des allusions fort ténues.

Un parallélisme aussi poussé ne peut pas être dû au hasard. Il exprime une volonté délibérée de l'auteur.

DOCUMENT

PIERRE ET PAUL DANS L'ÉPÎTRE DE CLÉMENT DE ROME

On peut voir que très tôt, la tradition de l'Église a retenu la leçon de Luc et mis sur un pied d'égalité les deux grands apôtres de la première génération chrétienne, en étant d'ailleurs plus particulièrement attentive à leur martyre. Dix ou vingt ans après la rédaction des Actes, vers la fin du Ier siècle, l'évêque de Rome, Clément, écrit dans sa lettre aux Corinthiens :

Pour laisser de côté les exemples anciens, prenons les généreux exemples de notre génération. La jalousie et l'envie persécutèrent ceux qui étaient les colonnes les plus élevées et les plus justes et elles les combattirent jusqu'à leur mort. Jetons les yeux sur les magnifiques Apôtres : Pierre, qui, victime d'une injuste jalousie, souffrit non pas une ou deux, mais de nombreuses fatigues, et qui, après avoir ainsi accompli son martyre, s'en est allé au séjour de gloire qui lui était dû. [...]

La jalousie et la discorde ont permis à Paul de montrer comment on remporte le prix de la patience. Chargé sept fois de chaînes, banni, lapidé, devenu un héraut en Orient et en Occident, il a reçu pour sa foi une gloire éclatante. Après avoir enseigné la justice à l'univers entier, atteint les bornes de l'Occident, accompli son martyre devant ceux qui gouvernent, il a quitté le monde et s'en est allé en la demeure sainte, illustre modèle de patience.

(Epître de Clément, 5.
Trad. A. Hamman)

Corinthe où il fonde une importante Église, Paul rejoint Antioche, l'Église dont il est l'envoyé (Ac 18).

Le récit du troisième voyage s'attarde sur un séjour de Paul à Éphèse et sur ses démêlés avec des exorcistes juifs, puis avec les orfèvres fabricants de reproductions en argent du Temple d'Artémis (Ac 19).

Les ch. 20 et 21 racontent le dernier périple de l'apôtre encore libre, pour rejoindre Jérusalem. Il séjourne trois mois à Corinthe, passe ensuite à Troas, Milet, Tyr et Césarée pour enfin « monter à Jérusalem » où il pressent que des tribulations l'attendent. De fait, Jérusalem qui fut le lieu de la Passion de Jésus, du martyre d'Étienne, de l'arrestation de Pierre, voit Paul subir à son tour les conséquences de l'hostilité des chefs juifs. La dénonciation calomnieuse de Juifs d'Asie, prétendant qu'il a profané le Temple en y introduisant des Grecs, provoque une émeute populaire, et Paul échappe de peu au lynchage grâce à l'intervention du tribun romain et de ses soldats (Ac 21).

Luc consacre cinq longs chapitres (ch. 22 à 26) aux suites de cette arrestation : comparutions devant le Sanhédrin, devant les gouverneurs Félix puis Festus et le roi Agrippa, complot des Juifs, transfert de Paul à Césarée où il passe deux ans en captivité. Il finit par réclamer, en tant que citoyen romain, d'être jugé devant le tribunal de César.

DOCUMENT

LES *VIES PARALLÈLES* DE PLUTARQUE

Le parallélisme relevé entre Pierre et Paul dans le livre des Actes suggère un autre rapprochement, peut-être plus curieux, avec l'œuvre de l'historien grec Plutarque (45-127), à peu près contemporain de Luc. C'est au début du second siècle qu'il écrivit ses *Vies parallèles*, où il compare deux à deux des personnages célèbres, l'un grec, l'autre romain : Alexandre et César, Alcibiade et Coriolan, Démosthène et Cicéron, etc. Le texte suivant de la Vie de Démosthène présente une certaine analogie, dans les ressemblances évoquées, avec celles qui concernent les deux apôtres :

La divinité, voulant, semble-t-il, façonner Démosthène et Cicéron sur le même modèle, a mis, dans leur nature, bien des traits de ressemblances, comme l'ambition et l'amour de la liberté en politique, ou la pusillanimité face au danger et à la guerre, et elle y a ajouté bien des coïncidences dans leur destinée. Ainsi, je ne crois pas qu'on puisse trouver deux autres orateurs qui se soient élevés d'un rang humble et obscur à ce degré de puissance et de grandeur ; qui aient heurté de front des rois et des tyrans ; qui aient perdu leur fille ; qui aient été bannis de leur patrie, y soient rentrés avec les honneurs puis, à nouveau en fuite, soient tombés entre les mains de leurs ennemis et dont la fin de la vie ait coïncidé avec la fin de la liberté de leurs concitoyens.

(Vies parallèles II. Trad. J.-A. Pierron)

À vrai dire, le rapprochement ne peut être poussé, pour deux raisons :

– Contrairement à Plutarque, Luc n'écrit pas la biographie de ses personnages, de leur naissance à leur mort, pas plus pour Paul que pour Pierre.

– Dans presque tous les cas, Plutarque rédige, après la double biographie, une comparaison systématique, où après avoir justifié la mise en parallèle de ses héros, il souligne davantage encore ce qui les différencie. Or nulle part Luc ne se propose explicitement de comparer le sort des deux apôtres. C'est au lecteur attentif de percevoir les correspondances que construit implicitement le récit, et d'en découvrir la portée théologique.

L'arrivée de Paul à Rome

Paul avait de longue date exprimé le désir de se rendre à Rome, et le Seigneur lui avait déclaré dans une vision : « Courage ! De même que tu as rendu témoignage de moi à Jérusalem, ainsi faut-il encore que tu témoignes à Rome » (Ac 23,11). Paul devait se demander comment cette promesse pourrait se réaliser, alors que, prisonnier, il n'avait plus l'initiative de ses déplacements ! Et il trouve la solution : s'il en appelle à César, l'autorité romaine devra se charger de l'acheminer elle-même jusqu'à la capitale.

C'est cet ultime voyage que Luc raconte dans le ch. 27, un récit plein de détails et de péripéties, véritable morceau de bravoure où le narrateur peaufine le portrait de son héros et témoigne d'une connaissance très précise des conditions de la navigation de son temps. C'est un de ces récits en « nous », construit d'après les notes d'un de ceux qui ont participé au voyage, sans doute un des compagnons de Paul autorisés à s'embarquer avec lui pour ce transfert officiel.

Partant de Césarée, l'escorte fait escale à Sidon, à Myre en Lycie, puis en Crète où il serait sage d'hiverner, selon le conseil de Paul. Mais le capitaine voulant rejoindre le port de Phénix en s'engageant dans une manœuvre risquée, le navire est emporté par un vent d'ouragan et dérive dans la tempête pendant quatorze jours. Paul assuré par une vision divine qu'il comparaîtra bel et bien devant César, rassure l'équipage, et le navire échoue finalement sur l'île de Malte où soldats et prisonniers passent trois mois d'hiver avant de pouvoir réembarquer pour l'Italie. Itinéraire très classique : escales à Syracuse et Rhegium, débarquement à Pouzzoles. Paul y est accueilli par des frères (chrétiens) ; et des membres de l'Église de Rome viennent à sa rencontre jusqu'au Forum d'Appius et aux Trois-Tavernes (Ac 28,11-15).

Paul va passer deux ans à Rome comme prisonnier sur parole : on lui permet « de loger en son particulier avec le soldat qui le gardait » (Ac 28,16). C'est un régime relativement libéral, mais on ne peut oublier que l'apôtre reste dans la situation d'un prévenu suspect, en attente d'un jugement que les autorités ne semblent pas pressées d'ouvrir.

L'épilogue du livre des Actes (28,17-31)

Un dernier récit conclut non seulement ce livre, mais l'ensemble de l'œuvre lucanienne. Fidèle à sa pratique constante, l'auteur ne formule aucune conclusion théorique, mais récapitule dans ces quelques versets les éléments essentiels de sa catéchèse* narrative.

Il ne nous dira rien de plus sur les relations du prisonnier avec l'Église de Rome qui, contrairement à ses craintes, l'a bien accueilli. Cet épilogue a une autre visée. Très significativement, il replonge le lecteur dans le contexte du judaïsme où est né l'Évangile. Paul, qui a le droit de recevoir des visiteurs, prend l'initiative de convoquer les notables juifs de la capitale, renouant avec sa vieille habitude d'évangéliste qui se rendait toujours en premier lieu dans les synagogues pour y proclamer à ses frères juifs le message du salut. Jusqu'à sa dernière page, le récit des Actes veut ainsi maintenir le principe de priorité qui a été énoncé à Antioche de Pisidie (Ac 13,46).

De fait, Paul s'adresse à ses visiteurs en les appelant « frères », et se présente à eux comme porteur de l'espérance d'Israël, injustement livré aux Romains par les Juifs de Jérusalem. Paul dit l'honnêteté des enquêteurs romains qui ont conclu à son innocence, et l'opposition acharnée des Juifs qui l'a contraint à en appeler à César (Ac 28,17-20).

Les Juifs de Rome savent seulement que le « parti » chrétien rencontre partout la contradiction, mais n'ont pas de prévention contre Paul. Lors d'un second rendez-vous, Paul durant un jour entier leur expose son message : « Il rendait témoignage du Royaume de Dieu et cherchait à les persuader au sujet de Jésus, en partant de la loi de Moïse et des Prophètes » (v.23). En style indirect, sous la forme courante chez Luc d'un sommaire, se trouve ainsi récapitulée la prédication apostolique adressée aux Juifs, qui a tenu une grande place dans tout le livre, avec la notion d'accomplissement* des Écritures. Comme toujours, cette prédication divise l'auditoire : « Les uns se laissaient persuader par ses paroles, les autres restaient incrédules. Ils prenaient congé sans être d'accord entre eux » (v.24-25). Cette note laisse ouverte la possibilité ultérieure d'une évangélisation positive des Juifs de Rome.

Cependant, Luc place ici dans la bouche de Paul un jugement global sur la surdité et l'aveuglement spirituel du peuple d'Israël, en citant la dure interpellation du Prophète : « Le cœur de ce peuple s'est épaissi : ils se sont bouché les oreilles, ils ont fermé les yeux, de peur que leurs yeux ne voient et que leurs oreilles n'entendent » (Ac 28,27, citant Is 6,9s). Il est clair que ce propos, excessif par rapport à la situation du moment, vise lui aussi à récapituler le second thème qui a couru tout au long de l'œuvre de Luc. L'incrédulité de ce peuple s'est déjà manifestée face à Jésus, et fut une énigme douloureuse aux yeux de tous les évangélistes. Elle s'est poursuivie face à la prédication apostolique. La citation d'Isaïe, si elle n'enlève rien au scandale, permet de comprendre qu'il s'inscrit dans la ligne de toute l'histoire biblique, où Israël fit si souvent la sourde oreille aux avertissements de ses prophètes.

La dernière parole en style direct attribuée à Paul est une affirmation concise, provocante comme un défi, à l'égard des Juifs : « Sachez-le donc : c'est aux païens qu'a été envoyé ce salut de Dieu. Eux du moins, ils écouteront » (v.28). Nous retrouvons là le troisième grand thème de l'œuvre lucanienne, celui de l'annonce de l'Évangile au monde des nations. L'ultime sommaire de cet épilogue conclut alors le livre :

Paul demeura deux années entières dans le logis qu'il avait loué. Il recevait tous ceux qui venaient le trouver, proclamant le Royaume de Dieu et enseignant ce qui concerne le Seigneur Jésus Christ avec pleine assurance et sans obstacle. (Ac 28,30-31)

On a parlé à propos de ce texte d'une fin abrupte du livre des Actes. Il est vrai que du point de vue narratif, le lecteur peut se sentir frustré : il ne saura rien du procès de Paul devant César, rien de son éventuelle libération qui lui aurait permis de réaliser son projet de voyage en

Espagne (cf. Rm 15,28). Ce fait confirme que l'intention de Luc n'était pas d'écrire une biographie de l'apôtre. Mais il peut être lu à cet égard de manière positive : le caractère inachevé du récit n'invite-t-il pas ses lecteurs à en écrire eux-mêmes la suite dans l'histoire, en entrant dans la dynamique de la transmission de l'Évangile à tout homme ?

Pourtant, si l'on a été attentif à la thématique de l'œuvre, on conviendra que cette finale est parfaitement élaborée pour en être la véritable conclusion. Luc est arrivé au terme de son projet, et nous quitte sur une image forte. Nous sommes à Rome, centre glorieux d'une civilisation qui se veut universelle. L'empereur s'y fait vénérer comme Seigneur et pense être le maître du monde. Or le dernier mot du livre, c'est que là, à Rome même, retentit, dans la bouche d'un prisonnier sans pouvoir, l'affirmation paradoxale et provocante que le vrai Seigneur n'est pas celui qu'on pense : le vrai maître du monde, celui qui va faire advenir le règne universel de Dieu est un certain Jésus, obscur prophète juif, qui fut un prétendant malchanceux à la royauté, crucifié à Jérusalem sous Ponce Pilate, voici une trentaine d'années !

Conclusion

Au terme de ce regard sur la géographie lucanienne, il est possible de récapituler le sens du parcours suivi. La géographie de l'évangile, toute simple, conduit de Jérusalem (et son Temple) à Jérusalem (et son Temple) : Jérusalem et son Temple, lieux saints du judaïsme, dont les fidèles attendent l'accomplissement des prophéties messianiques. Mais Jérusalem, c'est aussi la ville qui tue les prophètes, vers laquelle Jésus monte, conscient de son destin. Jérusalem enfin, lieu de la crucifixion et de la résurrection du Fils de l'homme, actes dans lesquels s'accomplit le destin du monde.

Plus complexe, la géographie des Actes des Apôtres conduit de Jérusalem à Rome. Le message du salut d'abord proclamé à Jérusalem par les Douze fondant une Église judéo-chrétienne sort de son cocon juif et progresse par vagues successives : la Samarie, Antioche qui devient le pôle d'une première évangélisation du monde païen, l'Asie Mineure, la Grèce, et enfin Rome. Le caractère cosmopolite de la capitale de l'Empire permet d'affirmer que le témoignage chrétien a atteint symboliquement « toutes les nations » (Lc 24,47), avant de rayonner dans l'espace humain « jusqu'aux extrémités de la terre » (Ac 1,8). Ainsi le programme annoncé est pour l'essentiel réalisé.

Ch. L'É.

Jésus prophète selon saint Luc

Dans le troisième évangile*, Jésus est présenté comme celui en qui s'accomplit la figure du prophète de l'Ancien Testament. En effet, de par un certain nombre de traits caractéristiques que le récit lui donne, il est situé sur une ligne de continuité avec des prophètes connus de la Bible, apparaissant comme le point d'achèvement et de récapitulation de toutes ces figures. Comme Samuel et Élie plus particulièrement, selon le récit de Luc, mais aussi comme Jérémie, Isaïe et tous les prophètes, Jésus reçoit du ciel la mission d'annoncer aux hommes que Dieu, fidèle à sa promesse de faire vivre son peuple en dépit de l'infidélité de celui-ci, envoie son Messie* instaurer son Royaume sur terre. Tout ce qu'il a en commun avec les prophètes qui l'ont précédé permet ainsi de le reconnaître dans ce rôle d'envoyé de Dieu, mais permet aussi de mettre en valeur tout ce qui le différencie des prophètes qui l'ont précédé. Venant au terme de toute cette lignée prophétique, Jésus apparaît bien comme le Prophète, le prophète des temps derniers, celui qui devait venir au jour du jugement de Dieu, celui dont la venue ouvre à quelque chose de nouveau, inaugure une ère nouvelle ; car en lui, dans ce qu'il est comme dans ce qu'il fait, s'est réalisé tout ce que l'Écriture avait annoncé par les prophètes. Il est le prophète messianique attendu par Israël et il est en même temps le Messie sauveur promis par Dieu à son peuple, ce descendant de la lignée royale de David dont le trône sera ainsi « affermi à jamais », selon l'oracle délivré au roi David par le prophète Natan (2 S 7,16). Les premiers chapitres de l'évangile de Luc ont pour fonction d'introduire le lecteur à cette christologie* de Jésus prophète : Jésus est présenté d'abord comme un nouveau Samuel, tandis que Marie, sa mère est dépeinte selon le modèle d'Anne, la mère de Samuel (1 S 1) ; il est présenté ensuite comme un nouvel Élie, ou comme Élisée, le disciple d'Élie. Les ministères de ces deux prophètes nous sont rapportés aux livres des Rois (1 R 17 à 2 R 2). [*voir* vol. I, p. 276]

Jésus nouveau Samuel, et Marie selon le modèle d'Anne

Comme Samuel, le premier prophète de la Bible, Jésus vient au monde à la suite d'une intervention divine qui nous est racontée dans le cadre d'un de ces récits d'annonce de naissance (Annonciation) dont le lecteur de l'Ancien Testament est familier. Les similitudes et les différences que le lecteur peut établir entre des épisodes connus et le récit de l'annonce de la naissance de Jésus font d'autant mieux ressortir la nouveauté de l'événement raconté par l'évangéliste :

Le sixième mois, l'ange Gabriel fut envoyé par Dieu dans une ville de Galilée, du nom de Nazareth, à une vierge fiancée à un homme du nom de Joseph, de la maison de David ; et le nom de la vierge était Marie. Il entra et lui dit : « Réjouis-toi, comblée de grâce, le Seigneur est avec toi. » À cette parole elle fut toute troublée, et elle se demandait ce que signifiait cette salutation. Et l'ange lui dit : « Sois sans crainte, Marie ; car tu as trouvé grâce auprès de Dieu. Voici que tu concevras dans ton sein et enfanteras un fils, et tu l'appelleras du nom de Jésus. Il sera grand, et sera appelé Fils du Très Haut. Le Seigneur Dieu lui donnera le trône de David, son père ; il régnera sur la maison de Jacob pour les siècles et son règne n'aura pas de fin. » Mais Marie dit à l'ange : « Comment cela sera-t-il puisque je ne connais pas d'homme ? » L'ange lui répondit : « L'Esprit Saint viendra sur toi, et la puissance du Très-Haut te prendra sous son ombre ; et c'est pourquoi l'être saint qui naîtra sera appelé Fils de Dieu. Et voici qu'Élisabeth, ta parente, vient, elle aussi, de concevoir un Fils dans sa vieillesse, et elle en est à son sixième mois, elle qu'on appelait la stérile ; car rien n'est impossible à Dieu. » Marie dit alors : « Je suis la servante du Seigneur ; qu'il m'advienne selon ta parole ! » Et l'ange la quitta. (Lc 1,26-38)

Dans les deux cas de la naissance de Samuel et de Jésus, le récit met en scène une femme qui n'est pas en situation d'avoir un enfant ; mais tandis qu'Anne, la mère de Samuel, est stérile (1 S 1,2.5), comme l'ont été avant elles les femmes des patriarches, Sarah, Rébecca, Rachel et aussi Élisabeth, la mère de Jean Baptiste (Lc 1,5-25), Marie, elle, est une « vierge, fiancée à Joseph » (Lc 1,27). De plus, c'est Anne qui supplie Dieu de lui accorder un enfant, tandis que Marie reçoit la visite de l'ange Gabriel qui lui annonce la naissance de son fils : « Réjouis-toi, comblée de grâce, le Seigneur est avec toi. [...] Voici que tu concevras dans ton sein et enfanteras un fils, et tu l'appelleras Jésus. » La réaction de Marie, sous forme de question spontanée à cette annonce – « Comment cela se fera-t-il puisque je ne connais pas d'homme ? » – souligne bien l'inouï de la nouvelle et le caractère surnaturel de l'événement dont l'ange lui révèle alors la nature : « Il sera grand, et sera appelé Fils du Très-Haut. Le Seigneur Dieu lui donnera le trône de David, son père ; il régnera sur la maison de Jacob pour les siècles et son règne n'aura pas de fin. » Dans cette annonce, qui porte également sur l'identité de l'enfant qui va naître, Marie entend des termes qui parlent à sa mémoire de fille d'Israël, qui font écho précisément à la promesse faite au roi David (2 S 7,11-14). [*voir* vol. I, p. 214] L'ange lui fait ainsi comprendre que l'enfant qu'elle va concevoir sera ce Fils de David promis par Dieu pour veiller à jamais sur son peuple.

Repère

Marie dans la Bible

C'est chez les évangélistes Luc et Matthieu qu'elle apparaît le plus, dans le cadre des récits de l'enfance de Jésus : chez Luc, lors de l'Annonciation (Lc 1,26-38), de la Visitation (Lc 1,41-56), dans l'épisode de la présentation au Temple (Lc 2,33-51) ; chez Matthieu, elle est citée dans la généalogie comme fiancée de Joseph (Mt 1,16-18), lors de la fuite en Égypte (Mt 2,13-20), lors de la visite des mages (Mt 2,11) et dans le cadre de l'évocation de la famille de Jésus (Mt 13, 55). C'est chez Marc qu'elle apparaît le moins puisqu'elle n'est citée que dans ce dernier cas de l'évocation de la famille de Jésus (Mc 3,31 ; 6,3). Chez Jean, elle est présente lors des noces de Cana (Jn 2,1-5) et au pied de la croix (Jn 19,25). Dans tous ces textes elle est désignée soit par son nom, Marie, soit par sa fonction de « mère de Jésus ». Dans l'Apocalypse, si elle n'est pas désignée directement, elle est très présente sous l'image de la Femme auréolée de soleil, avec la lune sous pieds et couronnée de Douze étoiles (Ap 12,1), qui donne naissance à un enfant mâle (Ap 12,5) et échappe à l'entreprise du Dragon (Ap 12,5.13-16).

Marie est ainsi évoquée chez Luc et Matthieu essentiellement comme mère du Messie, le Messie davidique promis à Israël. À ce titre elle vient s'inscrire dans la longue lignée des femmes d'Israël à qui Dieu a donné de concevoir un enfant pour le salut de son peuple. En elle viennent également s'accomplir les oracles des prophètes qui avaient annoncé la venue d'un descendant de David (à la suite de 2 S 7,8-16), en soulignant le rôle de la mère de l'enfant royal, « celle qui doit enfanter » (Mi 5,2). Le prophète Isaïe, lui, annonce que « la jeune fille » concevra un fils qui portera le nom d'Emmanuel, « Dieu avec nous » (Is 7,14). En un oracle de salut, il prophétise la naissance de l'enfant royal (Is 9,1-6) et son intronisation (Is 11,1-9). Dans le texte grec d'Isaïe qu'ils utilisaient (la Septante*), les évangélistes ont trouvé, pour désigner cette « jeune fille », le mot qui désignait la « jeune fille vierge ». Ils ont pu ainsi enraciner la conception virginale de Marie dans l'Écriture : l'événement de la naissance de Jésus révèle la portée profonde de la promesse prophétique.

La salutation de l'ange Gabriel à Marie (Lc, 1,28) rattache également Marie à un thème vétéro-testamentaire : elle entend, en effet, de la bouche de l'ange l'invitation à se réjouir que les prophètes adressaient à la « fille de Sion* », c'est-à-dire Jérusalem, représentée comme la mère de tous les peuples réunis autour du seul Dieu, aux jours derniers (So 3,14-17 et Za 2,14). La joie à laquelle est conviée Marie, ainsi identifiée à la « fille de Sion », est donc la joie eschatologique, propre à la venue du règne de Dieu (Is 54,1-3 ; 66,7-13).

Enfin, l'Apocalypse, avec les figures de la femme et du Dragon, établit un lien avec la Femme et le Serpent du récit de la Genèse : Ève était séduite par le serpent et vouée à la mort ; Marie, elle, échappe avec son enfant à l'emprise du Dragon, et inaugure ainsi, en nouvelle Ève, la nouvelle création.

Comme Anne (1 S 1,11), Marie se dit la « servante du Seigneur », et accepte que se réalise en elle la volonté de Dieu. Comme Anne également, Marie exprime en un chant d'action de grâce l'intervention de Dieu dans son histoire : le Magnificat qu'elle formule lors de la visite de sa cousine Élisabeth rappelle à bien des égards le cantique d'Anne. Voici le texte du Magnificat (avec les passages parallèles du Cantique d'Anne) :

Magnificat (Lc 1,46-55)	**Cantique d'Anne (1 S 2,1-10)**
Mon âme exalte le Seigneur,	*Mon cœur exulte*
et mon esprit tressaille de joie	*dans le* SEIGNEUR *[…]*
en Dieu mon Sauveur,	*car je me réjouis de ton secours*
parce qu'il a jeté les yeux	*[…]*
sur l'abaissement de sa servante.	
Oui, désormais toutes les générations	
me diront bienheureuse,	
car le Tout-Puissant a fait pour moi	
de grandes choses.	
Saint est son nom,	
et sa miséricorde s'étend d'âge en âge	
sur ceux qui le craignent.	
Il a déployé la force de son bras ;	
il a dispersé les hommes	
au cœur superbe.	*L'arc des puissants est brisé […]*
Il a renversé les potentats de leur trône	*Les rassasiés s'embauchent*
et élevé les humbles,	*pour du pain, mais les affamés*
Il a comblé de biens les affamés	*cessent de travailler […]*
et renvoyé les riches les mains vides.	*C'est le* SEIGNEUR
Il est venu en aide à Israël,	*qui appauvrit et enrichit,*
son serviteur,	*qui abaisse et aussi qui élève*
se souvenant de sa miséricorde,	*[…]*
selon qu'il l'avait annoncé à nos pères,	
en faveur d'Abraham et	
de sa race à jamais !	

Les correspondances entre les deux cantiques sont significatives : Marie célèbre l'action présente de Dieu en sa faveur en redisant les exploits de Dieu dans le passé, ceux-là mêmes que célébrait déjà Anne. Elle se situe ainsi dans la continuité de cette présence de Dieu à son peuple : présence d'un Dieu puissant qui « a déployé la force de son bras, dispersé les hommes au cœur superbe » et « renversé les potentats de leurs trônes » ; en même temps présence d'un Dieu miséricordieux qui « est venu en aide à Israël, son serviteur, se souvenant de sa miséricorde », et dont la « miséricorde s'étend d'âge en âge sur ceux qui le craignent ». Le Dieu d'Israël qui est intervenu dans l'histoire de Marie, comme dans celle d'Anne, est un Dieu fidèle. En Marie s'accomplit le destin des servantes d'Israël, celles par qui se réalise le plan de salut de Dieu pour son peuple.

Le parallèle entre Samuel et Jésus se poursuit au-delà de ces cantiques. De même que Samuel avait été présenté par sa mère au prêtre Éli pour être consacré au Seigneur, conformément au vœu formulé par Anne avant sa naissance, de même, Jésus, conformément aux rites de la loi mosaïque, est amené à Jérusalem par ses parents pour être présenté et consacré au Seigneur (Lc 2,22-38). Comme Samuel, enfin, Jésus grandit en taille et en sagesse. On notera les sommaires similaires qui décrivent la croissance de chacun des deux enfants : « Quant au jeune Samuel, il progressait en taille et en beauté tant auprès du SEIGNEUR qu'auprès des hommes » (1 S 2, 26) ; « Cependant, l'enfant grandissait, se fortifiait et se remplissait de sagesse » (Lc 2, 40).

Au fil des deux premiers chapitres de son évangile, le lecteur de Luc est ainsi informé de l'identité de Jésus ; il est invité à reconnaître en lui le Messie, fils de David, Fils de Dieu, mais aussi le Messie prophète, venu révéler aux hommes de la part de Dieu la bonne nouvelle du salut. Dans l'Ancien Testament, le prophète Samuel est celui que Dieu avait choisi pour oindre le premier Messie-roi (Saul puis David). Le récit de Luc suggère que Jésus est à la fois prophète comme Samuel et Messie-roi descendant de David. L'inouï de sa naissance ouvre un avenir nouveau aux figures de l'Ancien Testament qu'il accomplit. Luc a ainsi posé les bases de sa christologie : la suite du récit montrera en

BIBLE

PRÉSENTATION DE SAMUEL AU TEMPLE

Le présentation de Jésus au Temple par ses parents (Lc 2,22-38) est inspirée, chez Luc, de celle du jeune Samuel :

Lorsqu'elle l'eut sevré [l'enfant], elle le fit monter avec elle, en même temps qu'un taureau de trois ans, une mesure de farine et une outre de vin, et elle le fit entrer dans le temple du SEIGNEUR, à Silo ; l'enfant était tout jeune. Ils immolèrent le taureau et ils conduisirent l'enfant à Eli. Elle dit : « S'il te plaît, Monseigneur ! Aussi vrai que tu vis, je suis la femme qui se tenait près de toi ici, priant le SEIGNEUR. C'est pour cet enfant que je priais, et le SEIGNEUR m'a accordé la demande que je lui ai faite. À mon tour, je le cède au SEIGNEUR tous les jours de sa vie : il est cédé au SEIGNEUR. » (1 S 1, 24-28) quoi et comment Jésus est Messie et prophète, conformément à ce qu'avait annoncé l'Écriture.

Jésus nouvel Élie

L'association avec la figure du prophète Samuel ne pouvait, à elle seule, dire en quoi et comment Jésus est Messie-prophète, selon l'Écriture : c'est en faisant jouer d'autres associations avec de grandes figures de l'Ancien Testament que le récit lucanien* continue à élaborer sa christologie.

Dans les milieux juifs contemporains du Nouveau Testament, on attendait le retour du prophète Élie, enlevé au ciel dans un tourbillon tandis que son disciple Élisée recevait son esprit (2 R 2,11-15) ; ce retour devait être le signe de la venue du Jour du Jugement : « Voici : moi-même je vous enverrai le prophète Élie avant que n'arrive le Jour du Seigneur, grand et redoutable » (Ml 3,23). La figure de Jean Baptiste correspondait, à bien des égards, à ce rôle de prophète précurseur de la venue du Messie et la tradition synoptique atteste l'existence de cette identification de Jean Baptiste à Élie. Comme Marc et Matthieu, Luc évoque cette association (Lc 1,17 ; 1,76 et 7,27), mais, contrairement à Marc et Matthieu, il la développe fort peu, car il l'utilise bien davantage pour éclairer son portrait de Jésus le Messie-prophète, venu, tel le nouvel Élie, inaugurer les temps derniers, ceux de la venue du règne de Dieu. Le rapprochement entre le ministère de Jésus et ceux d'Élie et Élisée est fait par Jésus lui-même, au cours de la prédication à Nazareth :

> *Assurément, je vous le dis, il y avait beaucoup de veuves en Israël aux jours d'Élie, lorsque le ciel fut fermé pour trois ans et six mois, quand survint une grande famine sur tout le pays ; et ce n'est à aucune d'elles que fut envoyé Élie mais bien à une veuve de Sarepta, au pays de Sidon. Il y avait aussi beaucoup de lépreux en Israël au temps du prophète Élisée ; et aucun d'eux ne fut purifié, mais bien Naaman le Syrien.* (Lc 4, 25-27)

Jésus fait ainsi référence aux ministères de ces deux prophètes pour expliquer aux habitants de Nazareth la nature de son propre ministère : comme Élie et Élisée, il doit secourir des veuves et guérir des malades ; comme eux également, il est envoyé en dehors de sa patrie. Il est important de noter qu'il confirme en même temps, de ce fait, son statut de prophète, le reprenant à son compte pour en assumer la charge et les risques (même si Jésus n'y fait pas directement allusion, son auditoire n'ignore pas qu'Élie et Élisée, comme beaucoup de prophètes, furent rejetés et persécutés par les fils d'Israël à qui ils avaient été envoyés ; le même sort sera réservé à Jésus).

Par ailleurs, le ministère de Jésus en Galilée comporte des épisodes qui font écho à des récits de guérisons racontés aux livres des Rois, dans les chapitres consacrés au prophète Élie et son disciple Élisée (1R 17 à 2 R 10). Le lecteur se voit donc constamment remettre en mémoire le sens du ministère de Jésus, tel que lui-même l'avait signifié aux habitants de Nazareth en référence aux figures des prophètes Élie et Élisée. Ainsi les guérisons de lépreux (Lc 5,12-26 et 17,11-18) auront-elles pour arrière-plan la guérison du lépreux Naaman par Élisée (2 R 5), guérison évoquée par Jésus lui-même dans le passage cité ci-dessus. La guérison de l'aveugle de Jéricho (Lc 18,35-43) pourra être rapprochée de celle des Araméens guéris de leur aveuglement par Élisée (2 R 6,17-21), tandis que le miracle de la multiplication des pains (Lc 9, 10-17) sera associée au miracle de la farine et de l'huile accompli par Élie à Sarepta ainsi qu'à la multiplication des vingt pains d'orge par Élisée (2 R 4,42-44).

Il en est de même pour les récits de résurrections de morts : l'épisode de la résurrection du fils de la veuve (Lc 7,11-17), propre à l'évangile de Luc, identifie très clairement le miracle accompli par Jésus à la figure d'Élie ressuscitant le fils de la veuve de Sarepta (1 R 17,17-24). Dans cet épisode, le fils de l'hôtesse du prophète meurt de maladie. Sa mère accuse Élie de cette mort : « Qu'ai-je à faire avec toi, homme de Dieu ? Tu es donc venu chez moi pour rappeler mes fautes et faire mourir mon fils ! » (1 R 17,18). Ce dernier invoque alors son Dieu et lui demande de faire revenir l'enfant à la vie. Le Seigneur exauce la prière de son prophète qui remet l'enfant à sa mère. Celle-ci alors reconnaît dans le prophète un « homme de Dieu » qui dit en vérité la parole de Dieu. Le récit de Luc reprend de nombreux éléments de cet épisode. [*voir* le texte p. 117]

Dans les deux récits, il s'agit d'un « fils unique » (Lc 7,12 ; 1 R 17) rencontré « près de la porte de la ville » (Lc 7,12 et 1 R 17,10) que Jésus « remet à sa mère » (Lc 7,15 ; 1 R 17,23). De plus, dans les deux cas, l'homme de Dieu est pris pour un prophète : la foule de Naïn voit en Jésus celui par qui Dieu « visite son peuple », c'est-à-dire qu'il vient lui apporter le salut et la vie, tandis que la veuve de Sarepta reconnaît en Élie « un homme de Dieu » dans la bouche duquel « la parole du SEIGNEUR est vérité » (1 R 17,24).

Par ces différents renvois à la figure d'Élie, Luc entend donc souligner pour son lecteur que le ministère prophétique de Jésus est bien celui du prophète messianique attendu ; il est celui à qui revient désormais d'assumer la fonction de restaurer toutes choses en vue de la venue du règne de Dieu : ce règne de Dieu, que les prophètes comme Élie et Élisée avaient annoncé, et que le retour du prophète Élie devait inaugurer selon la prophétie du prophète Malachie, s'accomplit ainsi en Jésus « nouvel Élie ».

Jésus maître de prière

Nouveau Samuel, nouvel Élie, Jésus est le Messie davidique, le prophète des temps derniers, promis par Dieu à son peuple. Par ces références à de grandes figures de l'Ancien Testament, Luc aide son lecteur à reconnaître en Jésus l'accomplissement* des promesses de Dieu et l'invite à l'accueillir comme Celui qu'Israël attendait, à l'exemple de la foule des habitants de la ville de Naïn (« Un grand prophète s'est levé parmi nous » Lc 7,16) et à celui de Pierre à Césarée, lorsqu'il confesse en Jésus « le Christ de Dieu » (Lc 9, 20). Accueillir ainsi Jésus, c'est en même temps se tourner vers le Dieu qui l'envoie, pour accueillir sa Parole de salut et lui en rendre grâce. En sont témoins tous les personnages du récit lucanien qui, reconnaissant dans les miracles accomplis par Jésus la manifestation de la puissance divine, se mettent à glorifier Dieu.

On ne s'étonnera donc pas que Jésus, tandis qu'il marche vers Jérusalem tout en enseignant à ses disciples comment proclamer et manifester la venue du Royaume, éveille en eux le désir de mieux découvrir et de développer cette relation à Dieu, et de recevoir de lui un enseignement sur la prière. Les disciples ne peuvent ignorer combien la prière était importante pour Jésus : le narrateur signale, à deux reprises au moins, que Jésus est en prière (Lc 6,12 ; 9,28) puis, alors que les soixante-douze disciples reviennent de leur mission, il note l'action de grâce que Jésus fait à son Père pour tout ce qui a été révélé « aux petits » (Lc 10,21).

Il n'est pas plus étonnant que la prière que Jésus enseigne à ses disciples commence par ces mots : « Notre Père… » Le lecteur sait depuis les premiers chapitres de l'évangile que Jésus est le Fils de Dieu pour l'avoir entendu dire par l'ange Gabriel (Lc 1,35) et par Jésus lui-même à ses parents lorsque ceux-ci le trouvent dans le Temple de Jérusalem : « Ne saviez-vous donc pas que je dois être dans la maison de mon Père ? » (Lc 2,49). Il a ensuite entendu la voix du ciel lui dire « Tu es mon fils » (Lc 3,22). Ce thème du Père n'est donc pas nouveau pour lui. Par ailleurs, la figure d'un Dieu Père est une image connue de l'Ancien Testament. On en trouve des exemples dans les prophéties annonçant la venue du Messie, par exemple dans l'oracle délivré au roi David par le prophète Nathan, lorsque Dieu dit, à propos du descendant qu'il lui promet « pour toujours » : « Je serai pour lui un père et il sera pour moi un fils » (2 S 7,14). Cet écho de l'Ancien Testament souligne à nouveau l'accomplissement de l'Écriture : en Jésus se réalise pleinement la relation qui unit Dieu, le Père très aimant, et son Fils.

Ce qui peut paraître nouveau est l'adjectif possessif « notre », même si dans le psaume 89, par exemple, le psalmiste fait dire à Dieu à propos d'Israël : « Il m'appellera : Toi, mon Père, mon Dieu... » (Ps 89,27), et si le prophète Osée dénonce dans l'ingratitude d'Israël envers son Dieu l'ingratitude d'un fils envers son père (Os 11,1). Plus qu'une simple métaphore, c'est, en fait, un point essentiel de l'enseignement de Jésus qui est souligné là : le Dieu qu'il est venu révéler est non seulement son Père mais aussi le Père de tous les hommes qui peuvent désormais s'adresser à lui en ces termes. La prière qu'il leur enseigne, en réponse à leur demande « Seigneur, apprends-nous à prier » (Lc 11,1), exprime d'abord et avec force le caractère essentiel de la relation entre le disciple et ce Dieu Père, moins le père autoritaire que celui qui prend soin de ses enfants et veille à leur salut. Apprendre à ses disciples qu'ils peuvent dire à Dieu « Père », c'est leur révéler leur identité d'enfants de Dieu, choisis par lui (cf Lc 10,22) et les inviter à se tourner vers lui dans la confiance.

Le caractère central de cette prière du « Notre Père » est particulièrement signifié dans l'évangile de Matthieu, par la place qu'elle occupe au cœur du Sermon sur la montagne, le grand discours où Jésus enseigne à ses disciples les valeurs du Royaume (Mt 6,9-13).

Le texte même de la prière présente deux versions différentes selon Luc et Matthieu : on notera le même schéma de souhaits (2 chez Lc, 3 chez Mt) et de 3 demandes. Chacun des deux évangélistes transmet probablement la prière telle que leur communauté la récitait, ce qui explique les différences de formulation.

Lc 11,2-4	**Mt 6,9-13**
Père, *que ton Nom soit sanctifié,*	Notre Père qui es dans les cieux, *que ton Nom soit sanctifié,*
que ton Règne vienne ;	*que ton Règne vienne,* que ta Volonté soit faite sur la terre comme au ciel.

donne-nous chaque jour *notre pain quotidien ;*	*Donne-nous* aujourd'hui *notre pain quotidien.*
et *remets-nous* nos péchés car *nous-mêmes* nous **remettons** à quiconque nous doit,	*Remets-nous* nos dettes comme *nous-mêmes* **avons remis** à nos débiteurs.
et ne nous soumets pas à la tentation.	*Et ne nous soumets pas à la tentation* mais délivre-nous du Mauvais.

Si le Nom de Dieu doit être « sanctifié », selon le premier souhait formulé par la prière, c'est parce qu'Israël, au cours des siècles, par ses infidélités, l'a profané (Lv 22,32 ; Is 52,5-6 ; Ez 36,20-21). Par l'instauration de son Royaume, Dieu rétablira la souveraineté de son Nom ; en prononçant cette parole ainsi que le second souhait « Que ton règne vienne », le croyant dit son désir de vivre toujours plus pleinement de cette vie du Royaume qu'il reçoit de Dieu, inaugurée en Jésus-Christ.

Les trois demandes esquissent le type de vie que le croyant, tourné vers Dieu, doit mener pour signifier l'économie nouvelle du Royaume : avoir confiance dans la sollicitude de Dieu et dépendre de lui pour tout dans sa vie (« Donne-nous chaque jour notre pain quotidien ») ; manifester, par la pratique du pardon (et la remise des dettes chez Mt), sa propre expérience du pardon et de la libération reçus de Dieu (« Remets-nous nos péchés, car nous-mêmes remettons à quiconque nous doit ») ; reconnaître la fragilité de la foi humaine et le besoin

DOCUMENT

LE NOTRE PÈRE DE LA *DIDACHÈ*

La *Didachè* est un manuel catéchétique, liturgique et disciplinaire du Ier siècle, probablement rédigé en Syrie. Après six chapitres consacrés à l'enseignement des *deux Voies*, vient une partie liturgique (ch 7-10) dans laquelle se trouve la prière du *Notre Père*. Le texte est très proche de celui de Mt 6,9-13 mais les différences sont suffisantes pour attester une autre tradition.

Ne priez pas non plus comme les hypocrites mais comme le Seigneur l'a ordonné dans son évangile, priez de cette manière :
Notre Père, qui es au ciel,
Que ton nom soit sanctifié,
Que ton règne vienne,
Que ta volonté soit faite, sur la terre comme au ciel.
Donne-nous aujourd'hui notre pain de ce jour,
Pardonne-nous notre offense
Comme nous pardonnons aussi à ceux qui nous ont offensés.
Et ne nous soumets pas à la tentation
Mais délivre-nous du mal ;
Car c'est à toi qu'appartiennent la puissance et la gloire dans les siècles.

(Didachè 8,1-2.
Trad. W. Rordorf et A. Tuilier)

d'être soutenu par la sollicitude divine : pour cela, demande est faite à Dieu d'éloigner les situations qui pourraient mettre la foi en péril. La formulation de cette dernière demande (« Ne nous soumets pas à la tentation ») suscite quelquefois des réticences : il faut savoir qu'elle ne présuppose pas l'image d'un Dieu qui induirait en tentation car une telle image est étrangère à la Bible. Dieu y est toujours, en effet, le Dieu qui sauve son peuple des « épreuves » (tel est, en effet, le sens littéral du mot grec que l'on traduit par « tentations ») qui risquent de l'éloigner de lui ; l'expérience du désert qui conduisit Israël à « murmurer » contre son Dieu après la sortie d'Égypte en est un bon exemple. C'est donc dans ce contexte vétérotestamentaire qu'il faut comprendre cette demande ; elle exprime moins la crainte d'un Dieu cruel que la conscience de la fragilité de la foi humaine qui peut chanceler dans l'épreuve, ; elle dit surtout la confiance en la patiente miséricorde de Dieu qui vient toujours au secours de celui qui l'invoque. En vue d'expliciter ce sens, et arguant de l'existence d'un mode causatif dans le système verbal hébraïque (pourtant sans équivalent en grec), certains ont proposé la traduction « Fais que nous ne soyons pas soumis à la tentation », souvent jugée plus satisfaisante d'un point de vue théologique.

DOCUMENT

LA PRIÈRE JUIVE DU *QADDISH*

Dans le recueil des prières quotidiennes juives, le *Sidur*, une des prières les plus connues est le *Qaddish*, récité à la fin de chaque partie de la prière communautaire. Elle est à la source du Notre Père que prononce Jésus dans les évangiles de Luc et de Matthieu. On notera que le judaïsme ne s'adresse à Dieu qu'en invoquant son Nom. L'appellation de Père de la prière enseignée par Jésus à ses disciples exprime, de façon nouvelle, la foi en un Dieu infiniment tendre et miséricordieux.

Que soit magnifié et sanctifié son grand Nom, dans le monde qu'Il a créé selon sa volonté. Qu'il établisse son règne de votre vivant et de vos jours et du vivant de toute la maison d'Israël bientôt et dans un temps proche, et dites : Amen.

Que Son Grand Nom soit béni à jamais et d'éternité en éternité.

Que soit béni et célébré, glorifié et exalté, élevé et honoré, magnifié et loué, le Nom du Saint, béni soit-Il, Lui qui est au-dessus de toute bénédiction et de tout cantique, de toute louange et de tout chant, de tout hommage et de toute consolation, qui sont proférées dans le monde, et dites : Amen.

Que la plénitude de la paix nous vienne du ciel, ainsi que la vie, pour nous et pour tout Israël, et dites : Amen.

Que Celui qui établit la paix dans Ses hauteurs établisse la paix parmi nous et parmi tout Israël, et dites : Amen.

(Trad. Sch. Ben Chorin)

L'Esprit Saint sur Jésus et sur l'Église

Jésus à Nazareth

Dans les deux premiers chapitres de son évangile, Luc a largement fait appel à la mémoire biblique de son lecteur pour que celui-ci comprenne qu'en Jésus de Nazareth est venu le Messie davidique attendu par Israël, le prophète des temps derniers. Or, dans l'Ancien Testament, le Messie, c'est-à-dire « l'oint », désigne le roi qui reçoit l'onction, signe que sa mission lui vient de Dieu : après avoir versé la fiole d'huile sur la tête de Saul, Samuel lui dit : « N'est-ce pas le SEIGNEUR qui t'a oint comme chef sur son héritage ? » (1 S 10,1). Le prophète, lui, proclame que l'Esprit du Seigneur est avec lui : « Et maintenant le SEIGNEUR m'a envoyé avec son Esprit » (Is 48,16). Pourtant, le terme de « oint » semble s'appliquer également au prophète dans le texte d'Isaïe (Is 61, 12) dont Jésus fait la lecture dans la synagogue* de Nazareth [*voir* vol. I, p. 347] :

Il vint à Nazara où il avait été élevé, entra, selon sa coutume, le jour du sabbat, dans la synagogue, et se leva pour faire la lecture. On lui remit le livre du prophète Isaïe, et, déroulant le livre, il trouva le passage où il était écrit :

L'Esprit du Seigneur est sur moi,
parce qu'il m'a consacré par l'onction,
pour porter la bonne nouvelle aux pauvres.
Il m'a envoyé annoncer aux captifs le délivrance
et aux aveugles le retour à la vue,
renvoyer en liberté les opprimés,
proclamer une année de grâce du Seigneur.

Il replia le livre, le rendit au servant et s'assit. Tous dans la synagogue tenaient les yeux fixés sur lui. Alors il se mit à leur dire : « Aujourd'hui s'accomplit à vos oreilles ce passage de l'Écriture. » (Lc 4,16-21)

Le lecteur comprend que cette citation s'applique à Jésus, sur qui l'Esprit Saint est descendu lors de son baptême, alors qu'une voix venue du ciel le désignait comme « mon fils », « engendré aujourd'hui » (Lc 3, 22). Les paroles que Jésus adresse à tous ceux qui, dans la synagogue, « tenaient les yeux fixés sur lui » : « Aujourd'hui s'accomplit à vos oreilles ce passage de l'Écriture » (Lc 3,21), le disent explicitement. Jésus lui-même se reconnaît désormais investi de l'Esprit Saint pour mener à bien la réalisation du plan de salut de Dieu : la mission qui lui est confiée fait advenir l'accomplissement des promesses de Dieu à son peuple.

Cet épisode de la prédication de Jésus à Nazareth, qui ouvre le ministère de Jésus en Galilée, est donc un tournant important du récit lucanien : nous donnant d'abord le sens de la mission de Jésus, à savoir l'accomplissement de la promesse de libération des pauvres et opprimés, il revêt, de surcroît, une valeur « programmatique », fournissant au lecteur la clé d'interprétation de tous les épisodes qui vont suivre et anticipant dès ce moment du récit le caractère prophétique du ministère de Jésus. Dans les chapitres suivants, en effet, Jésus chasse les démons, guérit les maladies, ressuscite le fils de la veuve de Naïn, remet les péchés, « rend la vue à beaucoup d'aveugles » (Lc 7, 21), et, lorsqu'il répond aux envoyés de Jean Baptiste qui lui demandent s'il est bien celui qui devait venir, c'est-à-dire le Messie, il reprend les termes de la citation d'Isaïe pour en souligner l'accomplissement dans sa mission. Ce que les prophètes avaient annoncé de la part de Dieu s'accomplit en Jésus.

Par ailleurs, dans la suite du texte (Lc 4,25-27), Jésus compare lui-même son ministère à celui des prophètes Élie et Élisée, reprenant ainsi à son compte l'identification faite par le narrateur Luc dès les premiers chapitres de l'évangile. Le message de salut que Dieu délivre aux hommes par ses prophètes et son Messie est un message de libération qui concerne tous les hommes, mais ce message n'est pas toujours bien reçu : « En vérité, je vous le dis, aucun prophète n'est bien reçu dans sa patrie » (Lc 4,24). Se fondant sur le passé d'Israël et le sort malheureux subi par ses prophètes, Jésus prononce là une prophétie qui ne tarde pas à se réaliser à ses dépens : « Entendant cela, tous dans la synagogue furent remplis de fureur. Et, se levant, ils le poussèrent hors de la ville et le menèrent jusqu'à un escarpement de la colline sur laquelle leur ville était bâtie, pour l'en précipiter » (Lc 4, 29). C'est comme si les habitants de Nazareth n'avaient pas supporté de ne pas être les seuls destinataires du ministère de Jésus, qui était pourtant avec eux « dans la ville où il avait été élevé » (Lc 4, 16). On pourrait alors comprendre en ce sens ces paroles obscures par lesquelles Jésus semble brusquement leur faire un reproche. Ils voudraient bien lui dire « Médecin, guéris-toi toi-même » (Lc 4, 23), c'est-à-dire « guéris les tiens », et ainsi le garder pour eux ; mais tel n'est pas le sens de la mission de Jésus.

Ce qui reste essentiel pour la suite du récit, c'est de savoir que tout ce que fera Jésus, dans le cadre de son ministère, est le fruit de l'Esprit du Seigneur : l'onction qui l'a consacré l'a mis à part pour libérer tous les pauvres, captifs et opprimés, conformément à la prophétie d'Isaïe. Tous les récits de guérison qui vont suivre dans le récit de Luc devront ainsi être compris comme manifestation de l'Esprit de Dieu et réalisation par Jésus de la délivrance promise.

La Pentecôte

De même que l'Esprit Saint descend sur Jésus lors de son baptême pour l'investir de sa mission de salut au milieu des hommes, de même, il vient sur les apôtres, réunis à Jérusalem, lors de la Pentecôte, conformément à la promesse faite par Jésus au moment de son Ascension, lorsqu'il leur confie leur mission : « Vous allez recevoir une force, celle de l'Esprit Saint qui descendra sur vous. Vous serez alors mes témoins à Jérusalem, dans toute la Judée et la Samarie, et jusqu'aux extrémités de la terre » (Ac 1,8). La continuité ainsi établie par la venue de l'Esprit sur ceux que Dieu choisit pour être ses envoyés est essentielle à la constitution de la première communauté chrétienne. C'est bien le même Esprit de Dieu qui anime, pour une même mission de salut, les prophètes de l'Ancien Testament dans l'exercice de leur ministère, Jésus dans sa mission en Galilée et à Jérusalem, et les apôtres. Par ailleurs, l'articulation entre les deux volets de l'œuvre lucanienne souligne la position unique de Jésus dans le déroulement de l'histoire du salut : c'est en lui que se récapitule et s'accomplit le ministère de tous les prophètes de l'Ancien Testament, et c'est en lui que s'enracine le ministère de ceux à qui il demande d'être ses « témoins ».

Cet événement de la venue de l'Esprit, qui institue les douze apôtres de Jésus comme représentants de la première communauté chrétienne, est raconté au chapitre 2 des Actes des Apôtres :

Le jour de la Pentecôte étant arrivé, ils se trouvaient tous ensemble dans un même lieu, quand, tout à coup, vint du ciel un bruit tel que celui d'un violent coup de vent, qui remplit toute la maison où ils se tenaient. Ils virent apparaître des langues qu'on eût dites de feu ; elles se partageaient, et il s'en posa une sur chacun d'eux. Tous furent alors remplis de l'Esprit Saint et commencèrent à parler en d'autres langues, selon que l'Esprit leur donnait de s'exprimer. Or, il y avait, demeurant à Jérusalem, des hommes dévots de toutes les nations qui sont sous le ciel. Au bruit qui se produisit, la multitude se rassembla et fut confondue : chacun les entendait parler en son propre idiome. Ils étaient stupéfaits, et, tout étonnés, ils disaient : « Ces hommes qui parlent, ne sont-ils pas tous Galiléens ? Comment se fait-il alors que chacun de nous les entende dans son propre idiome maternel ? Parthes, Mèdes, et Élamites, habitants de Mésopotamie, de Judée et de Cappadoce, du Pont et d'Asie, de Phrygie et de Pamphylie, d'Égypte et de cette partie de la Libye qui est proche de

Cyrène, Romains en résidence, tant Juifs que prosélytes, Crétois et Arabes, nous les entendons publier dans notre langue les merveilles de Dieu ! » Tous étaient stupéfaits et se disaient, perplexes, l'un à l'autre : « Que peut bien être cela ? » D'autres encore disaient en se moquant : « Ils sont pleins de vin doux ! » (Ac 2,1-13)

Le vent et le feu sont des images connues de l'Ancien Testament dans les scènes de théophanie, où Dieu manifeste sa présence (1 R 19,11 ; Is 66,15 ; Ps 50,3). Ils accompagnent donc la venue de l'Esprit de Dieu, qui emplit chacun des apôtres, leur donnant de pouvoir « publier les merveilles de Dieu » (Ac 2, 11) et de prophétiser à leur tour, en se faisant comprendre de tous. Le don des langues est une réponse à la confusion de Babel (Gn 11, 1-9) [*voir* vol. I, p. 74]. C'est bien à l'Esprit, en effet, que Pierre attribue l'événement qui vient de se produire, selon la prophétie du prophète Joël (Jl 3,1-5) :

Il se fera dans les derniers jours, dit Dieu,
que je répandrai de mon Esprit sur toute chair.
Alors vos fils et vos filles prophétiseront... (Ac 2, 17)

Précisément, cette force, reçue de l'Esprit Saint, inspire à Pierre un long discours (Ac 2,14-36), dans lequel il proclame la résurrection du Christ avec assurance : « Que toute la maison d'Israël le sache donc avec certitude : Dieu l'a fait Seigneur et Christ, ce Jésus que vous avez crucifié » (Ac 2,36) ; il montre également que cela était annoncé par l'Écriture, David l'ayant lui même prophétisé.

Enfin, le sommaire qui clôt le chapitre 2 décrit la vie et la croissance de la première communauté chrétienne ainsi fondée par la venue de l'Esprit ; on notera, au passage, que les signes et les prodiges accomplis

DOCUMENT

LA PENTECÔTE DANS LE JUDAÏSME ANCIEN

Avec la Pâque et la fête des Tentes, la fête des Semaines (ou Pentecôte) fait partie des fêtes de pèlerinage. Ce sont primitivement des fêtes agricoles qui ponctuent le rythme des moissons : en effet, la Pentecôte a lieu 7 semaines (50 jours) après la coupe des premiers épis d'orge qui marque le début des récoltes de Pâque, au moment de la fin de la moisson des blés (d'où son autre nom de « fête de la Moisson »). Il est prescrit d'offrir deux pains de farine cuits avec du levain (Lv 23,17). Comme les autres fêtes, elle a été ensuite rattachée à l'histoire du salut et est devenue la « fête de l'Alliance », commémorant le don de la Tora* au Sinaï. Elle marque l'aboutissement du cheminement d'Israël dans le désert, le moment où, recevant et acceptant la Tora, il devient véritablement le peuple de l'Alliance.

par les apôtres sont une autre confirmation de l'accomplissement de la prophétie de Joël citée par Pierre :

Ils se montraient assidus à l'enseignement des apôtres, fidèles à la communion fraternelle, à la fraction du pain et aux prières. La crainte s'emparait de tous les esprits : nombreux étaient les prodiges et signes accomplis par les apôtres. Tous les croyants ensemble mettaient tout en commun ; ils vendaient leurs propriétés et leurs biens et en partageaient le prix entre tous selon les besoins de chacun. Jour après jour, d'un seul cœur, ils fréquentaient assidûment le Temple et rompaient le pain dans leurs maisons, prenant leur nourriture avec allégresse et simplicité de cœur. Ils louaient Dieu et avaient la faveur de tout le peuple. Et chaque jour, le Seigneur adjoignait à la communauté ceux qui seraient sauvés. (Ac 2,42-47)

La tradition de l'Église a accordé une importance particulière à ce sommaire ; il représente, en effet, ce qui a fondé et fonde encore la vie de toute communauté chrétienne. La liturgie pascale le proclame, associant, à l'exemple des apôtres, l'enseignement de la Parole et la fraction du pain, tandis que l'assemblée se doit de témoigner d'une vie fraternelle et solidaire.

O. F.

RETARD DU RETOUR DE JÉSUS ET ÉTHIQUE LUCANIENNE

LUC n'est pas le seul auteur du Nouveau Testament à prendre conscience que la manifestation glorieuse du Ressuscité ne se produira pas dans l'espace de deux ou trois générations. Mais quelles sont les conséquences qu'il en tire ? Il faut d'abord donner son importance au temps de la diffusion de la parole de Dieu parmi les nations*. Ensuite, il faut creuser l'enseignement de Jésus pour en tirer des indications sur la manière de vivre – dans la durée – le choix d'être disciple. Les Actes parlent du christianisme comme de « la Voie » (9,2 ; 19,9.23 ; 22,4 ; 24,14.22) et cela ne semble pas une simple abréviation de « la Voie du Seigneur » (18,25). Comme à Qoumrân*, « la Voie » semble désigner pour Luc la manière de vivre d'un nouveau groupe religieux.

Ce sens de la durée – « Ah ! que la vie est quotidienne... », écrit le poète Jules Laforgue – se voit dans des nuances de Luc par rapport à Marc et Matthieu, même dans des passages qui ne touchent pas directement à la morale : « Si quelqu'un veut venir à ma suite, qu'il se renie lui-même et prenne sa croix *chaque jour*, et qu'il me suive » (Lc 9,23). Dans la demande du Notre Père au sujet du pain, la forme verbale et la préposition que Luc emploie (en bon écrivain grec) signifient littéralement : « Réitère-nous le don jour après jour » (Lc 11,3). La parabole des dix mines (une monnaie antique) est dite à l'adresse de ceux qui pensent – à tort – que le Royaume de Dieu va apparaître « à l'instant même » (Lc 19,11). Certes Luc ne gomme pas la perspective de la parution de Jésus en gloire (Ac 1,11). Mais porter le témoignage « jusqu'aux extrémités de la terre » (Ac 1,8) suppose la durée. L'évangile* de Luc, paru probablement vers les années 80-85, cherche à répondre aux questions des chrétiens de cette époque. Il les exhorte en particulier à ne pas voir dans les épreuves et la persécution une indication que la fin des temps est proche, mais plutôt la condition normale du disciple de Jésus en ce monde. La forme qu'il donne aux béatitudes s'explique mieux dans cette perspective :

Et lui [Jésus], levant les yeux sur ses disciples, disait :
« Heureux, vous les pauvres, car le Royaume de Dieu est à vous.
Heureux, vous qui avez faim maintenant, car vous serez rassasiés.
Heureux, vous qui pleurez maintenant, car vous rirez.
Heureux êtes-vous, quand les hommes vous haïront, quand ils vous frapperont d'exclusion et qu'ils insulteront et proscriront votre nom comme infâme, à cause du Fils de l'homme. Réjouissez-vous ce jour-là et tressaillez d'allégresse, car voici que votre récompense sera grande dans le ciel. C'est de cette manière, en effet, que leurs pères traitaient les prophètes.
Mais malheur à vous, les riches ! car vous avez votre consolation.
Malheur à vous, qui êtes repus maintenant ! car vous aurez faim.
Malheur, vous qui riez maintenant ! car vous connaîtrez le deuil et les larmes.
Malheur, lorsque tous les hommes diront du bien de vous ! C'est de cette manière, en effet, que leurs pères traitaient les faux prophètes. »
(Lc 6,20-26)

Luc introduit quatre fois le terme « maintenant », qui n'apparaît pas dans les béatitudes de Matthieu. Les destinataires de l'évangile de Luc sont marqués par le « maintenant » des épreuves, mais l'évangéliste leur affirme que la Bonne Nouvelle leur promet une délivrance totale dans l'avenir. Les riches qu'ils ont sous les yeux – et qui sont sans doute pour une part les persécuteurs – ont « maintenant » leur consolation, mais ils n'auront pas la consolation future. C'est une opposition qui peut paraître schématique, mais elle se retrouve dans la parabole du riche et du pauvre Lazare, propre à Luc (16,19-31 ; voir ci-dessous) : « Souviens-toi que tu as reçu tes biens pendant ta vie, et Lazare pareillement ses maux ; maintenant ici il est consolé, et toi, tu es tourmenté » (Lc 16,25). Le « maintenant » de ce verset est différent : c'est celui du salut, pour ceux qui ont souffert.

L'évangile de Luc a été qualifié de « social » parce qu'il donne du relief à la dignité des pauvres et exige radicalement le partage des biens. Non seulement, comme en Mt 11,5, c'est un fait que « la Bonne Nouvelle est annoncée aux pauvres » (Lc 7,22), mais chez Luc c'est un programme, à la fois de Dieu et de Jésus : car celui-ci a été consacré par l'Esprit du Seigneur « pour porter la Bonne Nouvelle aux pauvres » (Lc 4,18). D'ailleurs, c'est à des bergers (non à des mages) qu'a été annoncée la « grande joie » de la naissance d'un Sauveur et ils le trouvent dans une crèche (Lc 2,10-12). Dieu « élève les humbles » (Lc 1,52). Dans le récit de l'offrande de deux piécettes par la veuve, Luc évite de dire que « *beaucoup* de riches en mettaient *abondamment* » (les deux mots se trouvent en Mc 12,41 mais manquent en Lc 21,1).

Luc serait-il donc coupable d'une valorisation morbide de la pauvreté ? et considérerait-il les richesses comme mauvaises en elles-mêmes ? À la première question il faut répondre nettement non. Pour Luc, la pauvreté, avec la faim et les pleurs qui l'accompagnent, est un mal dont le salut définitif verra la disparition. Le cantique de Marie le dit par anticipation : « Il a comblé de biens les affamés » (Lc 1, 53). Il n'y aura plus de pauvreté quand Dieu régnera en plénitude. Cela dit, il est possible qu'un courant philosophique qui imprégnait la culture d'alors, le stoïcisme sous sa forme populaire, ait influencé en partie Luc ou les communautés où est né son évangile.

DOCUMENT

LA PAUVRETÉ CHEZ LES STOÏCIENS

L'attitude des philosophes stoïciens envers la richesse vise à la liberté personnelle : n'être esclave ni de ses passions ni de ses possessions. Au milieu du IVe siècle av.J.C., Cratès le Cynique – les cyniques sont proches des stoïciens – s'était débarrassé de son argent. Voici des textes de deux stoïciens du début de l'ère chrétienne. D'abord Sénèque (que Néron obligea à s'ouvrir les veines en 65), dans une des *Lettres à Lucilius* :

Tu veux t'occuper de ton âme : sois pauvre ou vis en pauvre. L'étude de la sagesse n'aboutit pas à de salutaires effets sans la pratique de la sobriété. Or, la sobriété est une pauvreté volontaire.

(II, 17,5-10. Trad. J. Bayet)

Celui-là seul est digne d'un dieu qui a su dédaigner l'opulence. Je ne te défends pas de la posséder, mais je veux que tu la possèdes sans alarmes. Or, tu n'auras pour y parvenir qu'un moyen : si tu te persuades que, même sans l'opulence, tu vivras parfaitement heureux ; si tu la regardes toujours comme prête à t'échapper. (II, 18,13)

Ensuite Épictète, ancien esclave affranchi (mort vers 140 ap.J.C.), qui fait parler ainsi un cynique :

Voyez-moi, je suis sans abri, sans patrie, sans ressources, sans esclaves. Je dors sur la dure. Je n'ai ni femme ni enfants, ni palais de gouverneur, mais la terre seule et le ciel et un seul vieux manteau. Et qu'est-ce qui me manque ? Ne suis-je pas sans chagrin et sans crainte, ne suis-je pas libre ? […] L'un de vous m'a-t-il vu le visage triste ? Comment est-ce que j'aborde ceux que vous redoutez et qui vous en imposent ? N'est-ce pas comme s'ils étaient des esclaves ?

(Entretiens, III, 22, 45…52.
Trad. J. Souilhé et A. Jagu)

L'accent est cependant bien différent chez Luc. Ni Jésus ni Luc lui-même ne sont des sages cyniques à la manière de Diogène. Ce n'est pas la liberté psychologique personnelle qui les préoccupe, mais le salut ; ni la satisfaction humaine d'avoir fortifié sa volonté, mais la confiance en Dieu. Le contraste est saisissant entre les versets évangéliques et ce conseil de Sénèque à Lucilius (tous deux très riches !) : « Il n'y a pas d'agrément en de l'eau, de la bouillie ou un morceau de pain d'orge : mais la suprême volupté est de pouvoir trouver de la volupté même en cela et de se réduire à ce que ne peut nous ravir nul outrage de la Fortune » (*Lettres à Lucilius*, II, 18,5-10, traduction J. Bayet).

La deuxième question – pour Luc, la richesse est-elle par elle-même cause de perdition ? – pourrait se faire encore plus soupçonneuse à lire des expressions comme « le malhonnête argent » (Lc 16,9.11 : mot à mot « le Mammon de l'injustice », « le Mammon injuste »). Mais il faut considérer tout l'évangile de Luc, spécialement la parabole du riche insensé :

Il [Jésus] leur dit alors une parabole : « Il y avait un homme riche dont les terres avaient beaucoup rapporté. Et il se demandait en lui-même : Que vais-je faire ? Car je n'ai pas où recueillir ma récolte. Puis il se dit : Voici ce que je vais faire : j'abattrai mes greniers, j'en construirai de plus grands, j'y recueillerai tout mon blé et mes biens, et je dirai à mon âme : Mon âme, tu as quantité de biens en réserve pour de nombreuses années ; repose-toi, mange, bois, fais la fête. Mais Dieu lui dit : Insensé, cette nuit même, on va te redemander ton âme. Et ce que tu as amassé, qui l'aura ? Ainsi en est-il de celui qui thésaurise pour lui-même, au lieu de s'enrichir en vue de Dieu. » (Lc 12,16-21)

Ce riche est insensé, sans sagesse, parce qu'il met sa confiance en ses biens au lieu de la mettre en Dieu (il dialogue d'ailleurs avec lui-même au lieu de louer Dieu). Au verset précédent, Jésus vient de déclarer : « Au sein même de l'abondance, la vie d'un homme n'est pas assurée par ses biens » (12,15). La pauvre veuve compte sur Dieu pour « assurer » sa vie, car elle donne « tout ce qu'elle a pour vivre » (Lc 21,4). Au moment de la mort, la richesse passe à un autre et abandonne son propriétaire, alors que Dieu est la véritable assurance. Le premier danger de la richesse est donc de mener à vivre comme si Dieu n'existait pas : « Vous ne pouvez servir Dieu et l'Argent » (Lc 16,13, parallèle à Mt 6,24) ; « Attention ! gardez-vous de toute cupidité » (Lc 12,15). L'amour de l'argent est rival de l'amour de Dieu, c'est une idolâtrie, donc « un objet de dégoût devant Dieu » (Lc 16,15).

Cet amour de la richesse terrestre mène à un dédain total des richesses éternelles. Le riche insensé est prévoyant pour agrandir ses greniers mais imprévoyant pour se constituer un trésor dans le ciel. C'est pourtant le seul qui ne soit pas menacé par la mort. Celle-ci est facile à prévoir, mais ceux qui sont « repus maintenant », ceux qui rient « maintenant » (Lc 6,25) sont aveuglés et rendus sourds. Ce n'est pas seulement la menace de la mort qu'ils ne voient pas, mais aussi la Bonne Nouvelle de la vie éternelle avec Dieu qu'ils n'entendent pas. Dans la parabole du Semeur, « la séduction de la richesse » étouffe « la parole » selon Mt 13,22 et Mc 4,19 ; mais en Lc 8,14, « ceux qui ont entendu » sont eux-mêmes étouffés par « la richesse et les plaisirs de la vie », et ils ne peuvent arriver « à maturité ».

Pourquoi la parabole du riche insensé dit-elle en finale : « Ainsi en est-il de celui qui thésaurise pour lui-même, au lieu de s'enrichir en vue de Dieu » ? (Lc 12,21). D'autres passages de Lc nous montrent qu'il fait allusion ici à un autre danger de la richesse : penser seulement à soi-même et oublier ses frères pauvres, ou pire : les exploiter. Avec le thème du partage des richesses, nous sommes vraiment dans l'accentuation morale de l'évangile de Luc. Dès la prédication de Jean Baptiste, Luc (et lui seul) dénonce les extorsions des soldats (« ne molestez personne, n'extorquez rien, contentez-vous de votre solde ») et les exactions des percepteurs d'impôts (« n'exigez rien au-delà de ce qui vous est prescrit »), tout en plaçant d'abord son thème favori : « Que celui qui a deux tuniques partage avec celui qui n'en a pas, et que celui qui a de quoi manger fasse de même » (Lc 3,10-14).

Dans une parabole propre à Luc connue sous le nom de parabole du bon Samaritain* (Lc 10,29-37), un Samaritain est « pris de pitié » devant la gravité de l'état d'un blessé. [*voir* p. 113] Mais quand il s'agit de l'aumône, Luc fait plutôt appel à l'intérêt bien compris, comme s'il craignait que les riches ne soient pas sensibles à la gravité de la misère des autres : « Vendez vos biens, et donnez-les en aumône. Faites-vous des bourses qui ne s'usent pas, un trésor inépuisable dans les cieux, où ni voleur n'approche ni mite ne détruit. Car où est votre trésor, là aussi sera votre cœur » (Lc 12,33-34, assez différent de Mt 6,19-21). La parabole de l'intendant malhonnête est suivie de ce commentaire : « Eh bien ! moi je vous dis : faites-vous des amis avec le malhonnête Argent, afin qu'au jour où il viendra à manquer, ceux-ci vous accueillent dans les tentes éternelles » (Lc 16,9). On comprend mieux alors l'occasion ratée par le riche qui avait cinq frères :

Il y avait un homme riche qui se revêtait de pourpre et de lin fin et faisait chaque jour brillante chère. Et un pauvre, nommé Lazare, gisait près de son portail, tout couvert d'ulcères. Il aurait bien voulu se rassasier de ce qui tombait de la table du riche… Bien plus, les chiens eux-mêmes venaient lécher ses ulcères. Or il advint que le pauvre mourut et fut emporté par les anges dans le sein d'Abraham. Le riche aussi mourut, et on l'ensevelit.

Dans l'Hadès, en proie à des tortures, il lève les yeux et voit de loin Abraham, et Lazare en son sein. Alors il s'écria : « Père Abraham, aie pitié de moi et envoie Lazare tremper dans l'eau le bout de son doigt pour me rafraîchir la langue, car je suis tourmenté dans cette flamme. » Mais Abraham dit : « Mon enfant, souviens-toi que tu as reçu tes biens pendant ta vie, et Lazare pareillement ses maux ; maintenant ici il est consolé, et toi, tu es tourmenté. Ce n'est pas tout : entre nous et vous, un grand abîme a été fixé, afin que ceux qui voudraient passer d'ici chez vous ne le puissent, et qu'on ne traverse pas non plus de là-bas chez nous. »*

Il dit alors : « Je te prie donc, père, d'envoyer Lazare dans la maison de mon père, car j'ai cinq frères ; qu'il leur porte son témoignage, de peur qu'ils ne viennent, eux aussi, dans ce lieu de la torture. » Et Abraham de dire : « Ils ont Moïse et les Prophètes ; qu'ils les écoutent. » – « Non, père Abraham, dit-il, mais si quelqu'un de chez les morts va les trouver, ils se repentiront. » Mais il lui dit : « Du moment qu'ils n'écoutent pas Moïse et les Prophètes, même si quelqu'un ressuscite d'entre les morts, ils ne seront pas convaincus. » (Lc 16,19-31)

Le riche n'est donc pas condamné en tant que riche, mais il n'a pas su se faire un ami du pauvre qui « gisait près de son portail », pour que celui-ci l'accueille au festin de Dieu. Sous ce langage réaliste, qui semble faire appel plus à l'intérêt bien compris qu'à l'amour fraternel, se devine pourtant la dignité des pauvres aux yeux de Dieu : non seulement ils sont l'objet de son amour, parce qu'ils manquent d'amour, mais ils deviennent capables d'introduire les riches dans la demeure de Dieu. Et c'est bien de la dignité des pauvres devant Dieu que parlent aussi « Moïse et les Prophètes ».

Cependant, après Pâques, c'est l'amour fraternel qui doit conduire, selon Luc, au partage des biens parmi les disciples de Jésus. Ainsi décrit-il la première communauté de Jérusalem :

Ils se montraient assidus à l'enseignement des apôtres, fidèles à la communion fraternelle, à la fraction du pain et aux prières. La crainte s'emparait de tous les esprits : nombreux étaient les prodiges et signes accomplis par les apôtres. Tous les croyants, ensemble, mettaient tout en commun ; ils vendaient leurs propriétés et leurs biens et en partageaient le prix entre tous selon les besoins de chacun. Jour après jour, d'un seul cœur, ils fréquentaient assidûment le Temple et rompaient le pain dans leurs maisons, prenant leur nourriture avec allégresse et simplicité de cœur. Ils louaient Dieu et avaient la faveur de tout le peuple. Et chaque jour, le Seigneur adjoignait à la communauté ceux qui seraient sauvés (Ac 2, 42-47).

Cette description n'est pas totalement étrangère à la culture du temps de Luc. Du côté des Grecs*, pour qui Luc écrit, on connaissait le thème de l'âge d'or : à l'origine les hommes auraient ignoré la propriété privée. Le philosophe Pythagore, avec ses disciples, avait tenté de vivre de cette façon. Dans la littérature, les expressions « Entre amis, tout est commun », et « L'amitié, c'est l'égalité » ne sont pas rares. Du côté juif, les Esséniens*, du moins ceux d'entre eux qui menaient une vie communautaire, pratiquaient la mise en commun des biens. « C'est une loi que ceux qui entrent dans la secte fassent abandon de leurs biens à l'ordre » (Flavius Josèphe, *Guerre*, II, 122, traduction J. Dupont). C'était le cas à Qoumrân, selon la *Règle de la Communauté* (VI, 13-23), si le candidat réussit l'examen au terme de la deuxième année : « On l'inscrira régulièrement à son rang, parmi ses frères, pour ce qui a trait à la Loi, au droit, à la Purification et au mélange de ses biens » (trad. A. Dupont-Sommer). C'est aussi le cas des Thérapeutes, dont parle le philosophe juif Philon d'Alexandrie.

Malgré ces harmoniques avec la culture de son époque, Luc nous présente quelque chose de nouveau dans la description de la première communauté. Quand il revient en Ac 4,32.34-35 sur le partage des

DOCUMENT

PHILON ET LES « ADEPTES DE LA VIE CONTEMPLATIVE »

Lorsqu'ils se sont séparés de leurs biens, aucun appât ne les retient plus et ils fuient sans se retourner, abandonnant leurs frères, leurs enfants, leur femme, leur père, leur mère, leur nombreuse parenté, leurs chers amis, la patrie où ils sont nés et où ils ont été nourris, car la force de l'habitude aussi exerce un très puissant attrait. [...]

Ce genre d'hommes se rencontre en beaucoup d'endroits dans le monde – car il fallait que la Grèce et le monde barbare aussi aient part au bien parfait ; mais en Égypte ils foisonnent dans tous les districts, appelés nomes, et surtout aux environs d'Alexandrie. [...] Les maisons de ceux qui se sont groupés sont extrêmement simples. Elles offrent les deux protections les plus indispensables : contre la brûlure du soleil et contre la froidure de l'air. [...] Dans chacune se trouve une pièce sacrée, nommée sanctuaire ou ermitage, où ils s'isolent pour accomplir les mystères de la vie religieuse ; ils n'y apportent rien, ni boisson, ni aliments, ni rien de ce qui est nécessaire aux besoins du corps, mais des lois, des oracles recueillis de la bouche des prophètes, des hymnes et tout ce qui permet à la science et à la piété de grandir et d'atteindre leur plénitude.

(De vita contemplativa, 1,18-25.
Trad. F. Daumas et P. Miquel)

biens, il insiste sur son fondement, la « venue à la foi » et la fraternité qui en découle : « La multitude de ceux qui étaient venus à la foi étaient un seul cœur et une seule âme ; et nul d'entre eux ne disait sien quoi que ce soit de ce qui lui appartenait, mais entre eux tout était commun » (Ac 4,32). Croire à la vie nouvelle dans le Ressuscité, c'est savoir du même coup que cette vie est fraternelle, ou elle n'est pas, tout simplement. Autrement dit : pas de caisse commune possible sans âme commune.

Par ailleurs, en affirmant que « parmi eux, nul n'était dans le besoin », Luc veut montrer l'accomplissement, non pas de l'idéal grec de l'amitié, mais de la parole biblique que l'on peut lire au livre du Deutéronome : « Qu'il n'y ait pas de pauvre chez toi » (Dt 15,4). Luc présente sans doute les disciples de Jésus à la fois comme ceux qui obéissent à la parole de Dieu et comme ceux qui bénéficient de la promesse de Dieu qui se réalise. Car Dt 15,4 se lisait ainsi dans la Bible grecque des Septante* : « Il n'y aura pas d'indigent chez toi, car le Sei-

REPÈRE

IMITER LE PARTAGE DES PREMIERS CHRÉTIENS ?

Les chrétiens d'aujourd'hui doivent-ils imiter en tous points le tableau que présente Luc au début des Actes ? On dit parfois que Luc a voulu présenter un modèle idyllique des origines chrétiennes. Mais c'est forcer un peu le texte que de traduire « mettaient tout en commun », là où Luc écrit « avaient (tenaient) tout en commun ». D'autre part, si « nul ne disait sien ce qui lui appartenait », c'est que cela continuait de lui appartenir. L'exemple de Barnabé n'aurait pas été mis en relief (Ac 4,36-37) si la vente des biens avait été le fait de chacun et pour tout son avoir. L'épisode d'Ananie et Saphire le confirme (Ac 5,4). Ce récit (dont il faut bien voir le genre littéraire pour ne pas le prendre à la lettre historiquement) empêche d'ailleurs le tableau de Luc d'être idyllique. Il ne craindra pas, plus loin, de montrer d'autres problèmes à propos de l'usage des biens : favoritisme de groupe culturel (Ac 6,1), âpreté de certains responsables (Ac 20,29).

S'il n'est pas idyllique, s'agit-il pourtant d'un « modèle » ? Ce qui est semble sûr, c'est qu'il existait une caisse d'entraide (Ac 4,35 et 6,1) – alimentée par les ventes volontaires de leurs biens par quelques-uns –, des repas communautaires (Ac 2,46), des collectes d'une communauté pour une autre (Ac 11,27-30). Tout cela ne constitue pas un modèle, car les conditions économiques changent. Le modèle ou l'idéal à réaliser par toutes les générations de chrétiens, c'est d'être un seul cœur et une seule âme (Ac 4,32). À partir de ce fondement, chaque génération de chrétiens doit réinventer les formes économiques concrètes de la fraternité, dans le système économique où elle vit, ce qui peut comporter une forte contestation de ce système. Aujourd'hui les actions concrètes de solidarité, chez les chrétiens, s'adressent à tous, croyants ou non. Dans les dépôts bancaires solidaires, une fois le capital garanti contre l'inflation, les intérêts vont soutenir des actions de développement. Les communautés pauvres, dans les pays du Sud où n'existe pas de Sécurité sociale d'État, réinventent les caisses d'entraide.

gneur ton Dieu te bénira » ; les traductions en araméen dans les synagogues* allaient dans le même sens.

Comme Luc n'ignore pas les difficultés de la vie communautaire, il la présente (Ac 2,42 ci-dessus) comme une triple ou quadruple persévérance dans l'approfondissement de la foi, la communion fraternelle concrète et la liturgie, en particulier l'eucharistie (« fraction du pain »). Cette assiduité est à mettre en lien avec ce que dit l'évangile de Luc sur l'endurance ou la ténacité. La persévérance ne signifie plus seulement la constance dans les tribulations finales, mais la ténacité dans les difficultés pour vivre en chrétien dans le monde. Ainsi, dans l'explication de la parabole du Semeur : « Ce qui est dans la bonne terre, ce sont ceux qui, ayant entendu la parole avec *un cœur noble et généreux, la retiennent* et portent du fruit *par leur constance* » (Lc 8,15 ; les expressions soulignées sont absentes des passages parallèles de Mc et Mt). La persévérance doit aussi marquer la prière : « Et il leur disait une parabole sur ce qu'il leur fallait prier sans cesse et ne pas se décourager » (Lc 18,1). Pour les responsables de communautés, cette constance prend la forme de la vigilance dans le service : « Heureux ces serviteurs que le Maître en arrivant trouvera en train de veiller » (Lc 12,37). C'est la recommandation que Luc place dans la bouche de Paul pour les responsables des jeunes communautés d'Éphèse : « Soyez attentifs à vous-mêmes et à tout le troupeau. [...] Soyez vigilants... » (Ac 20,28.31).

Pour conclure cette évocation rapide du relief donné par Luc à la vie morale du chrétien, remarquons que l'urgence de la fin, de la venue définitive du Royaume, est remplacée par l'urgence que pose dans la vie de chacun la perspective de sa mort personnelle. C'est frappant dans les deux paraboles citées ci-dessus, celle du riche insensé (« cette nuit même »), celle du pauvre Lazare et du riche. Pour chaque individu, l'avenir de bonheur ou de jugement qu'apporte le Royaume se fait présent au moment de sa mort. C'est le socle sur lequel Luc s'appuie pour exhorter les disciples à la persévérance. Mais il n'ignore pas que la vie du chrétien en ce monde est déjà riche de bonheur : « Sois sans crainte, petit troupeau, car votre Père s'est complu à vous donner le Royaume » (Lc 12,32). Aussi le troisième évangile et les Actes sont-ils imprégnés du thème de la joie évangélique (Lc 1,14 ; 10,17 ; Ac 8,8.39 etc.).

Y. S.

Luc, évangéliste du pardon

D'après Luc, suivre Jésus au jour le jour exige tout du disciple : « Quiconque parmi vous ne renonce pas à tous ses biens ne peut être mon disciple » (Lc 14,33 : parole adressée non pas aux Douze mais aux foules nombreuses qui faisaient route avec lui, v. 25).

Dans la pensée de Luc un élément essentiel vient équilibrer cette exigence radicale : c'est le pardon de Dieu, un pardon qui lui aussi est radical, s'adresse à tous et vaut jusqu'au dernier instant de la vie. Les accents diffèrent de ceux que l'on trouve chez Matthieu, qui est marqué par les discussions avec le judaïsme* pharisien* : celui-ci reprochait à la communauté de Matthieu d'accueillir des païens*, impurs c'est-à-dire interdits, non fréquentables, mais pas forcément plongés dans de graves désordres moraux ; les « pécheurs » de Matthieu sont alors un groupe social, rejeté pour des raisons rituelles autant que morales. Partant des mêmes données de la tradition sur l'accueil des exclus par Jésus, Luc voit les « pécheurs » plutôt comme des individus perdus, qui ont détruit leur vie par une conduite déplorable, contre laquelle les Sages ont toujours mis en garde, en Israël, ou chez ses voisins, ou dans le courant stoïcien du temps de Luc.

Luc était lucide sur les désordres et la corruption de la société gréco-romaine. Dans les Actes des Apôtres il montre le gouverneur Félix prenant peur quand Paul parle de justice, continence, jugement à venir, mais espérant que Paul, aidé par les disciples, lui donnera de l'argent pour être libéré (Ac 24,24-26). L'épître aux Colossiens laisse voir que les chrétiens n'étaient pas à l'abri d'une rechute : « Mortifiez donc vos membres terrestres : fornication, impureté, passion coupable, mauvais désirs, et la cupidité, qui est une idolâtrie. […] Vous-mêmes, vous vous conduisiez naguère de la sorte. […] Eh bien ! à présent, vous aussi, rejetez tout cela » (Col 3,5-8).

DOCUMENT

PROPOS DE SAGES SUR CEUX QUI PERDENT LEUR VIE

Les avertissements des Sages à ceux qui se perdent sont courants dans le monde antique. Telle, dans l'Ancien Testament, cette mise en garde d'un Sage d'Israël contre la femme légère qui profite de l'absence de son mari pour séduire un jeune niais :

À force de persuasion, elle le séduit, par le charme doucereux de ses lèvres elle l'entraîne. Aussitôt il la suit [...], tel l'oiseau qui se précipite dans le filet sans savoir qu'il y va de sa vie.

(Pr 7,21-23)

Citons aussi ces Maximes de Ptah-hotep, vizir d'un pharaon du IIIe millénaire av.J.C. :

Si tu désires conserver l'amitié dans une maison où tu entres comme maître, comme frère ou comme ami, où que tu entres, garde-toi de t'approcher des femmes, car rien de bon n'arrive là ou cela se produit. [...] Un court instant, l'apparence d'un rêve, et la mort vous atteint pour les avoir connues.

(Trad. J. Levêque)

Et encore Sénèque, le stoïcien :

J'indique à autrui le droit chemin que j'ai reconnu sur le tard et las d'errer. Je crie : « [...] Devant tout bien fortuit arrêtez-vous, remplis de soupçon et d'effroi : le gibier et le poisson aussi sont dupés par quelque espérance qui les amuse. [...] N'importe lequel d'entre vous qui voudra passer sa vie en sûreté, évitera le plus possible ces bienfaits pleins de glu qui, pour notre plus grand malheur, nous trompent aussi par ce leurre : nous croyons les posséder, nous y sommes collés. Cette course conduit au précipice... »

(Lettres à Lucilius, I, 8, 3-4.
Trad. M.-A. Jourdan-Gueyer)

À travers les personnages de ses sources, les pharisiens et les scribes (Lc 15,2) ou la foule de Jéricho (19,7) – murmurant parce que Jésus fait bon accueil aux pécheurs, mange avec eux ou s'invite chez un percepteur d'impôts au service de l'occupant –, Luc vise probablement des chrétiens et des responsables de communautés de tendance rigoriste.

« Il me faut aujourd'hui demeurer chez toi », dit Jésus à Zachée (Lc 19,5). Cette nécessité théologique est expliquée à la fin du passage : « Le Fils de l'homme est venu chercher et sauver ce qui était perdu » (Lc 19,10). Le terme « perdu(e) » revient cinq fois dans le chapitre 15 de Luc, le verbe « perdre » encore deux fois, le participe « retrouvé(e) » huit fois (sans compter « recouvré en bonne santé »). Ce chapitre constitue le cœur de la Bonne Nouvelle du pardon, en particulier la parabole du fils prodigue :

Un homme avait deux fils. Le plus jeune dit à son père : « Père, donne-moi la part de fortune qui me revient. » Et le père leur partagea son bien. Peu de jours après, rassemblant tout son avoir, le plus jeune partit pour un pays lointain et y dissipa son bien en vivant dans l'inconduite.

Quand il eut tout dépensé, une famine sévère survint en cette contrée et il commença à sentir la privation. Il alla se mettre au service d'un des habitants de cette contrée, qui l'envoya dans ses champs garder les cochons. Il aurait bien voulu se remplir le ventre des caroubes que mangeaient les cochons, mais personne ne lui en donnait. Rentrant alors en lui-même, il se dit : « Combien de mercenaires de mon père ont du pain en surabondance, et moi je suis ici à périr de faim ! Je veux partir, aller vers mon père et lui dire : Père, j'ai péché contre le Ciel et envers toi ; je ne mérite plus d'être appelé ton fils, traite-moi comme l'un de tes mercenaires. » Il partit donc et s'en alla vers son père.

Tandis qu'il était encore loin, son père l'aperçut et fut pris de pitié ; il courut se jeter à son cou et l'embrassa tendrement. Le fils alors lui dit : « Père, j'ai péché contre le Ciel et envers toi, je ne mérite plus d'être appelé ton fils. » Mais le père dit à ses serviteurs : « Vite, apportez la plus belle robe et l'en revêtez, mettez-lui un anneau au doigt et des chaussures aux pieds. Amenez le veau gras, tuez-le, mangeons et festoyons, car mon fils que voilà était mort et il est revenu à la vie ; il était perdu et il est retrouvé ! » Et ils se mirent à festoyer.

Son fils aîné était aux champs. Quand, à son retour, il fut près de la maison, il entendit de la musique et des danses. Appelant un des serviteurs, il s'enquérait de ce que cela pouvait bien être. Celui-ci lui dit : « C'est ton frère qui est arrivé, et ton père a tué le veau gras, parce qu'il l'a recouvré en bonne santé. » Il se mit alors en colère, et il refusait d'entrer. Son père sortit l'en prier. Mais il répondit à son père : « Voilà tant d'années que je te sers, sans avoir jamais transgressé un seul de tes ordres, et jamais tu ne m'as donné un chevreau, à moi, pour festoyer avec mes amis ; et puis ton fils que voici revient-il, après avoir dévoré ton bien avec des prostituées, tu fais tuer pour lui le veau gras ! »

Mais le père lui dit : « Toi, mon enfant, tu es toujours avec moi, et tout ce qui est à moi est à toi. Mais il fallait bien festoyer et se réjouir, puisque ton frère que voilà était mort et il est revenu à la vie ; il était perdu et il est retrouvé ! » (Lc 15,11-32)

Cette parabole de l'enfant prodigue fait partie des paraboles à deux pointes. À travers le pardon du père pour son fils perdu, sa joie exubérante de le retrouver, la première partie (vv. 11-24) pointe vers l'amour extraordinaire de Dieu pour ses fils « perdus ». À travers la réaction rigide du fils aîné, ainsi que la prière que lui fait le père de s'associer à la fête, la seconde partie pointe vers les rigoristes, invités à dépasser leur scandale pour découvrir le Dieu de Jésus, invités à aimer Dieu et le prochain, tels qu'ils sont !

Les autres évangiles n'offrent pas de texte de comparaison pour cette parabole du fils perdu, ni pour celle de la pièce d'argent qui précède (Lc 15,8-10). Seule la première des trois, la brebis (Lc 15,4-7) a son parallèle en Mt 18,12-14, mais l'application est différente : chez

DOCUMENT

PHILON : INVITATION À AIMER LES PAÏENS

Un texte rabbinique compare l'attitude de Dieu envers Israël à celle d'un père qui s'est réconcilié avec son fils après l'avoir chassé. Un autre la compare à l'invitation d'un roi à son fils dépravé : qu'il n'ait pas de honte à rentrer chez lui, c'est vers son père qu'il revient. Il est difficile de dire si le noyau de ces textes remonte au Ier siècle. En revanche, le philosophe juif Philon est contemporain de Jésus : son invitation (ce n'est pas une parabole) à aimer les païens qui se détournent de l'idolâtrie fait penser à l'exhortation du père au fils aîné :

Tous ceux qui, initialement, n'ont pas cru devoir adorer le Créateur et Père de l'univers mais ont ensuite accepté le commandement d'un seul au lieu du commandement de plusieurs, ceux-là, certes, il faut les traiter comme nos plus chers amis, nos plus proches parents, car visiblement ils possèdent une nature qui aime Dieu, ce qui contribue le plus à l'amitié et l'intimité. Il faut nous réjouir avec eux, car, dirait-on, d'abord aveugles, ils ont recouvré la vue et, venus des plus profondes ténèbres, ils contemplent la plus éclatante lumière.

(De virtutibus, 179.
Trad. R. Arnaldez *et al.*)

Luc, les « justes » sont invités à partager la joie de Dieu pour le repentir des pécheurs ; chez Matthieu, les responsables des communautés ont le devoir de rechercher les égarés. [*voir* p. 334]

Malgré le caractère unique du texte de Luc et la présence facilement reconnaissable de son style, il n'est pas probable qu'il soit l'inventeur de cette parabole du fils prodigue. Elle vient de sa source particulière et remonte sans doute pour l'essentiel à Jésus lui-même, puisqu'elle correspond bien à la situation triangulaire de celui-ci avec les scribes et les « pécheurs ».

Dans les deux paraboles de Luc qui précèdent celle du fils prodigue, la culpabilité n'a pas de place : une brebis s'est égarée, une pièce d'argent a échappé, mais le texte dit que ce sont les possesseurs qui viennent à les perdre (Lc 15,4.8) : cette expression souligne l'appartenance. La parabole du fils perdu va plus loin. Il ne s'agit pas de brebis ou de pièce, mais d'un enfant ; ni de propriété, mais de filiation. La joie est moins possessive.

La parabole de la pièce perdue (Lc 15,8-10) souligne combien celle-ci est vitale pour la femme (elle allume la lampe et balaie la maison). L'évangile n'explique pas la parabole (comme il le fait pour le Semeur), mais on peut dire que Dieu se voit ici en filigrane avec des traits féminins, et qu'un être humain « perdu » lui manque de façon vitale. De même, le propriétaire des brebis (Lc 15,4-7) est tellement obnubilé par la brebis manquante qu'il abandonne le troupeau « *pour s'en aller après* celle qui est perdue *jusqu'à* ce qu'il l'ait retrouvée ». Mais déjà dans ces deux paraboles, l'essentiel est la joie des retrouvailles, une joie à partager. Le berger qui, tout joyeux, a mis la brebis sur ses épaules, assemble amis et voisins, la femme assemble amies et voisines, avec la même invitation : « Réjouissez-vous avec moi, car je l'ai retrouvée. »

Dans la parabole du fils perdu, la culpabilité joue, même si le père ne fait aucun reproche et accède à la demande de son cadet. De plus, ce fils apparaît avec les traits de la perdition : le désir de l'argent et la débauche. Mais sa culpabilité principale est sans doute de n'avoir fait aucun cas de la possibilité de vivre dans l'intimité de son père. Cette perdition se traduit concrètement par la misère, la faim et le regret de la maison du père (manque d'argent, de vivres, de sécurité). La parabole ne décrit pas une recherche active de celui qui vient à perdre, mais s'étend sur l'évolution psychologique de celui qui s'est perdu : il exprime un regret qui n'est pas encore un repentir. Un élément narratif est pourtant équivalent de la recherche décrite dans les deux autres paraboles : le père, qui a respecté la liberté de son fils de lui faire du

Repère

Différentes lectures du Fils prodigue

La richesse de la parabole du Fils prodigue a tenté toutes les méthodes récentes d'analyse. L'approche psychanalytique rappelle que demander sa part d'héritage avant la mort de son père, c'est comme le mettre à mort. Une approche sociologique prétend que le père court vers son fils pour empêcher les membres du clan de le tuer, car son attitude passée est destructrice du lien social de cette époque. Ceux qui cherchent comment le texte produit du sens (méthode « sémiotique ») voient ici le dédoublement du père, qui tient maintenant le rôle de mère, rôle qui n'est absent du texte qu'en surface. Ceci intéresse, bien sûr, les approches féministes du Dieu de l'Évangile. Penser aux commentaires sur la main féminine du père dans le tableau de Rembrandt. « Où était la mère ? » demande un évêque du Burkina Fasso à partir de l'anthropologie africaine. La méthode narrative s'intéresse au Fils prodigue comme exemple d'histoire interrompue, de « suspension narrative ». Quant aux effets du texte dans la culture, citons deux écrivains. Un héros de Dostoïevski raconte :

Je rencontrai une femme du peuple avec un enfant. La femme était jeune, l'enfant pouvait avoir six semaines. Et voilà que l'enfant lui sourit pour la première fois. Je la vis se signer très pieusement. - « Qu'as-tu donc, jeune femme ? » [...] – « Voilà, me répondit-elle, quand une mère voit le premier sourire de son enfant, elle s'en réjouit tout comme Dieu quand il aperçoit du haut du ciel un pécheur qui se met à l'invoquer de tout son cœur. » [...] Mais c'est là la pensée fondamentale du Christ. Une simple femme du peuple ! Mère, il est vrai.

(L'idiot, livre 2, IV.
Trad. A. Markowicz)

Et Péguy :

Quand on se manque, on se manque à deux. La faute de l'homme fait manquer Dieu même. [...] Celui qui aime entre dans la dépendance de celui qui est aimé. [...] Quand le bon pasteur part à la recherche de la brebis égarée [...], on peut dire que pour la trouver il se guide sur elle et sur ses errements.

(Note conjointe, Pléiade, *Prose II*,
pp. 1275 et 1400)

mal et de se faire du mal, court maintenant au-devant de celui qui a entamé seul le retour. Son comportement est peu convenable pour un notable oriental, mais le désir qu'il a de pardonner n'a que faire des convenances !

En tout cas, le texte met l'accent sur la tendresse du père, corporellement exprimée : « Il courut se jeter à son cou et l'embrassa tendrement. » Tout ce qu'il fait ensuite est aussi peu raisonnable : il empêche son fils de s'humilier en lui coupant la parole, il lui rend sa dignité (la plus belle robe, les chaussures), il lui restitue son autorité et ses ressources financières (l'anneau), il commande la fête en faisant tuer le veau gardé pour les grands jours.

L'invitation à la fête est déployée plus largement que dans les deux paraboles précédentes : « Mangeons et festoyons. [...] Et ils se mirent à festoyer. [...] Il entendit de la musique et des danses. [...] Il fallait bien festoyer et se réjouir... » Le motif est aussi déployé en profondeur. Non seulement le fils était perdu et il est retrouvé, mais il était « mort » et il est « revenu à la vie » (vv. 24.32). Luc voit dans le péché une mort et, dans la conversion, une résurrection, une participation au mystère pascal.

Les paroles du frère aîné révèlent qu'il a vécu avec son père une relation de devoir : « Voilà tant d'années que je te sers, sans avoir jamais transgressé un seul de tes ordres. » Une attitude intéressée par la récompense : « Tu ne m'as jamais donné un chevreau, à moi. » Son agressivité envers le père, le rejet et le mépris de son cadet (« ton fils », « après avoir dévoré ton bien avec des prostituées ») sont souvent commentés. Mais on note peu que sa jalousie n'est pas intelligente : le fils aîné rate l'occasion d'être encore plus proche de son père que son cadet. Avant de l'expliquer, on peut d'abord en voir un symbole matériel : d'après la loi de Dt 21,17, il possède déjà, avec son père, les deux tiers du bien ; le cadet n'a pu prendre qu'un tiers. « Tout ce qui est à moi est à toi », dit le père. Le Deutéronome fonde ce droit d'aînesse sur le fait que « ce fils » est « prémices de la vigueur » du père (Dt 21). « Toi, tu es toujours avec moi », dit aussi le père de la parabole à son aîné. Et c'est ici que fils aîné pourrait être avec son père, adhérer à lui au sens fort, beaucoup plus que son cadet, même dans la fête donnée pour celui-ci. Car le cadet reçoit seulement l'amour de son père, alors que l'aîné pourrait donner à son frère la même tendresse, communier à l'attitude du père. Il serait alors non seulement « prémices de la vigueur » génitale du père, mais prémices de sa vigueur spirituelle qui fait revivre son frère mort.

Les amis du berger ou de la femme n'avaient pas de liens avec la brebis ou la pièce d'argent : leur seule raison de se réjouir est leur amitié pour le propriétaire. Mais la vie personnelle du frère aîné, la richesse de son identité, de ses relations, pourraient grandir par le retour du cadet.

C'est ainsi que Jésus lui-même participe à cet amour de Dieu pour les pécheurs et se réjouit profondément d'être le témoin et l'instrument de l'accueil ou de la recherche des « perdus » par son Père. Les rigoristes chrétiens du temps de Luc, comme les scribes du temps de Jésus, ne comprennent pas que Dieu souhaite trouver en eux des fils à la fois justes et miséricordieux, comme Jésus. « Montrez-vous compatissants, comme votre Père est compatissant » (Lc 6,36). Ainsi « vous serez les fils du Très-Haut, car il est bon, Lui, pour les ingrats et les méchants » (Lc 6,35).

La parabole du fils prodigue ne nous dit pas si le fils cadet a éprouvé un repentir authentique après l'accueil festif de son père. Mais Luc nous présente ailleurs un personnage rempli d'amour repentant : la pécheresse anonyme, que la tradition a confondue avec Marie de Magdala (Lc 7,36-50 [*voir* p. 112]). Cette femme montre beaucoup d'amour parce qu'elle se sait déjà graciée de sa dette envers Dieu. En revanche, « Celui à qui on remet peu montre peu d'amour » (7,47). Le cantique de Zacharie disait déjà que le peuple du Seigneur aurait « connaissance du salut par la rémission de ses péchés » (Lc 1,77). Aussi les discours missionnaires des Actes se terminent-ils en général par un appel à la conversion (Ac 2,38 ; 13,18).

Cet offre gratuite du pardon, Luc nous la montre valable jusqu'au dernier moment de l'existence terrestre. Ainsi pour le bon larron crucifié aux côtés de Jésus :

> *L'un des malfaiteurs suspendu à la croix l'injuriait : « N'es-tu pas le Christ ? Sauve-toi toi-même, et nous aussi. » Mais l'autre, le reprenant, déclara : « Tu n'as même pas crainte de Dieu, alors que tu subis la même peine ! Pour nous, c'est justice, nous payons nos actes ; mais lui n'a rien fait de mal. » Et il disait : « Jésus, souviens-toi de moi, lorsque tu viendras avec ton Royaume. » Et il lui dit : « En vérité, je te le dis, aujourd'hui tu seras avec moi dans le Paradis. »* (Lc 23,39-43)

Comme la parabole du fils prodigue, ce dialogue est scandaleux pour les rigoristes : Quoi ! Toute une vie d'efforts pour garder les commandements de Dieu ne vaut pas plus qu'un repentir tardif ? On entend dans les pays du Sud des prédicateurs (venus des pays du Nord pour inviter les gens à la conversion – ou à changer d'Église – avant la fin du monde) proclamer dans les rues : « L'enfer est rempli de croyants qui ont cru trop tard ! » Peut-être... Mais on ne peut s'empêcher de penser qu'il est difficile de croire plus tard que le larron de l'évangile !

Jésus a peut-être eu pour compagnons de supplice deux résistants à l'occupation romaine. Mais Luc y voit des malfaiteurs. L'un des deux avoue : « Pour nous, c'est justice, nous payons nos actes » (Lc 23,41). Cette phrase exprime un mouvement de repentir. Le malfaiteur y ajoute une reconnaissance de l'innocence de Jésus, une foi en sa messianité (« lorsque tu viendras avec ton Royaume »), et un amour confiant qui s'exprime par ce nom de « Jésus » sans aucun titre ajouté. Voilà un autre personnage « perdu », comme la pécheresse anonyme, le fils prodigue, Zachée. Alors résonne dans cet espace entre deux croix le même « aujourd'hui » qui avait rempli la maison de Zachée : aujourd'hui le Salut, aujourd'hui l'arbre de Vie du Paradis, aujourd'hui le Royaume pour le malfaiteur, car il sera avec Jésus. Il est « retrouvé ».

Pour ceux qui, dans leur « aujourd'hui », ne peuvent reconnaître le salut ni entendre la Bonne Nouvelle du pardon, l'évangile de Luc a placé en réserve, au-dessus de toute l'histoire des hommes, une autre parole de Jésus : « Père, pardonne-leur : ils ne savent ce qu'ils font » (Lc 23,34).

Y. S.

NOUVEAU TESTAMENT :
VI. JEAN ET LE MILIEU JOHANNIQUE

LA TRADITION CHRÉTIENNE RATTACHE À JEAN L'APÔTRE, fils de Zébédée, une série d'écrits du Nouveau Testament qui constituent un groupe particulier : les écrits johanniques. En voici la liste : l'évangile selon saint Jean, les trois épîtres de Jean, l'Apocalypse. Une parenté les unit. Des différences les distinguent. On considère souvent que l'évangile et les épîtres constituent un même ensemble rédactionnel, tandis que l'Apocalypse représente une autre classe d'écrits johanniques.*

C'est cette famille d'écrits qui est abordée maintenant. Les premiers chapitres considéreront l'ensemble de l'évangile et des trois épîtres. L'Apocalypse sera traitée à part, dans un dernier chapitre.

Jean : auteur, destinataires, perspective

À la fin du IIe ou au tout début du IIIe siècle de notre ère, Clément d'Alexandrie rapporte que « Jean, le dernier, reconnaissant que la nature humaine de Jésus avait déjà fait l'objet de la présentation des trois premiers évangiles, poussé par ses disciples et inspiré par l'Esprit, avait rédigé un évangile spirituel » (Eusèbe de Césarée, *Histoire ecclésiastique*, VI, 14,7). Cette présentation programmatique de l'évangile* de Jean est intéressante à plus d'un égard.

Elle souligne en effet une relation de continuité et discontinuité entre les trois premiers évangiles et Jean. Le quatrième évangile s'inscrit bien dans la succession des Synoptiques, dont il implique l'existence et la diffusion, et se présente comme leur complément nécessaire ; mais un tel constat implique un jugement contrasté.

Perspectives théologiques

D'un certain point de vue, le récit que les évangiles synoptiques font de l'œuvre et de la personne de Jésus est suffisant et ne nécessite aucun ouvrage supplémentaire : ils offrent tout le matériel nécessaire à la connaissance de l'histoire de la destinée terrestre de Jésus. D'un autre point de vue, leur présentation reste unilatérale et déficitaire : ils n'ont en effet vu et raconté que la nature humaine de Jésus, c'est-à-dire ce que l'on peut en apercevoir lorsqu'on le considère « d'en bas », selon la conception courante d'un monde à deux dimensions. La rédaction de

Jean s'avère alors indispensable pour en permettre une compréhension réelle. En effet, saisir le sens véritable de l'envoi du Fils unique de Dieu et de l'incarnation* du Logos* divin dans le monde exige une vision à trois dimensions parvenant à distinguer ce qui est « d'en haut » de ce qui est « d'en bas ». Or cela n'est possible qu'à partir d'un troisième lieu : la singularité fondatrice que constitue l'événement de la révélation du Fils de Dieu descendu du ciel, opérant la distinction entre ce qu'il y a « dans le monde » et ce qui est « du monde ».

Le premier chapitre des apparitions du Ressuscité chez Jean se termine ainsi : « Jésus a fait sous les yeux de ses disciples beaucoup d'autres signes qui ne sont pas écrits dans ce livre. Ceux-là ont été mis par écrit, pour que vous croyiez que Jésus est le Christ, le Fils de Dieu, et pour qu'en croyant vous ayez la vie en son nom » (Jn 20,30-31). En écrivant cela, l'évangéliste entend que l'existence humaine appartient à l'obscurité et à la mort tant qu'elle n'est pas enracinée dans la révélation de la vérité et de la lumière que le Fils apporte dans le monde.

Jean, livre de la révélation de Dieu

Le sujet du livre est donc la révélation par lui-même du Sauveur descendu du ciel avant qu'il n'y remonte par sa mort et sa résurrection, interprétées comme son élévation et son retour vers le Père. Le but de son envoi dans le monde est qu'il tire à lui et introduise à la communion du Père et du Fils tous les hommes que le Père lui aura donnés (Jn 12,32).

Cette révélation détermine la forme du livre, de sorte que l'on peut dire que sa structure aussi bien que son contenu consistent en la révélation que fait de lui-même le Sauveur descendu du ciel et remonté vers le Père. La première partie est consacrée à son envoi dans le monde, la seconde à son retour au Père :

Jn 1-12 = L'incarnation comme la descente du fils de Dieu dans le monde
L'incarnation de la parole de Dieu
La révélation du Père et du Fils dans le monde
L'opposition du monde

Jn 13-21 = Le retour du Fils de Dieu vers le Père
L'enseignement des disciples, qui restent sur terre
L'élévation et la glorification du Fils par son retour vers le Père.

Dans ses deux parties, l'évangile de Jean présente une double révélation. D'une part, la personne historique d'un être humain, Jésus de Nazareth, est révélée comme étant celle du Fils et Sauveur eschatologique que Dieu a envoyé dans le monde pour sauver l'humanité. D'autre part est manifestée l'incrédulité qui vient à la lumière devant la révélation du Fils. Cette révélation de l'incrédulité porte le nom de « jugement », de sorte que le livre se présente comme

Jn 1-12 = La descente du Fils de Dieu
comme jugement du monde
Jn 13-21 = Le retour du Fils de Dieu
comme jugement du monde.

La conclusion du premier volet du livre (Jn 12,44-50) résume le résultat de la révélation publique du Fils de Dieu dans le monde, tandis que le prologue du lavement des pieds (Jn 13,1-3) annonce les discours d'adieu aux disciples, l'élévation sur la croix et le retour vers le Père.

Jean, livre de l'actualisation et de la mise en présence de la révélation

Par la structure de sa forme et de son contenu, Jean ne se rattache pas au genre du récit biographique, mais à celui, didactique, des livres de révélation. Ainsi s'expliquent les sauts et les failles du récit. On constate que l'auteur de Jean ou les différents auteurs qui y ont travaillé et qui se sont succédé n'ont pas cherché à donner au livre la forme d'une histoire continue. On en déduira que la cohérence littéraire de l'ouvrage est à chercher ailleurs. La forme de Jean est bien plutôt déterminée par une tâche d'interprétation : la tradition porteuse du livre s'est sans cesse efforcée d'actualiser le sens de la vérité révélée qu'elle voulait transmettre.

REPÈRE

UN JEU DE REPRISES ACTUALISANTES

La cohérence, la continuité et l'unité de Jean ne résident pas dans la continuité narrative de son récit, mais dans la logique d'une tradition de révélation qui se développe dans une succession d'explicitations et d'actualisations :
– Le prologue (1,1-18) est un résumé programmatique et une pré-interprétation de l'ensemble du livre.
– Le fragment de discours introduit après le dernier entretien de Jésus et de Jean Baptiste (Jn 3,31-36) constitue une relecture ou une réinterprétation du dialogue avec Nicodème (Jn 3,1-30), voire de l'ensemble du récit depuis l'entrée en scène de Jean Baptiste (1,19 - 3,30).
– Le second discours d'adieu (Jn 15,1-16,33) est une relecture et une actualisation du premier discours d'adieu (Jn 13,1-14,31).
– La prière dite sacerdotale (Jn 17,1-26) est une relecture et une réinterprétation des premier et second discours d'adieu (Jn 13,1-16,33).
– Les seconds récits d'apparition du Ressuscité (Jn 21,1-23) constituent un nouveau développement des premiers récits d'apparition (Jn 20,1-29).
– Enfin, la seconde clôture du livre (Jn 21,24-25) est une reprise de la première (Jn 20,30-31).

Jean, livre de révélation de la communion avec le Père et le Fils

Le contenu et la forme de Jean correspondent aux convictions des communautés et des chrétiens du milieu johannique. Les disciples qui ont cru forment la communauté du Sauveur sur la terre et vivent dans l'unité du Père et du Fils. Dès lors ils constituent la figure exemplaire de tous ceux qui, dans tous les temps, croiront (Jn 20,29). Ils n'appartiennent plus à ce monde, mais ils sont « re-nés d'en haut » (Jn 3,3.5).

Ils sont « re-nés d'en haut » parce que Dieu a envoyé son fils dans le monde afin que quiconque croit en lui ne meure pas, mais qu'il ait la vie éternelle (Jn 3,16). Le Fils de Dieu descendu du ciel donne à chacun la possibilité de la vie parce qu'il l'appelle à croire. Il le place ainsi devant une décision qui le constitue comme sujet personnel.

Tous ceux qui croient continuent à vivre « dans ce monde » ou « dans le monde », mais ils ne sont plus « du monde » ou « de ce

REPÈRE

L'ÉNIGME DU DISCIPLE BIEN-AIMÉ

Le disciple bien-aimé et Jésus
Le rôle particulier du disciple bien-aimé est mis en évidence par la première présentation qu'en fait Jean : il est d'une part le disciple que Jésus « aimait ». Les seuls autres individus dont Jean dit que Jésus les aimait sont Marthe, sa sœur et Lazare (Jn 11,5, cf. Jn 11,11 : « notre ami Lazare » et Jn 11,36 : « voyez comme il l'aime »). On remarquera au passage que l'emploi du verbe « aimer » pour le frère et les deux sœurs ôte tout fondement aux relations homosexuelles parfois alléguées entre Jésus et son disciple. D'autre part, le disciple bien-aimé se trouve sur le sein de Jésus (Jn 13,23) tout comme le Fils unique de Dieu était dans le sein du Père (Jn 1,18). En cela il est l'interprète autorisé et le révélateur du Fils, comme le Fils est le révélateur et l'interprète du Père.

Ce rôle particulier s'exprime dans le fait que le disciple bien-aimé suit peut-être Jésus dans son procès (Jn 18,15-16) et qu'il est en tout cas présent au pied de la croix (Jn 19,26-27). Jésus fait de lui son représentant (il devient le « fils », Jn 19,26), et il est le premier à arriver au tombeau vide. Il est ainsi le premier à voir et à croire, sans l'aide de l'Écriture (Jn 20,2-10).

Le disciple bien-aimé est la figure exemplaire de la foi. Il n'est jamais victime des malentendus. Il reste fidèle dans les trois moments essentiels de la Passion, de la mort et de la Résurrection de Jésus. En raison de l'élection particulière due à l'amour de Jésus, il est aussi bien le médiateur entre Jésus et les Douze (Jn 13,25-27 ; 21,2-8) et le témoin autorisé (Jn 21,24). Son attitude est orientée vers l'avenir : sa foi et sa compréhension exemplaires confèrent autorité à son témoignage pour le temps qui suit le départ de Jésus. L'évangéliste se déclare enraciné dans son témoignage qui vient de la communion immédiate avec Jésus. Témoin de l'ensemble des événements fondateurs, il peut en communiquer et en transmettre une interprétation parfaite.

Le disciple bien-aimé et Pierre
Les deux figures du disciple bien-aimé et de Pierre sont systématiquement mises en scène ensemble. Pierre dépend du disciple bien-aimé pour comprendre Jésus (Jn 13,25-27), pour le suivre (Jn 18,15-16) et pour le reconnaître (Jn 21,2-8). En même temps, les deux figures apparaissent en contraste l'une

monde ». L'existence chrétienne continue d'avoir son lieu de présence sur la terre, mais ses racines se trouvent dans l'amour du Père pour le Fils, dans l'amour du Fils pour les disciples qu'il a choisis et dans l'amour mutuel des êtres nouveaux (Jn 15,1-17).

Ces nouvelles racines, plantées au ciel, confèrent à tous ceux qui ont cru une nouvelle identité qui les distingue du « monde » ou de « ce monde » (Jn 15,18-16,15). Cette nouvelle identité présente deux aspects contraires. D'une part, elle suscite la haine du monde qui reconnaît que les disciples du Sauveur ne lui appartiennent plus, mais font désormais partie du monde divin de la lumière et de la vérité (Jn 15,18-16,4a). D'autre part, l'existence nouvelle donnée aux croyants est la vie éternelle ou, tout simplement, « la vie ». Elle participe de la communion déjà présente avec le Père et avec le Fils qui a donné sa vie pour ceux qu'il aime (Jn 15,9-17). Elle se nourrit

L'ÉNIGME DU DISCIPLE BIEN-AIMÉ

de l'autre : Pierre renie Jésus, alors que le disciple bien-aimé est présent au pied de la croix (Jn 19,26-27). Le disciple bien-aimé voit et croit, bien que Pierre soit arrivé le premier au tombeau (Jn 20,2-10). Le disciple bien-aimé semble être la figure idéale de la foi johannique*, tandis que Pierre représenterait plutôt la réalité empirique de la foi du lecteur. Le quatrième évangile ne contient pourtant aucune polémique anti-pétrinienne* : le rôle particulier de Pierre dans les récits de Pâques et dans les débuts du christianisme n'est pas mis en question. Jean ne fait que relativiser son rôle en lui opposant une seconde autorité légitime.

Les deux personnages pourraient paraître complémentaires : Pierre serait la figure de proue de l'institution ecclésiastique tandis que disciple bien-aimé jouerait un rôle plus théologique. L'intention de Jean serait de conduire les lecteurs à une compréhension de Jésus meilleure que celle des évangiles synoptiques. Dans cette perspective, Pierre et le disciple bien-aimé symbolisent deux degrés de compréhension de la révélation, présents d'une part dans les Églises apostoliques, d'autre part dans les Églises johanniques. Mais la tendance s'infléchit : l'argumentation continue au chapitre 21 d'affirmer la spécificité de la tradition du disciple bien-aimé, tout en reconnaissant l'authenticité de la foi des Églises apostoliques symbolisées par la figure de Pierre.

Le disciple bien-aimé et Jean

Le dialogue entre Jésus et Pierre au chapitre 21 présuppose la mort du disciple bien-aimé. Celui-ci ne peut donc avoir été le rédacteur de l'ensemble de l'évangile. Cependant l'évangile achevé se réclame de son témoignage comme de l'autorité fondatrice du mouvement johannique et de la tradition de révélation mise en forme dans le livre. Il est l'initiateur d'une interprétation originale de la personne et de l'œuvre de Jésus. Il a regroupé autour de lui des élèves qui ont poursuivi son travail, comme le montre le procédé de relectures successives dont résulte l'évangile. Il a ainsi fondé une école théologique qui a constitué le centre des Églises johanniques et il est devenu, à la fin de l'évangile (Jn 21,24) le garant de l'œuvre collective qu'il avait inspirée.

aussi de l'espérance d'une communion future et parfaite dans le ciel (Jn 14,1-4 ; 16,16-27).

Malgré les particularités de la langue et des représentations mises en œuvre, cette interprétation du christianisme implique une continuité essentielle avec la prédication, l'œuvre et la vie du Jésus historique. La convivialité du Royaume vécue par Jésus (Lc 7,31-35) est aussi l'événement par lequel chaque personne est aimée et recréée, comme un être nouveau pleinement reconnu comme sujet.

Auteur, lieu et date de la rédaction de Jean

Dans la seconde moitié du IIe siècle, le quatrième évangile est connu et répandu sous le titre : Évangile selon Jean. L'attestation la plus ancienne de l'attribution de l'évangile à Jean est sans doute le titre qui

Repère

Les Juifs dans le quatrième évangile

Tableau général

Le plus souvent, Jean présente le judaïsme par l'expression générale : « les Juifs » (70 occurrences dans l'évangile). Cette manière de parler n'est pas celle par laquelle les Juifs se définissent eux-mêmes, mais celle à l'aide de laquelle les désignent les non-juifs. Jean adopte donc par son langage le point de vue d'une société païenne* dans laquelle les Juifs constituent un cercle reconnaissable. Ensuite, les Pharisiens* apparaissent comme leurs chefs incontestés, à tel point que le judaïsme* de Jean semble parfois se confondre avec eux. Cette configuration correspond à celle de la Synagogue* telle qu'elle s'est restructurée après la destruction du Temple de Jérusalem en 70. Enfin, à l'exception de Jn 1,19, les partis du judaïsme palestinien avant la chute du Temple ne jouent plus de rôle dans la narration.

L'excommunication des chrétiens hors de la Synagogue

D'après Jn 9,22 ; 12,42 et 16,2, quiconque confesse le Christ est menacé d'être exclu de la Synagogue. Les disciples et témoins du christianisme johannique risquent même d'être mis à mort, c'est-à-dire probablement lapidés (cf. Jn 8,59 ; 10,31.39), comme maîtres hérétiques. Ces deux mesures différentes, la première concernant l'ensemble des membres des cercles johanniques, la seconde ne visant que ses élites, présupposent un cadre historique qui est celui des débuts du judaïsme rabbinique.

Le terme « exclu de la Synagogue », employé trois fois (Jn 9,22 ; 12,42 et 16,2), n'a jusqu'ici jamais été retrouvé ailleurs que chez Jean. En général, on interprète cette mesure comme faisant écho à l'adjonction, par l'académie pharisienne de Yavneh, de la douzième bénédiction dans la prière des Dix-huit Bénédictions. [*voir* texte p. 304]

En fait, cette douzième bénédiction ne vise pas les chrétiens, mais bien plutôt, après la guerre juive, les collaborateurs pro-romains et les tendances hellénisantes à l'intérieur du judaïsme. Si les membres des cercles johanniques sont menacés par ces mesures, c'est qu'ils appartiennent encore aux synagogues et sont identifiés à des mouvements centrifuges dangereux pour le maintien de l'identité juive.

se trouvait sur le rouleau utilisé comme modèle par le copiste d'un des plus anciens papyrus conservés (P^{66}, daté des années 200). De la même époque date l'identification du disciple bien-aimé avec le disciple Jean, frère de Jacques et fils de Zébédée (Irénée, Clément d'Alexandrie), ainsi que l'établissement du lien entre la rédaction de Jean et les traditions johanniques d'Éphèse.

La question de l'auteur

Comme livre de la révélation, Jean s'appuie sur une triple autorité :
– La première autorité est celle de l'Esprit Paraclet* qui garantit la vérité de la mémoire des disciples (Jn 14,15-17.25-26 ; 15,26-27 ; 16,7-15).
– La deuxième autorité est celle d'une tradition de révélation qui apparaît dans le corps de l'évangile et dans la conclusion finale. Cette tradition est transmise par un groupe qui parle en « nous » et dont l'auteur (qui prend explicitement la parole en « je » en Jn 21,24-25) se présente comme le porte-parole. Ce groupe remplit une double fonction : il est représentatif de la foi de ceux qui ont cru et qui confessent Jésus comme la parole de Dieu faite chair (Jn 1,14.16) ; il est aussi le garant de la tradition de révélation johannique (Jn 21,24) et représente le Révélateur en personne qui parle par sa bouche (Jn 3,11-12 ; 4,22 ; 9,4).
– La troisième instance d'autorité est la figure énigmatique du disciple bien-aimé. L'auteur des derniers versets de l'évangile (Jn 21,24-25) le présente d'abord comme le témoin sous la responsabilité duquel il est écrit. Le groupe des « nous » sait et atteste, par la plume de son représentant, que le témoignage du disciple bien-aimé est vrai. Il le présente ensuite comme le rédacteur de ce qui précède, c'est-à-dire probablement du corps de l'évangile, y compris le chapitre 21 : « C'est ce disciple qui témoigne de cela et qui l'a écrit » (Jn 21,24). Cette dernière déclaration surprend dans la mesure où les deux versets précédents (21,22-23) semblent présupposer la mort inattendue du disciple bien-aimé.

On le voit, ces trois autorités se renforcent mutuellement : d'une part le groupe des « nous » est l'autorité dont se réclame immédiatement le dernier rédacteur du livre ; d'autre part ce groupe, dont on retrouve la voix dans la première épître (1 Jn 1,1-5 ; 4,6.14), s'appuie sur le témoignage du disciple bien-aimé et en atteste la validité.

Destinataires, date et lieu de composition et de publication de Jean

Les indices permettant de localiser le lieu de rédaction de Jean sont pauvres. La parenté formelle des dialogues et des discours johanniques d'abord avec l'évangile de Thomas, puis avec les dialogues gnostiques* du Sauveur, plaide pour une origine en Syrie (Antioche ?). En revanche, les rapprochements patristiques entre le quatrième évangile et les traditions liées à Jean, fils de Zébédée, supposent un lien entre la rédaction johannique et l'Asie (Éphèse). L'hypothèse la plus plausible est celle d'un déplacement de l'école johannique de Syrie en Asie.

Deux arguments forts permettent une datation approximative de la composition des chapitres 1-20 constituant le corps de l'évangile : l'image qu'il transmet du judaïsme, et la mention de l'excommunication de chrétiens johanniques hors de la Synagogue.

L'idée selon laquelle l'évangile de Jean serait un écrit missionnaire a été abandonnée. Les destinataires de son livre de révélation sont des chrétiens : le propos de l'évangéliste est de fortifier leur foi et de les conduire à une meilleure compréhension. Dès lors, si les destinataires sont des chrétiens, à quelles communautés Jean s'adresse-t-il ? À l'ensemble de la chrétienté ou à l'élite que constituent les communautés johanniques ? La réponse à cette question reste ouverte.

Quoi qu'il en soit, le quatrième évangile donne une image précise du type de christianisme dans lequel il s'enracine : le noyau des cercles johanniques et de leur école s'est développé paisiblement à l'intérieur de synagogues jusqu'à la reprise en main du judaïsme par les pharisiens. Il est donc constitué pour l'essentiel de Juifs hellénisés (Jn 12,20-36) qui ont cru au Fils de Dieu descendu du ciel, qui ont fondé leur propre école théologique chrétienne, mais qui, de leur plein gré, n'ont pas quitté le milieu juif.

La situation a changé dans un passé encore récent au temps de la prédication évangélique. La rupture a été ressentie comme douloureuse, et Jean s'efforce d'en soigner les blessures. Celles-ci proviennent :

– du souvenir des conflits avec les nouveaux maîtres de la Synagogue ;
– des rapports incertains et, d'un point de vue johannique (Jn 15,18 - 16,15), essentiellement conflictuels avec le monde ;
– de phénomènes d'érosion à l'intérieur même du cercle des disciples (Jn 6,60-71).

Jean rappelle aux croyants restés fidèles qu'ils sont la communauté du Père céleste et de son Envoyé dans le monde, parce qu'ils ont entendu la parole du Sauveur. Le Père les a confiés au Fils descendu du ciel et retourné leur préparer un lieu dans les nombreuses demeures de la maison du Père (Jn 6,37.44.65 ; 14,1-4 ; 17,6.8).

F. V.

Jean, un évangile par temps de crise

La beauté des méditations johanniques* peut donner au lecteur l'impression qu'il s'agit avant tout d'un évangile* spirituel. « Jean, l'évangile spirituel » : cela s'est dit. Le propos, pourtant, n'est pas serein. Les difficultés par lesquelles passa l'Église* à la fin du Ier siècle sont perceptibles dans le texte. On peut parler d'une véritable crise.

La rupture avec le judaïsme

Rappelons les faits tels que Jean permet de les reconstituer. Tous ceux qui confessent Jésus comme le Christ se sont trouvés sous la menace d'être excommuniés de la Synagogue*. Les docteurs de la communauté johannique ont même couru le risque d'y être poursuivis et lapidés comme hérétiques.

Les deux mesures sont fort différentes par les personnes qu'elles visent, mais aussi par leurs implications théologiques et par leurs effets :

– La menace d'excommunication (Jn 9,22 ; 12,42 ; 16,2a) concerne tous les chrétiens johanniques qui confessent* leur foi. Une telle menace découle des conséquences de la guerre juive. Les fidèles de la tradition johannique sont considérés comme des Juifs hellénisés, internationalistes et peut-être pro-romains, c'est-à-dire des renégats qui trahissent l'identité juive et menacent la cohésion et la survie du judaïsme*. Dès lors ils n'ont plus leur place dans les synagogues.

– La menace de mise à mort des chefs de l'école johannique (Jn 16,2b) procède d'une autre logique. Leur appartenance à la Synagogue n'est pas remise en cause. Ils sont même reconnus comme des maîtres du judaïsme, et c'est bien ce qui les met en difficulté, mais de façon inverse aux autres chrétiens. En tant que maîtres, il ne peuvent être jugés que comme des maîtres de l'hérésie. Leur erreur consiste à ne pas suivre l'enseignement des rabbins* et les décisions de leurs académies. Ils risquent donc d'être lapidés parce que, eux aussi, par leur enseignement, menacent la cohésion et l'identité juives.

Le présupposé de telles mesures est le fait que les cercles johanniques se trouvaient encore, à l'époque où elles ont été prises, sous juridiction synagogale. L'école johannique s'est donc développée jusqu'aux années 70 à l'intérieur de synagogues, sans que Jean conserve la trace de conflits antérieurs à ceux que déclenche la reprise en mains du judaïsme par les Pharisiens*.

Confronté à cette situation, Jean ne conteste pourtant pas l'élection* d'Israël : les Juifs font partie des destinataires de la promesse. C'est à eux que la parole faite chair a été envoyée en premier (« il est venu chez lui, et les siens ne l'ont pas reçu » ; Jn 1,11). La tradition johannique sait que la singularité de la révélation du Fils de Dieu s'est déroulée dans l'histoire d'Israël à laquelle elle a toujours et encore conscience d'appartenir (« nous adorons ce que nous connaissons, car le salut vient des Juifs » ; Jn 4,22).

Cependant, dans l'espace à trois dimensions manifesté par la révélation du Fils descendu du ciel, les Juifs font partie du monde. Certes l'histoire d'Israël et le texte de l'Ancien Testament sont des témoignages attestant de la révélation de Dieu dans l'envoi du Fils. Mais ils ne constituent pas pour autant une histoire du salut. Abraham (8,21-59), Jacob (Jn 4,4-42), Moïse (Jn 1,18 ; 5,31-47), le don de la manne au désert (Jn 6,1-58), le Temple (Jn 2,13-22) font partie intégrante de l'histoire du monde dans laquelle est descendu le Fils de Dieu céleste, mais ils sont à lire comme des signes terrestres de la révélation divine. En outre l'expression « les Juifs » devient l'équivalent théologique du concept de « monde ». Comme le monde, les juifs sont les destinataires de l'amour du Père et de l'envoi salutaire du Fils. Comme le monde, les Juifs se divisent face au paradoxe de la révélation de la parole devenue chair (Jn 10,19-21 ; 11,45-46). Les uns « croient » (Jn 2,23 ; 8,30 etc.) tandis que les autres se scandalisent (Jn 5,1-47 ; 6,41-58 etc.). Ainsi, comme le monde, « les Juifs », qui sont au départ la figure des destinataires de la révélation, deviennent au cours du drame la figure de ses adversaires.

La raison de l'incrédulité des Juifs réside précisément dans leur appartenance au « monde ». Ils sont d'en bas, tandis que Jésus est d'en haut ; or l'événement de l'incarnation*, c'est-à-dire la proximité immédiate de Dieu dans le monde, manifeste la distance infinie qui sépare Dieu de l'homme et du « monde ». La possibilité de la foi n'appartient pas aux compétences humaines : nul ne peut croire si le Père qui a envoyé son Fils dans le monde ne l'attire (Jn 6,44) et ne le donne au Sauveur (Jn 6,37.65).

Le conflit avec le monde

L'expression « les Juifs » est entièrement absente des discours d'adieu. Cette absence est d'autant plus étonnante que les mesures d'exclusion de la Synagogue et de condamnation des docteurs hérétiques font partie de l'époque marquée par le départ du Fils, par son absence et par la solitude des disciples laissés dans le monde (thème des entretiens des chapitres 13-17).

Passant donc de la révélation publique (Jn 1-12) aux discours d'adieu (Jn 13-17), Jean remplace le thème de l'hostilité des « Juifs » contre Jésus par celui de la « haine du monde » dont les disciples deviennent les victimes.

Deux modèles d'interprétation sont possibles. Ou bien les exclusions de la Synagogue et les procès menés contre les dirigeants des cercles johanniques appartiennent déjà au passé. Dès lors la haine du monde évoque les difficultés nouvelles que les communautés du disciple bien-aimé rencontrent dans le monde. Les recherches historiques récentes ont montré que l'évocation par Eusèbe de persécutions organisées contre les chrétiens par l'empereur Domitien relevaient de l'amplification hagiographique. On pense alors plutôt à l'insécurité, aux dénonciations, à l'hostilité populaire et aux progroms qui, de tout temps, ont menacé les Églises et leurs membres dans l'Empire païen. Les chrétiens du quatrième évangile, déjà victimes de la restructuration pharisienne du judaïsme, seraient devenus la proie de l'antipathie, voire de l'hostilité païenne*.

Ou bien le thème de la haine du monde est une généralisation dans le cadre d'une réflexion théologique sur le refus des Juifs. Ce qui se manifeste dans les mesures prises par la Synagogue, c'est bien la haine du monde pour une communauté qui ne lui appartient plus.

La réflexion théologique que Jean mène à partir de cette situation de fait conjugue trois thèmes (Jn 15,18-16,15) :
– Le destin des disciples est conforme à celui de leur maître (Jn 15,18-20) : de même et parce que le monde n'a pas reçu la révélation du Fils, de même et pour cette raison va-t-il haïr ses disciples.
– Certaines appartenances sont incompatibles (Jn 15,21-25) : le monde aime ce qui lui appartient. Or, Jésus a conféré à ses disciples une iden-

tité et une origine qui ne sont pas du monde, de sorte que le monde les rejette comme corps étrangers. Le même attire le même. La conséquence immédiate est que le monde, qui a rejeté Dieu et la singularité de sa révélation dans l'envoi de son Fils, ne peut que rejeter ceux qui, croyant en Jésus, sont entrés dans la communion du Père et du Fils. La haine du monde devient donc le symptôme et la vérification de l'appartenance des croyants au monde céleste.

– Le Paraclet* est envoyé et agit (Jn 15,26-16,15). D'une part, il actualise la présence de Jésus au milieu de ses disciples et les conduit dans toute la vérité, c'est-à-dire dans la pleine communion avec le Père que leur a révélée le Fils (Jn 15,26-16,6 et 16,12-15). D'autre part, il manifeste, au travers des disciples, le péché (c'est-à-dire l'incroyance), l'injustice et l'appartenance de ce monde aux ténèbres de l'incrédulité, donc à la perdition.

Érosion et divisions à l'intérieur de la communauté

À plusieurs reprises, l'évangile de Jean et les épîtres johanniques font état de divisions à l'intérieur du cercle johannique :

– En Jn 6,60-71, nombre de disciples se scandalisent des paroles de Jésus (Jn 6,60) et le quittent (Jn 6,66).

– En 1 Jn 2,18-19, des gens qui faisaient partie de la communauté johannique sont sortis du groupe représenté par l'auteur et constituent une menace dans la mesure où ils pourraient tenter d'autres de les suivre.

– En 2 Jn 7-11, l'Ancien enjoint la communauté destinataire de ne pas recevoir les représentants de ces gens.

– En 3 Jn 9-11, l'Ancien constate avoir perdu la partie : l'Église est maintenant sous le contrôle de Diotréphès, son adversaire, et il ne dispose plus que du soutien de quelques « amis » (3 Jn 15), dont Gaius (3 Jn 1-8) et Démétrius (3 Jn 12).

Les enjeux

Il est difficile de reconstruire les enjeux du conflit et l'identité des parties en présence. Selon l'auteur de la première épître de Jean et selon l'Ancien qui signe la seconde, les dissidents ont abandonné la confession de foi johannique telle qu'elle est résumée en 1 Jn 2,22 (« Jésus est le Christ »), en 1 Jn 4,2 (« Jésus-Christ venu dans la chair »), en 1 Jn 5,5 (« Jésus est le Fils de Dieu ») et 2 Jn 7 (« Jésus-Christ venant dans la chair »). Mais qui sont ces dissidents et en quoi ont-ils abandonné le credo johannique ?

La situation est la même dans l'évangile de Jean, dans la première et la seconde épître. L'histoire des communautés johanniques est dominée par le conflit avec la Synagogue pharisienne et les « antichrists », c'est-à-dire ceux qui refusent de confesser le Christ johannique. Il s'agit sans doute d'anciens chrétiens qui, devenus apostats, s'en sont retournés à la Synagogue.

Les écrits johanniques, évangile et épîtres, attestent d'un processus d'émiettement du mouvement johannique qu'ont quitté les « antichrists », c'est-à-dire ceux qui ne trouvent plus leur identité dans la confession de foi propre à l'école (Jn 1,14). L'évangile de Jean tente de renforcer l'unité des communautés johanniques après une première crise. La première épître s'efforce de redonner autorité à Jean après une seconde crise ; enfin, la seconde et la troisième épîtres témoignent de la disparition de l'école johannique comme mouvement.

L'insistance sur la « chair » indique la raison pour laquelle les « antichrists » ont quitté la communauté johannique : ils refusent de croire en l'incarnation, parce qu'ils ont une conception prégnostique du christianisme. La lutte de l'évangile de Jean et des épîtres est donc le bon combat de l'orthodoxie contre l'hérésie.

L'accent mis sur la connaissance partagée depuis le début par les auteurs et les destinataires (1 Jn 1,5 ; 2,7 etc.) sur le patrimoine propre à la tradition de révélation johannique, sur la confession de foi qui sert de référence identitaire à l'école, laisserait plutôt entrevoir le contraire. L'évangile de Jean et les épîtres auraient alors pour effet de défendre l'unité d'un christianisme prégnostique contre son assimilation dans un christianisme majoritaire et commun.

Explication : nécessité théologique de la prédestination

Quelle que soit la reconstitution historique que l'on entreprenne, l'explication que l'évangile de Jean et les épîtres donnent de cet émiettement traduit une continuité de pensée. Si les dissidents ont quitté l'unité du mouvement johannique, c'est parce qu'ils n'en faisaient pas partie (1 Jn 2,19) et, s'ils n'en faisaient pas partie, c'est parce que personne ne peut venir au Sauveur johannique autrement que par un don du Père (Jn 6,65). Le motif de la prédestination sert donc d'explication théologique à la fidélité ou à l'apostasie : ceux qui sont d'en haut le sont parce que le Père les a tirés vers le Fils, et ceux qui s'en vont le font parce qu'ils sont d'en bas et du monde.

Cette explication pourrait apparaître comme une rationalisation de l'échec et une stratégie d'immunisation. Or, il convient d'en souligner la cohérence avec le message central du christianisme johannique :

Dieu a envoyé son Fils dans le monde afin de donner la vie à quiconque croit en lui, c'est-à-dire accepte de comprendre et de mener son existence à partir de l'incarnation comme révélation de la vérité dans l'histoire. L'appel à croire pose la question de la possibilité même du croire. Croire n'est pas possible à l'humanité ni au monde des hommes, car l'être humain ne peut saisir qu'un univers à deux dimensions, d'où le malentendu de la révélation divine. Le passage de la mort à la vie nécessite donc une renaissance (Jn 3,3.5), c'est-à-dire une transformation qui ne peut être obtenue à partir de ce qu'il y a dans le monde, mais seulement à partir d'une possibilité offerte par le Père.

Les affirmations selon lesquelles seul peut croire celui que le Père attire expriment donc le fait que la foi ne peut être comprise que comme un don de Dieu. Ainsi, je ne peux croire que si je reconnais et confesse ne pouvoir croire, donc si je m'en remets, dans la confiance, à la parole créatrice qui s'est faite chair. Appeler à croire revient à dire que croire ne peut être le fait de la liberté humaine, mais constitue un don de Dieu.

La stratégie unitaire : le commandement johannique d'amour mutuel

Face aux risques répétés d'effondrement des cercles johanniques, l'évangile et les épîtres appellent à l'amour mutuel (Jn) ou à l'amour des frères (1 Jn), thème repris dans la prière de Jésus (en Jn 17), à l'aide du concept d'unité :

> « *Je vous donne un commandement nouveau : vous aimer les uns les autres ; comme je vous ai aimés, aimez-vous les uns les autres. À ceci tous reconnaîtront que vous êtes mes disciples : si vous avez de l'amour les uns pour les autres.* » (Jn 13, 34-35)

Ce commandement (voir aussi Jn 14,15-24 ; 15,1-17 ; 1 et 2 Jn) n'est pas une reprise du double commandement d'amour de soi-même et du prochain, tel qu'on le rencontre chez Paul (ex. Rm 13,8-10) et dans les évangiles synoptiques (ex. Mc 12,28-34, citant Lv 19,18). Chez Jean, il est toujours limité au cercle des disciples (Jn : « aimez-vous les uns les autres ») ou des frères (1 et 2 Jn). L'amour mutuel entre les croyants fidèles du Sauveur est une caractéristique de la communauté du Fils envoyé par le Père.

Le caractère interne de cet amour mutuel procède de ce qui le fonde : l'amour mutuel des disciples est dû à l'amour qu'a pour eux le Fils descendu du ciel, et lui-même résulte de l'amour du Père pour le Fils. L'amour mutuel est donc le signe de l'appartenance à la communion du Père et du Fils. C'est pourquoi ce commandement est un commandement nouveau (Jn 13,34) : le commandement d'amour johannique est un appel à participer à l'unité du Père et du Fils qui n'a été rendu possible que par la révélation de la parole incarnée. C'est pourquoi aussi l'observance de ce commandement va révéler au monde l'appartenance des disciples au monde céleste du Père et du Fils (Jn 13,35). Par l'amour mutuel ou par leur unité qui atteste de l'unité entre le Père et le Fils, les croyants montrent qu'ils ne sont plus du monde.

Le caractère proprement théologique – et non pas éthique – du commandement johannique d'amour mutuel explique sa force unificatrice. Rester dans l'unité de l'amour mutuel des disciples et des frères, c'est rester dans la communion du Père et du Fils, tandis que toute séparation de la communauté unie au Père et au Fils a pour conséquence la rupture avec le Père et le Fils.

Il y a donc équivalence entre ces trois expressions de l'évangile johannique : l'appel à croire que Jésus est le Fils de Dieu, afin d'avoir la vie éternelle (Jn 20,31) ; la déclaration du double paradoxe selon lequel nul ne vient au Père si ce n'est le Fils, et que nul ne vient au Fils si le Père ne l'attire (Jn 6,37 etc.) ; et la répétition du commandement d'amour mutuel des disciples et des frères comme participation à la communion céleste du ou avec le Père et du ou avec le Fils (Jn 13,34-35 etc.).

F. V.

Jean, un récit en deux temps

L'évangile* selon Jean est d'une telle richesse qu'on lui a prêté les plans les plus divers, une trentaine en tout. Toutefois la majorité des exégètes* admet une structure fondamentale en deux temps. La première partie (Jn 1,19-12,50) raconte la vie publique de Jésus, de son baptême par Jean Baptiste à sa dernière prédication. La deuxième (ch.13-20) évoque son repas d'adieux avec ses intimes (ch.13-17), sa Passion (ch.18-19) et sa Résurrection (Jn 20,1-29). Une brève conclusion achève le tout (Jn 20,30-31). Ce diptyque est précédé d'un prologue (Jn 1, 1-18) et augmenté d'un épilogue (Jn 21,1-23), avec une nouvelle conclusion (Jn 21,24-25). Le prologue est une ouverture théologique, l'épilogue offre une nouvelle perspective ecclésiologique. Ainsi l'événement Jésus Christ concerne toute l'histoire du monde, de son début (« au commencement » ; Jn 1,1-3) à sa fin (« jusqu'à ce que je vienne » ; Jn 21,22-23).

Les figures de l'Ancien Testament

Apparemment simple, le texte johannique est en fait d'une grande subtilité. Pour donner tout son fruit, il exige du lecteur une bonne connaissance de l'Ancien Testament et de la tradition juive ancienne. Il veut montrer que Jésus est annoncé par l'Ancien Testament, c'est pourquoi il le compare aux grandes figures bibliques. Ainsi Jésus l'emporte-t-il sur les patriarches : « Serais-tu plus grand que notre père Jacob ? » (Jn 4,12) ; « Es-tu donc plus grand qu'Abraham notre père ? » (Jn 8,53) ; « Avant qu'Abraham existât, Je Suis » (Jn 8,59).

Le Fils unique aimé du Père ressemble aussi à Isaac, pourtant jamais nommé. La Genèse écrivait : « Prends ton fils, ton unique, que tu chéris, Isaac » (Gn 22,2). Jean reprend : « Dieu [...] a donné son Fils, l'Unique-Engendré » (Jn 3,16) ; « Le Père aime le Fils » (Jn 5,20). L'« agneau de Dieu » (Jn 1,29.36) évoque encore Isaac, selon l'interprétation juive de la parole d'Abraham : « C'est Dieu qui pourvoira. L'agneau pour l'holocauste, [c'est toi] mon fils » (au lieu de : « C'est Dieu qui pourvoira à l'agneau pour l'holocauste, mon fils », Gn 22,8). Les Synoptiques montrent Simon de Cyrène qui aide Jésus à porter sa croix mais, chez Jean, Jésus la porte seul (Jn 19,17) : or, dans la tradition juive, « Isaac porte le bois de l'holocauste comme un homme porte sa croix ».

Surtout, Jésus est le prophète semblable à Moïse : « Je mettrai mes paroles dans sa bouche et il leur dira tout ce que je lui ordonnerai » (Dt 18,18). L'évangile l'évoque souvent : « Es-tu le prophète ? » (Jn 1,21.25) ; « C'est vraiment lui le prophète qui doit venir dans le monde « (Jn 6,14) ; « C'est vraiment lui le prophète ! » (Jn 7,40) ; « Tu es [...] celui qui vient dans le monde » (Jn 11,27). Le nouveau Moïse est même plus grand que lui, puisque « c'est de moi qu'il [Moïse] a écrit » (Jn 5,46).

Parmi les prophètes, Jean a une prédilection pour Isaïe. Il le cite au début (Jn 1,23) et à la fin de la vie publique de Jésus (12,38-41) : « Isaïe a dit cela, parce qu'il eut la vision de sa gloire et qu'il parla de lui » (Jn 12,41). C'est donc tout l'Ancien Testament qui annonce Jésus : « Celui dont Moïse a écrit dans la Loi, ainsi que les prophètes, nous l'avons trouvé ! C'est Jésus, le fils de Joseph, de Nazareth » (Jn 1,45).

Jean aime les grands récits, avec une scénographie dépouillée. Si les Synoptiques fourmillent d'anecdotes et de personnages, lui reste sobre : un seul malade guéri, un disciple qui pose une question, une seule femme au tombeau. Ses récits n'en prennent que plus de force. Il les fait alterner avec de longs discours, et attribue à Jésus un langage typique de l'école johannique*. L'évangile insiste sur la christologie*, mais c'est une christologie centrée sur Dieu lui-même : Jésus est avant tout l'Envoyé du Père, son Révélateur, son Fils.

Les signes de la vie publique (Jn 1,19 - 12,50)

La première partie du quatrième évangile relate la vie publique de Jésus. On l'appelle parfois le « Livre des signes », d'après le nom donné à certains de ses miracles. Le terme *sèmeion* (« signe »), se trouve 16 fois entre Jn 2,11 et Jn 12,37. Mais il revient encore une fois, tout à la fin (Jn 20,30), comme si les signes de la vie publique (actes et paroles) annonçaient le signe pascal. Aux personnes qu'il rencontre, Jésus propose un chemin de vie lié à l'accueil de sa parole. Deux plans sont délibérément fusionnés : le rappel de la vie publique et de la Pâque de Jésus, et l'actualisation de cet événement fondateur par la communauté johannique. Cela explique que, dès la première étape, le récit soit marqué par la confession* de foi de la communauté.

Le témoignage de Jean Baptiste

Le premier personnage que Jésus rencontre est Jean Baptiste. Chez les Synoptiques il est vraiment le Baptiste, mais le récit johannique ne l'appelle jamais ainsi. Sa mission est plutôt de témoigner en faveur de Jésus : « C'est pour qu'il fût manifesté à Israël que je suis venu baptisant dans l'eau [...] Et moi, j'ai vu et je témoigne que celui-ci est l'Élu de Dieu » (Jn 1,31.34). Deux de ses disciples le quittent pour suivre Jésus (Jn 1,36) qui leur a posé une question ; c'est sa première parole : « *Que* cherchez-vous ? » (Jn 1,38 ; à la fin du livre il dira : « *Qui* cherchez-vous ? », Jn 20,15). Jésus invite, mais respecte la liberté : « Venez et voyez » (Jn 1,39). Il est présenté comme un maître de sagesse qui a quelque chose à offrir, mais sans obliger qui que ce soit à le suivre : le contraire d'un gourou envoûteur.

Le témoignage de Jean Baptiste conduit les premiers disciples à Jésus. L'un d'eux, André, amène à son tour son frère Simon. Philippe

REPÈRE

SIGNES ET SYMBOLES

Le signe est une convention de langage arbitraire, univoque, et sans rapport intrinsèque avec la réalité qu'il exprime : signes mathématiques, signaux routiers. Le symbole est l'expression sensible d'une réalité non visible, transcendante, avec laquelle il entretient un rapport intrinsèque : il ne s'oppose pas au réel, mais au contraire suggère un « plus-que-réel » caché sous le réel. Jean appelle *sèmeia* (« signes ») les miracles et actions de Jésus, peut-être même toute sa vie (Jn 20,30-31). Il a sans doute emprunté ce terme à l'Ancien Testament grec, où il désigne les actes merveilleux du Seigneur (Ex 10,1-2), parfois aussi un signal (Nb 21,8 ; Is 11,12). Mais les signes johanniques sont plus proches du symbole, comme le serpent d'airain dressé par Moïse : « Ils avaient un signe (grec : *symbolon*) de salut [...], car celui qui se tournait vers lui était sauvé [...] par toi, le Sauveur de tous » (Sg 16, 6-7). Dans l'évangile de Jean, la révélation s'énonce sous un mode symbolique. À travers la vie et la mort de Jésus, c'est Dieu qui se manifeste, agit et se donne. L'évangile livre les faits concernant Jésus sous une forme déjà interprétée, et le lecteur est invité à entrer dans cette dynamique interprétative. Mais les signes ne sont intelligibles qu'à ceux qui croient déjà.

convainc le sceptique Nathanaël : « De Nazareth, peut-il sortir quelque chose de bon ? » (Jn 1,46). Le passage du témoin, comme dans une course de relais, a peut-être lieu aussi entre Pierre – ou André – et Philippe (Jn 1,43). Ainsi apparaît une chaîne de disciples témoins, qui donne au début du livre une tonalité fort différente du récit des Synoptiques où Jésus appelle clairement ses disciples à la suivre. Et cela, dans un évangile censé donner toujours l'initiative à Jésus.

Le vin de Cana

Bientôt Jésus *fait* un *signe.* Plus que le premier d'une série, ce « commencement des signes » est un guide de lecture pour les autres. Comme tous les signes, celui-ci ne suscite pas la foi en Jésus, mais la fait grandir chez ceux qui sont déjà « ses disciples » et voient « sa gloire ». Une lecture symbolique en dégage le sens profond. L'eau *devient* vin, comme le gland *devient* chêne – ce n'est pas comme la citrouille changée en carrosse. Il y a continuité, mais la révélation trouve avec Jésus son goût de plénitude :

Le troisième jour, il y eut des noces à Cana de Galilée, et la mère de Jésus y était. Jésus aussi fut invité à ces noces, ainsi que ses disciples. Et ils n'avaient pas de vin, car le vin des noces était épuisé. La mère de Jésus lui dit : « Ils n'ont pas de vin. » Jésus lui dit : « Que me veux-tu, femme ? Mon heure n'est pas encore arrivée. » Sa mère dit aux servants : « Tout ce qu'il vous dira, faites-le. » Or il y avait là six jarres de pierre, destinées aux purifications des Juifs, et contenant chacune deux ou trois mesures. Jésus leur dit : « Remplissez d'eau ces jarres. » Ils les remplirent jusqu'au bord. Il leur dit : « Puisez maintenant et portez-en au maître du repas. » Ils lui en portèrent. Lorsque le maître du repas eut goûté l'eau devenue vin – et il ne savait pas d'où il venait, tandis que les servants le savaient, eux qui avaient puisé l'eau – le maître du repas appelle le marié et lui dit : « Tout homme sert d'abord le bon vin et, quand les gens sont ivres, le moins bon. Toi, tu as gardé le bon vin jusqu'à présent ! » Cela, Jésus en fit le commencement des signes à Cana de Galilée et il manifesta sa gloire et ses disciples crurent en lui. (Jn 2,1-11)

Après le signe inaugural de Cana, Jésus expulse les vendeurs du Temple (Jn 2,13-22). Cet épisode est placé à la fin de la vie publique chez les Synoptiques, ce qui correspond à une situation historique plus vraisemblable. Jean l'a transporté au début de la vie publique, comme un signe anticipé, lui aussi programmatique, de l'événement pascal à venir : « Quel signe nous montres-tu pour agir ainsi ? […] Détruisez ce sanctuaire et en trois jours je le relèverai. […] Lui parlait du sanctuaire de son corps » (Jn 1,18… 21). L'évangéliste rappelle que la pleine intelligence de la vie de Jésus se fait à partir de la foi pascale. Il conclut : « Aussi, quand il fut relevé d'entre les morts, ses disciples se rappelèrent qu'il avait dit cela, et ils crurent à l'Écriture et à la parole qu'il avait dite » (Jn 2,22).

La nouvelle naissance

Au ch. 3 apparaît Nicodème (Jn 3,1-21), que l'on retrouvera par la suite (7,50 ; 19,39). Il reconnaît en Jésus un maître envoyé par Dieu. Le récit évoque l'Exode : signes (Jn 3,2 rappelant Ex 4,8-9.28.30), contexte pascal (Jn 2,23 évoquant Ex 12,11), nuit (Jn 3,2 évoquant Ex 12,42), lumière (Jn 3,19 évoquant Ex 14,20-21). Mais Jésus annonce sa propre Pâque : « Comme Moïse éleva le serpent dans le désert, ainsi faut-il que soit élevé le Fils de l'homme » (Jn 3,14).

Jésus annonce une nouvelle naissance : « À moins de naître de nouveau, nul ne peut voir le Royaume de Dieu » (Jn 3,3). Naître de nouveau, c'est naître d'eau et d'Esprit ; il faut accueillir le don de l'Esprit pour accéder au monde de Dieu. Voir le Royaume de Dieu, c'est y entrer. Venu de nuit, Nicodème apprendra que Jésus est « la lumière […] venue dans le monde » (Jn 3,19) qui se propose à tous : « Qui me suit ne marchera pas dans les ténèbres, mais aura la lumière de la vie » (Jn 8,12). Mais beaucoup la refusent : « La lumière est venue dans le

DOCUMENT

LUMIÈRE ET TÉNÈBRES À QOUMRÂN

À Qoumrân, l'humanité est répartie en deux lots : « Dans la main du Prince des Lumières est le gouvernement de tous les fils de justice, et dans des voies de lumière ils marchent. Et dans la main de l'Ange des Ténèbres est tout le gouvernement des fils d'iniquité, et dans des voies de ténèbres ils marchent » (*Règle de la communauté* III, 20-21). Les qoumrâniens sont du bon côté : « Dans le lot de la lumière tu nous as fait tomber pour ta vérité. Et le Prince de Lumière, jadis tu l'as désigné pour nous secourir ; et dans son lot tous les fils de justice, et tous les esprits de vérité sous son gouvernement » (*Rouleau de la Guerre* XIII, 9-10). Ils doivent « aimer tous les fils de lumière […] et haïr tous les fils de ténèbres » (*Règle* I, 9-10) ; « fils de lumière », ils font la guerre aux « fils de ténèbres, l'armée de Bélial » (*Guerre* I, 1). Mais le dualisme qoumrânien est tempéré, car Dieu est à l'origine des deux esprits : « Dans une source de lumière est l'origine de la vérité, et d'une fontaine de ténèbres l'origine de l'iniquité. […] C'est Lui qui créa les esprits de lumière et de ténèbres, et sur eux il a fondé toute œuvre » (*Règle* III, 19.25). Les « fils de lumière », destinataires de ces écrits, doivent continuer à lutter. Chez Jean, le Christ Lumière est déjà vainqueur des ténèbres (« La lumière luit dans les ténèbres, et les ténèbres ne l'ont pas saisie », Jn 1,5), et tout homme est invité à croire en lui, pour « devenir […] fils de lumière » (Jn 12,36).

monde et les hommes ont mieux aimé les ténèbres que la lumière, car leurs œuvres étaient mauvaises » (Jn 3,19). La dialectique lumière-ténèbres s'exprime chez Jean dans des termes qui rappellent les écrits de Qoumrân*.

À la fin du ch. 3, on apprend incidemment que Jésus a d'abord été disciple de Jean Baptiste, avec lequel il a pratiqué des baptêmes (Jn 3,22). Ce détail semble historique, malgré un correctif maladroit (« bien qu'à vrai dire Jésus lui-même ne baptisât pas, mais ses disciples », Jn 4,2). C'est donc dans la mouvance des groupes baptistes* que Jésus a forgé sa propre personnalité de prophète. Son succès missionnaire le rend impopulaire auprès des Pharisiens*, les chefs religieux appelés aussi « les Juifs » (Jn 4,1). L'opposition de leur part ira croissant, jusqu'à la résurrection de Lazare : « Dès ce jour-là donc, ils résolurent de le tuer » (Jn 11,53). Jésus propose la vie, mais sa mort est déjà programmée. Cependant il ne court pas au martyre : tant que « son heure n'[est] pas encore venue » (Jn 7,30), il évite le danger. C'est pourquoi il quitte la Judée (Jn 4,3).

L'eau vive

Pour fuir loin du temple et de ses gardiens, il décide de passer en Galilée. La route ordinaire, connue des Synoptiques, atteint le lac par Jéricho et la vallée du Jourdain. Une autre, plus longue, longe la Médi-

DOCUMENT

PASSAGES DES *ODES DE SALOMON* SUR L'EAU

Rédigées en syriaque, les *Odes de Salomon* semblent issues d'une communauté judéo-chrétienne* proche du milieu johannique, au début du IIe siècle. Elles jouent sur plusieurs symboles, en particulier celui de l'eau : « Sortit un ruisseau : il devint un fleuve grand et large. [...] Ils ont bu, tous les assoiffés de sur la terre, et la soif fut résorbée, éteinte » (6,8.11) ; « Des eaux parlantes s'approchèrent de mes lèvres, (jaillissant) de la source du Seigneur généreusement. Alors j'ai bu, et je fus enivré par les eaux vives qui ne meurent pas » (11,6-7) ; « Puisez pour vous de l'eau à la source vive du Seigneur, puisqu'elle fut ouverte pour vous. Venez, vous tous les assoiffés, recevez la boisson, reposez-vous auprès de la source du Seigneur. [...] Car des lèvres du Seigneur elle est sortie, et de son cœur (tire) son nom » (30,1-2.5). Cette symbolique des Odes doit provenir du quatrième évangile : « Il t'aurait donné de l'eau vive [...] une source d'eau jaillissant en vie éternelle » (Jn 4,10.14) ; « De son sein couleront des fleuves d'eau vive » (Jn 7,38). Jean lui-même s'appuyait sur des textes prophétiques : « Dans l'allégresse vous puiserez de l'eau aux sources du salut » (Is 12,3) ; « Vous tous qui avez soif, venez vers l'eau » (Is 55, 1-3) ; « En ce jour-là, des eaux vives sortiront de Jérusalem » (Za 14,8). Le quatrième évangile et les *Odes* présentent le Christ comme la source d'eau vive qui désaltère le croyant.

terranée et emprunte la vallée de Yizréel : la *via maris*. Jésus choisit la troisième, la plus difficile, qui passe par la Samarie. Elle est montagneuse, et surtout un Juif est *persona non grata* chez les Samaritains*. L'évangéliste présente ce passage en Samarie comme une nécessité, non pas géographique mais théologique : « Or il lui fallait traverser la Samarie » (Jn 4,4). Il s'arrête auprès d'une source (Jn 4,6), un puits que Jacob a foré pour sa famille (Jn 4,12). Il rencontre une femme samaritaine, et se présente à elle comme le vrai puits d'où jaillit l'eau vive de la révélation :

Jésus répondit [à la Samaritaine] : « Si tu savais le don de Dieu et qui est celui qui te dit : Donne-moi à boire, c'est toi qui l'aurais prié et il t'aurait donné de l'eau vive. » Elle lui dit : « Seigneur, tu n'as rien pour puiser, et le puits est profond. D'où l'as-tu donc, l'eau vive ? Serais-tu plus grand que notre père Jacob, qui nous a donné ce puits et y a bu lui-même, ainsi que ses fils et ses bêtes ? » Jésus lui répondit : « Quiconque boit de cette eau aura soif à nouveau ; mais qui boira de l'eau que je lui donnerai n'aura plus jamais soif ; l'eau que je lui donnerai deviendra en lui source d'eau jaillissant en vie éternelle. » La femme lui dit : « Seigneur, donne-moi cette eau, afin que je n'aie plus soif et ne vienne plus ici pour puiser. » (Jn 4,10-15)

Jésus annonce ensuite que le Temple de Jérusalem (sanctuaire des Juifs) et celui du mont Garizim (sanctuaire des Samaritains) ne sont plus les seuls lieux où prier Dieu. Une nouvelle relation est possible entre les hommes et Dieu, plus filiale : « Vous adorerez le Père » (Jn 4,21) ; « Dieu est esprit, et ceux qui adorent, c'est en esprit et en vérité qu'ils doivent adorer » (Jn 4,24). Puis il prépare ses disciples à la mission en terre non juive : « Regardez les champs, ils sont blancs pour la moisson » (Jn 4,35). Elle sera le fait de l'Église* primitive. Déjà, comme par anticipation, les Samaritains reconnaissent en lui « le Sauveur du monde » (Jn 4,42). Une fois arrivé au but de son voyage, la Galilée, Jésus guérit le fils d'un fonctionnaire royal : un des rares textes johanniques à avoir un parallèle chez les Synoptiques (Jn 4,46-54).

La page suivante nous ramène à Jérusalem, pour une fête liturgique. Le nom de cette fête n'est pas donné, ce qui a fait couler beaucoup d'encre. L'expression « monter à Jérusalem » laisse penser qu'il s'agit d'une fête de pèlerinage (Jn 5,1). Près d'une piscine Jésus guérit un infirme, le jour du sabbat. Il y avait là un sanctuaire païen* voisin : Jésus se montre plus puissant que les divinités païennes, car il rend « la pleine santé à un homme » (Jn 7,23). La rupture du sabbat suscite l'animosité des chefs religieux (Jn 5,16), et leur intention meurtrière est déjà mentionnée (Jn 5,18). L'évangéliste a ensuite inséré un long discours : Jésus se présente comme l'envoyé du Père annoncé par les Écritures, venu accomplir des œuvres et donner la vie (Jn 5,19-47).

Le pain de vie

La suite (Jn 6) se passe à nouveau en Galilée. À l'approche de la Pâque* (Jn 6,4), Jésus nourrit la foule en multipliant le pain (Jn 6,5-15). Après la marche sur le lac, où il se manifeste avec la puissance divine (Jn 6,16-21), il prononce une sorte d'homélie sur l'Écriture : « Tel fut l'enseignement qu'il donna en synagogue* à Capharnaüm » (Jn 6,59). Il établit un parallèle entre la manne et sa Parole, et se présente comme le vrai pain de vie qui comble la faim des hommes : « Moi, je suis le pain de vie. [...] Et le pain que je donnerai, c'est ma chair pour la vie du monde » (Jn 6,35.51).

À mots à peine couverts, il évoque ainsi sa Passion, le don suprême qu'il fera de sa vie. Son offre se heurte à l'incompréhension, au refus et même à la désertion : « Dès lors, beaucoup de ses disciples se retirèrent, et ils n'allaient plus avec lui » (Jn 6,66). Le groupe des fidèles se limite aux Douze : « Tu as les paroles de la vie éternelle. [...] Tu es le Saint de Dieu » (Jn 6,69) ; mais à leur tour ils feront défaut au jour de la croix. Pour la première fois apparaît le nom du traître : « Judas, fils de Simon Iscariote » (Jn 6,71). La Passion n'est décidément pas reléguée à la dernière page.

La lumière du monde

Les événements se précipitent. La fête des Tentes (Jn 7,1-10,21) et celle de la Dédicace (Jn 10,22-42) forment le cadre liturgique où se cristallise l'opposition au message de Jésus. C'est alors que l'origine divine de Jésus et sa véritable identité sont fortement affirmées et discutées : « Où est ton Père ? » (Jn 8,19) ; « Qui es-tu ? » (Jn 8,25).

Certains rites de la fête des Tentes éclairent les événements. Ainsi les prêtres se rendaient en procession à la piscine de Siloé, pour puiser de l'eau et demander la pluie (Siloé veut dire « Envoyé » ; Jn 9,7.11). Or Jésus, l'Envoyé de Dieu, s'écrie : « Si quelqu'un a soif, qu'il vienne à moi ! » Et l'évangéliste commente : « De son sein couleront des fleuves d'eau vive » (Jn 7,37-38). Jésus se proclame « la Lumière du monde » (Jn 8,12 ; 9,5), alors que l'illumination nocturne du parvis du Temple faisait de Jérusalem une ville-lumière.

C'est alors qu'il ose prononcer le nom de Dieu : *egô eimi*, « Moi, Je Suis » (Jn 8,18.24.28.58). L'hostilité à son égard atteint son comble, on veut le lapider (Jn 8,59). La guérison de l'aveugle-né (Jn 9) oblige encore les gens à se prononcer sur lui. Il est clair en tout cas que les signes ne suscitent pas la foi (Jn 9,16). Le terme *aposunagôgos* (« exclu de la Synagogue », Jn 9,22) évoque la rupture entre Juifs et chrétiens johanniques. Jésus a rencontré l'hostilité, de même ses disciples seront persécutés : « On vous exclura des synagogues » (Jn 16,2).

Dans la séquence du Bon Pasteur (Jn 10), Jésus annonce qu'il va donner sa vie pour ses brebis (Jn 10,11.17-18). Il est venu pour cela (Jn 10,10). Les Juifs ont avec lui un dernier échange tendu : « Si tu es le Christ, dis-le-nous ouvertement » (Jn 10,24). On y perçoit un écho de l'interrogatoire de Jésus par le grand prêtre*, tel qu'il se trouve dans le récit synoptique de la Passion. La tension marque de plus en plus le récit.

La résurrection et la vie

Bientôt celui-ci bascule dans sa deuxième phase. Au centre de l'évangile apparaît un personnage énigmatique et silencieux : Lazare, frère de Marie et de Marthe. Il est malade (Jn 11,1-10), meurt, est enseveli à Béthanie (Jn 11,11-36). Marthe reconnaît en Jésus « Celui qui vient dans le monde », et dit sa foi en la résurrection finale (Jn 11,

REPÈRE

LA GLOIRE : *KABOD, DOXA*, LA GLOIRE CHEZ IRÉNÉE

Jean emploie souvent le terme *doxa*. En grec classique, il signifie l'opinion, l'avis, la croyance (cf. « orthodoxe / hétérodoxe ») –, ou la bonne opinion, la réputation, d'où la célébrité, la gloire (cf. « doxologie », formule liturgique pour rendre gloire). Dans la Bible, *doxa* traduit souvent l'hébreu *kabod*, qui exprime une notion de poids : un être qui a « du poids » est glorieux, et mérite respect et honneur. Surtout Dieu. Dans l'Ancien Testament, la gloire de Dieu est la manifestation de la divinité, le signe visible de la présence du Dieu invisible. Le Jésus johannique a reçu du Père la gloire, et il la communique aux hommes (Jn 17, 22).

Pour saint Irénée, Dieu a créé l'humanité à son image, librement et par amour, afin de la préparer progressivement à recevoir sa gloire et à y communier un jour pleinement : « À ceux qui le servent et le suivent, il procure vie, incorruptibilité et gloire éternelle. [...] Telle est en effet la gloire de l'homme : tenir bon dans le culte à rendre à Dieu » (*Contre les hérésies*, IV, 14, 1) ; « La gloire de l'homme, c'est Dieu » (III, 20, 2) ; « La gloire de Dieu, c'est l'homme vivant, et la vie de l'homme c'est la vision de Dieu » (IV, 20,7). L'incarnation* du Fils de Dieu marque un tournant décisif dans le projet de Dieu sur l'homme : « C'est en suivant le Fils de Dieu que [les disciples] ont été glorifiés par lui. [...] Il veut faire partager sa gloire à ses disciples » (IV, 14,1). Ainsi, « Dieu sera glorifié dans son propre ouvrage, quand il l'aura rendu conforme et accordé à son propre Fils » (V, 6,1).

21-27). Jésus ramène Lazare à la vie terrestre (Jn 11,37-44). Mais ce dernier signe incite les chefs religieux à décider la mort de Jésus : « Il est de votre intérêt qu'un seul homme meure pour le peuple » (Jn 11,50).

Au cours d'un repas Jésus est oint par Marie (Jn 12,1-10). Lazare est encore là. L'évangéliste établit un contraste entre l'odeur de mort qui l'avait déjà saisi (« Seigneur, il sent déjà » ; Jn 11,39) et la « senteur du parfum » qui imprègne la maison (Jn 12,3), signe que le tombeau ne gardera pas Jésus (Jn 12,7). Bénéficiaire du pouvoir vivifiant de Jésus, Lazare sera voué à disparaître comme un témoin gênant (Jn 12,10).

Lorsque Jésus entre solennellement à Jérusalem (Jn 12,12-16), la foule l'acclame comme « roi d'Israël » (12,13). Mais ses ennemis constatent : « Voilà le monde parti après lui ! » (12,19). Le « monde » (*kosmos*), c'est non seulement la foule du jour, mais aussi toute l'humanité composée de Juifs et païens. Ainsi des Grecs*, païens acquis au Dieu d'Israël, peuvent-ils dire : « Nous voulons voir Jésus » (12,21). Jean a déjà fait quelques allusions à la mission universelle de salut de Jésus (« C'est vraiment lui le sauveur du monde », Jn 4,42). Maintenant la demande des Grecs révèle à Jésus que son « heure » est enfin venue : « Voici venue l'heure où doit être glorifié le Fils de l'homme » (Jn 12,23). En effet, il devait mourir pour tous les hommes : « Non pas pour la nation [juive] seulement, mais encore afin de rassembler dans l'unité les enfants de Dieu dispersés » (Jn 11,52).

Jésus lance alors un dernier appel : « Tant que vous avez la lumière, croyez en la lumière » (Jn 12,35-36). Mais sa vie publique semble avoir abouti à l'échec : « Bien qu'il eût fait tant de signes devant eux, ils ne croyaient pas en lui » (Jn 12,37). Pour lire à travers cet échec le dessein mystérieux de Dieu, l'évangéliste a, une fois encore, recours au prophète Isaïe : « Il a aveuglé leurs yeux et il a endurci leur cœur » (Jn 12,40). Enfin, le message de Jésus, exposé au long de sa vie publique, est réaffirmé une dernière fois, dans une saisissante synthèse où s'exprime le lien entre le Père et son Envoyé (Jn 12,44-50).

L'heure de la croix (Jn 13-20)

La deuxième partie de l'évangile pourrait s'intituler « Le Livre de l'heure de la gloire ». En mourant et en ressuscitant Jésus manifeste l'amour du Père pour tous les hommes, et c'est cela qui constitue sa gloire.

Les adieux

L'évangéliste rapporte sur cinq chapitres le dernier repas que Jésus prit avec ses disciples (Jn 13-17). Jésus y exprime la mesure de l'amour fraternel qu'il attend d'eux : « Comme je vous ai aimés, aimez-vous les uns les autres » (Jn 13,34) ; « Ayant aimé les siens qui étaient dans le monde, [il] les aima jusqu'à la fin » (Jn 13,1) : jusqu'à l'extrême de l'amour, et donc jusqu'à la mort.

Trois étapes marquent cette longue soirée : Jésus s'entretient avec ses disciples (13,31-16,33) et prie son Père (ch. 17), mais auparavant, il accomplit deux gestes (Jn 13,2-30). Il commence par faire le geste de l'esclave pour son maître, ou du fils pour son père : il lave les pieds de ses disciples. Ce faisant, il leur « donne » un « exemple ». Chez Jean, le verbe « donner » a presque toujours Dieu ou Jésus pour sujet ; l'« exemple » ainsi donné n'est donc pas une leçon de morale, mais un acte de révélation, vital. D'ailleurs, Jean le rapporte au lieu même où les synoptiques relatent l'institution de l'eucharistie :

> *Quand donc il leur eut lavé les pieds, qu'il eut repris ses vêtements et se fut remis à table, [Jésus] dit [à ses disciples] : « Comprenez-vous ce que je vous ai fait ? Vous m'appelez Maître et Seigneur, et vous dites bien, car je le suis. Si donc je vous ai lavé les pieds, moi le Seigneur et le Maître, vous aussi vous devez vous laver les pieds les uns aux autres. Car c'est un exemple que je vous ai donné, pour que vous fassiez, vous aussi, comme moi j'ai fait pour vous.* » (Jn 13,12-15)

REPÈRE

POURQUOI LA CROIX EN TERMES DE GLOIRE ?

Pour Jean, la croix est glorieuse : « Voici venue l'heure où doit être glorifié le Fils de l'homme » (Jn 12,23). Les souffrances de Jésus sont-elles niées ? Non. L'agonie et la Passion sont suggérées dès la mort de Lazare : frémissement et trouble, larmes (Jn 11,33.35) ; nouveau trouble de l'âme (Jn 12,27) ; « coupe » à boire, donnée par le Père (Jn 18,11) ; flagellation, moqueries, coups (Jn 19,1-3). Mais Jean veut souligner la liberté et l'amour de Jésus : « Je dépose ma vie, pour la reprendre. Personne ne me l'enlève ; mais je la dépose de moi-même » (Jn 10,17-18) ; « Nul n'a plus grand amour que celui-ci : déposer sa vie pour ses amis » (Jn 15,13).

En tant que mode d'exécution, la croix implique une élévation (Jn 12,33) : « Ainsi faut-il que soit élevé le Fils de l'homme » (Jn 3,14 ; aussi 8,28 et 12,30). Mais le verbe *hupsoô* signifie aussi « exalter ». La croix est donc l'exaltation du Fils de l'homme, sa glorification, selon la prophétie d'Isaïe (texte grec) : « Mon serviteur sera élevé et fortement glorifié » (Is 52,13). La croix devient un lieu théologique majeur, où éclatent la gloire et l'amour divins, puisqu'en donnant sa vie Jésus révèle l'amour sans mesure du Père. L'iconographie des christs en croix vêtus et paisibles, attestée dans la tradition syrienne puis dans l'art roman catalan, traduit bien cette vision johannique de la croix.

Vient ensuite l'autre geste, trop souvent méconnu : le don de la bouchée à Judas. Jean est le seul à le décrire, et il le mentionne deux fois de suite (Jn 13,26). Dans le milieu culturel palestinien, ce geste exprime une marque d'honneur. L'homme peut bien défaillir et trahir, comme Judas, Jésus l'aime jusqu'au bout. Le traître ne doit pas être trop vite exclu de l'amour de Jésus pour tous « les siens » (Jn 13,1).

La Passion

Les derniers chapitres sont consacrés à la Passion (ch. 18-19) et à la Résurrection de Jésus (ch. 20). Plusieurs notes distinguent la version johannique du récit synoptique. Jean insiste sur la liberté de Jésus, qui garde jusqu'au bout l'initiative, s'avançant de lui-même vers ceux qui viennent l'arrêter (Jn 18,4-8). Il souligne le rôle des chefs religieux juifs dans sa condamnation à mort, car c'est par allusion au grand prêtre, et non à Judas, que Jésus dit à Pilate : « Celui qui m'a livré à toi a un plus grand péché » (Jn 19,11). Jean construit aussi un dialogue entre Pilate et Jésus : le « roi des Juifs » parle de son royaume, et de sa mission au service de la vérité (Jn 18,36-37).

Condamné, Jésus porte lui-même sa croix (Jn 19,17). On lui ôte ses vêtements : la tunique sans couture évoque sans doute l'unité de l'Église (« Ne la déchirons pas », Jn 19,24). Une fois crucifié, il confie sa mère au disciple qu'il aime, et meurt comme un agneau pascal (Jn 19,14.36). Son corps transpercé est le Temple nouveau d'où jaillit l'eau vive (Jn 19,34, rappelant Ez 47 et Za 14,8). Sa mort annonce déjà le

REPÈRE

MARIE, FIGURE DE L'ÉGLISE

Depuis saint Irénée (fin du IIe siècle), un parallèle est établi entre Ève et Marie (*Contre les hérésies*, III, 22,4). La première femme étant « la mère de tous les vivants » (Gn 3,20), la « nouvelle Ève », Marie, devait à son tour jouer un rôle important à l'égard de l'humanité. Beaucoup ont vu dans la scène johannique de la croix (Jn 19,25-27) l'annonce d'un rapport spécial entre Marie et l'Église. Jésus lui dit : « Femme, voici ton fils », en parlant du disciple qu'il aimait (Jn 19,26). Serait-elle la figure de l'Église, ou la figure des croyants ? En ce sens, on cite parfois la vision de l'Apocalypse, la femme enveloppée de soleil et couronnée de douze étoiles (Ap 12). Mais ce passage, d'interprétation discutée, n'a guère de rapport avec la scène évangélique. En outre, chez Jean, c'est le disciple bien-aimé qui accueille Marie chez lui, et non l'inverse (Jn 19,27). La présence anonyme de ces figures historiques près de la croix de Jésus (« sa mère » « le disciple qu'il aimait ») leur confère à *tous deux* une dimension symbolique : c'est *ensemble* qu'ils constituent l'embryon de la famille nouvelle de Jésus, l'Église d'après Pâques. L'évangile en fait des modèles de foi, de confiance en Jésus.

REPÈRE

QUAND JÉSUS EST-IL MORT ?

Pour les Synoptiques, Jésus célèbre le repas pascal la veille de sa mort : « Où veux-tu que nous allions faire les préparatifs pour que tu manges la Pâque ? » (Mc 14,12) ; « J'ai ardemment désiré manger cette pâque avec vous avant de souffrir » (Lc 22,15). Il serait donc mort le jour de la fête, cette année-là « veille du sabbat » (Mc 15,42). Pour Jean, il est condamné à l'heure où l'on immole les agneaux, et crucifié peu après (Jn 19,14-16). Il meurt donc avant le repas pascal, la veille de la fête - qui coïncide alors avec le sabbat (« car ce sabbat était un grand jour », Jn 19,31). Synoptiques et Jean divergent. Mais le caractère pascal du repas des Synoptiques est controversé. D'autre part, malgré son mépris des Juifs, on hésite à croire que Pilate ait pu les provoquer volontairement en programmant une exécution en pleine Pâque. De son côté, Jean donne l'impression de vouloir montrer en Jésus le véritable agneau pascal (Jn 19,14) ; mais, s'il aime attribuer aux faits un caractère théologique, il ne les crée pas pour autant de toutes pièces. Le Talmud* de Babylone rapporte lui aussi que « Yeshû fut pendu la veille de Pâque » (bT, *Sanhédrin* 43a, baraïta*). Si donc la mort de Jésus a eu lieu une année où la Pâque tombait un samedi, ce fut très probablement le vendredi 7 avril 30. [*voir* p. 142]

don de l'Esprit au soir de Pâques (Jn 20,22) : *paredôken to pneuma* signifie « Il rendit l'esprit », mais aussi « Il transmit l'Esprit » (Jn 19,30). Joseph d'Arimathie et Nicodème l'ensevelissent. Les chefs religieux n'avaient pas pénétré chez Pilate, « pour ne pas se souiller, mais pour pouvoir manger la Pâque » (Jn 18,28) : en touchant le cadavre d'un supplicié, Joseph et Nicodème s'excluent de la Pâque juive. Ils ont choisi le camp de Jésus, qu'ils honorent comme un roi (Jn 19,40).

La foi en Jésus

Les témoins du tombeau vide et des apparitions du Ressuscité stimulent la foi des lecteurs. Le « disciple que Jésus aimait » croit le premier à la Résurrection de Jésus (« Il vit et il crut », Jn 20,8) : le lecteur est invité à poser un regard de foi. Jésus s'adresse à Marie de Magdala (« Qui cherches-tu ? » ; Jn 20,15), et la quête floue du début (« Que cherchez-vous ? » ; Jn 1,38) vise alors Celui qui nous connaît par notre nom. Enfin, Jésus adresse à Thomas sa dernière parole (sauf les ajouts du ch. 21), une béatitude qui concerne aussi tous les disciples à venir : « Heureux ceux qui n'ont pas vu et qui ont cru » (Jn 20,29) !

ÉPILOGUE (JN 21)

Le ch. 21 est une addition ultérieure. Les Douze avaient vu le Ressuscité (Jn 20,19-28), ici sept disciples dont deux anonymes vont à la pêche (Jn 21,3). La christologie cède la place à l'ecclésiologie : la pêche miraculeuse et le repas sur la rive du lac ont des résonnances eucharistiques ; Pierre est intronisé comme pasteur du troupeau à la suite de Jésus, jusqu'au martyre (Jn 21,15-19). L'anonymat persistant du disciple bien-aimé fait de lui un modèle pour tous les disciples (Jn 21,22-24).

L. D.

LES DISCOURS DANS L'ÉVANGILE DE JEAN

LE QUATRIÈME évangile* surprend par l'importance accordée aux discours. Dialogues à bâtons rompus comme dans une pièce de théâtre (guérison de l'aveugle-né au ch. 9), tirades alternées entre deux partenaires (Jésus et la Samaritaine* au ch. 4), monologues introduits par un bref échange (rencontre de Nicodème au ch. 3) ou relancés par les questions de l'auditoire (discours sur le pain de vie au ch. 6), controverses serrées opposant Jésus à des adversaires opiniâtres et rompus aux finesses de l'argumentation (ch. 7 et 8) : toutes les formes de discours se succèdent, en contrepoint de l'action, dont ils fournissent un certain nombre de clés d'interprétation.

L'œuvre du Fils (Jn 5)

Au chapitre 5, le discours sur l'œuvre du Fils illustre la guérison d'un paralysé le jour du sabbat. Pour le quatrième évangile, il ne s'agit pas seulement d'un affrontement de Jésus avec les autorités juives, mais d'une révélation de sa condition de Fils de Dieu, souverainement libre à l'égard de la Loi* et, à l'égal de Dieu, maître de la vie et de la mort.

« *Comme le Père en effet ressuscite les morts et leur redonne vie, ainsi le Fils donne la vie à qui il veut. Car le Père ne juge personne ; il a donné au Fils le jugement tout entier, afin que tous honorent le Fils comme ils honorent le Père. Qui n'honore pas le Fils n'honore pas le Père qui l'a envoyé. En vérité, en vérité, je vous le dis, celui qui écoute ma parole et croit à celui qui m'a envoyé a la vie éternelle et ne vient pas en jugement, mais il est passé de la mort à la vie. En vérité, en vérité, je vous le dis, l'heure vient – et c'est maintenant – où les morts entendront la voix du Fils de Dieu, et ceux qui l'auront entendue vivront.* » (Jn 5,21-25)

À la charnière du récit de guérison et du discours sur le Fils, un embryon de parabole fait la transition entre la situation historique (conflit autour du repos sabbatique) et la réflexion théologique (mystère du Fils et de ses œuvres). Le texte prend appui sur la réalité quotidienne de l'apprentissage. Qu'il s'agisse d'un travail manuel ou d'un savoir intellectuel, le fils se forme auprès du père, et apprend de lui tant les gestes que les raisonnements nécessaires à la pratique d'un métier : « En vérité, en vérité, je vous le dis : le Fils ne peut rien faire de lui-même, qu'il ne le voie faire au Père ; ce que fait celui-ci, le Fils le fait pareillement » (Jn 5,19).

Jésus le Fils reçoit tout du Père et modèle son propre comportement sur celui du Père : leurs deux volontés ne font plus qu'une et l'œuvre du Fils est parfaitement adéquate au dessein du Père. La fin de la parabole opère le passage au discours proprement théologique, relatif à l'œuvre de salut, accomplie dans le Fils : « Car le Père aime le Fils, et lui montre tout ce qu'il fait ; et il lui montrera des œuvres plus grandes que celles-ci, à vous en stupéfier » (Jn 5,20).

Le pain de vie (Jn 6)

De même, le discours sur le pain de vie éclaire le geste de la multiplication des pains. Plus que la manne venue du ciel, Jésus est l'envoyé de Dieu pour le salut du monde : « En vérité, en vérité, je vous le dis, non, ce n'est pas Moïse qui vous a donné le pain qui vient du ciel ; mais c'est mon Père qui vous donne le pain qui vient du ciel, le vrai ; car le pain de Dieu, c'est celui qui descend du ciel et donne la vie au monde » (Jn 6,32-33). La foi en sa personne a valeur de nourriture pour ses disciples : « Moi, je suis le pain de vie. Qui vient à moi n'aura jamais faim ; qui croit en moi n'aura jamais soif » (Jn 6,35). Le repas eucharistique vécu dans la communauté réalise la communion à l'être même de Jésus, le Fils unique de Dieu :

> « *Qui mange ma chair et boit mon sang a la vie éternelle, et je le ressusciterai au dernier jour. Car ma chair est vraiment une nourriture et mon sang vraiment une boisson. Qui mange ma chair et boit mon sang demeure en moi et moi en lui. De même que le Père, qui est vivant, m'a envoyé et que je vis par le Père, de même celui qui me mange lui aussi vivra par moi. Voici le pain descendu du ciel ; il n'est pas comme celui qu'ont mangé les pères et ils sont morts ; qui mange ce pain vivra pour toujours.* » (Jn 6,54-58)

Le discours sur le pain de vie paraît constitué de deux exposés, probablement composés à des dates différentes, mais unis dans le texte au point de ne plus faire qu'un seul discours. Dans un premier temps, l'accent est mis sur la foi en la personne de Jésus comme le mode d'accès à la vie de Dieu : « Oui, telle est la volonté de mon Père que quiconque voit le Fils et croit en lui ait la vie éternelle, et je le ressusciterai au dernier jour » (Jn 6,40). La consommation du pain est une image de la relation de foi, unissant le disciple à Jésus, reconnu comme l'envoyé du Père pour le salut du monde : « Travaillez non pour la nourriture qui se perd, mais pour la nourriture qui demeure en vie éternelle, celle que vous donnera le Fils de l'homme, car c'est lui que le Père, Dieu, a marqué de son sceau » (Jn 6,27).

Dans un deuxième temps, le « pain descendu du ciel » est identifié au pain eucharistique : « Le pain que je donnerai, c'est ma chair pour la vie du monde » (Jn 6,51). D'où l'objection prêtée aux auditeurs de Jésus : « Comment cet homme peut-il nous donner sa chair à manger ? » (Jn 6,52). Ainsi le discours est-il le fruit d'une longue réflexion menée dans la communauté johannique à partir de la tradition évangélique de la Multiplication des pains, et en fonction des débats sur les places respectives de la foi et de l'eucharistie dans l'expérience chrétienne du salut en Jésus Christ.

Les discours d'adieu (Jn 13-17)

Essentiels à la compréhension de la personne de Jésus, les discours sont particulièrement développés à l'heure de la Passion. Entre le récit du dernier repas, marqué par le geste symbolique du lavement des pieds, et l'arrestation de Jésus au jardin des Oliviers, se déroule une longue séquence de monologue. Jésus commence à parler aussitôt après le départ de Judas (Jn 13,31) et ne s'arrêtera que quatre chapitres plus tard (Jn 18,1).

L'ensemble n'est pas homogène : plusieurs sections paraissent avoir été emboîtées les unes dans les autres, et il demeure des traces de cette composition étagée. En Jn 14,31, Jésus paraît conclure un premier discours : « Levez-vous ! Partons d'ici ! » ; mais il repart de plus belle, avec la parabole de la vraie vigne : « Moi, je suis la vigne véritable et mon Père est le vigneron » (Jn 15,1). Le début du chapitre 17 marque une pause dans l'enseignement de Jésus : « Ainsi parla Jésus » ; mais c'est pour introduire une longue prière, adressée au Père, et prononcée à haute voix comme l'ensemble des discours : « Levant les yeux au ciel, il dit : Père, l'heure est venue : glorifie ton Fils, afin que ton Fils te glorifie » (Jn 17,1).

La prière du chapitre 17 est souvent qualifiée de « sacerdotale » : Jésus y tient la place du grand prêtre*, intercesseur devant Dieu en faveur des hommes. De fait Jésus prie, non seulement pour ses disciples du moment, déchirés par la trahison de Judas : « Quand j'étais avec eux, je les gardais dans ton Nom que tu m'as donné. J'ai veillé et aucun d'eux ne s'est perdu, sauf le fils de perdition, afin que l'Écriture fût accomplie » (Jn 17,12) ; mais encore pour tous ceux qui, dans la suite des temps, feront acte de foi en la personne de Jésus et seront exposés aux divisions et aux persécutions : « Je ne prie pas pour eux seulement, mais aussi pour ceux qui, grâce à leur parole, croiront en moi, afin que tous soient un » (Jn 17,20).

Les discours d'avant la Passion se situent à la charnière de la vie de Jésus et du temps de l'Église*. La communauté de Jean y fait mémoire des paroles de Jésus, à la lumière de sa propre expérience, dans un monde souvent hostile. Une telle situation atteste le caractère relativement tardif de la prière rapportée au chapitre 17. Après les difficultés du dialogue avec les Juifs (rencontre de Nicodème au chapitre 3), le quatrième évangile évoque la désillusion éprouvée au contact de la société païenne*. Placée au cœur du monde, la communauté ne peut compter que sur le Christ : « Dans le monde vous aurez à souffrir. Mais gardez courage ! Moi, j'ai bel et bien vaincu le monde » (Jn 16,33) :

> « *Je leur ai donné ta parole et le monde les a haïs, parce qu'ils ne sont pas du monde, comme moi je ne suis pas du monde. Je ne te prie pas de les enlever du monde, mais de les garder du Mauvais. Ils ne sont pas du monde, comme moi je ne suis pas du monde. Sanctifie-les dans ta vérité : ta parole est vérité. Comme tu m'as envoyé dans le monde, moi aussi je les ai envoyés dans le monde.* » (Jn 17,14-18)

La parabole de la vigne

Dans ce contexte difficile, la parabole de la vraie vigne prend tout son relief. Elle fait partie des discours testaments, mais son genre littéraire tranche sur le flux des paroles de Jésus. Comme dans toute parabole, les matériaux du récit sont empruntés aux réalités de la vie sociale ; ici, le travail de la vigne, avec les différentes opérations de taille et d'émondage, jusqu'à la destruction par le feu des sarments inutiles :

« *Tout sarment en moi qui ne porte pas de fruit, il [le vigneron] l'enlève, et tout sarment qui porte du fruit, il l'émonde, pour qu'il porte encore plus de fruit. [...] De même que le sarment ne peut de lui-même porter du fruit, s'il ne demeure pas sur la vigne, ainsi vous non plus, si vous ne demeurez pas en moi. [...] Si quelqu'un ne demeure pas en moi, il est jeté dehors comme le sarment et il se dessèche ; on les ramasse et on les jette au feu et ils brûlent* » (Jn 15,2... 6).

L'interprétation de la parabole tend à l'allégorie*, puisque chaque élément du récit fait l'objet d'une transposition précise. Jésus est la vigne ; son Père, le vigneron ; les disciples, les sarments : « Moi, je suis la vigne véritable et mon Père est le vigneron. [...] Moi, je suis la vigne ; vous les sarments » (Jn 15,1.5). La fusion entre le monde du récit et celui du sens s'opère presque parfaitement : « C'est la gloire de mon Père que vous portiez beaucoup de fruit et deveniez mes disciples » (Jn 15,8) ; « Ce n'est pas vous qui m'avez choisi ; mais c'est moi qui vous ai choisis et vous ai établis, pour que vous alliez et portiez du fruit et que votre fruit demeure, afin que tout ce que vous demanderez au Père en mon nom, il vous le donne. Ce que je vous commande, c'est de vous aimer les uns les autres » (Jn 15,16-17).

Contrairement aux paraboles synoptiques, l'entrée en matière est directe et s'appuie sur l'expression « Moi, je suis ». Plus qu'une construction grammaticale, il s'agit d'une allusion au nom divin, dans la continuité du récit de l'Exode (épisode du buisson ardent ; Ex 3,14). On retrouve cette expression pour introduire les images du pain de vie (Jn 6,35.41.48.51), de la lumière (Jn 8,12 ; 9,5), de la porte du bercail (Jn 10,7.9), du bon pasteur (Jn 10,11.14). De même, Jésus se présente comme la Résurrection (Jn 11,25), le chemin, la vérité et la vie (Jn 14,6). Parfois même, l'essssxpression « Je suis » n'est suivie d'aucun attribut ; la référence au nom divin est alors explicite :

« *Si vous ne croyez pas que Moi, Je Suis, vous mourrez dans vos péchés.* » (Jn 8,24) *[...]* « *Quand vous aurez élevé le Fils de l'homme, alors vous saurez que Moi, Je Suis* » (8,28) *[...].* « *En vérité, en vérité, je vous le dis, avant qu'Abraham existât, Je Suis* » (8,58). *[...]* « *Je vous le dis, dès à présent, avant que la chose n'arrive, pour qu'une fois celle-ci arrivée, vous croyiez que moi, Je Suis.* » (13,19)

La métaphore de la vigne est fréquente dans les évangiles synoptiques. En cela, le quatrième évangile participe de la tradition commune, mais l'orientation théologique est différente. La vigne désigne habituellement le vignoble, c'est-à-dire une réalité collective, symbolique du peuple de Dieu ou encore du monde. Dans l'évangile de Jean, il s'agit plutôt du pied de vigne, dont les multiples sarments tiennent leur vie du fait qu'ils sont branchés sur l'unique cep, Jésus en personne : « Celui qui demeure en moi, et moi en lui, celui-là porte beaucoup de fruit ; car hors de moi vous ne pouvez rien faire » (Jn 15,5).

De même, l'image du troupeau, traditionnelle pour désigner le peuple des croyants, est infléchie du côté de la relation personnelle entre chacune des brebis et l'unique pasteur : « Moi, je suis le bon pasteur ; je connais mes brebis et mes brebis me connaissent, comme le Père me connaît et que je connais le Père, et je dépose ma vie pour mes brebis » (Jn 10,14-15). Le recentrage sur la personne du Christ est une des caractéristiques du quatrième évangile, tout particulièrement dans la surface des discours. Les enseignements de Jésus ont précisément pour effet de dégager l'interprétation christologique* de l'ensemble des événements relatés dans l'évangile.

DOCUMENT

LES DISCOURS TESTAMENTAIRES DANS LE JUDAÏSME ANCIEN

La littérature juive ancienne est familière du genre littéraire des Testaments. Avant de mourir, le grand ancien prend la parole et s'attarde à redire l'essentiel de son message. Une telle pratique comporte peu de vraisemblance historique : elle permet aux auteurs de développer leur interprétation des événements vécus par l'ancêtre. Les grands écrivains grecs ne font pas autrement : qu'on pense au *Phédon* de Platon, testament spirituel de Socrate, prononcé dans les heures précédant son exécution. De la même façon, les historiens de l'Antiquité recomposent entièrement les discours des personnages historiques : là encore, le but n'est pas de reproduire des paroles forcément perdues, mais d'en exprimer toute la substance.

Dans le cas des personnages de la tradition biblique, le discours testament s'inscrit dans la continuité de l'alliance de Dieu avec Israël. Comme dans une course de relais, il s'agit de passer le témoin au successeur. Ainsi les derniers mots d'Abraham sont à l'adresse de son petit-fils Jacob, lui-même futur père des douze tribus d'Israël. Toutes les promesses de Dieu lui sont rappelées ; la fidélité à l'alliance est remise entre les mains de l'héritier :

Bénis soient mon fils Jacob et tous ses fils, en tous âges, par le Seigneur, le Très Haut. Que le Seigneur te donne une descendance juste, qu'il consacre de tes fils au milieu de la terre entière ! [...] Et toi, mon fils Jacob, rappelle-toi mes paroles et garde les instructions d'Abraham ton père. Sépare-toi des nations, ne mange pas avec elles, n'agis pas selon leurs manières et ne deviens pas leur semblable. [...] Voici mon fils, celui qui fait la joie de tout mon cœur et de mon amour. Que Ta grâce et Ton amour s'étendent sur lui et sur sa descendance en tout temps. [...] Bénis-le, sanctifie-le pour en faire le peuple qui T'est réservé. Accorde-lui toutes Tes bénédictions, dès maintenant jusqu'à tous les jours de l'éternité. Renouvelle avec lui et avec sa descendance Ton alliance et Ta grâce, selon toute Ta volonté, dans toutes les générations terrestres.

(Jubilés, 22-23,
trad. A. Caquot)

De la même façon, le discours testamentaire du quatrième évangile (13,31 à 17,26) remet aux disciples le message de Jésus : il leur revient d'en vivre jusqu'à la fin des temps.

Tels qu'ils se présentent dans la rédaction finale de l'évangile, les discours ont de quoi surprendre le lecteur moderne. D'une part, on imagine mal le Jésus historique s'adonnant à l'éloquence, avec autant de complaisance. D'autre part, on a quelque difficulté à saisir l'argumentation, qui ne paraît pas obéir aux règles de la logique occidentale. De savantes études ont été menées, pour dégager la structure de ces discours. On a cru y reconnaître des structures concentriques appelées chiasmes. Il paraît plus simple d'y voir une succession de segments simples, dont un certain nombre pourrait provenir de la tradition des *logia**, c'est-à-dire les paroles de Jésus héritées de la première prédication chrétienne.

L'emboîtement de ces paroles obéit à la technique des accrochages verbaux, familière dans le judaïsme* ancien. Chaque verset s'appuie sur le précédent, dont il conserve certains éléments, tout en apportant des expressions nouvelles, dont une part servira de base au prochain verset, et ainsi de suite… Ce mode de composition déploie un raisonnement en spirale, avec d'inévitables répétitions, mais aussi un réel progrès de l'exposé. Une telle forme d'écriture convient bien à la rédaction du quatrième évangile : à la fois soucieuse de ne rien perdre de la tradition primitive et audacieuse dans l'expression d'idées nouvelles. Elle contribue aussi largement au caractère méditatif de l'œuvre de Jean : au lecteur pressé de connaître la suite, il est proposé de s'attarder en route pour mieux savourer la richesse du message…

Le Verbe fait chair (Jn 1,1-18)

L'insistance sur la parole est marquée dès les premiers mots du quatrième évangile. Dans le prologue (Jn 1,1-18), Jésus est identifié au Verbe (en grec : *logos**), c'est-à-dire la Parole de Dieu présidant à la création. Il n'est donc pas étonnant que Jésus soit présenté comme l'auteur de nombreux discours. En tant que révélateur de Dieu son Père, le Jésus du quatrième évangile va beaucoup plus loin que Moïse : il n'est pas seulement le porte-parole, mais il incarne personnellement la Parole, tellement proche du Père qu'il est Dieu lui-même, sans pour autant se confondre avec le Père :

Au commencement était le Verbe, et le Verbe était auprès de Dieu, et le Verbe était Dieu. Il était au commencement auprès de Dieu. Tout fut par lui, et sans lui rien ne fut. Ce qui fut en lui était la vie, et la vie était la lumière des hommes, et la lumière luit dans les ténèbres, et les ténèbres ne l'ont pas saisie. (1,1-5)

Déjà présente dans la création et manifestée à Israël par le ministère des prophètes, la Parole divine rejoint l'histoire humaine à travers la personne même de Jésus. Le témoignage de Jean Baptiste reconnaît en Jésus la véritable lumière, identique au Verbe de Dieu. Le principe universel, à l'origine de toute réalité créée, se confond avec l'être concret de Jésus. La venue du Verbe dans la condition humaine (l'incarnation* : « Le Verbe s'est fait chair » ; Jn 1,14) constitue le sommet du don divin et manifeste un engagement de Dieu plus radical que l'Alliance avec Moïse :

Il y eut un homme envoyé de Dieu. Son nom était Jean. Il vint pour témoigner, pour rendre témoignage à la lumière, afin que tous crussent par lui. Celui-là n'était pas la lumière, mais il avait à rendre témoignage à la lumière. Le Verbe était la lumière véritable, qui éclaire tout homme ; il venait dans le monde, et le monde fut par lui. (Jn 1,6-10)

Placée en prologue de l'évangile, cette hymne au Verbe de Dieu annonce les thèmes qui seront développés tout au long des discours. Surtout, elle résume tout le mystère de Jésus autour d'un mot clé : « Monogène », c'est-à-dire « Fils unique », ou encore « Unique-Engendré ». Plus encore que le titre de « Verbe », familier de la culture grecque contemporaine, l'expression « Fils unique » est la seule qui puisse suggérer le caractère absolument inédit de la relation entre Jésus et le Dieu de Moïse. Vis-à-vis de Dieu depuis toute éternité et, à ce titre, associé à l'œuvre de la création, le Fils est l'envoyé parfaitement

DOCUMENT

LA PAROLE DE DIEU DANS LE TARGOUM

Les targoums* sont de libres traductions de la Bible juive dans la langue araméenne, usuelle en Palestine au temps de Jésus. Les libertés prises par rapport au texte hébreu révèlent la sensibilité du judaïsme palestinien au début de notre ère. Dans la reprise du récit de création de Gn 1, le targoum amplifie le rôle de la Parole. Loin d'être seulement un attribut de Dieu, elle est traitée comme un être personnel, sujet de verbes d'action et de parole. Une telle insistance évoque la personnification de la Parole divine (le Verbe) dans le prologue de Jean. Dans l'édition du Codex Neofiti 1 (trad. R. Le Déaut), on peut ainsi lire :

Dès le commencement, la Parole du SEIGNEUR, avec sagesse, créa et acheva les cieux et la terre (tg Gn 1,1).

La Parole du SEIGNEUR dit : Qu'il y ait de la lumière ! et il y eut de la lumière selon la décision de sa Parole. Et il apparut devant le SEIGNEUR que la lumière était bonne et la Parole du SEIGNEUR sépara la lumière des ténèbres (tg Gn 1,3-4).

Et la Parole du SEIGNEUR créa le fils de l'homme à sa ressemblance ; à l'image de devant le SEIGNEUR il le créa ; mâle et partenaire, il les créa. La Gloire du SEIGNEUR les bénit et la Parole du SEIGNEUR leur dit : Croissez et multipliez-vous ! (tg Gn 1,27-28).

DOCUMENT

LE LOGOS DIVIN CHEZ PHILON D'ALEXANDRIE

Le mot grec *logos* désigne la parole et constitue à ce titre un attribut privilégié du Dieu de la Bible. Créateur du monde, le Dieu d'Israël fait alliance avec son peuple et s'adresse à lui par l'intermédiaire des prophètes (= « porte-parole » en grec). Mais, en langue grecque, le mot *logos* désigne aussi la raison : les philosophes grecs voient dans le Logos divin le principe de rationalité présidant au bon fonctionnement de l'univers.

Le premier auteur qui a associé au récit biblique de la création la réflexion philosophique sur le Logos universel est sans doute le grand penseur Philon d'Alexandrie. Contemporain de Jésus et des Apôtres, Philon opère une véritable rencontre entre la foi juive et la culture grecque. Il célèbre le Logos du Dieu créateur en des mots qui annoncent le prologue de Jean. Philon reconnaît au Verbe de Dieu un statut quasi personnel et lui attribue un certain nombre de titres, proches de la théologie chrétienne ultérieure : « Son premier-né, le Logos, le plus ancien des anges, d'une certaine manière le chef des anges (archange). Il a bien des noms : on l'appelle Commencement, Nom de Dieu, Logos, l'Homme à l'image de Dieu, le Voyant, Israël. »

(*De confusione linguarum*, 145.
Trad. J.G. Kahn)

Ou bien encore, évoquant la création du premier homme, conçu pour accueillir comme dans un temple « l'âme rationnelle (litt. « l'âme logique », c'est-à-dire du *logos*), la plus ressemblante à Dieu des images divines, que l'homme devait porter en lui », Philon déclare : « Dieu ne semble s'être servi pour le fabriquer, d'aucun autre modèle pris dans le devenir, mais uniquement de son propre Logos. Aussi Moïse dit-il que c'est une représentation de ce Logos qu'est devenu l'homme vivifié par le souffle au visage » ; et, un peu plus loin : « Il est nécessaire que d'un modèle de toute beauté, la copie soit de toute beauté. Or le Logos de Dieu vaut mieux que la beauté même. »

(*De opificio mundi*, 136-139.
Trad. R. Arnaldez)

mandaté (Jn 6,27). Il est, dans la condition humaine, la révélation même du Dieu inaccessible :

Et le Verbe s'est fait chair et il a campé parmi nous, et nous avons contemplé sa gloire, gloire qu'il tient du Père comme Unique-Engendré, plein de grâce et de vérité. Jean lui rend témoignage et s'écrie : « C'est de lui que j'ai dit : Celui qui vient derrière moi, le voilà passé devant moi, parce qu'avant moi il était. » Oui, de sa plénitude nous avons tous reçu, et grâce pour grâce. Car la Loi fut donnée par l'entremise de Moïse, la grâce et la vérité advinrent par l'entremise de Jésus Christ. Nul n'a jamais vu Dieu ; le Fils Unique-Engendré, qui est dans le sein du Père, lui, l'a fait connaître. (Jn 1,14-18)

Totalement dévoué au projet de Dieu, Jésus le Fils unique en révèle les desseins, à travers tous les actes et paroles de son existence d'homme : « Ma nourriture est de faire la volonté de celui qui m'a envoyé et de mener son œuvre à bonne fin » (Jn 4,34). En retour, il jouit de la pleine confiance du Père et peut se présenter comme l'exécuteur fidèle des œuvres divines :

« *Je ne puis rien faire de moi-même. Je juge selon ce que j'entends : et mon jugement est juste, parce que je ne cherche pas ma volonté, mais la volonté de celui qui m'a envoyé.* » (Jn 5,30)

« *J'ai plus grand que le témoignage de Jean : les œuvres que le Père m'a donné à mener à bonne fin, ces œuvres mêmes que je fais me rendent témoignage que le Père m'a envoyé.* » (Jn 5,36)

La divinité de Jésus

Venu d'auprès de Dieu ou bien, dans un langage imagé, « descendu du ciel », Jésus accomplit la figure du Fils de l'homme, personnage céleste issu de la tradition des apocalypses* juives. Comme le Fils de l'homme, Jésus préside au jugement universel : « Comme le Père en effet a la vie en lui-même, de même a-t-il donné au Fils d'avoir aussi la vie en lui-même ; et il lui a donné pouvoir d'exercer le jugement parce qu'il est Fils d'homme » (Jn 5,26-27). Si l'incarnation constitue une descente d'auprès de Dieu, le destin de Jésus culmine dans son retour auprès de Dieu, c'est-à-dire sa montée vers le Père, ou encore son exaltation à la droite du Père : « Nul n'est montré au ciel, hormis celui qui est descendu du ciel, le Fils de l'homme » (Jn 3,13).

Mais cette élévation coïncide avec l'heure de la croix. Soulevé au-dessus de terre, le Fils de l'homme répand le salut de Dieu sur l'humanité : « Comme Moïse éleva le serpent dans le désert, ainsi faut-il que soit élevé le Fils de l'homme, afin que quiconque croit ait en lui la vie éternelle » (Jn 3,14-15).

Alors seulement éclate au grand jour sa condition divine : « Quand vous aurez élevé le Fils de l'homme, alors vous saurez que Moi, Je Suis et que je ne fais rien de moi-même, mais je dis ce que le Père m'a enseigné, et celui qui m'a envoyé est avec moi ; il ne m'a pas laissé seul, parce que je fais toujours ce qui lui plaît » (8,28-29). Les discours du quatrième évangile préparent le lecteur à interpréter le récit de la Passion, non comme l'échec humain du prophète Jésus trahi par son peuple, mais comme la manifestation en gloire de l'unique Sauveur, le Fils envoyé du Père et parfaitement fidèle à la mission reçue.

Une telle affirmation de la divinité de Jésus n'est possible qu'au regard de la foi. Le prologue de Jean appelle la constitution d'une communauté de témoins, pour qui la foi en Jésus constitue une véritable naissance. À la différence des païens (« le monde »), voire du peuple d'Israël (« les siens »), les disciples de Jésus reconnaissent en sa personne la présence concrète du Verbe de Dieu :

Il était dans le monde, et le monde fut par lui, et le monde ne l'a pas reconnu. Il est venu chez lui, et les siens ne l'ont pas accueilli. Mais à tous ceux qui l'ont accueilli, il a donné pouvoir de devenir enfants de Dieu, à ceux qui croient en son nom, eux qui ne furent engendrés ni du sang, ni d'un vouloir de chair, ni d'un vouloir d'homme, mais de Dieu. (Jn 1,10-13)

De la même façon, Jésus propose au pharisien* Nicodème de « naître de nouveau » (Jn 3,3 ; on peut aussi traduire « naître d'en haut »), c'est-à-dire de se reconnaître enfant de Dieu, au-delà de la seule naissance terrestre : « En vérité, en vérité, je te le dis, à moins de naître de nouveau, nul ne peut voir le Royaume de Dieu » (Jn 3,3) ; ou encore : « En vérité, en vérité, je te le dis, à moins de naître d'eau et d'esprit, nul ne peut entrer dans le Royaume de Dieu » (Jn 3,5). L'échec de Nicodème, pourtant présenté comme un savant en matière religieuse, suggère que

REPÈRE

QUE VEULENT DIRE LES CHRÉTIENS QUAND ILS PARLENT DU MYSTÈRE DE L'INCARNATION ?

Le mot « Incarnation », familier au christianisme, découle directement du prologue de Jean. Pour dire que Jésus le Fils de Dieu est devenu pleinement et concrètement homme, le quatrième évangile emploie le mot « chair » : « Le Verbe s'est fait chair » (Jn 1,14).

Ce terme est devenu quasi incompréhensible de nos jours. Chez saint Jean, il n'a aucune valeur péjorative ; il ne s'oppose pas non plus à l'âme, comme dans la distinction grecque de l'âme et du corps. Il désigne simplement la condition humaine dans sa réalité concrète, corps et âme confondus. Inscrite dans l'espace et le temps, la situation de l'homme est vouée à la mort ; mais, pour le quatrième évangile, cette mort n'est pas définitive. Par la foi, l'homme naît à une vie nouvelle, qui est dite « esprit », par distinction de l'existence simplement humaine appelée « chair ». C'est cela que Nicodème refuse de reconnaître, s'enfermant dans un matérialisme sans issue : « Comment un homme peut-il naître, étant vieux ? Peut-il une seconde fois entrer dans le ventre de sa mère et naître ? » (Jn 3,4).

En revanche, les croyants adhèrent à cette vie de Dieu, qualifiée d'éternelle, parce que différente des réalités passagères de la condition terrestre : « Qui boira de l'eau que je lui donnerai n'aura plus jamais soif ; l'eau que je lui donnerai deviendra en lui source d'eau jaillissant en vie éternelle » (Jn 4,14) ; « Mes brebis écoutent ma voix, je les connais et elles me suivent ; je leur donne la vie éternelle ; elles ne périront jamais et nul ne les arrachera de ma main » (Jn 10,27-28).

Traduit en français moderne, le mot « Incarnation » pourrait désigner « l'humanisation » de Dieu, avec en retour la « divinisation » offerte à l'être humain, à travers la communion à la personne de Jésus, le Fils unique, mort dans la condition humaine (la chair) et ressuscité à l'éternelle vie de Dieu. Il s'agit du cœur de la foi chrétienne : Dieu s'est fait homme, pour que l'homme soit fait Dieu !

la foi dépasse les seules capacités de l'homme : « Comment un homme peut-il naître, étant vieux ? Peut-il une seconde fois entrer dans le sein de sa mère et naître ? » (Jn 3,4) ; et encore, dans la bouche du même Nicodème : « Comment cela peut-il se faire ? » (Jn 3,9).

L'adhésion de la foi

L'adhésion de foi à la personne de Jésus ne peut se réaliser sans une démarche vraiment spirituelle, c'est-à-dire tournée vers autre chose que la simple satisfaction des besoins terrestres. Une telle conversion implique une liberté intérieure aussi forte que celle du vent, imprévisible par définition : « Le vent souffle où il veut et tu entends sa voix, mais tu ne sais pas d'où il vient ni où il va. Ainsi en est-il de quiconque est né de l'Esprit » (Jn 3,8). La foi est essentiellement don de Dieu. L'abandon des disciples demeure un scandale, incompréhensible du point de vue de la raison : « Jésus savait en effet dès le commencement qui étaient ceux qui ne croyaient pas et qui était celui qui le livrerait. Et il disait : Voilà pourquoi je vous ai dit que nul ne peut venir à moi, si cela ne lui est donné par le Père » (Jn 6,64-65).

Cette révélation choque profondément les interlocuteurs juifs de Jésus. Le quatrième évangile est tout sauf irénique. À l'incompréhension de Nicodème succède le désenchantement de la foule, voire l'hostilité de certains groupes violents. Jésus se trouve en danger de mort, lorsqu'il ose se présenter comme l'égal de Dieu, antérieur même à Abraham, le père des croyants : « Ils ramassèrent alors des pierres pour les lui jeter ; mais Jésus se déroba et sortit du Temple » (Jn 8,59).

Une aussi forte affirmation traduit le point de vue des communautés d'après Pâques. C'est à la lumière de la Résurrection et au titre de leur foi que les chrétiens du groupe johannique* confessent aussi nettement la divinité de Jésus. En ce sens, les discours, même constitués de fragments primitifs, expriment la théologie de communautés déjà anciennes, riches de l'expérience de plusieurs générations de croyants.

Le don de l'Esprit

Les auteurs du quatrième évangile sont bien conscients que la profondeur du regard porté sur Jésus Fils de Dieu n'est pas seulement le fruit d'une réflexion humaine. Il y a là une sorte d'inspiration, qui est elle-même un don de Dieu : « Et il disait : Voilà pourquoi je vous ai dit que

REPÈRE

« CONNAÎTRE » DANS LA BIBLE

Les mots « connaître » et « connaissance » traduisent des mots grecs qui ont donné le français « gnose* ». Ils sont fréquents dans le quatrième évangile. Le risque est grand de les comprendre au sens d'une activité proprement intellectuelle : l'évangile de Jean serait destiné à l'élite et l'expérience de la foi réservée aux savants. Déjà dans l'Antiquité (IIe et IIIe siècles), les sectes gnostiques s'appuyaient sur le quatrième évangile pour exprimer leur conception d'un salut par la « connaissance », c'est-à-dire une sorte d'éveil de la conscience par voie d'initiation.

En fait, dans l'ensemble de la Bible, le verbe « connaître » a un sens beaucoup plus large qu'aujourd'hui. Il s'agit d'une véritable communion entre deux êtres, y compris à travers les relations physiques. Dès lors, connaître Jésus, ce n'est pas acquérir un savoir objectif sur son identité, mais communier à sa personne et partager sa vie, dans une relation d'amour et de foi. Dans la mesure où le Fils est lui-même intimement uni au Père, la foi en Jésus Christ donne accès à la vie de Dieu et met en communion avec le Père : « La vie éternelle, c'est qu'ils te connaissent, toi le seul véritable Dieu, et celui que tu as envoyé, Jésus Christ » (Jn 17,3). Il s'agit d'une relation existentielle, impliquant toute la personne, comme Jésus le rappelle à Pierre, lors du lavement des pieds : « Si je ne te lave pas, tu n'as pas de part avec moi » (Jn 13,8).

De même, si Jésus est à proprement parler la vérité, il est tout autant et inséparablement le chemin, qui conduit à cette vérité, et la vie, qui découle de cette même vérité. Dans le quatrième évangile, la connaissance est un processus vital et dynamique : elle suppose que le disciple sorte de lui-même et se mette en route à la suite de Jésus : « Thomas lui dit : Seigneur, nous ne savons pas où tu vas. Comment saurions-nous le chemin ? Jésus lui dit : Moi, je suis le Chemin, la Vérité et la Vie. Nul ne vient au Père sinon par moi » (Jn 14,5-6).

nul ne peut venir à moi, si cela ne lui est donné par le Père » (Jn 6,65). C'est pourquoi les discours d'avant la passion insistent sur l'œuvre de l'Esprit Saint. Lui seul est en mesure de révéler aux disciples la vérité relative à Jésus :

> « *Quand il viendra, lui, l'Esprit de vérité, il vous guidera dans la vérité tout entière ; car il ne parlera pas de lui-même, mais ce qu'il entendra, il le dira et il vous expliquera les choses à venir. Lui me glorifiera, car c'est de mon bien qu'il recevra et il vous l'expliquera.* » (Jn 16,13-14)

C'est bien l'Esprit Saint qui permet d'actualiser les enseignements de Jésus et donne aux disciples d'en recevoir toute la substance : « Le Paraclet, l'Esprit Saint, que le Père enverra en mon nom, lui vous enseignera tout et vous rappellera tout ce que je vous ai dit » (Jn 14,26).

Dans les discours d'avant la Passion, Jésus précise non seulement le rôle de l'Esprit Saint mais aussi son origine. Il vient du Père, mais c'est par l'entremise du Fils : « Si vous m'aimez, vous garderez mes commandements ; et je prierai le Père, et il vous donnera un autre Paraclet, pour qu'il soit avec vous à jamais, l'Esprit de Vérité, que le monde ne peut pas recevoir, parce qu'il ne le voit pas ni ne le reconnaît » (Jn 14,15-17) ; « Lorsque viendra le Paraclet, que je vous enverrai d'auprès du Père, l'Esprit de vérité, qui vient du Père, il me rendra témoignage » (Jn 15,26). La venue de l'Esprit auprès des disciples est inséparable de la mort et de la résurrection de Jésus. Dans la mesure où le Fils de Dieu se retire de l'histoire, il donne aux croyants d'être sa propre parole au cœur du monde. Pour ce faire, il leur transmet son Esprit, littéralement le « souffle » qui inspirera leur témoignage :

« Je vous dis la vérité : c'est votre intérêt que je parte ; car si je ne pars pas, le Paraclet ne viendra pas chez vous ; mais si je pars, je vous l'enverrai. » (Jn 16,7)

Quand il eut pris le vinaigre, Jésus dit : « C'est achevé » et, inclinant la tête, il rendit l'esprit. (19,30)

Il souffla et leur dit : « Recevez l'Esprit Saint. Ceux à qui vous remettrez les péchés, ils leur seront remis ; ceux à qui vous les retiendrez, ils leur seront retenus. » (20,22)

Du don de l'Esprit Saint naît la communauté, mais celle-ci se trouve affrontée à de multiples difficultés. Outre la rupture avec le judaïsme,

Repère

La conscience de Jésus : Jésus savait-il qu'il était Dieu ?

Dans une première approche, le Jésus du quatrième évangile peut donner l'impression d'être quelque peu « désincarné », ce qui serait contradictoire avec l'affirmation centrale de l'Incarnation. De fait, Jésus paraît souverainement maître de son destin ; sa souffrance même paraît atténuée. De l'agonie au jardin des Oliviers, il ne reste qu'un trouble (Jn 12,37), dont Jésus est aussitôt libéré par l'intervention d'une voix céleste. Cependant, l'humanité de Jésus est rappelée tout au long du récit : il a soif et se montre fatigué sous le soleil de midi (Jn 4,6) ; il pleure la mort de son ami Lazare (Jn 11,35) ; il est profondément bouleversé par la trahison de Judas (Jn 13,21).

Plusieurs notes relatives à la maîtrise de Jésus (ex. Jn 2,24-25 ou Jn 6,64-65) pourraient bien être des ajouts, donnant le point de vue de l'auteur. Pour l'évangéliste, Jésus a beau paraître vulnérable aux machinations humaines, au fond de lui il est parfaitement conscient des ambiguïtés de la situation (Jn 7,3-10) et tout à fait lucide quant au comportement de Judas (Jn 6,70-71).

Une telle clairvoyance est-elle seulement le fait d'une grande sagesse humaine, ou faut-il y voir l'effet de la conscience divine ? La question est sans réponse. Faute de parallèle, il est impossible de savoir comment Jésus pouvait vivre à la fois l'omniscience divine et les aléas de la condition humaine. De toutes façons, l'évangile recueille l'expérience spirituelle d'après Pâques* : les questions posées par la vie publique sont relues par des croyants qui disposent désormais d'une partie de la réponse. Pour l'évangéliste et la communauté qui le soutient, il ne fait pas de doute que Jésus est le Fils unique, éternel comme Dieu lui-même. Quant à la façon dont Jésus lui-même pouvait en tant qu'homme vivre cette condition divine, les auteurs du quatrième évangile ne le savaient pas plus que nous.

la communauté de Jean éprouve l'indifférence du monde païen. Surtout elle souffre de ses propres divisions. La prière de Jésus avant la Passion (ch. 17) est centrée sur le thème de l'unité : aveu indirect de l'importance des divisions affectant la communauté dans les dernières années du Ier siècle. Seule l'unité entre Jésus et son Père peut servir de modèle et de source pour une vie communautaire harmonieuse :

« *Je ne prie pas pour eux seulement, mais aussi pour ceux qui, grâce à leur parole, croiront en moi, afin que tous soient un. Comme toi, Père, tu es en moi et moi en toi, qu'eux aussi soient en nous, afin que le monde croie que tu m'as envoyé. Je leur ai donné la gloire que tu m'as donnée, pour qu'ils soient un comme nous sommes un : moi en eux et toi en moi, afin qu'ils soient parfaits dans l'unité, et que le monde reconnaisse que tu m'as envoyé et que tu les as aimés comme tu m'as aimé.* » (Jn 17,20-23)

Le quatrième évangile insiste sur le caractère personnel de l'Esprit Saint : égal du Père et du Fils, il est indispensable à la communion divine, qui s'appellera plus tard la Trinité. Il est nécessaire à la vie des chrétiens et joue auprès d'eux le rôle de « Paraclet* » (un mot grec qui signifie « avocat, défenseur »). Vu les difficultés rencontrées, tant à l'extérieur qu'à l'intérieur, le soutien de l'Esprit « défend » la communauté contre les attaques de ses adversaires. La menace des persécutions se profile à l'horizon des dernières années du Ier siècle. L'Esprit protège aussi la communauté de ses propres démons, à commencer par la désunion.

L'évangile de Jean ne développe pas une théologie de la Trinité, au sens intellectuel du terme, mais il montre la cohérence entre : l'amour de Dieu pour l'humanité ; la mission de Jésus, le Fils unique envoyé du Père ; l'action de l'Esprit Saint auprès de la communauté des croyants. En ce sens, les discours du quatrième évangile constituent un sommet de l'affirmation chrétienne relative au salut en Jésus Christ :

« *Dieu a tant aimé le monde qu'il a donné son Fils, l'Unique-Engendré, afin que quiconque croit en lui ne se perde pas, mais ait la vie éternelle. Car Dieu n'a pas envoyé le Fils dans le monde pour juger le monde, mais pour que le monde soit sauvé par son entremise.* » (Jn 3,16-17)

Loin d'imposer une vision synthétique, la spirale des discours entraîne le lecteur dans une méditation, qui le conduit par étapes au cœur du mystère chrétien.

Y.-M. B.

L'Apocalypse johannique

De tous temps, l'homme cherche à scruter l'inconnu, et cela particulièrement dans les moments de crise. Pour les peuples de l'Orient ancien, les divinités étaient censées révéler le destin de l'individu et la marche de l'histoire à travers des signes inscrits dans la nature : vol d'oiseaux, mouvement des étoiles, des nuages, du vent...

Le judaïsme* et le christianisme ne peuvent accepter la divination païenne*. L'astrologie est vaine. C'est Dieu qui lève le voile des secrets du monde et de l'histoire. D'où la floraison entre 150 av.J.C. et 100 ap.J.C. d'écrits qui veulent apporter par révélation une connaissance secrète de l'univers, du passé, du présent, de l'avenir, et même de la fin des temps.

L'Apocalypse johannique* s'inscrit dans cette perspective. Et pourtant elle s'en démarque également. À travers le genre littéraire déroutant et le langage imagé de la littérature apocalyptique*, le livre révèle le Ressuscité qui régente l'histoire tandis que les empires s'agitent et s'écroulent. L'Apocalypse johannique est essentiellement un cri d'espérance.

Un genre littéraire déroutant

Le terme « apocalypse » n'est pas du tout rassurant. N'est-il pas synonyme de guerres, de séismes, de catastrophes écologiques et humaines ? En fait, le mot dérive du grec *apokalypsis* qui se traduit par « dévoilement, manifestation, révélation ». L'Apocalypse johannique est une *révélation de Jésus Christ* par Jésus Christ (Ap 1,1). Cette révélation est écrite dans le langage apocalyptique.

Né avec les livres d'Isaïe, d'Ézéchiel, puis de Joël et de Zacharie, ce genre littéraire s'épanouira avec le livre de Daniel. Ce dernier servira de modèle aux apocalypses apocryphes* juives ou chrétiennes, aux textes apocalyptiques de Paul ou des évangiles synoptiques et, bien sûr, à l'Apocalypse johannique.

L'apocalyptique est un genre difficile à définir. On peut juste en esquisser les grands traits tels qu'ils apparaissent dans les textes, comme celui de la vision du Fils de l'homme :

Moi, Jean votre frère et votre compagnon dans l'épreuve, la royauté et la constance, en Jésus. Je me trouvais dans l'île de Patmos, à cause de la Parole de Dieu et du témoignage de Jésus. Je tombai en extase, le jour du Seigneur, et j'entendis derrière moi une voix clamer, comme une trompette : « Ce que tu vois, écris-le dans un livre pour l'envoyer aux sept Églises : à Éphèse, Smyrne, Pergame, Thyatire, Sardes, Philadelphie, et Laodicée. » Je me retournai pour regarder la voix qui me parlait ; et m'étant retourné, je vis sept candélabres d'or, et, au milieu des candélabres, comme un Fils d'homme revêtu d'une longue robe serrée à la taille par une ceinture en or. Sa tête, avec ses cheveux blancs, est comme de la laine blanche, comme de la neige, ses yeux comme une flamme ardente, ses pieds pareils à de l'airain précieux que l'on aurait purifié au creuset, sa voix comme la voix des grandes eaux. Dans sa main droite il a sept étoiles, et de sa bouche sort une épée acérée, à double tranchant ; et son visage, c'est comme le soleil qui brille dans tout son éclat. » (Ap 1,9-16)

Le genre apocalyptique se caractérise essentiellement par des visions, une utilisation abondante du lange imagé, un arrière-fond d'opposition au pouvoir politique, un appel à la persévérance. Les visions se traduisent par des verbes de sensation : « je vis », « j'entendis ». De même, l'expression « je fus en extase » (litt. « je fus en esprit ») est utilisée dans le livre pour dire l'expérience de la vision. L'auteur voit et entend avec les yeux et les oreilles d'une foi vivante et concrète.

Le langage apocalyptique est très imagé. L'auteur emploie de nombreux symboles, souvent difficiles à décrypter, montrant ainsi que le message vient de Dieu lui-même. Ainsi, la figure du Fils de l'homme est présentée à travers une série d'images empruntées à l'Ancien Testament, essentiellement au livre de Daniel. La longue robe évoque le grand prêtre*, l'or de la ceinture est un symbole royal, l'aspect du visage marque sa majesté terrifiante, les cheveux blancs sa divinité, et les yeux ardents signifient son omniscience divine.

Un arrière-fond d'opposition entre le peuple de Dieu et les autorités politiques, considérées comme des suppôts des forces du mal, caractérise également l'apocalyptique. Ainsi, Jean évoque l'épreuve de la persécution. Exilé dans l'île de Patmos, il écrit aux chrétiens d'Asie Mineure, représentés par les communautés d'Éphèse, Smyrne, Pergame, Thyatire, Sardes, Philadelphie et Laodicée. Des souverains romains avaient tendance à se faire diviniser de leur vivant. À Éphèse, capitale provinciale de l'Asie, l'empereur Domitien (81-96) fit construire un temple où il était honoré. Refusant de souscrire à ces prétentions blasphématoires, les chrétiens sont marginalisés, persécutés, et certains mis à mort.

Les persécutions risquent de démobiliser les chrétiens. Ceux-ci deviennent perméables aux doctrines gnosticisantes* et docètes* que véhiculent de faux apôtres et qui distillent une morale de tiédeur. D'où l'appel de Jean à la constance et à la loyauté. Dans la lutte qui l'oppose aux ennemis de son peuple, le Fils de l'homme, le Messie* de Dieu, aura le dernier mot.

Jean reprend donc les formes du genre apocalypse, mais sans s'y asservir. Il bouleverse profondément la structure et surtout la théologie de l'apocalyptique traditionnelle. Ainsi, celle-ci utilise la pseudonymie et l'antidatation. L'auteur se met sous le patronage d'un ancêtre (Adam, Abraham, Daniel...) pour se donner du crédit et également pour des raisons de sécurité. Or, la pseudonymie et l'antidatation sont

BIBLE

ÉZÉCHIEL ET LA VISION DES QUATRE VIVANTS

Le prophète Ézéchiel utilise des images complexes, rendues hermétiques par la distance historique. Ainsi la vision des quatre vivants. Le prophète décrit des animaux fantastiques, à tête humaine, au corps de lion, aux pattes de taureau, et aux ailes d'aigle. Ce sont des créatures mythologiques empruntées à la culture babylonienne. En effet, on trouvait les statues de ces bêtes devant les palais en Babylonie, où les Juifs avaient été déportés. Ces bêtes étaient censées servir les divinités païennes. L'Ancien Testament a repris cette symbolique sous la forme des chérubins. Ceux-ci sont au service de Dieu : ils soutiennent son trône et lui servent de monture.

Pour Ézéchiel, les chérubins tirent le char du Seigneur. Dieu est comparé à un roi puissant, monté sur son char, véhiculé et servi par la création tout entière représentée, par ces bêtes fantastiques. Les quatre faces, qui leur permettent de se déplacer dans chacune des quatre directions, symbolisent les quatre points cardinaux, l'ensemble de la terre. En assujettissant ainsi ces êtres au Dieu d'Israël, le prophète montre la transcendance du Dieu biblique qui est au-dessus des divinités païennes :

Au centre, je discernai quelque chose qui ressemblait à quatre êtres vivants dont voici l'aspect : ils avaient une forme humaine. Ils avaient chacun quatre faces et quatre ailes. Leurs jambes étaient droites et leurs sabots étaient des sabots de bœuf, étincelants comme l'éclat de l'airain poli. Sous leurs ailes, il y avait des mains humaines tournées vers les quatre directions, de même que leurs faces et leurs ailes à eux quatre. Leurs ailes étaient jointes l'une à l'autre ; ils ne se tournaient pas en marchant : ils allaient chacun devant soi. Quant à la forme de leurs faces, ils avaient une face d'homme, et tous les quatre avaient une face de lion à droite, et tous les quatre avaient une face de taureau à gauche, et tous les quatre avaient une face d'aigle. (Ez 1,5-10) absentes de l'Apocalypse johannique. Jean, lui, parle à visage découvert : « Moi, Jean... »

De plus, l'Apocalypse johannique est avant tout un écrit prophétique, comme le soulignent de nombreuses références au vocabulaire de la prophétie : « prophétiser », « prophétie », « prophète », « prophétique », « parole prophétique », « le livre de la prophétie ». Jean se présente comme prophète. Sa mission est une investiture prophétique à l'instar de celle du prophète Ézéchiel dont il s'inspire.

Jean se sert du genre apocalyptique pour transmettre un message prophétique et chrétien. Ainsi, il exclut le déterminisme qui caractérise les apocalypses traditionnelles. Là, en effet, tout a été fixé d'avance par Dieu. Le rôle du voyant est de dévoiler aux hommes ce dessein caché dans des livres tenus secrets au ciel. Au temps fixé, les ennemis de Dieu seront irrémédiablement détruits. À la suite des prophètes de l'Ancien Testament, Jean, lui, se sent investi par le Fils de l'homme pour interpeller vigoureusement aussi bien les chrétiens que les païens. L'Apocalypse johannique est une révélation de Jésus Christ qui appelle à la conversion et ouvre à l'espérance.

Une floraison d'images

Le livre de l'Apocalypse est caractérisé par une floraison d'images : nombres, couleurs, bêtes, personnages, lieux... L'auteur les emprunte au monde oriental, et plus précisément à la littérature biblique et apo-

Document

Ézéchiel et le livre mangé

Le langage coloré et complexe d'Ézéchiel dit la richesse et la grandeur de la gloire de Dieu. L'homme ne peut pas l'exprimer en des formules figées, simplistes et inadéquates. Il ne peut que la balbutier à travers des images, apparemment incohérentes, incompréhensibles, mais qui invitent chacun à faire l'expérience de Dieu.

Ainsi pour dire son investiture prophétique et les exigences de la mission qui lui est confiée, le prophète se sert de l'image de la bibliophagie. Il raconte une vision où l'ange de Dieu l'invite à manger le rouleau de la parole de Dieu, pour soutenir l'espérance de ses frères en exil et être au milieu d'eux comme un guetteur :

Il me dit : « Fils d'homme, ce qui t'est présenté, mange-le ; mange ce volume et va parler à la maison d'Israël. » J'ouvris la bouche et il me fit manger ce volume, puis il me dit : « Fils d'homme, nourris-toi et rassasie-toi de ce volume que je te donne. » Je le mangeai et, dans ma bouche, il fut doux comme du miel. Alors il me dit : « Fils d'homme, va-t-en vers la maison d'Israël et tu leur porteras mes paroles... » (Ez 3,1-4)

calyptique. La vision du livre scellé nous en fournit quelques exemples :

Et je vis dans la main droite de Celui qui siège sur le trône un livre roulé, écrit au recto et au verso, et scellé de sept sceaux. Et je vis un Ange puissant proclamant à pleine voix : « Qui est digne d'ouvrir le livre et d'en briser les sceaux ? » Mais nul n'était capable ni dans le ciel, ni sur la terre, ni sous la terre, d'ouvrir le livre et de le lire. L'un des Vieillards me dit alors : « Ne pleure pas. Voici : il a remporté la victoire, le Lion de la tribu de Juda, le Rejeton de David ; il ouvrira donc le livre aux sept sceaux. » (Ap 5, 1-5)

Ce passage s'ouvre sur la présentation de l'objet principal du texte : le livre. Ensuite, une question clé est posée : qui est digne d'ouvrir ce livre ? Réponse dramatique : personne ! Désolé, le voyant est rassuré par un des vieillards. Alors apparaît solennellement un Agneau qui

DOCUMENT

LE *QUATRIÈME ESDRAS*

Écrit probablement en langue sémitique (hébreu ou araméen), le quatrième livre d'Esdras (4 Esd) est contemporain de l'Apocalypse johannique. L'œuvre est un cri d'espérance adressé à la communauté juive atterrée après la destruction du temple par les Romains. Leur souverain est représenté ici par l'aigle, symbole des enseignes, des armoiries de l'empire. L'auteur veut susciter dans le peuple la confiance en la restauration par le Seigneur de Jérusalem et du temple.

Ce message est transmis pour l'essentiel par une série de sept visions. La cinquième est celle de l'aigle et du lion. L'aigle désigne, de manière allégorique, la toute-puissance du pouvoir romain. Mais un lion, qui évoque la figure messianique du lion de Juda, viendra mettre fin aux prétentions totalitaires de l'empire :

Pendant la seconde nuit, j'eus un songe. Et voici qu'un aigle montait de la mer ; il avait douze ailes empennées et trois têtes. Je vis qu'il étendait ses ailes sur toute la terre et que tous les vents du ciel soufflaient sur lui et que les nuages se rassemblaient autour de lui. Je vis encore que de ses ailes naissaient des ailes opposées aux premières et elles devinrent de petites ailes, minces et menues. Mais ses têtes dormaient ; la tête du milieu était plus grande que les autres têtes, mais elle dormait aussi avec elles. Puis je vis l'aigle s'envoler sur ses ailes pour régner sur la terre et sur ceux qui l'habitent. et je vis que tout ce qui est sous le ciel lui était soumis et que personne ne s'opposait à lui, pas une seule des créatures qui sont sur la terre. [...] Et voici que je vis comme un lion rugissant sorti brusquement de la forêt et j'entendis qu'il avait une voix d'homme en s'adressant à l'aigle. Il parla ainsi : « [...] Le Très Haut a regardé ses temps, et voici qu'ils sont achevés, ses siècles, et ils sont accomplis. C'est pourquoi tu dois disparaître, toi, l'aigle et tes ailes horribles et tes petites ailes funestes et tes têtes perfides et tes serres détestables et tout ton corps d'imposture. Ainsi toute la terre sera soulagée et libérée de ta violence, elle pourra respirer et espérer le jugement et la miséricorde de son créateur. »

(4 Esd 11,1-6.37-46.
Trad. P. Geoltrain)

« s'en vint prendre le livre dans la main de Celui qui siège sur le trône » (Ap 5,7). Tout cela s'exprime en symboles.

Ainsi l'expression « Celui qui trône » évoque un souverain oriental majestueusement assis sur son trône. Cette image désigne Dieu. Il trône royalement tout au long du livre, du début jusqu'à la victoire finale qui voit le châtiment de la grande Babylone et le triomphe définitif de Dieu qui régénère l'histoire des hommes : « Alors Celui qui siège sur le trône déclara : Voici, je fais l'univers nouveau » (Ap 21,5).

Dans sa main droite – celle qui, dans la Bible et chez beaucoup de peuples, signifie la force – Dieu tient un livre. Il s'agit plus précisément d'un rouleau, comme celui d'Ézéchiel (Ez 3,3), mais d'un rouleau scellé. Le sceau est signe d'appartenance et de secret. L'auteur précise que le livre est scellé de sept sceaux. Les chiffres trois, quatre et sept marquent la totalité. Il s'agit donc d'un document secret, complètement scellé (sept sceaux). Il échappe à toute investigation humaine. Seul l'Agneau est capable de le décoder.

DOCUMENT

LES *ORACLES SIBYLLINS*

Écrits à la manière des oracles païens, les oracles sibyllins, de style apocalyptique, ont été composés par des juifs lors de la grande crise qui prépare la révolte juive de Bar Kokhba. Ils sont une critique des persécuteurs du peuple (Grecs et Romains) ; ils dénoncent l'idolâtrie et annoncent le jugement de Dieu. Dans les premiers siècles, ces oracles seront remaniés par des chrétiens. Ceux-ci y liront la venue du Christ, sa victoire sur les idolâtres, et la possibilité de la conversion des nations païennes, dont l'Égypte :

Isis, trois fois malheureuse déesse, tu resteras auprès des eaux du Nil, solitaire, Ménade sans voix sur les sables de l'Achéron, et aucun souvenir de toi ne subsistera plus sur la terre entière. Et toi ô Sérapis, recouvert de bien de vaines pierres, tu reposeras, tel un grand cadavre, dans l'Égypte trois fois infortunée. Tous ceux qui, en Égypte, faisaient de toi l'objet de leur amour te pleureront dans leur connaissance insuffisante du Dieu immortel, mais ils sauront que tu n'es que néant, tous ceux qui ont célébré Dieu par des hymnes. Et, un jour, un homme à la robe de lin, l'un des prêtres, dira : « Venez, édifions un beau temple au vrai Dieu ; venez, abandonnons l'horrible loi qui nous vient de nos pères et à cause de laquelle ils étaient privés de sens, ceux qui menaient des pompes solennelles, célébraient des fêtes en l'honneur de dieux de pierre ou d'argile. Détournons-nous-en nos cœurs et célébrons le Dieu immortel, lui qui est le Père, qui existe éternellement, le Gouverneur de l'Univers, le Dieu véritable, le Roi, le Père qui maintient la vie, le Grand Dieu qui toujours existe. » Il y aura alors en Égypte un grand temple exempt de souillure, et le peuple créé par Dieu y apportera des sacrifices, et Dieu lui fera don de la vie éternelle.

(*Oracles sibyllins* 5,484-503.
Trad. V. Nikiprowetzky)

REPÈRE

QUEL RAPPORT ENTRE L'APOCALYPSE ET L'ÉVANGILE DE JEAN ?

L'Apocalypse johannique fait partie du corpus* johannique*, des trois groupes d'écrits attribués à Jean ou à son école : l'Apocalypse johannique, le quatrième évangile et les épîtres johanniques. En ce sens, le livre a des liens avec le quatrième évangile. Pourtant, cela ne semble pas évident.

Il est vrai que dans le livre, l'auteur se nomme, de manière explicite, à deux reprises : « Jean aux sept Églises d'Asie » (Ap 1,4) ; « Moi Jean » (Ap 1,9). Et pourtant, cette présentation insistante, qui diffère de la discrétion de l'évangéliste, n'a pas convaincu tous les Pères* de l'Église. D'ailleurs, le livre a eu du mal à se faire admettre dans le canon du Nouveau Testament, principalement en Orient. L'utilisation sectaire qu'en font certaines communautés, comme celle du prêtre phrygien Montan, rendra les Pères orientaux plutôt méfiants. Eusèbe de Césarée, s'appuyant sur les témoignages de Papias, de Polycarpe et de Denys d'Alexandrie attribue le livre non pas à Jean l'apôtre, mais à Jean le presbytre (l'ancien), un disciple des apôtres et principalement de Jean.

Denys d'Alexandrie avait relevé des disparités littéraires et théologiques entre les deux écrits. En effet, si les deux livres recourent abondamment aux symboles, ils n'ont cependant pas la même manière de les utiliser. Ceux de l'évangile sont suggestifs, ceux de l'Apocalypse sont plutôt hermétiques. Les deux livres ne relèvent pas du même genre littéraire : l'un est un évangile, l'autre une apocalypse. De même, des termes clés du quatrième évangile sont absents de l'Apocalypse : lumière, ténèbres, vérité, monde...

Tout en reconnaissant ces disparités entre les deux écrits, il faut néanmoins souligner les ressemblances nombreuses entre l'Apocalypse et le quatrième évangile. Quoique de genres littéraires différents, les deux livres ont un goût prononcé pour le symbolisme, l'allégorie* et les parallélismes. On retrouve de nombreux thèmes communs : le témoignage, le Christ comme agneau et berger ainsi que parole de Dieu, l'eau qui donne la vie, la victoire du Christ et des siens, la passion de Jésus présentée comme la glorification de Jésus, les signes, les œuvres à accomplir, la foi, l'observance des commandements... Signalons aussi le même engouement pour les éléments liturgiques : ainsi le quatrième évangile est ponctué de fêtes juives (Pâques, fêtes des Tentes et de la Dédicace) et comporte des allusions sacramentelles (baptême, eucharistie). L'Apocalypse comporte de nombreuses hymnes et allusions liturgiques. Enfin les deux écrits ont la même manière allusive de se référer à l'Ancien Testament. Ainsi, le livre de l'Apocalypse se situe bien dans la tradition johannique. Il doit être lu comme un écrit johannique, que l'œuvre soit écrite par Jean l'apôtre, Jean le presbytre ou un autre membre de l'école johannique.

Néanmoins, il convient de tenir compte de la perspective propre au livre. L'Apocalypse n'est pas un évangile, au sens technique du terme. Elle ne parle que de manière allusive de la vie terrestre de Jésus. Elle est une méditation sur le Ressuscité à la lumière du vécu dramatique des communautés chrétiennes d'Asie. A ces chrétiens persécutés, l'Apocalypse adresse un message d'espérance fondé sur le Ressuscité. Si l'évangile est essentiellement kérygmatique* et catéchétique*, l'Apocalypse a une perspective d'abord éthique : rester fidèle aux exigences concrètes de la foi chrétienne dans les épreuves qui secouent l'Église. Le genre littéraire utilisé permet de marteler ce double appel à l'espérance et à la fidélité aux œuvres.

Dans le mythe babylonien de la création *Enuma Elish*, il est question de tablettes et de livres magiques que Marduk se serait appropriés pour vaincre Tiamat et devenir une nouvelle divinité. La littérature apocalyptique, elle, parle d'écrits secrets et célestes où sont consignées l'histoire des hommes et leurs actions, en vue du jugement.

L'Apocalypse johannique s'inscrit dans l'histoire du salut. Aussi pour Irénée, Origène ou Victorin de Pettau, le livre symbolise les Écritures dont le Christ est l'unique interprète. Hippolyte de Rome va plus loin. L'Agneau est la révélation plénière du plan du salut de Dieu contenu dans les Écritures, plan complètement fermé à la compréhension des êtres humains.

D'après la littérature apocalyptique et l'interprétation des Pères* de l'Église, le livre symbolise ici l'histoire universelle de l'humanité. Par sa victoire pascale, l'Agneau a été jugé digne de prendre le livre et d'en ouvrir les sceaux, c'est-à-dire de donner un sens à l'histoire et d'avoir mainmise sur elle.

Jean superpose les unes sur les autres des images parfois contradictoires. Ainsi, l'agneau égorgé reçoit les titres messianiques de « lion de Juda », de « rejeton de David » (Ap 5,5). En raison de sa mort et de sa résurrection, l'agneau est victorieux : « Alors je vis, debout entre le trône aux quatre Vivants et les Vieillards, un Agneau, comme égorgé » (Ap 5,6). Il est debout, ayant triomphé de la mort et des puissances du mal. On peut alors comprendre que l'auteur ait superposé la figure du lion, symbole de la force, à celle de l'agneau, faible.

Intronisé par Dieu dont il partage la gloire, l'Agneau reçoit la louange de quatre vivants, de vingt-quatre vieillards et des anges. Les quatre vivants représentent les quatre anges qui gouvernent la création, les quatre points cardinaux. Ils symbolisent l'univers créé, le monde vivant. La tradition chrétienne y verra le symbole des quatre évangélistes. Les vingt-quatre vieillards ont une fonction royale et sacerdotale. Ils représentent les vingt-quatre classes sacerdotales du peuple hébreu, deux par tribu. Le chiffre douze évoque les douze tribus du peuple élu, fidèles du Christ. Les vingt-quatre vieillards représentent donc le nouveau peuple de Dieu en gloire, rendant gloire à Dieu et à l'Agneau, participant à leur royauté. Les anges, eux, sont les envoyés spéciaux de Dieu et les interprètes des révélations divines. Ils ont aussi une fonction liturgique : ils louent à pleine voix.

En somme, par un langage imagé, la vision du livre scellé propose une méditation sur l'Agneau. Aux chrétiens persécutés, l'auteur affirme que le maître de l'histoire, ce n'est pas l'empereur, mais le Christ mort et ressuscité. Comme les anges et l'ensemble de la cour céleste, la mission des chrétiens est de le proclamer. Jean reprend des images qui appartiennent à l'héritage commun du monde oriental, plus particulièrement de la littérature biblique et apocalyptique. Mais il les relit en fonction de son message christologique* et éthique.

Les titres du Ressuscité

Dans l'Apocalypse, Jésus est présenté par une surabondance de titres, souvent longs :
– *Fils de l'homme* (Ap 1,13 ; 14,14). Ce titre est repris du livre de Daniel (Dn 7,13). La figure danielique du Fils de l'homme peut désigner une réalité humaine, individuelle ou collective, qui serait l'antithèse des réalités impies symbolisées par les bêtes. Mais elle peut aussi renvoyer à une figure transcendante. En effet, le Fils de l'homme se meut dans un cadre théophanique* : il vient des nuées. Il juge à la place de Dieu. Il n'appartient pas à la création. C'est dans ce sens que l'on comprit les apocalypses juives postérieures au livre de Daniel. De même Jésus s'appliquera cette figure pour dire son origine céleste et se démarquer des ambiguïtés des titres messianiques, comme fils de David. Dans l'Apocalypse, l'expression a une valeur eschatologique et transcendante.
– *Celui qui tient les sept étoiles et marche au milieux des candélabres* (Ap 1,16 ; 2,1). Ici, Jean souligne la seigneurie du Christ sur ses Églises*. Celles-ci sont dans la droite du Maître, sous sa protection. Il marche au milieu d'elles comme le chef, l'inspecteur, le surveillant, l'épiscope véritable. Il est l'incarnation de la présence de Dieu au milieu des hommes.
– *Le Premier et le dernier, l'alpha et l'oméga, Celui qui a été mort et qui a repris vie* (Ap 1,17-18 ; 2,8). Christ est non seulement le Chef de l'Église, mais aussi celui de l'histoire tout entière. Celle-ci ressemble aux ossements desséchés d'Ézéchiel. Lui seul peut la faire revivre en y insufflant sa vie de ressuscité. [*voir* vol. I, p. 317]
– *Celui qui a l'épée acérée à double tranchant* (Ap 1,16 ; 2,12). Serviteur souffrant, l'Agneau est la Parole du Père, « une parole vivante, efficace, incisive, qui pénètre jusqu'aux jointures du cœur… » (He 4,12). Christ sonde les cœurs et les reins. Il met à découvert le cœur de l'homme et l'invite à une conversion véritable.
– *Le Fils de Dieu* (Ap 2,18). Jésus n'est pas simplement un messie, il est le Fils unique du Père. Il a la science divine symbolisée par « les yeux qui sont comme une flamme ardente ». Il possède les sept esprits, c'est-à-dire la plénitude de l'Esprit. Ses pieds d'airain montrent sa stabilité inébranlable et celle de son Église dans un monde secoué, sans assise.

– Jésus est également *le Saint, le Vrai, Celui qui détient la clé de la maison de David* (Ap 3,7). Il incarne la sainteté, la vérité de Dieu. Dans l'Orient ancien, c'est l'intendant du royaume qui en tient les clés. Ce rôle sera dévolu à Pierre. Jésus est le véritable intendant du royaume, le chemin assuré vers le Père : « S'il ouvre, nul ne fermera ; s'il ferme nul n'ouvrira » (Ap 3,7).
– Jésus est l'*Amen, le Témoin fidèle et vrai, le Principe de la création* (3,14). L'hébreu *amen* signifie « ainsi soit-il », « certainement », « c'est vrai », « c'est sûr », « c'est ferme ». De même, Jésus se présente comme l'Amen, la vérité même, la certitude, la solidité par excellence, puisque Dieu. Il est ainsi le témoin fidèle, fiable et sûr.

À partir du chapitre 5, Jésus est désigné surtout comme *l'Agneau*. Le titre apparaît 29 fois dans le livre. L'agneau est *égorgé, immolé*. Son sacrifice a une valeur salvifique. Les nombreuses images royales qui parsèment le livre montrent la seigneurie universelle de Jésus dans le temps et l'espace : « Il est le Seigneur des seigneurs, le Roi des rois » (Ap 17,14 ; 19,6). Il est le principe de la nouvelle création. À travers différents titres, l'Apocalypse dit la préexistence de l'Agneau, sa place au sein de la Trinité et sa mission salvifique :

> *Grâce et paix vous soient données par « Il est, Il était et Il vient », par les sept Esprits présents devant son trône, et par Jésus Christ, le témoin fidèle, le Premier-né d'entre les morts, le Prince des rois de la terre. Il nous aime et nous a lavés de nos péchés par son sang, il a fait de nous une Royauté de Prêtres pour son Dieu et Père : à lui donc la gloire et la puissance pour les siècles des siècles. Amen.* (Ap 1,4-6)

La chute des empires

Au ch. 13, Jean décrit une bête qu'il « voit surgir de la mer » (Ap 13,1). La tradition vétéro-testamentaire comporte de nombreuses figures de monstres qui peuplent les eaux ou les abîmes. Ainsi Rahab hante les mers tandis que Béhémoth habite les fleuves et les roseaux. La Bible a emprunté ces images aux mythes babyloniens et ougaritiques où les océans sont des puissances divinisées. Les auteurs bibliques ont transformé ces mythes. Ainsi, les bêtes mythologiques désignent les ennemis d'Israël. Le combat entre les forces du mal et celles de Dieu ne se situe plus au niveau de l'imaginaire, mais de l'histoire concrète.

C'est dans cette perspective que le livre de Daniel utilise la symbolique des bêtes : « Quatre bêtes énormes sortirent de la mer, toutes différentes entre elles » (Dn 7,3). Celles-ci symbolisent quatre royaumes qui se succèdent : les royaumes assyro-babylonien au nord-est, mède au sud, perse à l'est, et grec à l'ouest.

L'Assyrie qui se réveille avec le roi Assurnasirpal II (883-859) domine la région pendant plus de deux siècles. En 606, les Babyloniens du roi Nabopolassar mettent fin à l'empire assyrien. En 612, le roi mède Cyaxare, qui domine alors le sud de la région, s'allie au roi babylonien Nabopolassar pour prendre et détruire Ninive. En 555, le Perse Cyrus se révolte contre le roi des Mèdes Astyage. En 549, il est roi et des Perses et des Mèdes. En 539, il conquiert Babylone. En 331, par la victoire d'Arbèles, le Grec Alexandre le Grand met fin à l'empire perse.

Le livre de l'Apocalypse, lui, parle de l'empire Romain qui a succédé au royaume grec. C'est une redoutable machine administrative et militaire qui veut tout régenter, même les consciences. Pour cet État qui a grand souci d'ordre, la multiplicité des religions peut provoquer l'anarchie et mettre en cause la stabilité de l'empire. D'où la volonté d'imposer un culte unique, le culte impérial, capable d'assurer la pérennité du pouvoir impérial.

Les religions à mystères sont bien acceptées parce qu'elles adhèrent au culte impérial. Le christianisme récalcitrant est perçu comme une dangereuse superstition qui, au nom de l'absolu de Dieu, sape les fondements de l'empire. Jean établit un parallèle entre l'Agneau égorgé et la bête blessée à mort et dont la plaie a été guérie : « L'une de ses têtes paraissait blessée à mort, mais sa plaie mortelle fut guérie » (Ap 13,3). Il fait peut-être allusion aux légendes répandues à la fin du Ier siècle sur l'empereur Néron mort en 68. Le souverain aurait échappé à la mort et il reviendrait se venger. Mais l'auteur pense plus sûrement à l'ensemble du pouvoir impérial qui se croit invulnérable et immortel. Illusion ! Comme tous les empires avant lui, Rome, surnommée Babylone, s'écroulera elle aussi de manière lamentable : « Elle est tombée, elle est tombée, Babylone la Grande ; elle s'est changée en demeure de démons, en repaire pour toutes sortes d'esprits impurs, en repaire pour toutes sortes d'oiseaux impurs et dégoûtants » (Ap 18,2). [*voir* vol. I, p. 71]

Les structures et les individus ont la tentation de se pérenniser, refusant de se reconnaître fragiles et transitoires. On se prend alors pour Dieu. C'est la voie ouverte au totalitarisme, à l'intolérance, à l'idolâtrie des personnes et des institutions.

Le livre de l'Apocalypse, comme celui de Daniel, montre le caractère éphémère des structures humaines. Dieu et l'Agneau sont les Maîtres de l'histoire. Ils sont l'alpha et l'oméga, le commencement et la

DOCUMENT

NÉRON ET L'INCENDIE DE ROME

Dans ses *Annales*, écrites en 116 ou 117, sous l'empereur Trajan (98-117), l'historien romain Tacite parle de l'incendie de Rome que Néron (54-68) fit attribuer aux chrétiens, disciples de Chrestus (ou Chrestos) livré sous le procurateur Ponce Pilate (26-36), durant le principat de Tibère (14-37). Pour l'auteur, les chrétiens constituent une « détestable superstition » qui mérite bien d'être éradiquée. Néanmoins, il réprouve le geste de Néron qui relève plus de la folie cruelle du souverain que de la recherche du bien commun :

... *Aucun moyen humain, ni largesses princières, ni cérémonies expiatoires ne faisaient reculer la rumeur infamante d'après laquelle l'incendie avait été ordonné. Aussi, pour l'anéantir, il [Néron] supposa des coupables et infligea des tourments raffinés à ceux que leurs abominations faisaient détester et que la foule appelait chrétiens. Ce nom leur vient de Christ, que, sous le principat de Tibère, le procurateur Ponce Pilate avait livré au supplice ; réprimée sur le moment, cette détestable superstition perçait de nouveau, non pas seulement en Judée, où le mal avait pris naissance, mais encore dans Rome, où tout ce qu'il y a d'affreux ou de honteux dans le monde afflue et trouve une nombreuse clientèle. On commença donc par se saisir de ceux qui confessaient leur foi, puis, sur leurs révélations, une multitude d'autres, qui furent convaincus moins du crime d'incendie que de haine contre le genre humain. On ne se contenta pas de les faire périr : on se fit un jeu de les revêtir de peaux de bêtes pour qu'ils fussent déchirés par la dent des chiens ; ou bien ils étaient attachés à des croix (ou enduits de matières inflammables, et), quand le jour avait fui, ils éclairaient les ténèbres comme des torches. Néron avait offert ses jardins pour ce spectacle, et donnait des jeux au Cirque, où tantôt en habit de cocher il se mêlait à la populace et tantôt prenait part à la course debout sur son char. Aussi, quoique ces gens fussent coupables et dignes des dernières rigueurs, on se mettait à les prendre en pitié, car on se disait que ce n'était pas en vue de l'intérêt public, mais pour la cruauté d'un seul qu'on les faisait disparaître.* [*voir* p. 56]

(*Annales* 15,44.
Trad. H. Gœlzer)

fin. Eux seuls demeurent éternellement. Reconnaître la fragilité des institutions humaines, c'est les ouvrir à la nouveauté permanente de l'action de Dieu et à leur mission de service.

LE DERNIER MOT À L'ESPÉRANCE

Dans la tourmente que traverse l'Église et l'ensemble de l'humanité, le dernier mot revient à l'espérance. Celle-ci n'est ni passivité ni optimisme béat, mais combat aux côtés de l'Agneau et des siens contre les forces du mal. On le voit à travers la vision de la Femme et du Dragon :

Un signe grandiose apparut au ciel : une Femme ! le soleil l'enveloppe, la lune est sous ses pieds et douze étoiles couronnent sa tête ; elle est enceinte et crie dans les douleurs et le travail et l'enfantement. Puis un second signe apparut au ciel : un énorme Dragon rouge feu, à sept têtes et dix cornes, chaque tête surmontée d'un diadème. Sa queue balaie le tiers des étoiles du ciel et les précipite sur la terre. En arrêt devant la femme en travail, le Dragon s'apprête à dévorer son enfant aussitôt né. Or la Femme mit au monde un enfant mâle, celui qui doit mener toutes les nations avec un sceptre de fer ; et son enfant fut enlevé jusqu'auprès de Dieu et de son trône, tandis que la Femme s'enfuyait au désert, où Dieu lui a ménagé un refuge pour qu'elle y soit nourrie mille deux cent soixante jours.

Alors, il y eut une bataille dans le ciel : Michel et ses Anges combattirent le Dragon. Et le Dragon riposta, avec ses Anges, mais ils eurent le dessous et furent chassés du ciel. On le jeta donc, l'énorme Dragon, l'antique Serpent, le Diable ou le Satan, comme on l'appelle, le séducteur du monde entier, on le jeta sur la terre et ses Anges furent jetés avec lui.

Et j'entendis une voix clamer dans le ciel : « Désormais, la victoire, la puissance et la royauté sont acquises à notre Dieu, et la domination à son Christ, puisqu'on a jeté bas l'accusateur de nos frères, celui qui les accusait jour et nuit devant notre Dieu. Mais eux l'ont vaincu par le sang de l'Agneau et par la parole dont ils ont témoigné, car ils ont méprisé leur vie jusqu'à mourir. Soyez donc dans la joie, vous, les cieux et leurs habitants. » (Ap 12, 1-12a)

Ce passage introduit de plain-pied dans la gigantesque bataille qui oppose d'une part Dieu, l'Agneau et les siens, d'autre part le Dragon et ses suppôts, bataille qui se poursuivra jusqu'à la victoire finale de l'Agneau et des saints. Cette victoire est déjà annoncée dans ce passage. En effet, les deux combats décrits s'achèvent par le triomphe des alliés de Dieu et de l'Agneau.

Le premier combat oppose le Dragon à la Femme. Irénée de Lyon voit en elle le symbole de Marie, la mère de Jésus. [*voir* p. 436] Dans l'Ancien Testament, la femme symbolise Israël, l'épouse de Dieu. La femme représente ici l'Église, le peuple de la seconde alliance, dont Marie est la figure et la réalisation anticipée. L'Église participe déjà à la gloire et à la royauté de son Messie. Les forces du mal, symbolisées ici par le dragon, ne peuvent l'anéantir. Le chiffre de 1 260 jours, soit 42 mois, soit trois ans et demi, signifie, depuis Daniel, le temps de l'épreuve, mais un temps à la durée et à l'impact limités. L'Agneau, représenté par l'enfant, et les siens auront le dessus.

Le second combat oppose au Dragon et à ses acolytes les messagers et aides de Dieu que sont Michel et les siens. Ce combat se termine également par le triomphe du camp de Dieu. Alors, une voix céleste peut entonner l'hymne de victoire qui rappelle les nombreux cantiques qui parsèment le livre de l'Apocalypse. Ils célèbrent la victoire de Dieu

REPÈRE

L'APOCALYPSE, AUJOURD'HUI OU DEMAIN ?

Ce monde nouveau que chante l'Apocalypse, est-il pour aujourd'hui ou pour demain ? En fait, Jean superpose la réalité présente et la réalité eschatologique. Par sa mort et sa résurrection, Jésus a inauguré l'histoire nouvelle. Mais ce monde n'est pas encore accompli, il est en devenir.

Le salut de Dieu est tension entre le présent et le futur, entre l'aujourd'hui et demain, entre l'histoire de Dieu et celle des hommes. Le langage des apocalypses le traduit par la dichotomie haut / bas. Ce qui vient d'en haut est divin, ce qui vient d'en bas est humain. L'histoire du salut se joue dans la réconciliation entre le temps de Dieu et celui de l'homme, entre la réalité de Dieu et celle de l'homme. Or, depuis l'incarnation*, la réalité de Dieu est entrée dans celle de l'homme. Elle y a pris chair.

En ce sens, la Jérusalem nouvelle symbolise l'Église, le nouveau Peuple de Dieu, renouvelé par son Seigneur. Mais elle représente également l'humanité nouvelle que Dieu veut engendrer en son Fils, et dont l'Église est le signe et le ferment. Le Jérusalem d'en haut sera complètement réalisée au second retour du Christ.

Ainsi, lorsqu'ils chantent avec espérance *Maranatha*, les chrétiens célèbrent le Seigneur qui est venu en son incarnation, le Seigneur qui vient aujourd'hui en ses sacrements et dans le quotidien, le Seigneur qui reviendra.

et de l'Agneau sur les forces du mal et la possibilité qui est donnée aux chrétiens d'y participer.

Il ne faut voir là ni triomphalisme, ni esprit de revanche, ni fanatisme. Le cantique précise en effet que les chrétiens « ont vaincu par le sang de l'Agneau et par la parole dont ils ont témoigné, car ils ont méprisé leur vie jusqu'à mourir » (Ap 12,11). Le témoignage du don de soi est la principale arme de combat du disciple de l'Agneau. De plus, le cantique du chapitre 12 est un prélude à la grande hymne de victoire que constituent les deux derniers chapitres du livre. Avant d'en arriver là, il faut traverser les affres et les douleurs que décrivent les fléaux. L'histoire des hommes progresse en dents de scie. Elle est un engendrement progressif.

Jean est fort réaliste. Il prend en compte l'aspect conflictuel de l'histoire des hommes. Il l'exprime à travers les images guerrières et terrifiantes de la littérature apocalyptique. Nier la présence du mal, c'est faire preuve d'aveuglement, manquer de finesse. En même temps, l'Apocalypse johannique proclame qu'au cœur de cette histoire labourée d'affrontements Jésus est présent, victorieux à jamais. Il vient détruire le monde ancien et transfigurer l'histoire.

En ces moments de tourmente, la mission de l'Église est avant tout témoignage d'espérance. Celle-ci doit se traduire par la conversion. L'histoire nouvelle est don de Dieu. Néanmoins, chacun est appelé à participer à l'avènement de ce monde nouveau que Dieu et l'Agneau veulent faire surgir. Chacun doit y adhérer par un engagement, par une exigeante conversion de vie, comme le traduisent les avertissements sévères qui émaillent le texte annonçant la Jérusalem nouvelle : « Rien de souillé ne pourra y pénétrer, ni ceux qui commettent l'abomination et le mal… » (Ap 21,27).

L'appel à la conversion des nations païennes s'exprime à travers le langage vigoureux de la littérature apocalyptique. Celui-ci est fait d'annonces de jugements et de châtiments, qui sont des appels à un changement urgent et radical. Les chapitres 2 et 3 insistent sur la conversion des communautés chrétiennes comme signe et ferment d'un monde nouveau.

P. P.

Nouveau Testament : VII. Épîtres catholiques et fin de la rédaction du Nouveau Testament

En plus des cinq livres ou corpus majeurs qui en structurent la pensée théologique (Paul, Marc, Matthieu, Luc, Jean), le Nouveau Testament comporte des textes émanant de courants moins représentés. Un premier groupe peut être considéré comme constituant l'héritage paulinien. En seconde position, il convient de citer la première épître de Pierre, unique représentant de la pensée théologique du prince des apôtres. Restent enfin trois lettres que l'on peut rapprocher par leur époque de rédaction et leur problématique : elles sont des écrits de consolation face à des désordres que les fidèles considéraient comme précurseurs de la fin des temps ; il s'agit de la seconde épître aux Thessaloniciens, de l'épître de Jude et de la seconde épître de Pierre ; on peut, malgré les incertitudes liées à ce type de recherche, les dater de la fin du Ier siècle ou même de quelques années après.

L'HÉRITAGE PAULINIEN

La pensée de l'apôtre des nations est si riche qu'elle a inspiré de nombreux continuateurs. Certains écrits du courant paulinien ont été présentés ci-dessus à la suite des épîtres proprement pauliniennes : c'étaient d'une part le couple constitué par les épîtres aux Colossiens et aux Éphésiens, deux lettres jumelles, d'autre part les épîtres pastorales.

L'héritage paulinien ne s'arrête pourtant pas là. Il comprend encore l'épître aux Hébreux, que certaines Églises des premiers siècles avaient classée dans le corpus paulinien (qui comprenait alors quatorze épîtres), et, paradoxalement, un autre texte qui réagit contre les interprétations excessives de la pensée paulinienne en matière de loi et de foi, l'épître de Jacques.

L'ÉPÎTRE AUX HÉBREUX

Dernière des lettres attribuées à saint Paul, l'épître aux Hébreux apparaît comme unique en son genre. Elle ne commence pas par le formulaire habituel et prend la forme d'un sermon où alternent développements dogmatiques et exhortations morales.

Par le style, c'est le document le plus travaillé du Nouveau Testament, avec abondance de mots rares et de constructions savantes. Le plan – caractérisé par l'annonce répétée des développements ultérieurs – a fait l'objet de nombreuses études. Les citations et allusions à l'Ancien Testament y sont nombreuses, et toujours selon le texte grec dit des Septante*. Par certains côtés, ce texte propose une clef de lecture chrétienne pour le Premier Testament.

Quel en est l'auteur et pour quels destinataires ? La tradition ancienne est partagée sur le sujet. En Occident, on pensait que le texte ne venait pas de Paul lui-même, ce qui fait que l'épître n'a été reconnue comme canonique* qu'à la fin du IVe siècle. L'Orient, en revanche, a toujours reçu l'épître comme faisant autorité, même si certains auteurs, comme Origène, doutaient que Paul lui-même l'ait rédigée. Le type d'argumentation mis en œuvre dans ladite épître ne pouvait en effet qu'être bien reçu par l'école d'Alexandrie.

Pour détecter l'origine du document, on ne peut que se baser sur la critique interne : la mention des saints d'Italie en finale est ambiguë ; il peut s'agir soit de personnes habitant en Italie, soit de personnes en provenant. Le fait que Clément de Rome s'inspire de l'épître aux Hébreux fait supposer que la lettre fut adressée à la communauté de Rome, qui comportait de nombreux Juifs d'origine. [*voir* p. 524]

Disciple de Paul, l'auteur est un chrétien cultivé, formé aux techniques oratoires et à l'art de l'interprétation, comme l'étaient les Juifs alexandrins, tel Philon. Il est préoccupé par la lassitude et le découragement qui guettent la communauté à laquelle il écrit. Il envoie un message d'encouragement, fondé sur la méditation de l'œuvre du Christ en tant que grand prêtre*. Ce titre n'est appliqué à Jésus nulle part ailleurs dans le Nouveau Testament ; les déve-loppements sur le sacerdoce et le sacrifice du Christ constituent donc l'apport doctrinal le plus caractéristique de cette épître. La démonstration semble ardue pour un lecteur moderne, qui n'est pas familier de l'Ancien Testament et comprend mal l'importance donnée à la notion de sacrifice. Pour comprendre l'épître aux Hébreux, il faut se laisser dépayser et accepter d'entrer dans un autre monde.

L'auteur s'adressait-il à des prêtres juifs convertis, regrettant la splendeur de la liturgie de Jérusalem ? En réalité, l'évocation qui est faite du Temple est plus littéraire que vécue, à la manière de Philon d'Alexandrie. Il s'agit de montrer la manière dont le Christ nous a délivrés une fois pour toutes du péché, de sorte que les anciens rites n'aient plus cours. L'auteur ne rejette pas l'Ancien Testament mais s'emploie à montrer comment il orientait lui-même vers l'accomplissement* réalisé en la personne du Christ, Parole définitive de Dieu aux hommes.

La supériorité du Christ (1,5 - 4,13)

L'épître commence par une phrase majestueuse, comparable au Prologue du quatrième évangile : « Après avoir, à maintes reprises et sous maintes formes, parlé jadis aux Pères par les prophètes, Dieu, en ces jours qui sont les derniers, nous a parlé par un Fils qu'il a établi héritier de toutes choses » (He 1,1-2). Agent divin pour la création du monde, le Fils est le resplendissement de la gloire divine. Après avoir accompli la purification des péchés, il siège à la droite de Dieu, bien supérieur aux anges.

Dans un premier développement, la grandeur unique du Christ est soulignée par une série de comparaisons. Il est supérieur aux anges (He 1,5-14). Ce développement ne se comprend bien que si l'on pense à l'importance accordée aux anges à cette époque. Paul a dû mettre en garde contre le culte qui leur était rendu (Col 2,18). Une série d'extraits des Psaumes illustre la dignité du Roi Messie* associé à la création comme au salut du monde. La chaîne de citations se termine par un verset du psaume 110 : « Assieds-toi à ma droite jusqu'à ce que je place tes ennemis comme un escabeau sous tes pieds. » Ce psaume tiendra dans toute l'argumentation un rôle capital. Après une invitation à l'écoute de la Parole (He 2,1-4), l'auteur répond à une grave objection : comment le Christ est-il supérieur aux anges, alors qu'il a connu la souffrance ? La réponse tient en un mot : la solidarité. Le Christ ne nous sauve pas à distance, mais en se faisant semblable à ses frères : « Puisque donc les enfants avaient en commun le sang et la chair, lui aussi y participa pareillement afin de réduire à l'impuissance, par sa mort, celui qui a la puissance de la mort, c'est-à-dire le diable » (He 2,14). Les versets suivants ont valeur de thèse :

En conséquence il a dû devenir en tout semblable à ses frères, afin de devenir dans leurs rapports avec Dieu un grand prêtre miséricordieux et fidèle, pour expier les péchés du peuple. Car du fait qu'il a lui-même souffert par l'épreuve, il est capable de venir en aide à ceux qui sont éprouvés. (He 2,17-18)

Dans le judaïsme*, Moïse représente l'autorité suprême, en tant qu'il a transmis la loi* de Dieu au peuple. Par touches successives l'auteur s'emploie à manifester la supériorité de Jésus, « apôtre et grand prêtre de notre profession de foi » (He 3,1). Ailleurs il est présenté comme l'initiateur de la foi, la menant à son accomplissement (He 12,2). Jésus n'est donc pas seulement celui auquel nous devons donner notre confiance, mais bien celui qui le premier a parcouru la route conduisant par l'épreuve à la présence de Dieu. Alors que Moïse fut seulement accrédité par Dieu pour la maison d'Israël, le Christ est lui-même constructeur de la maison qu'est l'Église*, constituée de ceux qui conservent « l'assurance et la joyeuse fierté de l'espérance » (He 3,6).

L'œuvre de Moïse a été marquée par un échec, l'endurcissement de la génération qui, ayant sans cesse récriminé contre Dieu au désert, n'a pu entrer en Terre promise. L'appel du psaume 95 reste bien actuel : « Aujourd'hui, si vous entendez sa voix, n'endurcissez pas vos cœurs comme cela s'est produit dans la Querelle, au jour de la Tentation dans le désert. [...] Aussi ai-je juré dans ma colère : Non, ils n'entreront pas dans mon repos » (cité en He 3,7 ; 4,3). Que les destinataires de l'épître ne succombent pas au découragement, mais se disposent par la foi à entrer dans le repos de Dieu. L'aujourd'hui du salut retentit encore : « Empressons-nous donc d'entrer dans ce repos, afin que nul ne succombe, en imitant cet exemple de désobéissance » (He 4,11). La parole de Dieu fait preuve d'une efficacité redoutable : elle est « plus incisive qu'aucun glaive à deux tranchants » (He 4,12).

Le Christ, grand prêtre miséricordieux (4,14 - 9,10)

« Ayant donc un grand prêtre souverain qui a traversé les cieux, Jésus, le Fils de Dieu, tenons ferme la profession de foi » (He 4,14) : ainsi débute la partie centrale de l'épître. Tous les mots portent : Jésus, dans son humanité concrète, le Fils dans sa relation unique à Dieu [*voir* p. 68], le grand prêtre qui siège auprès de Dieu en notre faveur, l'invitation à tenir ferme dans la foi.

Selon une première description, « tout grand prêtre pris d'entre les hommes est établi pour intervenir en faveur des hommes dans leurs relations avec Dieu, afin d'offrir dons et sacrifices pour les péchés » (He 5,1). Donner à ce verset valeur de définition rétrécit la théologie du sacerdoce. On ne peut oublier la fonction d'enseignement évoquée par le titre d'apôtre donné au grand prêtre de notre foi (He 3,1), Parole définitive de Dieu aux hommes. La compassion du prêtre pour les pécheurs s'enracine dans la conscience de ses propres péchés. Le Christ, lui, est sans péché (He 7,26), mais il a connu comme nous l'épreuve de la souffrance.

La fonction sacerdotale dépend d'un appel de Dieu, comme ce fut le cas pour Aaron et sa descendance (Nb 16-17) [*voir* vol. I p. 268]. Jésus lui aussi a été appelé : « Tu es prêtre pour toujours, selon l'ordre de Melchisédech » (He 5,6 citant le Ps 110). Ce sacerdoce, Jésus l'a exercé d'abord par sa prière douloureuse lors de son agonie :

C'est lui qui, aux jours de sa chair, ayant présenté, avec une violente clameur et des larmes, des implorations et des supplications à celui qui pouvait le sauver de la mort, et ayant été exaucé en raison de sa piété, tout Fils qu'il était, apprit de ce qu'il souffrit, l'obéissance ; après avoir été rendu parfait, il est devenu pour tous ceux qui lui obéissent principe de salut éternel (He 5,7-9).

Ainsi le sacrifice commence-t-il par l'écoute, l'obéissance, comme le montrera la longue citation du psaume 40 en He 10,7-9 : « Voici, je viens [...] pour faire, ô Dieu, ta volonté. » La route du sacrifice conduit jusqu'à la rencontre définitive avec Dieu, ce qu'exprime l'idée d'accomplissement, si importante pour l'auteur. Le terme évoque ici la transformation de la volonté humaine au creuset de la souffrance. À Gethsemani, Jésus n'a-t-il pas prié ainsi : « Abba, Père ! Tout t'est possible : éloigne de moi cette coupe ; pourtant, pas ce que je veux, mais ce que tu veux ! » (Mc 14,36) ? Dans la traduction grecque de l'Ancien Testament, l'obéissance signifie l'investiture sacerdotale. Jésus est donc le grand prêtre en raison de son appel par Dieu et de la douloureuse obéissance qui le rend compatissant pour ses frères les hommes.

Avant de poursuivre son exposé dogmatique, l'auteur renouvelle son appel à la réflexion (He 5,11-6,20). D'une exhortation à l'autre, le ton se fait plus incisif. Ici les correspondants se voient reprocher leur manque de maturité dans la foi. Il leur faut faire effort pour accéder à un niveau supérieur, au-delà des vérités élémentaires qui constituent comme la base de toute catéchèse, « articles fondamentaux du repentir des œuvres mortes et de la foi en Dieu, de l'instruction sur les baptêmes et de l'imposition des mains, de la résurrection des morts et du jugement éternel » (6,2).

Dès lors, la rechute dans le péché serait impardonnable. Une telle intransigeance a servi de caution pour les rigoristes qui, au IIIe siècle, s'opposaient au pardon des péchés les plus graves (apostasie, adultère, meurtre). Mais il faut tenir compte du style oratoire de l'épître. Comme pour atténuer la sévérité de son admonestation, l'auteur manifeste sa confiance : « Dieu n'est point injuste, pour oublier ce que vous avez fait et la charité que vous avez montrée pour son nom, vous qui avez servi et qui servez les saints » (He 6,10). Comme l'écrit la première épître de Pierre : « La charité couvre une multitude de péchés » (1 P 4,8). L'exhortation s'achève sur une invitation à suivre le précurseur de notre foi, Jésus, « grand prêtre selon l'ordre de Melchisédech » (He 6,20).

Grand prêtre selon l'ordre de Melchisédech, le Christ est supérieur aux prêtres juifs, issus de Lévi. L'épître affirme l'infériorité et le caractère provisoire de la loi de Moïse : ainsi se trouve abrogé le rituel ancien, car la loi n'a rien amené à la perfection. Le serment divin consacre l'éminence du sacerdoce à la manière de Melchisédech.

DOCUMENT

MELCHISÉDECH DANS LA TRADITION JUIVE

Pour comprendre le développement sur Melchisédech dans l'épître aux Hébreux, il faut partir non seulement du texte de la Genèse, mais aussi évoquer la place que ce personnage énigmatique tient dans le judaïsme ancien, notamment dans un texte important de Qoumrân. Il serait le chef des armées angéliques qui proclamera le grand jubilé, avant le jugement. Voici ces deux textes :

Quand Abram revint après avoir battu. Kedor-Ladomer et les rois qui étaient avec lui, la roi de Sodome alla à sa rencontre dans la vallée de Shavé – c'est la vallée du Roi. Melchisédech, roi de Shalem, apporta du pain et du vin ; il était prêtre du Dieu Très-Haut. Il prononça cette bénédiction : « Béni soit Abram par le Dieu Très-Haut qui créa ciel et terre, et béni soit le Dieu Très-Haut qui a livré tes ennemis entre tes mains. » Et Abram lui donna la dîme de tout (Gn 14,17-20).

Le jour des Expiations, c'est la fin du dixième jubilé où se fera l'expiation pour tous les fils de Dieu et les hommes du lot de Melchisédech. [...] Melchisédech exercera la vengeance des jugements de Dieu en ce jour-là et il les délivrera de l'emprise de Bélial. [...] C'est le jour de la paix dont il est dit au sujet de Melchisédech dans les paroles du prophète Isaïe qui a dit : « Qu'ils sont beaux sur les montagnes les pieds du messager annonçant la paix, du messager de bonheur annonçant le salut. »

(4 Q 11 Melk. Trad. E. Puech)

C'est bien pourquoi l'épître aux Hébreux compare Jésus aux anges. C'est dans son humanité concrète qu'il exerce son sacerdoce. Le fait qu'Abraham a versé la dîme au roi de Shalem (Jérusalem) montre la supériorité de celui-ci. Le sacerdoce selon l'ordre de Melchisédech est donc supérieur au sacerdoce de la tribu de Lévi, descendant du patriarche. À la manière de Philon, l'auteur remarque que la Genèse ne donne pas la généalogie du roi de Shalem : il figure le Fils de Dieu qui dépasse le temps. Son sacerdoce est pour toujours.

Le Christ est donc bien « le grand prêtre qu'il nous fallait, saint, innocent, immaculé, séparé désormais des pécheurs, élevé plus haut que les cieux », ayant offert le sacrifice définitif une fois pour toutes en s'offrant lui-même » (He 7,26-27). En revanche, le culte juif se distingue par son caractère provisoire et imparfait.

Moïse avait construit la Tente de réunion [*voir* vol. I, p. 273] et réglé le culte d'après un modèle céleste. Pareille idée est très répandue dans les religions : le véritable sanctuaire se trouve dans les cieux. Or l'avènement d'une nouvelle Alliance, surclassant la première, avait été annoncée par Jérémie : « Voici venir des jours – oracle du SEIGNEUR, où je conclurai avec la maison d'Israël – et la maison de Juda – une alliance nouvelle. Non pas comme l'alliance que j'ai conclue avec leurs pères. [...] Voici l'alliance que je conclurai avec la maison d'Israël : [...] Je mettrai ma Loi au fond de leur être et je l'écrirai sur leur cœur. Alors je serai leur Dieu et eux seront mon peuple. [...] Je vais pardonner leur crime et ne plus me souvenir de leur péché » (Jr 31,31... 34) [*voir* vol. I, p. 311]. À cette annonce se réfère la parole du Christ à la

Cène : « Cette coupe est la nouvelle Alliance en mon sang, versé pour vous » (Lc 22,20).

Pour manifester l'imperfection des anciennes institutions (9,1-10), l'auteur évoque le déroulement du culte ancien, en se référant non au Temple de Jérusalem, mais à la Tente du Rendez-vous, décrite en Ex 25-27. L'accent porte sur la distinction entre le Saint, interdit d'accès aux Israélites, à l'exception des prêtres, et le Saint des Saints où seul le grand prêtre pénétrait une fois par an. « L'Esprit Saint montre ainsi que la voie du sanctuaire n'est pas ouverte, tant que la première Tente subsiste. » Comment aurons-nous accès à la présence de Dieu ? Telle sera l'œuvre du Christ.

BIBLE

LE JOUR DES EXPIATIONS (*YOM KIPPOUR*)

Le ch. 16 du Lévitique donne le rituel très complexe du jour des Expiations (*Kippour*) le 10e jour du mois de *tishri* (septembre) où le jeûne était prescrit pour toute la communauté. Quelle qu'en soit l'origine, la fête a pris à partir de l'Exil un relief de plus en plus grand. Après la dure expérience de la rupture d'alliance, marquée par la destruction du premier Temple, il fallait obtenir chaque année comme une remise à zéro du compteur, en implorant le pardon divin pour toutes les fautes, afin que la nouvelle année puisse se dérouler en paix. Seul le grand prêtre officiait en ce jour :

Aaron recevra de la communauté des enfants d'Israël deux boucs destinés à un sacrifice pour le péché et un bélier pour un holocauste. Après avoir offert le taureau du sacrifice pour son propre péché et fait le rite d'expiation pour lui et pour sa maison, Aaron prendra ces deux boucs et les placera devant Yahvé à l'entrée de la Tente du Rendez-vous. Il tirera les sorts pour les deux boucs, attribuant un sort à Yahvé et l'autre à Azazel (Lv 16,5-8).

D'origine populaire, l'expulsion du « bouc émissaire » dans le désert signifiait la disparition du péché. Il faut noter que l'animal n'était pas sacrifié, mais envoyé au démon Azazel. L'épître aux Hébreux n'en dit mot. En aucune façon, on ne peut comparer le Christ au bouc émissaire.

Après de nouveaux sacrifices, Aaron devait remplir « un encensoir avec des charbons ardents pris sur l'autel, de devant Yahvé, et il prendra deux pleines poignées d'encens fin aromatique. Il portera le tout derrière le rideau, et déposera l'encens sur le feu devant le SEIGNEUR ; il recouvrira d'un nuage d'encens le propitiatoire qui est sur le témoignage, et ne mourra pas. Puis il prendra le sang du taureau et en aspergera avec le doigt le côté oriental du propitiatoire ; devant le propitiatoire il fera de ce sang sept aspersions avec le doigt » (Lv 16,11-14)

Le point culminant des rites de Kippour consiste dans l'entrée du grand prêtre dans le lieu le plus sacré du sanctuaire, le Saint des Saints où reposait jadis l'Arche d'Alliance. Dans le Temple reconstruit après l'exil, le Saint des Saints était vide. Selon le Lévitique, seul le grand prêtre pouvait pénétrer dans le Saint des Saints ; sous la protection d'une nuée d'encens, il prononçait le Nom sacré de YHWH, ce Nom qu'il était interdit de prononcer en d'autres circonstances. Tout en soulignant la distance entre le Dieu très saint et le peuple, ce rituel manifestait en même temps que Dieu, par la liturgie, offrait la possibilité de rétablir chaque année l'alliance sans cesse menacée. De nos jours, en l'absence de Temple, la fête de Kippour est célébrée par un jeûne et des prières à la synagogue.

Le sacrifice du Christ (9,11 - 10,39)

Le rituel de *Kippour* forme l'arrière-plan du développement sur le sacrifice du Christ. À vrai dire, l'auteur marque surtout les différences : à la Tente terrestre s'oppose le sanctuaire céleste ; au sang des animaux, le propre sang du Christ ; à une efficacité limitée à la chair, la valeur éternelle de l'offrande du Christ qui, par un Esprit éternel s'est offert lui-même sans tache à Dieu et nous obtient la purification véritable qui nous permet de rendre un culte au Dieu vivant. Au feu consumant les victimes dans les sacrifices anciens correspond l'Esprit qui, par son impulsion, fait passer Jésus de notre monde au sanctuaire céleste.

Les deux sens du mot grec *diathèkè*, testament et alliance, permettent d'affirmer la nécessité de la mort pour l'établissement de la nouvelle alliance. La comparaison avec l'alliance du Sinaï illustre les effets du sacrifice du Christ. Moïse avait aspergé le livre lui-même et tout le peuple en disant : « Ceci est le sang de l'alliance que Dieu a prescrite pour vous » (He 9, 19-20). L'insistance sur le sang surprend les lecteurs modernes. Il faut se souvenir du rôle si important qu'il tenait dans le rituel juif : « Sans effusion de sang il n'y a point de rémission » (He, 22). Pour l'épître aux Hébreux le sang du Christ est le signe du don qu'il fait de sa propre vie.

Le point culminant du rituel de *Kippour* est atteint quand le grand prêtre pénètre en présence de Dieu, dans le Saint des Saints. Commencé sur terre, le sacrifice du Christ trouve sa consommation au ciel, où désormais il siège à la droite de Dieu comme notre intercesseur. À nouveau l'auteur insiste sur l'unicité de ce sacrifice : l'expression « une fois pour toutes » est un vrai leitmotiv. Il n'y a donc pas à chercher d'autre moyen de salut que la foi au Christ, l'unique médiateur.

Une citation du psaume 40 confirme le point de vue de l'auteur : ce qui compte pour Dieu, ce ne sont pas les sacrifices extérieurs, mais l'obéissance aimante. Or, toute la vie du Christ n'a été que totale adhésion à la volonté divine : « Entrant dans le monde, le Christ dit : Tu n'as voulu ni sacrifice ni oblation, mais tu m'as façonné un corps. [...] Alors j'ai dit : Voici, je viens [...] pour faire, ô Dieu, ta volonté » (He 10,5... 7). L'ancienne disposition est ainsi abrogée au profit de la nouvelle, caractérisée par le pardon gratuit des péchés, comme l'annonçait déjà Jérémie. Par opposition aux multiples sacrifices prévus par la Loi de Moïse, l'intervention du Christ est à la fois unique et définitive : « Par une oblation unique il a rendu parfaits pour toujours ceux qu'il sanctifie » (He 10,14).

Repère

Des sacrifices de l'Ancien Testament au sacrifice du Christ

La Bible connaît des formes multiples de sacrifices. Aux origines, Caïn et Abel paient un tribut d'hommage à Dieu, l'un par l'offrande des produits du sol, l'autre par les premiers-nés du troupeau (Gn 4,1-4) [*voir* vol. I, p. 58]. Les sacrifices de communion, dans lesquels la chair des victimes est partagée entre Dieu et les offrants, se caractérisent par la joie du repas partagé, pris en présence de Dieu. Dans le cas des holocaustes, toute la victime est consumée par le feu : c'est l'acte d'adoration par excellence. Au cours du temps, le rôle des prêtres grandit sans cesse : si la victime est immolée par les offrants, le prêtre la présente sur l'autel et répand le sang sur l'autel. Le prêtre n'est pas seulement l'homme du rite ; gardien de la Loi, il doit instruire les fidèles sur les conditions à remplir pour leurs offrandes. Tels sont les Psaumes d'entrée : « SEIGNEUR, qui logera sous ta tente, habitera sur ta sainte montagne ? » (Ps 15). Après l'Exil, les sacrifices pour le péché prennent de plus en plus d'importance, avec une codification détaillée qui met en valeur le rôle des prêtres.

Dans l'analyse du sacrifice, il convient de distinguer le rôle respectif de l'offrant et du prêtre, la nature de la victime, le lieu du sacrifice, les conditions requises pour l'agrément par Dieu, l'effet escompté.

L'application faite au Christ par l'épître aux Hébreux provoque une subversion des idées reçues. Plus de distinction entre l'offrant et le prêtre : le Christ est le prêtre de sa propre offrande. La victime n'est pas étrangère à l'offrant : c'est lui-même qui s'offre. Les sacrifices s'opéraient sur terre et, dans le cas de *Kippour*, trouvaient leur achèvement dans l'entrée du grand prêtre seul dans le Saint des Saints. Ayant accompli sur terre l'offrande de sa vie, le Christ pénètre auprès de Dieu où il siège « toujours vivant pour intercéder » en faveur de ses frères les hommes (He 7,25). À la répétition incessante qui manifestait l'inefficacité des sacrifices anciens s'oppose l'unicité de l'offrande du Christ. À l'alliance réalisée pour un seul peuple succède l'Alliance nouvelle destinée à la multitude.

L'exposé dogmatique est riche de conséquences pour la vie de la communauté chrétienne, menacée par la lassitude et le relâchement. « Gardons indéfectible la confession de l'espérance, car celui qui a promis est fidèle » (He 10,23). L'auteur revient sur les dangers de l'apostasie (He 10,26-31), mais conclut sur une note positive en rappelant à ses lecteurs leur courage passé dans la persécution (10,32-35). L'exhortation se clôt par une citation de l'Écriture invitant à attendre avec confiance le retour du Christ : « Car encore un peu, bien peu de temps, celui qui vient arrivera, et il ne tardera pas. Or mon juste vivra par la foi ; et s'il se dérobe mon âme ne se complaira pas en lui » (Ha 2,3-4).

Foi et endurance (11,1 - 12,13)

Si la loi juive n'a rien amené à la perfection, faut-il encore la lire ? Parcourue sous l'éclairage de la foi, la galerie des ancêtres illustre l'affirmation de départ : « Après avoir, à maintes reprises et sous maintes formes, parlé jadis aux Pères... » La foi oriente vers les biens futurs et s'exprime en convictions de base : « Par la foi, nous comprenons que les mondes ont été formés par une parole de Dieu, de sorte que ce que l'on voit provient de ce qui n'est pas apparent. [...] Sans la foi il est impossible de plaire à Dieu. Car celui qui s'approche de Dieu doit croire qu'il existe et qu'il se fait le rémunérateur de ceux qui le cherchent » (He 11,3.6).

Parmi les grands ancêtres, Abraham reçoit une place de choix (He 11,8-19). [*voir* vol. I, p. 90] « Par la foi Abraham obéit à l'appel de partir vers un pays qu'il devait recevoir en héritage, et il partit ne sachant où il allait » (He 11,8). Le sacrifice d'Isaac préfigure celui du Christ :

REPÈRE

LES PRÊTRES SONT-ILS DES PRÊTRES ?

Le vocabulaire français ne facilite pas la réponse à cette question. A s'en tenir à l'épître aux Hébreux, les termes prêtre, grand prêtre s'appliquent seulement aux prêtres juifs, dont le ministère est périmé, et à Jésus Christ, l'unique grand prêtre de la nouvelle Alliance, le seul médiateur entre les hommes, ses frères, et Dieu. Il est fait mention des premiers évangélisateurs de la communauté et des chefs actuels (*higoumènes*), mais sans aucune précision sur leur statut ni leurs fonctions propres. Toute la démonstration porte sur le rôle du Christ qui, surpassant les anges, Moïse et Aaron, siège à la droite de Dieu comme l'intercesseur souverain.

Le terme français « prêtre » dérive du grec *presbyteros*, signifiant « ancien ». Les lettres de Paul à Tite et Timothée constituent les documents les plus explicites sur l'investiture des anciens par imposition des mains et sur leur fonction de chefs de la communauté. Le rôle de l'évêque, comme chef unique de communauté, s'est précisé dès le début du IIe siècle, comme le montrent les lettres d'Ignace d'Antioche. L'appellation latine de sacerdos apparaît pour l'évêque au début du IIIe siècle, dans la *Tradition apostolique* d'Hippolyte de Rome (ch.3), et plus tardivement pour les presbytres, avec la démultiplication des paroisses. Ainsi les fonctions ministérielles dans l'Église vont-elles être progressivement comprises comme une suite du sacerdoce lévitique de l'Ancien Testament.

Ces variations dans la terminologie sont concomitantes d'une réflexion plus développée sur l'Eucharistie, mémorial de la passion et de la résurrection du Christ. En tant qu'il préside au repas du Seigneur, l'évêque rend actuel l'unique sacrifice du Christ pour le bien de la communauté. De ce fait il est associé au ministère de l'unique grand prêtre de la nouvelle alliance, mais ce sacerdoce ne fait pas nombre avec celui du Christ. De trop nombreux abus expliquent l'âpreté de la polémique au temps de la Réforme du XVIe siècle. Luther rejeta avec force le sacrifice de la messe comme portant atteinte à l'unicité du sacrifice du Christ, mais il maintint avec énergie la présence du Christ dans le pain et le vin de l'Eucharistie. Il fallut attendre le concile Vatican II pour un exposé serein qui respecte les enseignements de l'épître aux Hébreux et mette en valeur pour le sacerdoce ministériel les deux fonctions inséparables d'évangélisation et de présidence de l'eucharistie.

Par la foi, Abraham, mis à l'épreuve, a offert Isaac, et c'est son fils unique qu'il offrait en sacrifice, lui qui était le dépositaire des promesses, lui à qui il avait été dit : C'est par Isaac que tu auras une postérité. Dieu, pensait-il, est capable même de ressusciter les morts ; c'est pour cela qu'il recouvra son fils, et ce fut un signe (He 11,17-19).

La galerie des ancêtres se termine par l'évocation des martyrs d'Israël, modèles pour une communauté elle-même soumise à l'épreuve. Enfin, exemple suprême, celui de Jésus Christ, chef et guide de notre foi, qui la mène à la perfection, lui qui, au lieu de la joie qui lui était proposée, endura la croix (He 12,1-2). Les épreuves ont valeur pédagogique, Dieu éduquant les fidèles à la manière d'un père qui n'épargne pas les corrections pour le bien de ses fils.

Recommandations pratiques (12,14 - 13,25)

La mise en garde contre les dangers de l'apostasie s'accompagne d'une mise en parallèle entre la promulgation de la loi au Sinaï et l'accès des fidèles à la cité du Dieu vivant. Ils se sont approchés d'un Dieu Juge universel, « de Jésus médiateur d'une alliance nouvelle et d'un sang purificateur plus éloquent que celui d'Abel » (He 12,23-24). À la crainte doit succéder la confiance. Parmi les recommandations pratiques se signalent : la fidélité aux premiers évangélisateurs (He 12,7), l'obéissance aux chefs actuels (He 12,17), l'entraide et le respect du mariage (He 13,4).

La rupture avec le judaïsme est consommée pour les fidèles de la nouvelle Alliance. La mention de l'autel dont les desservants de la Tente n'ont pas le droit de se nourrir renvoie à la célébration eucharistique. Cette indication sommaire est complétée par l'invitation à l'action de grâces et à la mise en commun des ressources. Une proclamation résume l'exposé : « Jésus Christ est le même hier et aujourd'hui, il le sera à jamais » (He 13,8). L'épître s'achève sur des « paroles d'exhortation ». S'y ajoutent, comme dans les lettres, une bénédiction et quelques formules de salutation, mais elles sont trop peu explicites pour permettre de préciser le lieu de rédaction et l'identité des destinataires.

L'Épître de Jacques

À part la formule de salutation du début, l'épître de Jacques ne présente aucune des caractéristiques d'une lettre. C'est un écrit d'exhortation envoyé aux chrétiens provenant des douze tribus de la Diaspora*. En l'absence d'indications concrètes, sinon la vive tension entre riches et pauvres, toute détermination de date est aléatoire.

L'auteur se présente comme « Jacques, serviteur de Dieu et du Seigneur Jésus Christ ». Serait-ce le frère du Seigneur, responsable de la communauté de Jérusalem ? Pourtant l'épître ne fait allusion ni au Temple de Jérusalem ni aux lois de pureté, auxquelles le frère du Seigneur tenait tant (Ac 15,20).

Le style et surtout le vocabulaire manifestent l'appartenance de l'auteur à la culture hellénistique. Il connaît les procédés de l'enseignement du temps, avec des dialogues fictifs (*diatribè*), et le rôle des exemples (Abraham, Rahab, Job, Élie). La juxtaposition de sentences rappelle les collections de Proverbes. Aux prophètes, il doit la vigueur des invectives contre les riches. Comme les *Testaments des douze Patriarches* Jacques condamne les hésitants au cœur partagé (Jc 1,8 ; 4,8) et invite à la fidélité sans partage.

L'enseignement de Jésus, selon la tradition de Matthieu, forme le soubassement principal des exhortations de Jacques. Comme son Maître, il recentre la loi sur l'amour du prochain (Jc 2,8) : « loi de liberté » (Jc 1,25 ; 2,12), elle est inscrite dans le cœur du croyant par la prédication de la Parole (Jc 1,21) et conduit à l'authentique sagesse (1,5 ; 3,17). Ni la mort ni la Résurrection du Christ ne sont mentionnées, mais Jacques attend son avènement (*parousia*) (Jc 5,7-8) et exhorte les fidèles à ne pas se décourager dans leur attente. La vie chrétienne n'est possible que dans un climat de prière ; nombreux sont les développements qui la concernent.

L'intérêt de l'épître de Jacques vient de ce qu'elle atteste la continuité du courant de Sagesse dans les communautés chrétiennes et l'impact des instructions de Jésus sur la vie concrète des fidèles. On a surtout

REPÈRE

PERFECTION ET SIMPLICITÉ DU CŒUR

Dans ses exhortations, Jacques rejoint un thème bien développé dans un écrit juif, les *Testaments des douze Patriarches*. C'est ainsi qu'Issachar se présente lui-même comme faisant l'aumône sans arrière-pensée, dans la simplicité de son cœur (3,8). Il exhorte donc ses descendants à faire de même :

Marchez dans la simplicité de votre cœur. [...] L'homme simple ne convoite pas l'or, il ne recherche pas des mets variés, il ne désire pas un vêtement qui le distingue. [...] Il n'y a point de jalousie dans ses pensées, l'envie ne consume pas son âme.

(Test. Issachar, 4,1...5. Trad. M. Philonenko)

Ces conseils reflètent bien la spiritualité des pauvres (*anawim**) du Seigneur, qui caractérisera aussi les communautés judéo-chrétiennes de Palestine. On retrouve ce thème dans la *Didachè* et le *Pasteur* d'Hermas. [*voir* p. 527, 529]

retenu la controverse sur la justification : manifestement Jacques réagit contre une interprétation laxiste de l'enseignement de Paul. [*voir* p. 214]

À défaut d'un véritable plan, on distingue un premier ensemble sur le thème de l'épreuve ou tentation, le mot d'ordre étant la persévérance (Jc 1,2-18). Un second thème concerne l'accomplissement de la Parole : la foi ne suffit pas, elle doit se traduire en actes (Jc 1,19 à 3,18). Entre Dieu et le monde, il faut choisir (Jc 4,1 à 5,6) : ce passage contient les reproches les plus vigoureux contre les riches. Enfin les exhortations finales (Jc 5,7-19) concernent plus particulièrement la vie interne des communautés.

Perfection, épreuve, loi de liberté

Relevons quelques-uns des thèmes majeurs de cette épître. Faisant écho à l'invitation du Christ « vous serez parfaits comme votre Père céleste est parfait » (Mt 5,48), Jacques invite ses lecteurs à « être parfaits, irréprochables » (Jc 1,4). La perfection s'oppose à la division du cœur, division de celui qui veut concilier la foi avec l'amour des richesses. Un homme « à l'âme partagée, inconstant dans toutes ses voies » (Jc 1,8), ne peut rien obtenir dans ses prières. À lui s'oppose l'humble, car « Dieu résiste aux orgueilleux, mais il donne sa grâce aux humbles. Soumettez-vous donc à Dieu ; résistez au diable et il fuira loin de vous » (Jc 4,6-7). Comme Marie le chantait dans le Magnificat (Lc 1,52), Dieu relève ceux qui s'humilient devant Lui (Jc 4,10).

« Heureux l'homme qui supporte l'épreuve ! » (Jc 1,12). Autour de cette béatitude, Jacques développe diverses exhortations : nécessité de la persévérance, engagement sans partage, s'opposant à la division intérieure (1,8), confiance en Dieu malgré tout (1,12).

Épreuve ou tentation ? Le même mot *peirasmos* signifie les deux ; il faut choisir selon le contexte. Un premier cas est clair : les épreuves contribuent à la purification de la foi et doivent être acceptées avec joie (Jc 1,2), cette joie parfaite dont parlait François d'Assise à frère Léon. *Peirasmos* signifie aussi tentation ; la traduction liturgique du Pater nous fait dire : « Ne nous soumets pas à la tentation. » Dieu serait-il responsable de notre péché ? Jacques proteste énergiquement : « Dieu n'éprouve personne. Chacun est éprouvé par sa propre convoitise qui l'attire et le leurre » (Jc 1,13). Père des lumières, Dieu ne tente personne, mais est la source de tous les dons excellents : « Il a voulu nous enfanter par une parole de vérité, pour que nous soyons comme les prémices* de ses créatures » (Jc 1,17-18).

Soucieux de la cohérence dans la vie des fidèles, Jacques insiste sur la mise en pratique de la Parole : « Ne soyez pas seulement des auditeurs qui s'abusent eux-mêmes » (Jc 1,22). Ce thème concluait le Sermon sur la montagne (Mt 7,24-27). Jacques n'est pas un activiste : l'action découle de l'accueil de la Parole implantée en nous comme source de régénération. Face à ceux qui se targuent de leur science et déploient un zèle amer, Jacques rappelle l'importance de l'humble douceur.

Puisque « la loi parfaite de liberté » est centrée sur l'amour du prochain, « la religion pure et sans tache devant Dieu notre Père consiste en ceci : visiter les orphelins et les veuves dans leurs épreuves, se garder de toute souillure du monde » (Jc 1,27).

Pour illustrer son enseignement, Jacques part d'un cas pratique : l'accueil des riches et des pauvres à l'assemblée chrétienne. Aux uns est réservée une place d'honneur, aux autres le bas de l'escabeau. Ce mépris des pauvres va à l'encontre de la conduite de Dieu qui « a choisi les pauvres selon le monde [...] comme héritiers du Royaume » (Jc 2,5). Les riches agissent en oppresseurs, usant de leurs influences devant les tribunaux. La « loi royale », appelée aussi « loi de liberté », se résume ainsi : « Tu aimeras ton prochain comme toi-même » (Jc 2,8), les autres commandements n'en étant que la conséquence.

La foi et les œuvres

C'est le passage polémique sur la foi et les œuvres qui a fait dire que Jacques prenait le contre-pied de l'enseignement de Paul. Il l'ouvre en composant une petite scène :

> *Si un frère ou une sœur sont nus, s'ils manquent de leur nourriture quotidienne, et que l'un de vous leur déclare : « Allez en paix, chauffez-vous, rassasiez-vous », sans leur donner ce qui est nécessaire à leur corps, à quoi cela sert-il ? Ainsi en est-il de la foi : si elle n'a pas les œuvres, elle est tout à fait morte.* (Jc 2,15-17)

Puis Jacques discute le cas d'Abraham : d'où vient sa qualité de juste ? L'histoire du sacrifice d'Isaac fournit la réponse : c'est en raison de son obéissance exemplaire qu'il fut appelé « ami de Dieu » : « Tu le vois : la foi coopérait à ses œuvres et par les œuvres sa foi fut rendue parfaite » (2,22). Cela ne revient pas à nier le rôle de la foi, mais à insister sur la cohérence entre la conviction et l'agir : « Comme le corps sans l'âme est mort, de même la foi sans les œuvres est-elle morte » (2,26).

Deux formes de sagesse

Contre ceux qui veulent se faire passer pour des maîtres, Jacques invite à la discrétion, car nombreux sont les péchés commis par la langue

(Jc 3,1-13). Suit alors un morceau de bravoure pour dénoncer la puissance malfaisante de cet organe petit, mais dangereux, comme le feu, capable d'embraser toute une forêt. À la différence des animaux qu'on arrive à dresser, la langue est indomptable : « C'est un fléau sans repos, plein d'un venin mortel. » Quelle contradiction : par la langue nous bénissons le Seigneur et Père et nous maudissons les hommes faits à l'image de Dieu ! Il ne doit pas en être ainsi.

L'une des clefs de la lettre est peut-être le court passage, situé au centre de l'épître, opposant deux formes de sagesse (Jc 3,14-18). L'une est terrestre, l'autre vient d'en haut : « Elle est pure, pacifique, indulgente, bienveillante, pleine de pitié et de bons fruits, sans partialité, sans hypocrisie » (3,17). La vie chrétienne implique des choix, l'épître de Jacques insiste sur leur radicalité.

Pourquoi, par exemple, certaines prières ne sont-elles pas exaucées ? Question toujours actuelle. – La cause en est l'esprit de discorde dans la communauté : « Vous demandez et ne recevez pas parce que vous demandez mal, afin de dépenser pour vos passions » (Jc 4,3). Il faut en effet choisir entre le monde et Dieu : « Qui veut être ami du monde se rend ennemi de Dieu » (4,4). Ce que Dieu demande en premier, c'est l'humilité : « Humiliez-vous devant le Seigneur et il vous élèvera »

REPÈRE

LA FOI SELON PAUL ET SELON JACQUES

Le développement de Jacques sur la Loi et les œuvres a fait croire que Jacques s'en prenait directement à Paul. L'histoire d'Abraham est exploitée par les deux auteurs de façon diamétralement opposée. Paul met en avant la foi du patriarche qui lui valut la justification : « Abraham crut en Dieu, et ce lui fut compté comme justice » (Ga 3,6 citant Gn 15,6). Jacques au contraire, en continuité avec la tradition juive, exalte l'obéissance du patriarche lors du sacrifice d'Isaac (Gn 22) et conclut : « Abraham, notre père, ne fut-il pas justifié par les œuvres quand il offrit Isaac, son fils, sur l'autel ? » (Jc 2,21). De là vient que Luther ait appelé la lettre de Jacques « épître de paille ».

Une étude plus attentive relativise le conflit. Jacques, comme le fera plus tard 2 P 3,16, s'en prend à des personnes qui déforment la pensée de Paul, qui exaltent la justification par la foi en négligeant ses conséquences dans la vie pratique. Pour mieux combattre les thèses incriminées, Jacques isole la foi de l'amour, osant même parler de la foi des démons (Jc 2,19). Il a beau jeu de dire que, dans ces conditions, la foi est morte ! Il n'en méconnaît pas pour autant la nécessité de la foi, mais précise qu'elle doit « coopérer » avec les œuvres (2,21).

Pour Paul, il ne peut y avoir une « foi morte » comme celle des démons, car la foi est ouverture à la Parole de Dieu et obéissance. C'est l'acceptation du don gratuit que Dieu nous accorde en son Fils crucifié et ressuscité pour nous. Elle ne s'en manifeste pas moins dans l'exercice concret de la charité : « Dans le Christ Jésus ni circoncision ni incirconcision ne comptent, mais seulement la foi opérant par la charité » (Ga 5,6).

(Jc 4,10). Juger son frère, c'est se mettre à la place de Dieu, alors qu'il n'y a qu'un seul législateur et juge, Dieu qui peut sauver ou perdre.

Diatribe contre les riches

En deux passages parallèles, Jacques s'en prend aux affairistes et aux mauvais patrons. Les premiers multiplient les projets alors qu'ils devraient se dire : « Si le Seigneur le veut, nous vivrons et nous ferons ceci ou cela » (Jc 4,15). Dans un style proche de celui d'Amos, Jacques interpelle également les seconds : « Le salaire dont vous avez frustré les ouvriers qui ont fauché vos champs, crie, et les clameurs des moissonneurs sont parvenues aux oreilles du Seigneur des armées » (Jc 5,4). À la violence des uns s'oppose la non-résistance du juste, qui n'a, à l'époque, pas d'autre solution que de subir l'arbitraire des puissants : « Vous avez condamné, vous avez tué le juste : il ne vous résiste pas » (Jc 5,6).

Contre l'affairisme, la patience du cultivateur est donnée en exemple : « Soyez patients, vous aussi, car l'Avènement (*parousia*) du Seigneur est proche. » De qui attendre la venue ? de Dieu comme Juge souverain, selon la tradition juive, ou du Christ, comme dans le tableau du Jugement dernier selon Mt 25,31-46 ? Les multiples allusions aux paroles du Christ transmises dans l'évangile de Matthieu favorisent cette seconde interprétation.

La prière et l'onction des malades

Jacques conclut sa lettre par des recommandations sur la prière, opportune en toute circonstance, et spécialement en cas de maladie : « Quelqu'un parmi vous est-il malade ? Qu'il appelle les presbytres de

REPÈRE

RICHES ET PAUVRES

L'épître de Jacques est le texte du Nouveau Testament qui se prête le mieux à une analyse sociologique, avec un contraste si accusé entre deux groupes. Avec vigueur, Jacques prend le parti des uns contre les exactions des autres. Les riches ne songent qu'à faire de bonnes affaires (4,13-17) et exploitent sans vergogne leurs ouvriers (5,1-6). Les uns apparaissent comme membres de la communauté (2,1-6), d'autres sont des persécuteurs (2,6.7 ; 5,6). Les pauvres appartiennent au milieu des *anawim*, dont les Psaumes expriment si souvent et les souffrances et la confiance. La communauté primitive de Jérusalem se recrutera principalement dans ce milieu, mais rien dans la lettre de Jacques ne fait référence à la Ville sainte. C'est le point de vue spirituel qui domine : élus par Dieu (2,5), les pauvres doivent cultiver l'humilité et la douceur (4,6).

REPÈRE

ONCTION D'HUILE ET SACREMENT DES MALADES

Dans l'Antiquité, l'huile servait de remède aux blessures et aux brûlures. Jésus lui-même ne semble pas l'avoir utilisée, mais lorsque les apôtres furent envoyés en mission, « ils chassaient beaucoup de démons et faisaient des onctions d'huile à de nombreux infirmes et les guérissaient » (Mc 6,13). La démarche préconisée par Jacques s'inscrit en prolongement. Les presbytres, sur lesquels les Épîtres pastorales nous fournissent de plus amples renseignements, exercent de façon collégiale leur rôle de chefs de communauté. Par l'onction d'huile, ils demandent pour le malade la guérison du corps et, éventuellement, le pardon des péchés. La communauté elle-même est invitée à s'associer à ce rite, reconnu par l'Église catholique comme l'un des sept sacrements.

l'Église [*voir* p. 482, 530] et qu'ils prient sur lui après l'avoir oint d'huile au nom du Seigneur. La prière de la foi sauvera le patient et le Seigneur le relèvera. S'il a commis des péchés, ils lui seront remis » (5,13-15).

Le dernier mot est une maxime optimiste qui rappelle la parabole de la brebis égarée (Mt 18,10-14), et tranche sur ton souvent sévère de la lettre : « Celui qui ramène un pécheur de son égarement sauvera son âme de la mort et couvrira une multitude de péchés » (Jc 5,20).

ÉD. C.

La première épître de Pierre

Les deux lettres de Pierre sont très différentes de tonalité et de style. La première est une lettre circulaire, destinée aux communautés de cinq provinces d'Asie Mineure. L'Asie proconsulaire, avec Éphèse pour capitale, et la Galatie ont été évangélisées par Paul ; quant au Pont, à la Cappadoce et à la Bithynie, nous ne savons quels en furent les premiers évangélisateurs. Une lettre de Pline le Jeune (en 112) atteste l'importance de la communauté de Bithynie et fait allusion à une persécution qui éclata une vingtaine d'années plus tôt, au temps de Domitien, à l'époque où fut rédigée l'Apocalypse de saint Jean. Pierre n'a sans doute pas visité lui-même toutes ces contrées, mais il écrit comme apôtre, témoin des souffrances du Christ et de sa gloire. Cette première « encyclique » manifeste ainsi son prestige auprès de la fraternité chrétienne. [*voir* 56, 514]

Regard général

Expédiée de Babylone (c'est-à-dire Rome) avec l'aide de Silvain comme secrétaire, la lettre se compose d'une série d'exhortations destinées à redonner confiance à des fidèles qui subissent les vexations d'un milieu hostile. La béatitude des persécutés (Mt 5,10) sert de toile de fond. On en trouve une formulation originale dans les dernières exhortations : « Heureux, si vous êtes outragés pour le nom du Christ, car l'Esprit de gloire, l'Esprit de Dieu repose sur vous » (1 P 4,14). Ce thème revient comme un *cantus firmus*, avec une gradation dans les précisions données sur les épreuves qui menacent la communauté chrétienne dans le monde. Faut-il y voir une allusion à la persécution de Néron déclenchée à la suite de l'incendie de Rome en 64 ? En réalité, cette persécution se limita à Rome et ne peut servir de repère pour fixer la date de la lettre, ni pour se prononcer sur son authenticité.

Il s'agit d'ailleurs d'un écrit d'encouragement dénué de toute polémique. Il touche par la chaleur du ton et ressemble par endroits à une homélie adressée à de nouveaux baptisés (2,2). Il contient de nombreuses allusions aux paroles du Christ, spécialement au Sermon sur la montagne. À la différence de l'épître de Jacques, ses exhortations se fondent sur le mystère pascal : Passion, descente du Christ aux enfers, glorification à la droite de Dieu. L'attente de la Parousie* prochaine est très vive et ne semble pas poser de problèmes, à la différence de la situation illustrée par la seconde épître de Pierre. Les nombreuses citations de l'Ancien Testament sont faites selon la version grecque des Septante*. Faut-il parler d'une dépendance à l'égard de Paul ? Des rapprochements indéniables permettent plutôt de découvrir les grands thèmes de la catéchèse apostolique.

Certaines recommandations datent et même surprennent : par exemple l'invitation à la soumission pour les esclaves et les femmes (1 P 2,18 - 3,6) ! Pierre n'a rien d'un révolutionnaire. Dans une situation que les chrétiens ne peuvent encore modifier, il prêche la dignité de l'homme vraiment libre (1 P 2,16) qui, en conscience, préfère souffrir que d'agir mal (2,18-20). Petite minorité, les chrétiens contribueront par le rayonnement de leur vie fraternelle à faire découvrir à l'ensemble du monde habité la valeur de leur foi (2,12.15 ; 3,1). Ils ont à rendre compte de leur espérance, avec douceur et respect (3,15-16). Leur réconfort, c'est de constituer ensemble « la maison de Dieu » : ainsi les exclus de la société peuvent-ils trouver dans la communauté chrétienne un lieu de paix et de confiance.

Ouverture

À la manière juive, la lettre commence par une bénédiction solennelle : « Béni soit le Dieu et Père de notre Seigneur Jésus Christ » (1,3). En strophes successives, Pierre célèbre la miséricorde de ce Dieu qui « nous a engendrés de nouveau par la Résurrection de Jésus Christ d'entre les morts » (1,3) et invite à la joie, malgré les épreuves actuelles, joie naissant de l'attachement à Jésus Christ : « Sans l'avoir vu, vous l'aimez ; sans le voir encore, mais en croyant, vous tressaillez d'une joie indicible et pleine de gloire… » (1,8). On reconnaît là l'écho d'une parole du Ressuscité transmise par Jean : « Heureux ceux qui croient sans avoir vu » (Jn 20,29).

L'invitation lancée aux fidèles (1,13 à 2,3) de mener une vie digne de leur espérance se réfère à l'Exode et au sacrifice de l'agneau pascal. Comme dans une catéchèse* baptismale le rejet du péché est motivé par la sainteté de Dieu : « Vous serez saints, parce que moi je suis saint » (1,16). La révélation de Dieu comme Père renforce cette exigence en même temps qu'elle est rendue possible par le sacrifice du Christ, véritable agneau pascal (Ex 12,5), « discerné avant la fondation du monde et manifesté dans les derniers temps » (1 P 1,20). Toute l'histoire du salut est centrée sur le Christ et trouve son unité dans l'Esprit Saint.

Former un Temple pour Dieu

Aux chrétiens que leur foi place en marge de la société, Pierre révèle leur dignité : ils sont le vrai peuple de Dieu, le Temple habité par l'Esprit. Ce que l'Ancien Testament dit d'Israël est ici appliqué aux fidèles du Christ :

Approchez-vous de lui, la pierre vivante, rejetée par les hommes, mais choisie, précieuse auprès de Dieu. Vous-mêmes, comme pierres vivantes, prêtez-vous à l'édification d'un édifice spirituel, pour un sacerdoce saint, en vue d'offrir des sacrifices spirituels agréables à Dieu par Jésus Christ. (1 P 2,4-5)

Ce développement fait allusion à un psaume cité dans les évangiles : « La pierre qu'ont rejetée les bâtisseurs est devenue la tête de l'angle » (Ps 118,22, cité en Mt 21,42). Ici l'appellation de « pierres vivantes » est appliquée aux chrétiens qui doivent contribuer à l'édification du Temple habité par l'Esprit Saint, dont le Christ est la pierre de fondation. Sur ce texte se greffe un oracle d'Isaïe sur le temple des temps messianiques : « Voici que je pose en Sion une pierre angulaire, choisie, précieuse, et celui qui se confie en elle ne sera pas confondu » (Is 28,16). Selon l'attitude de l'homme, foi ou refus de croire, la pierre est principe de salut ou de perdition.

Un thème proche de celui-là est fourni par les clauses de l'Alliance du Sinaï : « Vous êtes une race élue, un sacerdoce royal, une nation sainte, un peuple acquis » (2,9). Ce passage d'Ex 19,5-6 est cité d'après la traduction grecque, qui en accentue la valeur communautaire. C'est le peuple élu* en son entier qui est appelé, au milieu des nations, à accomplir la fonction sacerdotale de proclamation de la Parole et de l'offrande spirituelle d'une vie sainte. Il ne s'agit pas ici de la tâche propre des responsables de la communauté, mais de la mission de toute l'Église* : les « sacrifices spirituels agréables à Dieu » qu'il faut offrir par Jésus Christ ne sont rien d'autre que la vie concrète des fidèles, dont Pierre détaille par la suite les divers aspects. S'inspirant enfin d'Osée (Os 1,6.9 ; 2,1.25) qui évoquait le pardon des enfants d'Israël par le changement de leur nom, Pierre présente les convertis, venus pour la plupart du paganisme, comme le peuple de Dieu, qui a obtenu miséricorde. Tout ce passage a été repris par le concile Vatican II.

Devoirs des chrétiens

Les chrétiens n'ont pas de cité permanente sur terre, vivant en pèlerins comme les patriarches. Cela ne signifie pas désintérêt pour le monde. Selon l'invitation du Christ dans le Sermon sur la montagne (Mt 5,16), ils doivent « avoir une belle conduite au milieu des nations, afin que la vue de leurs œuvres bonnes » désarme les préventions hostiles et conduise les païens à glorifier Dieu. Leur apostolat doit s'exercer par l'exemple. Cela vaut aussi bien pour la vie familiale que pour la relation aux pouvoirs publics (2,15-16). L'obéissance demandée n'a cependant rien de servile. En utilisant le livre des Proverbes (Pr 24,21) qui prescrit de craindre Dieu et le roi, Pierre distingue la crainte de Dieu de l'honneur pour le roi, ce qui exclut le culte impérial. On note aussi l'importance donnée au respect de tous les hommes et à l'amour pour les frères dans la foi.

L'esclavage constituait la tare de la société gréco-romaine. On s'attendrait à trouver dans le Nouveau Testament une condamnation ferme, mais c'est oublier que les chrétiens ne formaient dans l'Empire romain qu'une infime minorité, bien incapable de promouvoir une

Repère

Le sacerdoce royal selon Vatican II

Le Christ, Seigneur, grand prêtre pris d'entre les hommes, a fait du peuple nouveau « un royaume, des prêtres pour son Dieu et Père ». Les baptisés, en effet, par la régénération et l'onction du Saint-Esprit, sont consacrés pour être une demeure spirituelle et un sacerdoce saint, pour offrir, par toutes les activités du chrétien, autant de sacrifices spirituels, et proclamer les merveilles de celui qui des ténèbres les a appelés à son admirable lumière. (Lumen Gentium n°10) réforme sociale. Seul Paul dans sa lettre à Philémon invite explicitement ce maître chrétien à affranchir Onésime, esclave qui lui avait fait du tort. Pour sa part Pierre se place sur le plan spirituel, visant à rendre aux esclaves toute leur dignité : ne sont-ils pas dans la communauté la vivante image du Christ souffrant ? Ils ont à vivre la béatitude des persécutés : « C'est une grâce que de supporter, par égard pour Dieu, des peines que l'on souffre injustement. Quelle gloire, en effet, à supporter les coups si vous avez commis une faute ? » (2,19). Le devoir de soumission n'est pas inconditionnel. Faisant appel à la conscience des esclaves pour refuser d'accomplir un acte injuste, Pierre les considère non pas comme la chose de leurs maîtres, mais comme des personnes responsables.

Il appuie ces consignes, qui peuvent paraître austères, sur l'exemple du Serviteur souffrant d'Isaïe : « Transpercé à cause de nos crimes, écrasé à cause de nos fautes. Le châtiment qui nous rend la paix est sur lui, et dans ses blessures nous trouvons la guérison [...]. Maltraité il s'humiliait, il n'ouvrait pas la bouche, comme l'agneau qui se laisse mener à l'abattoir » (Is 53,5...7, cité par allusions en 1 P 2,21-24) [*voir* p. 278]. Le Christ a été le premier à s'en inspirer. Par sa souffrance, il a obtenu le pardon, « lui qui, sur le bois, a porté lui-même nos fautes dans son corps, afin que, morts à nos fautes, nous vivions pour la justice » (1 P 2,24). Le comportement attendu du chrétien en découle : « Ne rendez pas mal pour mal, insulte pour insulte. Bénissez au contraire, car c'est à cela que vous avez été appelés... » (3,8-12).

Sans doute cette confiance en Dieu est-elle exposée au démenti des faits. Dans de telles situations, Pierre invite au courage et au témoignage, en des termes que les chrétiens de tous les temps, principalement ceux qui vivent dans un monde blasé, peuvent entendre : « Soyez toujours prêts à la défense contre quiconque vous demande raison de l'espérance qui est en vous. Mais que ce soit avec douceur et respect, en possession d'une bonne conscience » (1 P 3,15-16). L'apostolat s'enracine dans l'espérance, et il exige le respect des personnes.

L'Évangile annoncé à tous, même aux morts

Le Christ lui-même est mort une fois pour les péchés, juste pour des injustes, afin de nous mener à Dieu. Mis à mort selon la chair, il a été vivifié selon l'esprit. C'est en lui qu'il s'en alla même prêcher aux esprits en prison, à ceux qui jadis avaient refusé de croire lorsque se prolongeait la patience de Dieu, aux jours où Noé construisait l'Arche dans laquelle un petit nombre, en tout huit personnes, furent sauvés à travers l'eau. Ce qui y correspond, c'est le baptême qui vous sauve à présent et qui n'est pas l'enlèvement d'une souillure charnelle, mais l'engagement à Dieu d'une bonne conscience par la Résurrection de Jésus Christ, lui qui, passé au ciel, est à la droite de Dieu, après s'être soumis les Anges, les Dominations et les Puissances. (1 P 3,18-22)

Ce passage inspiré d'une confession* de foi, obscur dans son extrême concision, est comme le fondement de toutes les exhortations qui composent le corps de l'épître. On y trouve exprimées les convictions de l'auteur sur la descente du Christ aux enfers, et sur le déluge comme figure du baptême.

Le Christ « s'en alla même prêcher aux esprits en prison ». L'expression est à rapprocher de l'annonce, un peu plus bas dans le texte, de la Bonne Nouvelle aux morts (4,6). Elle a un sens positif : le Christ ne vient pas seulement délivrer les âmes des justes en attente dans le Shéol*, mais il offre une ultime chance de salut aux plus grands pécheurs représentés par la génération du déluge. De manière imagée, Pierre veut dire que, en descendant lui-même au tombeau, le Christ offre à tous les hommes, à quelque époque qu'ils aient vécu, une possibilité de salut. Le thème de la descente aux enfers, sobrement mentionné dans le Symbole des Apôtres, connut de larges développements dans les apocryphes qui ont inspiré l'iconographie du Samedi Saint.

L'arche de Noé est devenue très tôt un symbole de l'Église. L'eau qui engloutit est en même temps celle qui porte l'arche. En ce sens, elle

DOCUMENT

LA DESCENTE DU CHRIST AUX ENFERS

À la sobriété du texte de Pierre s'opposent les récits dramatiques qui se trouvent dans plusieurs apocryphes. Le Christ force les portes de l'Hadès* pour délivrer Adam et Ève, et les patriarches. À titre d'exemple, voici quelques extraits des *Questions de Barthélemy*, un apocryphe* composite, rédigé en grec sur la base de traditions anciennes. Jésus s'adresse à l'apôtre Barthélemy :

Lorsque j'ai disparu de la croix, c'est alors que je suis descendu dans l'Hadès pour en faire sortir Adam et tous les patriarches, Abraham, Isaac et Jacob, suivant la requête de l'archange Michel ! Alors Barthélemy lui dit : « SEIGNEUR, quelle était cette voix qui se fit entendre là ? » Le SEIGNEUR lui répondit : « Lorsque je suis descendu avec les anges dans l'Hadès pour briser les verrous de fer et les portes de bronze, l'Hadès dit à Béliar (= Satan) : À ce que je vois, Dieu vient en ce lieu. Et les anges criaient, et disaient aux puissances : Élevez les portes de votre prince, car le roi de gloire descend sur la terre ! L'Hadès leur dit : Qui est ce roi de gloire qui descend vers nous ? »

(1,9-12. Trad. J.-D. Kaestli)

évoque l'eau du baptême qui détruit le péché et procure la vie. Le baptême « n'est pas l'enlèvement d'une souillure charnelle, mais l'engagement à Dieu d'une bonne conscience par la résurrection de Jésus Christ » (3,21).

De cet exposé dogmatique, Pierre tire les conséquences : « Le Christ ayant donc souffert dans la chair, vous aussi armez-vous de cette même pensée, à savoir : celui qui a souffert dans la chair a rompu avec le péché « (4,1). Malgré les sarcasmes de leurs anciens amis, les fidèles doivent persévérer dans cette rupture avec la débauche d'un monde idolâtre. Affrontés à un monde hostile, les fidèles ne pourront tenir que s'ils forment une véritable communauté : « Avant tout, conservez entre vous une grande charité, car la charité couvre une multitude de péchés. Pratiquez l'hospitalité les uns envers les autres, sans murmurer » (4,8-9). Chacun est invité à mettre à la disposition des autres les dons particuliers, ou charismes, qu'il a reçus de Dieu.

Dernières recommandations

Avant d'adresser ses directives aux anciens (presbytres) [*voir* p. 530], Pierre se présente lui-même avec simplicité comme l'un d'entre eux. Il est témoin des souffrances du Christ et attend la gloire future. « Paissez le troupeau de Dieu qui vous est confié, veillant sur lui, non par contrainte, mais de bon gré selon Dieu, non par un gain sordide, mais avec l'élan du cœur » (1 P 5,2). L'autorité dans l'Église doit s'exercer dans un esprit de service à l'imitation du Bon Pasteur, qui n'a pas hésité à laver les pieds de ses disciples (Jn 13,12-17).

L'exhortation finale s'adresse à nouveau à tous les fidèles. Elle reprend les grands thèmes spirituels de la lettre : humilité, vigilance, confiance, malgré les attaques du démon. Les liens fraternels entre les communautés sont un soutien pour les persécutés, « sachant que c'est le même genre de souffrance que la communauté des frères, répandue dans le monde, supporte » (1 P 5,9). Une fraternité qui dépasse les communautés locales, unie, dans les épreuves comme dans l'espérance, par la solidarité entre ses membres : c'est une belle image pour l'Église universelle.

Éd. C.

Nouveau Testament : VII. Épîtres catholiques et fin de la rédaction du Nouveau Testament

Les dernières épîtres

La fin du Ier siècle constitue une période charnière dans l'histoire de l'Église*. Les apôtres sont morts et l'organisation des communautés reste fragile. Avec Ignace d'Antioche [*voir* p. 525] s'affermira la structure tripartite du ministère : l'évêque à la tête du collège des presbytres [*voir* p. 482], et les diacres au service de l'évêque. Des problèmes nouveaux se posent : le retour du Christ que l'on escomptait proche se fait attendre, ce qui provoque la tentation du scepticisme chez les uns, ou le recours à une spiritualité intemporelle, désincarnée chez d'autres (le gnosticisme*). Dans cette situation difficile, qui prendra la parole ? Des collections d'écrits circulent déjà de communauté en communauté : lettres de Paul, évangiles, mais cela ne saurait suffire à répondre aux questions nouvelles. Paraissent alors de nouveaux écrits qui se présentent comme l'actualisation de la voix apostolique. L'attribution à Paul ou à Pierre ou à Jude correspond à un procédé courant à cette époque, la pseudonymie, le terme devant être vidé de la connotation négative du mot *pseudos* (mensonge). N'attribuait-on pas aux fondateurs des écoles philosophiques les commentaires rédigés par leurs disciples ? Certains de ces écrits ne seront pas admis dans le canon des Écritures, ainsi la *Didachè* (Enseignement des Apôtres) [*voir* p. 527] qui n'en aura pas moins une influence considérable. D'autres seront retenus, non sans hésitations parfois. Nous les présentons brièvement avec la préoccupation de mettre en valeur leur apport particulier dans la situation que nous venons d'évoquer.

Seconde épître aux Thessaloniciens

La deuxième lettre de Paul aux Thessaloniciens ressemble beaucoup à la première : mêmes envoyeurs, Paul, Silvain et Timothée, mêmes destinataires, et en gros mêmes sujets. Bien des expressions de la seconde sont reprises de la première. Mais alors que, dans un cas, Paul consolait les Thessaloniciens qui déploraient la mort de parents avant la parousie escomptée toute proche, ici Paul insiste sur les délais avant la venue du Jour du Seigneur. En apparence, la lettre a été écrite de Corinthe, quelques mois après la première. Pourquoi alors une telle insistance sur l'authenticité du document en le distinguant de lettres fausses (2 Th 3,17) ? Ce type de conclusion fait penser aux procédés classiques de la pseudonymie. Sans que l'on puisse préciser la date ni les circonstances de rédaction, on attribuera la seconde aux Thessaloniciens à un disciple de Paul qui, s'inspirant de la première, apporte une réponse à de nouvelles interrogations.

Le calcul des échéances a toujours préoccupé les esprits. Déjà Jésus déclarait que, concernant la fin des temps, personne ne connaît ni le jour ni l'heure, pas même les anges, pas même le Fils, mais seulement le Père (Mc 13,32). En conformité avec la tradition apocalyptique* l'auteur développe ici la nature des signes avant-coureurs, et notamment les agissements de l'Adversaire par excellence. Dans ce cadre, on retrouve des expressions de l'Ancien Testament sur la venue de Dieu comme juge des nations. Le développement essentiel porte sur les événements précurseurs de la Parousie* (2 Th 2,1-12) :
– d'abord l'apostasie et la révélation de l'Homme impie ;
– l'Homme impie mettra le comble à l'impiété en siégeant en personne dans le temple de Dieu ;
– un Retenant l'empêche présentement de se manifester, même si le mystère de l'impiété est à l'œuvre ;
– quand le Retenant sera écarté, l'Impie se révélera par toutes sortes de prodiges accomplis sous l'influence de Satan ;
– enfin le Seigneur fera disparaître l'Impie « par le souffle de sa bouche ».

Cette énumération rejoint les clichés classiques de la littérature apocalyptique, spécialement du livre de Daniel, comme le font le discours de Jésus sur la ruine du Temple (Mc 13), l'Apocalypse de saint Jean et la finale de la *Didachè*. Transparaît en particulier la figure d'Antiochus Épiphane (175-164 av.J.C.), le roi syrien qui se présentait comme la manifestation de Zeus et avait fait installer sa propre statue dans le temple de Jérusalem. Cette idole est désignée dans le premier livre des Maccabées (1 M 1,34) comme l'Abomination de la désolation. Le terme se retrouve dans l'apocalypse synoptique : « Lorsque vous verrez l'Abomination de la désolation installée là où elle ne doit pas être – que le lecteur comprenne –, alors que ceux qui seront en Judée s'enfuient dans les montagnes... » (Mc 13,14). L'idée que l'Impie accomplira des prodiges séducteurs est courante elle aussi : « Il surgira des faux Christs et des faux prophètes qui opéreront des signes et des prodiges pour abuser, s'il était possible, les élus » (Mc 13,22).

Ce qui spécifie la seconde épître aux Thessaloniciens, c'est l'insistance sur le Retenant, désigné soit comme une force (*to katekhon* au neutre) soit comme une personne (*ho katekhôn* au masculin). De quoi ou de qui s'agit-il ? Des Pères de l'Église y ont vu l'Empire romain qui, malgré son idolâtrie, contenait les forces du mal et faisait régner une certaine justice. Mieux vaut pourtant s'abstenir d'une identification trop précise. L'idée fondamentale est que Dieu est le maître des événements. Le retard apparent de la Parousie, dont s'inquiétera la seconde épître de Pierre, relève de la volonté de Dieu qui, seul, fixe les temps et les moments. Le déferlement du mal reste contenu par Dieu qui n'abandonne pas les siens. Seront condamnés « ceux qui auront refusé de croire la vérité et pris parti pour le mal » (2 Th 2,12).

La lettre se termine sur l'invitation à la persévérance et au travail pour gagner sa vie, selon l'exemple donné par Paul. Il est vraisemblable que, dans plusieurs communautés de la fin du Ier siècle, les fidèles attendaient la Parousie en se croisant les bras ! Si l'auteur dénonce la vaine agitation, il demande aussi aux fidèles de n'être à charge de

REPÈRE

L'ANTICHRIST

Le terme grec *antichristos* (*anti* au sens adversatif « contre ») se trouve seulement dans les épîtres de Jean. Il est employé au pluriel pour désigner les hérétiques qui mettent en cause la réalité de l'incarnation*. Sous la forme *Antéchrist* (*ante* au sens temporel « avant »), le terme est employé pour désigner l'Adversaire par excellence, celui qui se manifestera à la fin des temps. Il ne s'agit plus d'un groupe, mais d'un personnage sur lequel on fait converger tous les traits les plus sinistres, ceux d'Antiochus Épiphane, ceux de Néron... Au livre V de son traité *Contre les hérésies*, Irénée s'efforce de combiner tous les textes de l'Écriture relatifs aux derniers temps et présente l'Antéchrist comme celui qui récapitule en lui toute l'apostasie du diable (V, 25,1). La *Légende dorée* détaille les quatre manières dont l'Antéchrist trompera les hommes : d'abord par la ruse qu'il emploiera pour interpréter à faux les Écritures, puis par ses œuvres miraculeuses, en troisième lieu par l'abondance de ses dons, et enfin par les supplices qu'il infligera. Rien d'étonnant que Luther ait pu présenter le pape comme l'Antéchrist et que ses adversaires lui aient rendu la monnaie de sa pièce. Seule la reconnaissance du genre apocalyptique* permet d'échapper à toute actualisation tendancieuse et de rester fidèle au style allusif et non prédictif du texte. Le déferlement du mal dans le monde reste contenu par Dieu ; seul l'amour de la vérité permet d'accueillir le salut de Dieu.

personne : « Si quelqu'un ne veut pas travailler, qu'il ne mange pas non plus » (2 Th 3, 10).

Épître de Jude

Par sa brièveté et la vigueur de sa polémique, la lettre de Jude constitue l'un des écrits les plus surprenants du Nouveau Testament. L'auteur se présente comme Jude, frère de Jacques. Il s'agit sans doute de Jacques frère du Seigneur, responsable de la communauté de Jérusalem, à qui est attribuée une épître. La liste évangélique des frères du Seigneur comporte en effet un Jude (Mc 6, 3), dont les petits-fils, simples paysans, furent poursuivis comme descendants de David au temps de Domitien (Eusèbe, *Histoire ecclésiastique*, III, 20,7). À considérer la qualité du grec, il est difficile de penser qu'un humble Galiléen ait pu l'écrire. L'auteur réel est inconnu. Dans le Nouveau Testament, cette épître est un précieux vestige de la tradition judéo-chrétienne*.

Les destinataires sont familiers des courants apocalyptiques, mais troublés par des novateurs qui s'introduisaient dans leurs assemblées. Sans discuter leurs thèses, Jude s'emploie à discréditer les personnes. C'est un lieu commun de la polémique, à interpréter avec prudence. Plus explicite, la seconde épître de Pierre, dépendant de celle de Jude, dénoncera le rejet de la foi en Dieu créateur et la négation de la Parousie.

Selon Jude la révélation est maintenant close. Elle a été donnée une fois pour toutes aux « saints » (v.3), à savoir les apôtres et les prophètes. Il ne faut pas en dévier, mais lutter pour le maintien de la tradition. Tout progrès dans la foi n'est pas exclu nécessairement, puisque les fidèles sont invités à construire leur vie sur la base de l'enseignement reçu (v.20).

Pour manifester la gravité du péché des hérétiques et amener les fidèles à se détourner d'eux, le texte passe en revue les grands pécheurs de l'histoire. Leur châtiment préfigure celui qui atteindra les coupables d'aujourd'hui. En premier lieu est évoqué le châtiment qui atteignit les Israélites rebelles après la sortie d'Égypte (v.5). Viennent ensuite les anges coupables d'union avec les filles des hommes, selon le récit légendaire de Gn 6,1-4, qui tient tant de place dans le livre d'*Hénoch* cité plus loin (v.6). Puis sont nommées Sodome et Gomorrhe, les villes pécheresses par excellence (v.7 ; cf. Gn 19,1-11).

Les hérétiques se considéraient, en raison de leurs visions, supérieurs aux anges du plus haut rang (v.8-10). Pour les contrer, Jude évoque l'altercation entre l'archange Michel, protecteur attitré d'Israël, et le diable, au sujet de l'ensevelissement du corps de Moïse. L'archange ne prononça pas lui-même la condamnation, mais s'en référa à Dieu. On reconnaît ici une légende apocryphe* (*Assomption de Moïse*). La liste des pécheurs reprend ensuite (v.11) avec Caïn (Gn 4), Balaam considéré par la tradition juive comme l'instigateur de l'infidélité d'Israël (Nb 25,1-9), Coré qui contesta l'autorité d'Aaron (Nb 16,1-5).

Revenant sur les désordres dans l'Église, Jude déplore les dérèglements qui se produisent lors des « agapes », prévues pour être des repas communautaires de charité. Quels fruits attendre de tels convives ? Une série de comparaisons souligne la vanité de leur agitation : « Nuées sans eau, arbres sans fruits, écume de la mer, astres errants auxquels les ténèbres épaisses sont gardées pour l'éternité » (v. 12-13). Leur jugement est imminent. Pour l'annoncer, Jude cite le livre d'*Hénoch*, très en vogue dans les cercles apocalyptiques juifs de l'époque : « Voici : le Seigneur est venu avec ses saintes myriades, afin d'exercer le jugement contre tous et de confondre tous les impies pour toutes les œuvres d'impiété qu'ils ont commises, pour toutes les paroles dures qu'ont proférées contre lui les pécheurs impies... » (1 Hénoch 1,9, cité par Jude 14-15).

REPÈRE

LE LIVRE D'*HÉNOCH* ET LES PROBLÈMES DU CANON

La lettre de Jude, très riche en allusions bibliques, ne comporte qu'une seule citation formelle, celle du livre d'*Hénoch*, le septième patriarche depuis Adam, enlevé auprès de Dieu (Gn 5,24). Le texte cité est la traduction grecque d'un original araméen, dont on a trouvé à Qoumrân de larges extraits. L'œuvre complète ne nous a été conservée qu'en langue éthiopienne, d'où le nom d'*Hénoch éthiopien* donné à cette vaste compilation.

Le livre d'Hénoch débute par une description de la venue de Dieu pour le jugement. C'est le passage cité par Jude. Dans la suite, Hénoch doit signifier aux anges déchus leur condamnation définitive. Il visite les lieux où attendent les esprits des défunts, le jardin d'Éden, révèle le calendrier céleste qu'il faut respecter pour que la liturgie soit valide. Dans la foulée de la révélation de Daniel ch. 7, la section dite des *Paraboles* attribue le jugement au Fils d'homme. Très importante pour comprendre l'utilisation du terme « Fils de l'homme » dans les Évangiles, cette partie semble avoir été écrite aux abords de l'ère chrétienne.

Tout comme à Qoumrân*, on ne peut dire que, pour Jude, le canon* juif est définitivement arrêté. La loi* de Moïse constitue le noyau central ; les Psaumes et les livres prophétiques ont valeur normative. Autour de ces deux cercles concentriques gravitent d'autres écrits, reçus par certaines communautés et non par d'autres. L'auteur de la seconde épître de Pierre se montre plus restrictif que Jude dans ses références ; il ne cite pas *Hénoch* ni ne fait allusion à l'*Assomption de Moïse*.

Les derniers temps sont en effet caractérisés par la prolifération d'erreurs, proférées par « des moqueurs marchant selon leurs convoitises impies » (v.18 ; on ne sait pas à quoi renvoie ce membre de phrase, présenté comme une citation). Si fiers de leurs prétendues visions, ces gens-là ne sont que des « psychiques », à l'âme (*psychè*) tout humaine, dépourvus de l'Esprit de Dieu.

Par opposition, les fidèles doivent édifier leur vie sur la foi : « Priant dans l'Esprit Saint, gardez-vous dans la charité de Dieu, prêts à recevoir la miséricorde de notre Seigneur Jésus Christ pour la vie éternelle » (Jude 20-21). Vis-à-vis des hérétiques encore hésitants Jude promeut une attitude de dialogue mais, à l'égard des endurcis, la plus grande prudence s'impose.

Seconde épître de Pierre

La seconde lettre de Pierre présente des caractères bien différents de la première : si l'une touche par ses chaleureuses exhortations, l'autre risque de rebuter par la violence de sa polémique (2 P 2). À la différence du style direct de la première, celui de la seconde apparaît recherché, avec une abondance de mots rares qu'il n'est pas aisé de traduire.

Auteur et origine

L'auteur se présente comme Syméon Pierre, apôtre de Jésus Christ, témoin de la Transfiguration du Christ (1,16). Suite à une première lettre (3,1), il se propose de fournir comme un résumé de son enseignement pour que, après sa mort prochaine (1,14), les fidèles soient fortifiés contre les erreurs qui menacent la vraie foi.

Ces préoccupations caractérisent les « discours d'adieu » : genre littéraire bien attesté dans le judaïsme* et le Nouveau Testament. Dans le cadre d'un testament spirituel, un disciple actualise les enseignements de son maître. Tels sont les discours d'adieu de Jésus en Jean 13-17, de Paul dans les Actes des Apôtres (20,18-35) et la seconde épître à Timothée. Nombreuses sont ici les expressions qui invitent à la fidélité du souvenir (1,12), à une mémoire qui tienne en éveil (1,13) et stimule pour les discernements nécessaires.

Quelle est donc l'erreur dénoncée avec tant de virulence au ch. 2, en des termes voisins de ceux de Jude ? Avant tout le scepticisme désabusé de ceux qui sont lassés d'attendre le retour (la Parousie) du Seigneur (3,4). Ils adoptent le point de vue des Grecs* qui croient que la matière a toujours existé, n'admettent pas sa création par Dieu et mettent en doute le jugement du monde. Sans doute se réclament-ils de Paul, mal compris. Face à ces mises en cause, Pierre l'auteur rappelle les fondements de la foi :

– le témoignage des apôtres sur la manifestation de la gloire du Christ lors de la Transfiguration, anticipation de son retour ;
– l'inspiration de l'Écriture qu'il faut interpréter selon la tradition ;
– les lettres de Paul à bien comprendre (3,15-16).

À la différence de la lettre de Jude, l'auteur élimine les références à des œuvres juives non reconnues comme inspirées (*Hénoch*, *Assomption de Moïse*). La seconde épître de Pierre apparaît ainsi comme un bon jalon dans la formation du canon des Écritures : à l'Ancien Testament reçu des Juifs s'ajoutent les récits sur la vie du Christ, et des lettres apostoliques (Pierre, Paul, Jude). Ainsi cet écrit est-il l'un des derniers du Nouveau Testament, peut-être même le dernier. D'abord utilisé en Égypte, il n'a été reconnu que progressivement par les autres Églises. On l'attribue à un disciple lointain de Pierre, vivant à Alexandrie, communauté se rattachant à Marc, l'interprète de Pierre.

Au fil du texte

Après la salutation d'ouverture, l'auteur invite les fidèles à prendre conscience de la grandeur de leur vocation : ne sont-ils pas appelés à participer à la « nature divine » (1,4) ? Unique dans le Nouveau Testament, cette expression jouera un grand rôle en théologie ; en Orient en particulier elle fonde la doctrine de la divinisation progressive des fidèles qui laissent la grâce faire pleinement son œuvre en eux.

Exhortant au progrès dans la vie chrétienne, l'auteur énumère les vertus : il s'agit de « joindre à la foi la vertu, à la vertu la connaissance, à la connaissance la tempérance » (1,5). Au sommet se trouve la charité : « Ainsi vous sera largement accordée par surcroît l'entrée dans le Royaume éternel de notre Seigneur et Sauveur Jésus Christ « (1,11). Ce titre de Sauveur reviendra avec insistance pour désigner Jésus : il ne s'agit pas seulement de connaissance, comme le pensent les adversaires dénoncés avec vigueur, mais de salut.

Après ce préambule assez général, on parvient au vif du sujet. L'auteur va transmettre en quelque sorte le testament spirituel de Pierre, pour que les fidèles soient prémunis contre les erreurs menaçantes : « J'emploierai mon zèle à ce qu'en toute occasion, après mon départ, vous puissiez vous remettre ces choses en mémoire » (v.15).

C'est dans ce cadre qu'est évoquée la Transfiguration, dont la vérité s'oppose aux mythes païens. Pierre, en tant que témoin, insiste sur la gloire de la vision, présentée comme un signe précurseur de la Parousie du Seigneur Jésus Christ :

Il reçut en effet de Dieu le Père honneur et gloire, lorsque la Gloire pleine de majesté lui transmit une telle parole : « Celui-ci est mon fils bien-aimé, qui a toute ma faveur. » Cette voix, nous, nous l'avons entendue ; elle venait du Ciel, nous étions avec lui sur la sainte montagne. (2 P 1,17-18)

Il est intéressant de comparer ce passage avec ses parallèles dans les évangiles (Mt 17,1-8, etc.). La même voix divine déclare : « Celui-ci est mon Fils bien-aimé, qui a toute ma faveur. » Mais n'apparaissent ni Moïse ni Élie. L'auteur centre son propos sur la parole. Le problème de la juste interprétation de l'Écriture est soulevé : « Aucune prophétie d'Écriture n'est objet d'explication personnelle ; ce n'est pas d'une volonté humaine qu'est jamais venue une prophétie, c'est poussés par l'Esprit Saint que des hommes ont parlé de la part de Dieu » (1,20-21). On comparera ce texte à 2 Tm 3,16, selon lequel « toute Écriture est inspirée de Dieu ». Le premier texte s'attache à l'activité des auteurs sacrés, l'autre à leurs écrits. L'Esprit de Dieu est toujours à l'œuvre ; il guide encore l'interprétation en conformité avec le témoignage des apôtres.

Ceux qui enseignent de fausses doctrines sont accusés d'immoralité, et comparés aux grands pécheurs du passé (2 P 2). Le texte suit alors de près la lettre de Jude, mais en éliminant les références aux textes non canoniques. Les premiers coupables sont les anges infidèles, rejetés dans le Tartare en attendant le Jugement (2,6). Le déluge a englouti les pécheurs qui, selon la tradition juive, avaient refusé d'entendre l'appel à la conversion de Noé, « prédicateur de justice » (2,5). L'histoire de Lot montre que « le Seigneur sait délivrer de l'épreuve les hommes pieux et garder les hommes impies pour les châtier au jour du Jugement » (2,9). Se croyant supérieurs aux anges, les faux docteurs « ne craignent pas de blasphémer les Gloires », alors que le jugement est réservé à Dieu. Les impies suivent la voie de Balaam « qui chérit un salaire d'injustice mais qui fut repris de son méfait » (2,15). Là encore, Pierre suit la tradition juive qui voit en Balaam le type du devin prophétisant par amour de l'argent. [*voir* vol. I, p. 277]

Le succès des faux docteurs vient de la promesse de liberté qu'ils adressent à leurs auditeurs. Mais cette prétendue liberté n'est en fait que libertinage, retour aux errements du passé (2 P 2,19). Elle mérite d'être dénoncée, ce que l'auteur fait en s'inspirant de proverbes : « Le chien est retourné à son propre vomissement » ; et : « La truie à peine lavée se roule dans le bourbier » (2,22).

Renouvelant ses avertissements, l'auteur rappelle que le pullulement d'erreurs est une caractéristique des derniers temps. Déjà Jésus l'avait annoncé : « Des faux prophètes surgiront nombreux et abuseront bien des gens » (Mt 24,11). De quelle crise s'agit-il maintenant ? Imprégnés des conceptions grecques, les hérétiques mettent en doute la création et rejettent l'espérance de la Parousie : « Où est la promesse de son avènement (*parousia*) ? Depuis que les Pères sont morts, tout demeure comme au début de la création » (3,4). Les hérétiques oublient que Dieu a créé le monde par sa Parole et que le Déluge fut comme un prélude du grand Jugement et méconnaissent le temps de Dieu : « Devant le Seigneur un jour est comme mille ans et mille ans comme un jour » (3,6). Le retard apparent du Seigneur est signe de sa miséricorde. Il veut que personne ne périsse, et qu'au contraire tous parviennent au repentir. Cette affirmation sur l'universalité de l'appel au salut adoucit l'âpreté de la polémique précédente. Mais le jugement n'en viendra pas moins, marqué par l'embrasement universel, avant que n'adviennent de nouveaux cieux et une nouvelle terre « où la justice habitera » (3,13).

Les ultimes avertissements font entrevoir où se trouve la source des erreurs dénoncées : c'est dans les interprétations laxistes des lettres de Paul, dont une collection circule déjà dans les Églises. On peut lire ces propos qui font sourire le lecteur moderne, souvent bien d'accord avec l'auteur de la seconde épître de Pierre : « Il s'y rencontre [dans les lettres de Paul] des points obscurs, que les gens sans instruction et sans fermeté détournent de leur sens – comme d'ailleurs les autres Écritures – pour leur propre perdition » (3,16). Comme on peut aussi le constater par l'épître de Jacques, la doctrine de Paul ou de ses disciples fit problème dans plusieurs communautés.

Malgré la brièveté du temps sur lequel s'échelonna l'écriture du Nouveau Testament (environ 70 ans, de l'an 50 à l'an120), les dernières œuvres rédigées montrent déjà les difficultés d'interprétation que posaient les premières. Si la lecture de l'Écriture est nécessaire à l'Église car c'est en elle qu'elle s'enracine, on se rend compte qu'elle posa, dès le début, des difficultés d'interprétation.

Éd. C.

Nouveau Testament : VIII. Prolongements

Les prolongements de l'histoire culturelle de la Bible peuvent être examinés dans deux domaines parmi d'autres : celui de l'expansion géographique du christianisme et de sa réception dans de nouvelles aires culturelles, et celui des discours d'insertion de cette foi née en milieu sémitique dans l'univers culturel gréco-romain. En ce qui concerne le Ier siècle, auquel se limite cet exposé, il faut reconnaître que bien des aspects de ces deux domaines restent voilés, par manque de témoignages historiques directs et complets.

Le christianisme au Ier siècle en dehors du Nouveau Testament

L'expansion chrétienne repose sur un paradoxe : un petit nombre d'adhérents au départ et des dizaines de milliers deux siècles plus tard. Il est difficile de chiffrer le nombre de chrétiens à la fin du Ier siècle, mais, de manière inégale sans doute selon les régions, ils avaient envahi l'essentiel du monde connu alors, le monde de l'Empire romain. Comment expliquer ce phénomène ? Parmi les facteurs qui ont favorisé l'expansion, le grand exégète protestant du XIXe siècle qu'était A. Harnack énumérait pêle-mêle : la relative unité du monde d'alors marqué par l'hellénisme (langue et philosophie), la domination impériale, le système routier des Romains, la conviction régnante d'une société humaine égale en droits et en devoirs, la décomposition des cultures indigènes, la tolérance religieuse romaine, l'organisation impériale jusqu'au niveau des provinces et des bourgs, le passage des évidences scientifiques à des aspirations religieuses mystiques. Tous ces facteurs ont favorisé l'expansion du christianisme hors de ses frontières palestiniennes. Concrètement, la dispersion chrétienne initiale se fit sans doute sur les traces du judaïsme* avant une rupture définitive avec lui pour une ouverture résolue au monde gréco-romain. L'importance des missionnaires, à commencer par saint Paul, n'est pas à négliger en ce domaine ; les citoyens itinérants de l'Empire romain (militaires, commerçants) ont été eux aussi les vecteurs de la diffusion de la foi nouvelle et ont complété l'action directement missionnaire.

Par les Actes des Apôtres, nous sommes assez renseignés sur les origines apostoliques de l'Église* métropole d'Antioche, capitale de la

Syrie, et des Églises bordant la partie nord de la Méditerranée. Les communautés d'Antioche ont essaimé à Tyr, à Sidon, à Damas et vers l'Euphrate à l'est. La pénétration chrétienne en Asie Mineure ou à Rome, sous l'impulsion de Paul et de Pierre, est connue particulièrement par les lettres de Paul. Saint Paul et son équipe ont longé les bandes côtières de la Méditerranée (*Mare nostrum*), en se risquant fréquemment à l'intérieur des terres par les voies romaines encore repérables en Asie Mineure. Au départ, les missionnaires cherchaient le contact avec les communautés de la Diaspora* juive sur place, non sans mal dans la plupart des cas, mais cette démarche impliquait également la rencontre des sympathisants non juifs de ces communautés. Culturellement donc, l'Évangile* était accueilli par des auditeurs ouverts à sa culture sémitique d'origine, et l'exploit chrétien va être de l'introduire dans la culture gréco-romaine.

Aux yeux des païens*, la rupture d'avec le judaïsme fut lente, et la confusion des deux communautés persista de longues années. Ainsi Suétone, un historien romain de la fin du Iᵉʳ siècle, n'est-il pas à même de distinguer clairement les chrétiens des Juifs. Dans son histoire de l'empereur Claude, il justifie l'édit de Claude de 49 (ou 41 ?) : « Les Juifs jetaient continuellement le désordre dans la ville à l'instigation de Chrestos. Aussi, Claude les chassa-t-il de Rome » (Suétone, *Vie de Claude*, 25,4). Cette mention implique que les fauteurs des troubles sont des Juifs, dans doute des judéo-chrétiens*, sur lesquels le même Suétone, comme son collègue Tacite, se fait l'écho de ragots : pour lui, le christianisme est une superstition pernicieuse (*Vie de Néron*, 16), pour Tacite, les chrétiens sont des êtres odieux, dignes des pires châtiments, puisque leurs assemblées se résument en des orgies allant jusqu'à l'anthropophagie (*Annales*, 15). [*voir* p. 56, 466]

Moins documentée, la pénétration chrétienne à la périphérie des Églises classiques offre une image différente de l'expansion chrétienne au Iᵉʳ siècle. C'est plus rapidement que nous ne l'imaginons que l'Évangile a atteint des communautés que Paul n'avait pas fondées ni fréquentées. Très tôt, vers 67 ap.J.C., peu avant la destruction du Temple de Jérusalem, des chrétiens de Jérusalem se sont réfugiés à Pella, une ville de la Décapole, au sud du lac de Tibériade, sur la foi d'un oracle accordé à un prophète de la communauté de Jérusalem, qui rappelait l'ordre de Jésus de fuir vers les collines (Mc 13, 14 ; Eusèbe, *Histoire ecclésiastique*, III, 5). Un sarcophage de la fin du Iᵉʳ siècle découvert sous l'abside de la basilique ouest constitue, semble-t-il, un des rares témoignages de cette communauté. Ces chrétiens seraient des Nazaréens* judéo-chrétiens, qui ont fait jonction sur place avec des éléments juifs pour donner naissance aux Ébionites* connus de *Pseudo-Clémentines* plus tardives. Sectaires, ils laissent la place à une communauté grecque au milieu du IIe siècle, d'où émerge Ariston, l'un des plus anciens apologistes du christianisme. On peut penser que Pella fut le centre d'une expansion vers l'est pour une évangélisation facilitée par l'usage d'une langue populaire commune, l'araméen. Beaucoup de chercheurs, toutefois, refusent l'hypothèse de cette migration vers Pella, tout en reconnaissant la très haute antiquité du christianisme de l'Est syrien.

Certaines communautés bien connues plus tard se placent rapidement sous le patronage d'apôtres qui seraient venus les évangéliser. Le compte rendu de leur fondation donne lieu à des récits légendaires pour l'essentiel ou à des synthèses plus tardives, tel le texte de la conversion du haut fonctionnaire de la reine Candace d'Éthiopie :

L'ange du Seigneur s'adressa à Philippe : « Tu vas te rendre vers le Midi, lui dit-il, sur la route qui descend de Jérusalem à Gaza ; elle est déserte. » Et Philippe partit aussitôt. Or un eunuque, haut fonctionnaire de Candace, la reine d'Éthiopie, et administrateur général de son trésor, qui était allé à Jérusalem en pèlerinage, retournait chez lui ; assis sur son char, il lisait le prophète Isaïe. L'Esprit dit à Philippe : « Avance et rejoins ce char. » Philippe y courut, entendit l'eunuque qui lisait le prophète Isaïe et lui dit : « Est-ce que tu comprends vraiment ce que tu lis ? – Et comment le pourrais-je, répondit-il, si je n'ai pas de guide ? » Et il invita Philippe à monter et à s'asseoir auprès de lui. [...] Philippe ouvrit alors la bouche et, partant du texte, il lui annonça la bonne nouvelle de Jésus. Poursuivant leur chemin, ils tombèrent sur un point d'eau et l'eunuque dit : « Voici de l'eau. Qu'est-ce qui empêche que je reçoive le baptême ? » Il donna l'ordre d'arrêter le char ; tous les deux descendirent dans l'eau, Philippe et l'eunuque, et Philippe le baptisa. (Ac 8,26...38)

Corroborant ce texte synthétique, le récit de la Pentecôte offre une image significative de l'expansion évangélique. Il énumère les peuples rassemblés aux pieds de Pierre et des apôtres : « Parthes, Mèdes et Élamites, habitants de Mésopotamie, de Judée et de Cappadoce, du Pont et d'Asie, de Phrygie et de Pamphylie, d'Égypte et de cette partie de la Libye, qui est proche de Cyrène, Romains en séjour ici, Juifs et prosélytes, Crétois et Arabes » (Ac 2,9-11). [*voir* p. 386]

Cette énumération va d'est en ouest. Elle est artificielle, mais se veut représentative du monde connu alors. La présentation est synthétique, et recouvre la Judée et Jérusalem, la Crète et Rome, l'Égypte et la Cyrénaïque, l'Asie d'Éphèse, la Phrygie, la Cappadoce et le Pont, la Mésopotamie avec les Parthes, les Mèdes et les habitants d'Élam. Cette liste indique qu'à la fin du Ier siècle une certaine expansion chrétienne périphérique est acquise. Elle affirme que l'Évangile a atteint toutes les nations* et que celles-ci se sont rassemblées autour de la montagne de Dieu (cf. Is 45, 20-22). Les sites non mentionnés dans le Nouveau Testament sur lesquels nous pouvons soupçonner cette présence chrétienne sont Doura-Europos sur l'Euphrate, la Syrie-Osrhoène, l'Égypte et la Cyrénaïque. En ces lieux, l'Évangile est arrivé dans un monde culturel nouveau et doit son rayonnement aux éléments porteurs de cet univers d'accueil.

Doura-Europos

Bien que postérieure au Ier siècle, la « maison chrétienne » de Doura-Europos, un important relais commercial sur l'Euphrate, témoigne d'un processus très ancien de christianisation. Les chrétiens y ont laissé des fresques évangéliques des débuts du IIIe siècle. Ces illustrations dénotent une originalité en dérive par rapport aux récits évangéliques

Document

Lettre de Pline à Trajan

L'évangile est arrivé tôt en Bythinie selon la correspondance entre Pline le Jeune et l'empereur Trajan. Dans une lettre rédigée entre 111 et 113 (Lettre à Trajan, X, 96), Pline le Jeune, légat impérial de Bythinie et du Pont au nord de l'Asie Mineure, confirme la présence chrétienne en ces contrées :

Voici la règle que j'ai suivie envers ceux qui m'étaient déférés comme chrétiens. Je leur ai demandé s'ils étaient chrétiens. Ceux qui me répondaient positivement, je les ai interrogés une deuxième puis une troisième fois en les menaçant du supplice ; ceux qui ont persisté dans leur réponse, je les ai fait exécuter... Par le seul effet des poursuites, le crime, comme il advient souvent, a révélé l'ampleur de son étendue. [...] Un billet anonyme, contenant de nombreux noms, m'est parvenu. Ceux qui ont nié être ou avoir été chrétiens, je les ai relâchés. [...] D'autres nommés par l'indicateur, ont dit qu'ils étaient chrétiens et se sont rapidement rétractés, disant qu'ils l'avaient été mais qu'ils ne l'étaient plus, les uns depuis trois ans, d'autres depuis plus longtemps, certains depuis vingt ans. Tous ont vénéré ta statue et les statues des dieux ; ils ont maudit le Christ. Toute leur faute ou toute leur erreur, selon eux, s'était bornée à des réunions régulières à date fixe, avant le lever du jour, et au chant commun d'un hymne à Christ comme à un dieu ; ils s'engageaient également par serment non pas à accomplir tel ou tel crime, mais à ne pas commettre de vols, d'extorsions, ou d'adultère, ni à revenir sur une foi jurée ou à nier un dépôt réclamé.

(Trad. d'après M. Dury)

Cette lettre montre que l'implantation chrétienne est importante en Bythnie et que certains sont chrétiens de longue date. Dans sa réponse, l'empereur Trajan accorde son pardon aux repentis, mais refuse qu'on arrête les chrétiens sur la foi de dénonciations anonymes, « procédé détestable, qui n'est plus de notre temps », dit-il. [*voir* p. 56]

DOCUMENT

Les fresques de Doura-Europos

Les fresques du baptistère se trouvent aujourd'hui au musée de l'Université Yale aux Etats-Unis. Sur le mur du fond d'une cuve baptismale peu profonde on peut voir le Bon Pasteur, une brebis sur les épaules, son troupeau, Adam et Eve à ses pieds ; sur le mur à droite de la cuve, un registre supérieur évoque les miracles du Christ : guérison du paralytique, marche sur les eaux. Le registre inférieur met en scène des personnages plus grands, en plusieurs scènes successives d'un même événement, particulièrement cinq femmes avec un cierge en main qui s'avancent en procession vers une porte ouverte à deux battants ; dans la pièce ainsi ouverte se laisse entrevoir un sarcophage fermé ; il s'agit de la scène des femmes au tombeau du Ressuscité, mais avec quelques nouveautés par rapport au texte évangélique : pas de Ressuscité, pas d'anges, mais deux étoiles sur le couvercle du sarcophage ; la présence de la Samaritaine et de David et Goliath dans ce contexte est insolite. Ces particularités plaident pour une communauté qui a su se donner une représentation personnalisée de l'événement central, en faisant abstraction des images et des symboles que des militaires et des commerçants convertis avaient importés de l'ouest : en Mésopotamie, les deux étoiles, signe de l'Annonciation, remplacent les deux anges de la représentation palestinienne. On peut estimer que la communauté chrétienne de Doura-Europos remonte à la fin du Ier siècle.

et semblent dépendre des églises syriennes. Placée à une relative proximité de la synagogue* mieux connue, cette maison illustre bien notre propos d'une arrivée chrétienne progressive et d'une implantation à proximité d'une communauté juive prospère.

L'Osrhoène

Sur la route reliant Antioche de Syrie à Doura-Europos, la province d'Osrhoène, et son chef-lieu Édesse ont abrité une autre communauté ancienne. Ici, c'est la figure d'un apôtre qui fonctionne comme fondateur, Thaddée ultérieurement récupéré par Jude Thomas. Une tradition laisse Thaddée, un disciple direct de Jésus, baptiser le roi Abgar V mort en 50 de notre ère. Le même roi échange alors des lettres avec Jésus, aux dires d'Eusèbe de Césarée (Eusèbe, *Histoire ecclésiastique* I, 13 ; II, 1,6-7). Cette tradition crée donc une communauté chrétienne syriaque du vivant même de Jésus. Récit légendaire, mais qui range tout de même l'Église d'Édesse parmi les plus vénérables du monde. Parallèlement à une influence venue de l'ouest (Antioche), il semble que les premiers chrétiens de Syrie centrale soient issus des communautés juives d'Abiatène, l'ancienne Assyrie, plus à l'est. Les souverains de cette contrée, le roi Isate et sa mère Hélène, s'étaient convertis au judaïsme au début de notre ère. Dès la fin du IIe siècle, l'Église d'Osrhoène compte plusieurs évêques, ce qui laisse supposer une organisation ecclésiale déjà élaborée. Deux personnalités qui ont marqué le christianisme au-delà de la Syrie centrale émergent de cette Église : Bardesane (154-222) un poète philosophe, fondateur de la littérature syriaque chrétienne, et le polémiste Tatien (converti vers 150) qui codifie sur le tard une vision pessimiste de la condition humaine et se fait le champion d'un encratisme* proche du gnosticisme*.

Dans ce processus d'expansion chrétienne vers le nord et l'est de la Palestine il faut souligner le support des communautés juives déjà épar-

DOCUMENT

La lettre du roi Abgar à Jésus, et les Actes d'Apôtres

Le roi Abgar Ushama à Jésus, le bon sauveur, apparu dans la ville de Jérusalem. Salut ! J'ai entendu parler de toi et de tes guérisons effectuées sans médicaments ni plantes. Au dire des gens, tu fais voir les aveugles, marcher les estropiés, tu purifies les lépreux, tu chasses les démons et les esprits impurs, tu guéris les malades de longue durée et tu réveilles les morts. Entendant tout cela, j'ai estimé que tu étais ou Dieu lui-même descendu du ciel ou fils de Dieu. Aussi, je t'écris et te supplie de venir à moi et de guérir mon mal. J'ai aussi entendu que les Juifs murmurent contre toi et qu'ils veulent te faire du mal. J'ai une ville, modeste sans doute mais digne, qui nous suffira à tous les deux.

Et Jésus de répondre : Béni es-tu, toi qui as cru en moi sans m'avoir vu. Car on a écrit de moi que ceux qui me verraient ne croiraient pas en moi, et que justement ceux qui ne me voient pas croient en moi et vivent. En ce qui concerne ce que tu m'as écrit de venir jusqu'à toi, il est nécessaire d'accomplir tout ce pour quoi j'ai été envoyé et après cela d'être accueilli auprès de Celui qui m'a envoyé. Quand j'y serai, je t'enverrai un de mes disciples, pour qu'il te guérisse de ta maladie et te transmette la vie, ainsi qu'aux tiens.

(Eusèbe, Histoire ecclésiastique, I, 13.
Trad. d'après G. Bardy)

De toute évidence, cet échange de courrier dont l'historicité fut déjà contestée par saint Augustin repose sur une manipulation : on a volontairement confondu Abgar IX, un roi chrétien des alentours de 180, avec son prédécesseur Abgar V contemporain de Jésus. Le disciple envoyé par Jésus aurait été Thaddée, lui-même relayé par l'apôtre Thomas, dont le culte se répand à partir de Édesse vers le pays parthe, l'Arménie, et jusqu'en Inde. Cette confusion montre la volonté de raccrocher les fondations d'Églises locales à Jésus lui-même ou à l'un de ses disciples immédiats.

Voilà qui explique les missions des apôtres et des disciples dont, Paul excepté, nous ne savons pas grand-chose. Ainsi, dans un but de légitimer l'expansion de la Bonne Nouvelle au monde, la tradition apocryphe* accorde-t-elle les champs d'apostolats suivants avec autant de récits d'investiture du type de celui qui vient d'être présenté. Ce sont les Actes d'Apôtres (IIe et IIIe siècles), dont voici les plus représentatifs : *André* pour la Bithynie, le Pont, l'Achaïe, la Thrace et la Macédoine ; *Barthélemy* en Mésopotamie, Perse et dans les Indes orientales ; *Jean* pour Éphèse, Smyrne, et les villes de l'arrière-pays ; *Jude* ou *Thaddée* en Osrhoène et en Perse ; *Matthias* en Cappadoce ; *Matthieu* en Éthiopie ; *Philippe* en Galilée, au pays scythe et en Grèce ; *Paul* pour la Phrygie, la Thrace, la Macédoine, Crète et Chypre et Rome ; *Pierre* à Antioche et Rome ; *Philippe* pour la Galilée et la Grèce ; *Thomas* pour Édesse, les Parthes, les Mèdes, les Perses et l'Inde.

pillées dans les contrées où le christianisme judéo-chrétien de langue araméenne prend pied. À la fin du Iᵉʳ siècle, les nouvelles communautés s'implantent solidement en cherchant, par des légendes de fondation apostolique, la sauvegarde du lien avec le Seigneur Jésus, par l'intermédiaire de ses disciples immédiats. D'un autre côté, cette recherche de fondement et de légitimité s'accompagne d'une ouverture indiscutable des communautés au tout-venant qui accepte le contrat chrétien. Au début du IIᵉ siècle, il y a parmi les chrétiens des gens de toutes conditions et des représentants de toutes les couches sociales, réunies en communautés égalitaires : regroupées initialement en églises domestiques autour de familles aisées, ces communautés se donnent rapidement un cadre calqué sur la structure impériale et se plient à des exigences éthiques spécifiques. Ignace, l'évêque d'Antioche, est l'illustration parfaite de ce processus de constitution ecclésiastique.

L'Égypte

L'Égypte, avec son centre religieux et intellectuel, Alexandrie, se situe dans la mouvance de saint Marc, selon la revendication des chrétiens du lieu vers 200. L'Égypte est restée hors de la sphère d'action de saint Paul, ce qui explique sans doute le silence des Actes des Apôtres au sujet de son évangélisation. Les débuts du christianisme égyptien sont difficiles à repérer, mais l'antiquité de cette communauté est réelle à en juger par le juif converti d'Alexandrie Apollos, « homme éloquent, versé dans les Écritures » (Ac 18,24-25). On a voulu expliquer le silence sur les débuts chrétiens à Alexandrie par l'allure hétérodoxe de sa doctrine qui aurait été essentiellement gnostique et, de ce fait, condamnée à l'oubli par l'émergence de la Grande Église* à la fin du IIᵉ siècle. En réalité, il faut expliquer ce silence par les origines judéo-chrétiennes de la communauté alexandrine. Née au sein de la communauté juive forte de 180 000 hommes, la première expression chrétienne a sombré avec elle. En effet, les drames vécus par la communauté juive l'ont conduite à la disparition : la répression par A.A. Flaccus en 38, le soulèvement juif de 66 écrasé par T.J. Alexander, neveu de Philon, l'anéantissement complet des communautés d'Alexandrie et de la Cyrénaïque de 115 à 117. À partir de cet ultime massacre, un christianisme d'origine païenne, grecque et égyptienne prend le relais, ce que confirme le corpus copte de Nag Hammadi*. La tradition copte qui attribue à l'évangéliste Marc la fondation de l'Église d'Alexandrie va dans le même sens.

Revenons à ce qui peut être suggéré du premier christianisme judéo-chrétien d'Égypte. Avant sa fin tragique, la communauté juive hellénisée, patrie du philosophe juif Philon contemporain de Jésus (-20 à + 50), a probablement servi de lieu d'ancrage et de fixation à la première expression chrétienne. L'influence de Philon, qui réalise la synthèse entre la tradition biblique et l'hellénisme, semble avoir été déterminante pour la pensée chrétienne. Outre la réflexion de Philon, il faut encore mentionner l'influence de la traduction de la Septante sur le christianisme naissant. En effet, c'est en Égypte qu'on a traduit en grec la Bible hébraïque, et les auteurs du Nouveau Testament ont

DOCUMENT

LA TRADUCTION DE LA SEPTANTE SELON LA *LETTRE D'ARISTÉE*

Au cours du IIe siècle av.J.C. Aristée, un juif d'Alexandrie, écrit à son frère Philocrate pour l'informer de la traduction grecque de la Tora*. Sa lettre n'est en réalité qu'une fiction littéraire visant à canoniser l'origine divine de la traduction grecque de la Bible juive et à l'imposer au monde juif de la Diaspora. Selon cette pseudo-lettre, le roi Ptolémée II Philadelphe (282-246) demande au grand prêtre de Jérusalem des hommes honorables et compétents dans la science de la Tora, six de chaque tribu, afin d'obtenir une traduction de la Loi qui soit digne de l'État et des intentions du roi. Le grand prêtre envoie donc soixante-douze traducteurs à Alexandrie avec un exemplaire de la Tora par homme. Démétrios de Phalère, fondateur et responsable de la bibliothèque d'Alexandrie, les met au travail :

Démétrios les invita à exécuter le travail de la traduction. Ils procédèrent au travail en se mettant d'accord entre eux sur chaque point par confrontation. Du texte résultant de leur accord, Démétrios faisait alors dresser une copie en bonne et due forme. Jusqu'à la neuvième heure se tenait leur session, après quoi, ils étaient libres de vaquer aux soins du corps, largement pourvus de tout ce qu'ils pouvaient désirer. [...] Or, il advint que le travail de la traduction fut achevé en soixante-douze jours, comme si pareille chose était due à quelque dessein prémédité. Le travail terminé, Démétrios réunit la communauté des Juifs à l'endroit où s'était accomplie l'œuvre de la traduction, et il en fit la lecture à toute l'assemblée, en présence des traducteurs qui furent d'ailleurs accueillis avec enthousiasme par la foule pour leur contribution à un bien considérable. Ils firent une ovation pareille à Démétrios et lui demandèrent de communiquer à leurs chefs une copie de toute la Loi. Après la lecture de ces rouleaux, debout, les prêtres, les Anciens du groupe des traducteurs et des délégués du « politeuma », ainsi que les chefs du peuple, firent cette déclaration : « Maintenant que la traduction a été faite correctement, avec piété et avec une exactitude rigoureuse, il est bon que cette œuvre reste comme elle est, sans la moindre retouche. » À ces mots, ce fut une acclamation générale ; alors ils les invitèrent à prononcer une malédiction, selon leur usage, contre quiconque retoucherait la lettre du texte soit en l'allongeant, soit en l'altérant si peu que ce fût, soit en y retranchant ; excellente mesure pour le garder à jamais immuable.

(Trad. A. Pelletier)

La traduction, comme la liturgie qui la suit, repose sur la volonté de proposer la loi sainte du judaïsme au monde et de l'imposer, à l'égal de son original hébreu de Jérusalem, comme version officielle du texte de la foi. Les travaux actuels sur la Septante montrent que ce dessein a jeté un pont sur le fossé séparant deux cultures très éloignées au départ. Les chrétiens ont franchi ce pont avec la bonne nouvelle de Jésus le Christ.

suivi pour l'essentiel cette traduction, adoptant ainsi le canon* grec des Écritures juives. Devenue la Bible chrétienne, la Septante apporte aux auteurs chrétiens un vocabulaire grec leur permettant de couler le message sémitique de Jésus dans la culture occidentale radicalement différente et de penser la foi chrétienne en termes de théologie universelle.

Les destinataires de l'épître aux Hébreux et d'un *Évangile des Hébreux* mentionné par Clément d'Alexandrie et Eusèbe de Césarée pourraient se rattacher à cette mouvance chrétienne. Clément d'Alexandrie fait remonter cette littérature aux presbytres, c'est-à-dire à la première génération judéo-chrétienne égyptienne. Clément mentionne également un *Évangile des Égyptiens*, qui semble dépendre du précédent et provenir d'une communauté chrétienne d'origine païenne. Rédigé vers le début du IIᵉ siècle, il véhicule des traditions bien antérieures. Il faut encore signaler l'apport du gnosticisme égyptien, bien que ses racines soient à chercher en Syrie et en Iran ; il explique sans doute l'attirance du premier christianisme d'Égypte pour les systèmes spéculatifs et ésotériques. Le gnostique égyptien Valentin vers 150 en sera l'illustration la plus accomplie.

Selon Eusèbe de Césarée (*Histoire ecclésiastique*, II, 21), l'évêque Avilius succède au premier évêque d'Alexandrie Annianus pour la période de 87 à 100 et paraît à la tête d'un collège de douze presbytres sur le modèle des Églises rattachées à Pierre (Jérusalem, Antioche, Rome). Le patronage de saint Marc proche de Pierre à Rome pourrait s'expliquer de cette manière. La tradition a embelli l'événement : l'évangéliste Marc a prêché à Alexandrie vers l'an 40 ; il a converti, en 45, un cordonnier juif du nom d'Annianus, qui souffrit le martyre en 62. Ce cordonnier fut le premier pasteur ou *episkopos*, avant de recevoir le titre de patriarche et de nommer des évêques.

De précieux papyrus témoignent, de leur côté, de l'implantation du christianisme en Égypte. Pendant le premier quart du IIᵉ siècle, c'est l'évangile selon Jean qui y connaît une diffusion importante (papyrus Egerton 2, papyrus John Rylands 457, papyri Bodmer II et XIV-XV). Certains chercheurs rattachent à cette littérature l'*Épître de Barnabé*, caractéristique du judéo-christianisme et teintée d'un fort antijudaïsme, mais cette implantation alexandrine n'est pas assurée. Le IIᵉ siècle et le IIIᵉ déploient une activité littéraire, de création ou de traduction, digne de ce monde spirituel et intellectuel en fermentation qu'est Alexandrie. Au cours du IIᵉ siècle, des courants hétérodoxes issus de Syrie créent des dissidences par rapport aux croyances déjà implantées. Le gnostique Basilide, élève du syrien Ménandre et prédécesseur de Valentin, tient école à Alexandrie et propose un mélange de philosophie grecque et d'apocalyptique juive. C'est à la même époque qu'apparaissent en Égypte certains traités gnostiques retrouvés à Nag Hammadi dans leur traduction copte. L'original grec affleure sous le copte et les influences syriennes sont incontestables. Au IIe siècle, l'Église est devenue « la Grande Église » assise sur une orthodoxie qui n'est que la synthèse d'un impressionnant fourmillement de spéculations philosophiques et religieuses.

Il est certain que l'Égypte et Alexandrie en particulier furent une terre d'attente pour le christianisme, du fait de ce foisonnement des philosophies et des croyances. Le culte de Sérapis, inventé probablement par les Ptolémée trois siècles avant notre ère, proposait un dieu guérisseur étrangement proche du thaumaturge Jésus. Quant aux partisans d'Isis et d'Osiris, ils avançaient un dieu mort et ressuscité et réclamaient une conversion. À ce titre, sans être en concurrence ni viser la même clientèle, l'osirisme et le christianisme relèvent des religions de salut et intègrent des rites initiatiques proches tout en exigeant un changement de vie. C'est au moyen de rites funéraires que le fidèle d'Osiris s'identifie à son dieu qui meurt et ressuscite chaque année et qu'il acquiert l'immortalité. Les polémistes chrétiens, peu sensibles à l'antiquité de ces rites, dénoncent les mystères égyptiens comme une parodie sacrilège du mystère chrétien. De son côté, Isis allaitant son fils Harpocrate semblait une préfiguration de la Vierge à l'enfant. Il faut encore ajouter le culte de la mort et de la vie dans les mystagogies de Mithra célébrées à Alexandrie comme dans le reste de l'Empire. Ce culte du *Sol invictus* (soleil invincible) et le repas de

DOCUMENT

LE DÉPART DES DIEUX

Vers l'an 300, un passage du *Discours parfait* du corpus copte de Nag Hammadi (NH VI, 8) décrit avec réalisme et horreur la conséquence du syncrétisme religieux installé dans le pays :

Il convient que tu n'ignores pas qu'un temps viendra où les Égyptiens sembleront avoir déployé leur zèle envers la divinité inutilement et leur application tout entière au culte de leur divinité sera méprisée. La divinité tout entière, en effet, quittera l'Égypte et remontera au ciel, et l'Égypte sera veuve, elle sera désertée des dieux. Car les étrangers entreront en Égypte et ils domineront sur elle. L'Égypte, et avant tout les Égyptiens, sont empêchés de rendre un culte à Dieu, et bien plus, ils subiront le suprême châtiment, comme quiconque, parmi eux, sera pris à honorer Dieu pieusement. Et en ce jour-là, ce pays qui est pieux au-dessus de tous les pays, se verra devenir impie. Il ne sera plus rempli de temples, mais de tombeaux et il ne sera plus rempli de dieux, mais de cadavres. Ô Égypte, Égypte ! Mais tes divinités deviendront comme les fables, ainsi que tes cultes divins.

(Discours parfait, 10-38.
Trad. d'après J.-P. Mahé)

DOCUMENT

LE SYNCRÉTISME EN ÉGYPTE

L'empereur Hadrien, mort en 138, souligne les débuts obscurs du christianisme en Égypte lorsqu'il écrit : « On voit en Égypte des évêques qui se disent chrétiens rendre un culte à Sérapis. Pas un prêtre, samaritain, juif ou chrétien, qui ne soit mathématicien, haruspice ou maître d'école. Le patriarche lui-même, quand il vient en Égypte (non grecque), adore le Christ ou Sérapis pour contenter tout le monde. »

communion fait en son honneur ne pouvaient que se prêter à une adaptation de l'eucharistie chrétienne. Le christianisme trouve en Égypte un lit pour ses croyances et ses rites, mais son originalité propre, enracinée également dans la symbolique locale, le conduit à évincer les hôtes qui l'ont accueilli. Débouchant encore au IIIe siècle dans de nobles figures comme Plotin (né à Assiout en 205) qui fut soucieux de sauvegarder l'héritage grec de Platon, le monde alexandrin se peuple progressivement de cultes et de pratiques mineures, de type magique ou astral, dont la bibliothèque copte de Nag Hammadi (entre 100 et 400) rend encore partiellement compte. Arrivé dans ce champ syncrétiste de ces croyances et pratiques, il est évident que le christianisme fut assimilé au départ au culte d'un dieu sauveur parmi d'autres (Dionysos, Mithra, Osiris), mais il sut profiter de l'instrument philosophique que lui proposait le néoplatonisme des prédécesseurs de Plotin ou de Porphyre pour développer ses définitions christologiques* et trinitaires propres.

Concentré à Alexandrie dans un milieu juif hellénisé, le christianisme s'est également déployé dans les campagnes où le langage vernaculaire était le copte, mais au IIIe siècle il donne naissance, avec Antoine et Pacôme, au grand mouvement monastique. Les deux premiers siècles, le christianisme est encore une religion parmi les autres, au IIIe il connaît les persécutions avec l'apostasie d'un certain nombre de fonctionnaires et de petits propriétaires qui préfèrent la « sécurité de l'emploi » à la « sécurité de la foi » ; cette attitude de recul est compensée à son tour par un refus quasi généralisé, jusque dans les villages les plus reculés, de renier la foi. Il semble probable que cette réaction répond autant à des motifs politiques que religieux : il fallait affirmer l'« égyptianité » face à un hellénisme étranger, dont la terrible persécution de Dioclétien en 284 est la l'expression la plus hideuse. Selon Harnack, la vallée du Nil compte un million de chrétiens et une centaine d'évêques au début du IVe siècle. Cette Église fidèle connaît elle-même ses dissensions internes à en juger par le corpus copte de Nag Hammadi.

La Cyrénaïque

Le récit de la Passion de Jésus laisse apparaître un Simon de Cyrène, père d'Alexandre et de Rufus (Mc 15, 21). Déjà la liste stéréotypée du récit de la Pentecôte (Ac 2, 10) parle d'auditeurs de « cette partie de la Libye qui est proche de Cyrène ». Ces évocations de Cyrène semblent monter que le christianisme avait atteint sans doute très tôt le pays à l'est du delta du Nil. La Cyrénaïque est une province romaine dès 74 av.J.C., et elle se situe dans la mouvance d'Alexandrie. Forte d'une importante communauté juive, avec une synagogue à Jérusalem dès le temps du Christ (Ac 6, 9), la ville de Cyrène accueille la foi, et essaime rapidement vers d'autres communautés chrétiennes : certains Cyrénéens participent à l'évangélisation des païens d'Antioche (Ac 11,20), et Lucius de Cyrène était prophète et docteur dans la même métropole du nord (Ac 13,1). Les cimetières de la ville livrent des tombes chrétiennes témoins d'un symbolisme chrétien évident comme celui du Bon Pasteur et de son troupeau, entouré de poissons. Sous Vespasien, des Zélotes* juifs rescapés du massacre de 70 à Jérusalem s'y réfugient. Peut-être des judéo-chrétiens furent-ils des leurs, mais nous n'en savons pas plus.

Les évocations du christianisme du Iᵉʳ siècle non nommé dans le Nouveau Testament permettent quelques observations : 1° au départ, l'activité des groupes judéo-chrétiens fut déterminante ; ils pouvaient placer leurs convictions chrétiennes à la remorque des communautés juives vivantes et prospères partout dans l'Empire romain ; 2° les Églises mentionnées sont généralement une extension des grandes communautés fondées par Paul du fait du déplacement des chrétiens d'un lieu à une autre ; 3° ces Églises fondent leur légitimité dans le rattachement non à une Église centrale comme Antioche, Jérusalem ou Rome, mais à un apôtre ou à Jésus lui-même (Oshroène) par un récit fondateur légendaire coulé plus tard dans les *Actes* de tel ou tel apôtre ; 4° ces Églises sont typées : dans la mouvance du judéo-christianisme, les Églises syriennes sont sensibles aux valeurs éthiques au point de moraliser à l'extrême la vie chrétienne et d'ouvrir la voie au gnosticisme ; préoccupée comme elles de discussions sur le dogme, l'Église d'Alexandrie née dans la mouvance de Jérusalem rencontre en Égypte le judaïsme culturel d'expression grecque dont Philon est le représentant le plus éminent. Le christianisme d'Égypte et de ses satellites doit beaucoup au milieu syncrétiste qui a entouré sa naissance ; dépendant de Rome, il sait refuser les spécificités romaines pour engendrer une foi et un mode de vie chrétiens typiquement africains.

R. K.

Pères apostoliques et apocryphes chrétiens

L'expansion chrétienne a conquis l'espace en prenant appui sur la dispersion préalable du judaïsme* et les Écritures juives traduites en grec (la Septante*). Parallèlement, les Pères dits « apostoliques » vont adapter le message chrétien au monde gréco-romain. À la même époque, les ouvrages du Nouveau Testament connaissent un autre prolongement dans les apocryphes* chrétiens, qui mènent à une lente fixation du canon* officiel des Écritures.

Les Pères apostoliques

Il s'agit d'un ensemble d'écrits d'auteurs chrétiens que nous situons entre 80 et 150 de notre ère. C'est au XVIIe siècle qu'on leur donna un nom et qu'on les regroupa, à Paris, sous le titre *Patres Aevi Apostolici.* Il s'agit de neuf écrits rédigés en grec : la *Lettre de Clément de Rome aux Corinthiens* ; une homélie pénitentielle du IIe siècle appelée également *Homélie de Clément de Rome aux Corinthiens*, les *Lettres d'Ignace d'Antioche* ; l'*Épître de Barnabé* (ou Pseudo-Barnabé) ; le *Pasteur* d'Hermas ; la *Lettre aux Philippiens* de Polycarpe de Smyrne ; une *Lettre de l'Église de Smyrne* racontant le martyre de Polycarpe ; la *Doctrine du Seigneur aux nations par les douze Apôtres ou Didachè*, et des *Explications des paroles du Seigneur* de Papias d'Hiérapolis. Ces écrits relèvent d'une histoire rédactionnelle complexe. Pour les situer, deux critères sont importants : leur manière de recourir à l'Écriture et l'image qu'ils donnent des institutions ecclésiales. Il est donc utile de les lire dans un certain ordre chronologique, même si celui-ci reste incertain.

Ces écrits ne se réduisent pas simplement à un christianisme moralisant et à un nouveau légalisme de type judéo-chrétien*, comme on a voulu le croire. Le temps des fondations achevé, avec des communautés encore très indépendantes et une doctrine que les grands conciles n'ont pas encore définitivement fixée, les Pères apostoliques assurent l'inculturation du christianisme de type sémitique dans le monde gréco-romain, où se posaient des questions redoutables sur la divinité du Christ et sa Résurrection. Ils assurent le passage du temps des apôtres au temps de l'Église* dans la ligne d'une foi paulinienne consciente de l'universalité de l'Évangile*. Au plus immédiat, ils cimentent les communautés dispersées dans une certaine unité autour des grands pôles d'évangélisation (Antioche, Alexandrie, Rome) ; ils combattent les déviations et inventent une éthique typiquement chrétienne même si elle doit beaucoup à l'Ancien Testament ou au stoïcisme. En voici une présentation brève qui essaie de mettre en valeur la stature propre de chacun d'eux.

Lettre de Clément de Rome aux Corinthiens (1 Clem.)

Vers 96-98, au sortir de la persécution de Domitien, Clément de Rome adresse un écrit de circonstance aux chrétiens de Corinthe en situation de conflit à propos de la destitution de presbytres. Clément est peut-être le collaborateur de Paul mentionné en Ph 4,3. Sa lettre témoigne de la conscience aiguë que l'Église de Rome a de son droit d'intervention dans les affaires d'une autre Église. Sans s'appuyer sur son autorité personnelle, Clément veut essentiellement ramener la communauté divisée à l'unité. Il conseille donc aux responsables de la discorde de se sacrifier et de s'exiler :

> *Est-il parmi vous un homme généreux, sensible, rempli de charité ? Qu'il dise : Si par ma faute éclatent discordes, séditions, schismes, je quitte le pays, je pars où vous voudrez, je me soumets aux décisions de la multitude, pourvu que le troupeau du Christ reste en paix avec les presbytres en place. Celui qui agira ainsi se couvrira de gloire auprès du Christ et toute contrée lui sera ouverte.* (1 Clem., 54,1-3. Trad. F. Quéré)

Clément est un homme imprégné de culture grecque, particulièrement de stoïcisme. Ainsi, plaidant pour l'unité de l'Église, tire-t-il des exemples de l'harmonie du cosmos, de l'organisation de l'armée romaine ou du corps humain. Mais Clément est aussi l'héritier de Pierre et de Paul à Rome, ce qui éclaire le caractère judéo-chrétien hellénisé de sa Lettre et sa façon de citer les Écritures juives. Il évoque les personnages de l'Ancien Testament et les donne comme modèles et n'hésite pas à étaler des thèmes apocalyptiques*.

Le conflit de Corinthe concerne des personnes. Peut-être avait-il, au moins dans l'argumentation justificative des uns ou des autres, un arrière-fond doctrinal ajouté aux motifs disciplinaires. En tout cas, il écarte vivement les doutes sur la Résurrection sans hésiter d'ajouter à l'exemple vécu du Christ le symbole du phénix qui renaît de son propre corps (1 Clem., 24-25).

La Lettre de Clément est un document de première main pour la connaissance de l'Église de Rome et de sa liturgie à la fin du Ier siècle (1 Clém., 59-61). Elle a connu une grande diffusion dans les autres communautés chrétiennes, à Corinthe et ailleurs.

Homélie pénitentielle (2 Clem.)

Une deuxième *Lettre de Clément de Rome aux Corinthiens* se révèle être une homélie pénitentielle d'un auteur inconnu. Elle semble dater de 120-150. L'attribution à Clément provient du fait qu'elle était transcrite immédiatement après sa *Lettre.* Eusèbe et Jérôme doutaient déjà de cette paternité littéraire. Le style n'est plus celui de Clément et on y trouve encore moins la richesse de ses idées. Pour Clément d'Alexandrie, ce texte proviendrait de l'*Évangile des Égyptiens*, un apocryphe du IIe siècle. Le message central de cette homélie est l'appel des nouveaux convertis au rejet des idoles et à l'ascétisme d'une vie digne du Christ. Il s'agit d'établir déjà par une vie chrétienne adéquate les conditions d'arrivée du Royaume de Dieu. Ainsi le chapitre 12 qui montre une exposition proche de la démarche rabbinique* :

Attendons d'heure en heure le Royaume de Dieu dans l'amour et la justice, puisque nous ignorons le jour où Dieu se manifestera. À celui qui avait demandé quand viendrait son royaume, le Seigneur répondit : « Lorsque deux feront un, lorsque le dehors sera comme le dedans, lorsque dans l'union de l'homme et de la femme, il n'y aura plus ni homme ni femme. » « Deux ne font qu'un », lorsque nous nous disons mutuellement la vérité et que deux corps ne font plus qu'une âme, sans aucune feinte. « Le corps est comme le dedans » : dans ces mots, le dedans désigne l'âme, et le dehors le corps. Que ton âme se rende par ses belles actions aussi visible que ton corps. « Dans l'union de l'homme et de la femme, il n'y aura plus ni homme ni femme » signifie qu'un frère, à la vue d'une sœur, doit cesser de penser qu'elle est femme, comme elle, qu'il est homme. Si vous agissez ainsi, veut-il dire, le Royaume de mon Père viendra. (2 Clem 12,1-6. Trad. F. Quéré)

Ignace d'Antioche

Ignace, deuxième évêque d'Antioche, poursuit le combat de Clément pour l'unité. Durant le voyage qui le mène à Rome où il doit subir le

DOCUMENT

Évangile selon Thomas, sentence 22

Une sentence de l'évangile selon Thomas se préoccupe de l'entrée dans le Royaume ; elle est proche parent du texte cité de l'homélie du Pseudo-Clément et montre une grande similitude des modèles littéraires :

Jésus vit des petits qui tétaient. Il dit à ses disciples : Ces petits qui tètent ressemblent à ceux qui entrent dans le Royaume. Ils lui dirent : Alors, en devenant petits, nous entrerons dans le Royaume ? Jésus leur dit : Quand vous ferez de deux un, et que vous ferez le dedans comme le dehors, et le dehors comme le dedans, et le haut comme le bas, et quand vous ferez de l'homme et de la femme une seule chose, afin que le mâle ne soit pas mâle et que la femme ne soit pas femme, quand vous ferez deux yeux au lieu d'un œil, et une main au lieu d'une main et un pied au lieu d'un pied, une image au lieu d'une image, alors vous entrerez dans le Royaume.

(Thomas, 22.
Trad. F. Kuntzmann)

martyre vers 110 sous l'empereur Trajan, il fait des escales qui lui permettent de saluer les Églises locales et leurs évêques. Il leur écrit des lettres dont sept sont reconnues aujourd'hui comme authentiques ; elles sont destinées aux Éphésiens, Magnésiens, Tralliens, Romains, Philadelphiens, Smyrniotes et à Polycarpe. Ces lettres ont connu une longue histoire littéraire faite d'interpolations et de réécritures. Ignace s'y révèle conscient de sa charge d'évêque et des menaces qui pèsent sur les Églises. Parmi celles-ci, la négation de l'incarnation du Christ et de la réalité de sa souffrance :

Je rends grâce à Jésus-Christ Dieu, qui [...] vous a fermement convaincus au sujet de notre Seigneur qui est véritablement de la race de David selon la chair, fils de Dieu selon la volonté et la puissance de Dieu, véritablement né d'une vierge, baptisé par Jean pour que par lui fût accomplie toute justice ; il a été véritablement cloué pour nous dans sa chair sous Ponce Pilate et Hérode le tétrarque. (Ignace aux Smyrniotes, 1,1-2. Trad. P. Th. Camelot)

L'erreur dénoncée est celle du docétisme* qui explique l'incarnation* et la Passion du Christ en excluant tout ce qui est indigne de sa divinité, comme la chair, la naissance d'une vierge ou la souffrance. Tout ceci n'est qu'apparence dans la perspective d'une vision platonicienne où les réalités véritables du monde supérieur s'opposent aux réalités apparentes du monde sensible.

Mais Ignace déploie encore d'autres pensées qui percent au fil des lettres avec des insistances particulières : la *Lettre aux Éphésiens* exhorte à l'unité autour de l'évêque, représentant du Christ ; la *Lettre aux Magnésiens* expose la même doctrine et s'inquiète de la persistance du judaïsme* chez les convertis ; dans la *Lettre aux Tralliens*, Ignace s'en prend au docétisme d'inspiration platonicienne qui nie la réalité charnelle de l'incarnation et de la Passion et les donne pour une pure apparence ; dans la *Lettre aux Romains*, il demande de ne rien faire pour lui éviter le martyre, car il désire imiter la passion de son Maître ; la *Lettre aux Philadelphiens* donne l'eucharistie comme le signe de l'unité, et celle destinée à Smyrne revient sur la réalité de l'incarnation et de la résurrection. À Polycarpe, jeune évêque de Smyrne, Ignace laisse des conseils pastoraux d'assistance aux plus faibles et aux veuves et de bonne gestion des assemblées communautaires.

C'est donc un pasteur qui recherche le dialogue entre les Églises pour favoriser l'unité. Les idées d'Ignace et la figure épiscopale qu'il incarne ont paru tellement neuves à certains chercheurs actuels qu'ils ont tenté de descendre la datation des Lettres et d'y voir des écrits pseudonymes. Pourtant l'évêque, l'eucharistie et le martyre sont des réalités qui répondent à la vie des communautés de la fin du Ier siècle.

La Didachè

Un petit recueil anonyme des environs de 95 retrouvé à Constantinople en 1883, la *Didachè*, ou « Doctrine du Seigneur par les douze apôtres aux nations », est originaire de la région d'Antioche en Syrie. Le texte n'est pas homogène et semble davantage une compilation de traditions nées dans des communautés juives converties, ce qui explique peut-être la parenté de la doctrine des deux voies avec celle du *Manuel de discipline* de Qoumrân*. Après l'introduction sur les deux voies, le livret donne des indications d'ordre liturgique (baptême, jeûne, eucharistie) et institutionnel (les ministres prophètes itinérants de communauté en communauté) ; le dernier chapitre s'inquiète de la fin des temps. Cette approche des problèmes de la première communauté laisse penser que la *Didachè* est bien antérieure aux Lettres d'Ignace. À la différence de ces Lettres, les deux hiérarchies connues des Actes des Apôtres, la locale et la missionnaire, s'y trouvent encore.

Épître de Barnabé

Retrouvée avec le Codex Sinaïticus en 1859, l'*Épître de Barnabé* a les allures d'un traité de théologie, qui n'a rien à voir avec Barnabé le compagnon de Paul. L'allusion à la reconstruction du Temple à Jérusalem par Hadrien permet de la situer aux alentours de 130. Dans une première partie (chap. 1-17), son souci porte sur la manière dont les chrétiens doivent lire les Écritures juives. L'auteur développe à cette occasion les bases d'une lecture allégorique* aux antipodes de la

DOCUMENT

BAPTÊME ET EUCHARISTIE DANS LA *DIDACHÈ*

Les textes sur le baptême et l'eucharistie méritent d'être cités à cause de leur très haute antiquité :

Pour ce qui est du baptême, donnez-le de la façon suivante : après avoir enseigné tout ce qui précède, « baptisez au nom du Père et du Fils et du Saint-Esprit » dans l'eau vive. S'il n'y a pas d'eau vive, baptise dans une autre eau ; à défaut d'eau froide, dans de l'eau chaude. Si tu n'as assez ni l'une ni l'autre, verse trois fois l'eau sur la tête « au nom du Père et du Fils et du Saint-Esprit ». Avant le baptême, que le baptisant, le baptisé et tous ceux qui le pourront, observent un jeûne. Mais il est obligatoire que le baptisé jeûne un ou deux jours auparavant.

(Didachè, 7,1-4.
Trad. d'après F. Quéré)

Pour ce qui est de l'eucharistie, rendez grâces ainsi : d'abord sur la coupe : « Nous te rendons grâces, notre Père, pour la sainte vigne de David, ton serviteur. Tu nous l'as révélée par Jésus, ton serviteur. Gloire à toi dans les siècles. Amen ! » Puis, sur le pain rompu : « Nous te rendons grâces, ô notre Père, pour la vie et la connaissance, que tu nous as accordées par Jésus ton serviteur. Gloire à toi dans les siècles ! Comme ce pain rompu, d'abord dispersé dans les montagnes a été recueilli pour devenir un, qu'ainsi ton Église soit rassemblée des extrémités de la terre dans ton Royaume. À toi gloire et puissance dans les siècles. Amen ! » Que nul ne mange ni ne boive de votre eucharistie, qui ne soit baptisé au nom du Seigneur. Car c'est à ce propos que Jésus a dit : « Ne donnez pas aux chiens ce qui est saint. »

(Didachè, 9,1-5)

lecture rabbinique* violemment dépréciée. Loin de rejeter l'Ancien Testament comme le fait Marcion, l'auteur de l'Épître pense qu'il faut en dépasser l'approche littérale pour lire les Écritures à la lumière du Christ. Lui seul leur donne la dimension spirituelle véritable. La deuxième partie du texte (ch. 18-21) donne dans l'exhortation morale et reprend la théorie des deux voies déjà développée par la *Didachè*.

Polycarpe de Smyrne

La personnalité de Polycarpe de Smyrne (mort martyr le 23 février 167) a été mise en relief par la Lettre qu'Ignace lui a adressée. Polycarpe lui-même écrit aux alentours de 135 aux Philippiens pour régler la crise née de la cupidité d'un certain Valens « qui avait été presbytre », et leur envoyer les lettres d'Ignace en sa possession. Cette *Lettre de Polycarpe* semble en réalité composée de deux écrits, un billet (ch. 13) au sujet des lettres d'Ignace, et un écrit plus long où Polycarpe déplore la cupidité de Valens, mais demande la mansuétude pour lui et son épouse.

L'Église de Smyrne décrit à la communauté de Philomelium la passion et la mort de Polycarpe, un an après les événements, écrit connu sous le nom de *Martyre de Polycarpe* (167). Premier récit d'un martyre chrétien, c'est aussi la première attestation de l'emploi du terme « martyr » pour parler d'un chrétien mort pour la foi. Le martyr est celui que ses souffrances et sa mort identifient au Christ de la Passion.

« *Seigneur, Dieu tout-puissant, dit Polycarpe dans sa dernière prière, toi le père de Jésus-Christ, ton enfant bien-aimé et béni, par qui nous t'avons connu, Dieu des anges, des puissances et de la création entière et de toute la lignée des justes qui vient devant ta face, je te rends grâces, parce que tu m'as jugé digne de ce jour et de cette heure, digne d'être compté au nombre des martyrs, et de boire au calice de ton Christ. Ainsi ressusciterai-je à la vie éternelle de l'âme et du corps, dans l'incorruptibilité de l'Esprit Saint. Comme il me sera doux d'être reçu aujourd'hui avec eux, devant ta face, dans ce sacrifice aimable et onctueux, que tu as toi-même préparé, annoncé et que tu accomplis, ô Dieu qui ne déçois pas, Dieu de vérité ! Pour cette faveur comme pour toutes les autres, je te loue, je te bénis, je te glorifie par le Grand Prêtre éternel et céleste Jésus-Christ, ton enfant bien-aimé. Par lui, et avec lui et l'Esprit Saint, gloire te soit rendue aujourd'hui et dans les siècles à venir. Amen !* » (*Martyre de Polycarpe*, 14. Trad. F. Quéré).

Hermas

Hermas, frère du pape Pie Ier, écrit vers 150 le *Pasteur*. Mêlant sources bibliques, juives et païennes*, cette œuvre livre trois formes littéraires fondamentales : des Visions (ch. 1-4) à forte teneur apocalyptique, des Préceptes soucieux de morale, et des Paraboles (ou Similitudes) qui illustrent le statut du chrétien dans le monde. Hermas instaure le principe selon lequel les péchés commis après le baptême peuvent être remis, mais une seule fois. D'autre part, son image de l'Église est dynamique : c'est une tour en construction ou un arbre en croissance (Paraboles 8 et 9). Par ailleurs, le temps sur terre est celui de la pénitence.

Papias

Il reste à mentionner les *Explications des Paroles du Seigneur*, de Papias d'Hiérapolis, cinq livres écrits vers 130 dont il ne reste que treize petits fragments conservés par Irénée et par Eusèbe de Césarée. Ce dernier n'aimait guère Papias : il le soupçonne d'idées millénaristes et lui reproche de pervertir la tradition orale par des « paroles bizarres du Sauveur [...] et quelques récits plutôt fabuleux ». Ces textes apportent néanmoins des précisions intéressantes sur le presbytre Jean qui semble avoir été le maître d'Irénée.

Bilan

Un bilan peut être esquissé au terme de ce parcours superficiel des Pères apostoliques. Pour l'essentiel, ils laissent des écrits de circonstance, sollicités par la gestion des communautés et les besoins d'un enseignement doctrinal et moral. Telle quelle, la substance évangélique trop implantée dans le judaïsme* de Jésus n'était guère applicable aux chrétiens non palestiniens. Elle exigeait une actualisation. Sans énoncer de projet institutionnel précis, la *Didachè* mise à part, les Pères apostoliques ont deux soucis : l'édification des communautés locales et l'unité intercommunautaire. Avec la dissémination de l'Évangile, les communautés perdent progressivement le contact avec le judaïsme et les judéo-chrétiens résiduels, ce qui pose le problème de l'accueil de la Bible juive et la nécessité de traduire le message de Jésus de Nazareth pour un public sans culture sémitique. Les Pères apostoliques ont assuré cette actualisation. Leur enracinement biblique et leur culture grecque les prédisposaient à cette entreprise. Parallèlement à cet effort d'adaptation doctrinale, ils ont élaboré une structure institutionnelle de type hiérarchique, avec une correspondante intégration de la fonction des anciens et des prophètes héritée du judaïsme. La fonction de l'épiscope entouré de presbytres et de diacres en est le fruit. La fonction prophétique, quant à elle, a perdu progressivement de sa représentativité. La cohésion de l'ensemble de l'Église s'est édifiée autour de quelques pôles majeurs : Antioche, Rome, Alexandrie, mais sans Jérusalem. Ce sont des foyers d'évangélisation qui ont à leur tête de grandes personnalités. L'Église de Rome, au témoignage de Clément, prend peu à peu le rôle de référence pour les autres Églises et d'arbitre de leurs conflits.

REPÈRE

LE PRESBYTRE

Le presbytre, c'est l'ancien, le prêtre, en grec *presbyteros*, mentionné cinq fois dans les épîtres de Paul, dont quatre fois au pluriel, ce qui renvoie à un groupe reconnu. Il est difficile en revanche de préciser sa fonction exacte. La première épître à Timothée le range après les épiscopes et les diacres, mais souligne que « les anciens (*presbyteroi*) qui exercent bien la présidence méritent double honneur, surtout ceux qui peinent au ministère de la parole et à l'enseignement » (1 Tm 5,17). Tite 1,5 recommande d'établir des presbytres dans chaque ville, et nomme le responsable de la communauté « épiscope ». Il semble que la fonction des presbytres soit celle de chef spirituel des communautés avant la mise en place des évêques institutionnels du type d'Ignace ou de Polycarpe. Leur existence s'enracine dans l'antique institution judéo-chrétienne issue des « anciens » que Jésus rencontre sur son chemin en Palestine.

Les apocryphes chrétiens

Les Pères apostoliques sont des gestionnaires, tant pour la doctrine que pour les institutions. Parallèlement à leur effort, se développe une littérature qui se veut également un prolongement du premier Évangile, les apocryphes* chrétiens, rédigés sur le modèle des apocryphes de l'Ancien Testament. Le terme apocryphe signifie « caché », « secret », et dénote pour les anciens la profondeur des réalités à explorer. Les modernes ont une approche spontanée du phénomène apocryphe très différente. Deux attitudes opposées sont en effet courantes. Certains lecteurs déprécient cette littérature, la réduisant à des fables suspectes et génératrices d'hérésie. D'autres à l'inverse en sont friands, espérant atteindre par là quelque vérité que l'Église officielle leur a dissimulée car elle serait contraire à son dogme.

Mais les apocryphes ne méritent ni tant d'honneur ni tant de dépréciation. Leur caractéristique commune est d'être des textes non reçus dans le canon*. Exclus ou ignorés, ils en ont permis de façon indirecte la fixation. Lorsqu'on les examine sous l'aspect des prolongements du corpus* canonique, on découvre que les apocryphes ne sont pas des contrefaçons populaires ou sectaires des écrits de la Bible. Si leur liste est longue, c'est que les premiers siècles chrétiens ont été un creuset de recherche, d'idées, de relectures.

Deux cas de figures se présentent pour l'origine des apocryphes chrétiens : soit la composition directe de textes voulus comme chrétiens, soit la reprise de textes que le judaïsme connaissait déjà, avec addition ou remaniement dont l'*Ascension d'Isaïe* est un exemple. La formation judaïque ou hellénistique* des auteurs explique de son côté l'usage des formes littéraires variées, réductibles cependant aux quatre formes néotestamentaires de base : l'évangile*, les actes, la lettre et l'apocalypse*, avec une grande variété de formules rhétoriques et d'évocations mythiques. Le rapport des apocryphes aux textes canoniques varie également d'un livret à un autre : tantôt il est étroit et comble pour ainsi dire les lacunes narratives des textes normatifs, tantôt il joue sur un seul personnage ou un seul événement, tantôt il quitte le domaine narratif pour prendre des allures de traité philosophique. Les différents apocryphes n'appartiennent pas au même courant de pensée ni à la même école doctrinale ou spirituelle, ce qui constitue une autre explication de leur diversité. À ce titre, ils ne constituent pas un corpus homogène. Pour nous, leur unité réside uniquement dans leur témoignage sur la « diversité et la créativité de la mémoire chrétienne pour ce qui se rapporte aux héros et aux événements fondateurs » (E. Junod).

La liste des apocryphes chrétiens est longue, impossible à présenter ici. Voici, pour mention, les textes les plus anciens, contemporains des Pères apostoliques. Pour la fin du Ier siècle et la première partie du IIe, il faut mentionner une portion de l'*Évangile de Pierre* découvert à Akhmin en 1887, avec la Passion du Christ, la Résurrection et les premières apparitions ; un *Évangile des Nazaréens* apparenté à un *Évangile des Ébionites* et à un *Évangile des Égyptiens*, les trois en usage dans les communautés judéo-chrétiennes* ; l'*Ascension d'Isaïe* ; le *Protévangile de Jacques* ; les *Actes d'André, de Jacques, de Jean et de Thomas*, ce dernier mieux connu par la Bibliothèque copte de Nag Hammadi* (Haute Égypte) ; l'*Épître des Apôtres* redécouverte en copte.

L'Évangile de Thomas (NH II, 2) constitue l'un des traités les plus intéressants de la Bibliothèque copte retrouvée fortuitement à Nag Hammadi en 1945. Il montre comment une substance évangélique primitive a évolué vers la canonicité sans y parvenir entièrement. En effet, à partir d'une évocation très légère et fictive du rapport historique de Jésus à ses apôtres, cet évangile aligne 114 sentences. Élaborées probablement dans les milieux syriaques du IIe siècle, celles-ci ont été interceptées par les gnostiques* et retravaillées par eux ; de ce fait, ces sentences n'ont pas été jugées dignes du dépôt de la tradition. La sentence 28, à titre d'exemple, utilise l'image philonienne de l'ivresse pour désigner l'état d'inconscience de l'homme noyé dans la matière :

Jésus à dit : « Je me suis tenu au milieu du monde, et je me suis révélé à eux dans la chair. Tous, je les ai trouvés ivres ; parmi eux je n'ai trouvé personne qui eut soif, et mon âme s'est affligée sur les fils des hommes, car ils sont aveugles dans leur cœur, et ils ne voient pas. Comme ils sont venus au monde vides, ils cherchent aussi à sortir du monde vides. Mais maintenant, ils sont ivres. Lorsqu'ils auront cuvé leur vin, ils se repentiront. » (Thomas, 28. Trad. R. Kuntzmann)

Cet exemple montre un des rôles joués effectivement par les apocryphes : ils explorent les possibilités théologiques, philosophiques et éthiques ouvertes par la prédication de Jésus, pour un monde nouveau, universel et non plus palestinien, à un moment où le Nouveau Testament tâtonne pour se donner un corpus canonique. Les apocryphes sont souvent le produit ou la proie ou encore la réfutation des premières hérésies comme Cérinthe et la gnose, le marcionisme ou le montanisme. La thèse traditionnelle d'une doctrine unifiée remontant directement à Jésus et qui se serait par la suite décomposée dans des hérésies locales n'est plus guère soutenable : au début, il y a eu des témoins de l'événement fondateur de la mort et de la résurrection de Jésus, et ces témoins ont annoncé à plusieurs voix, parfois discordantes, leur foi. C'est après coup que le *Credo* s'est élaboré, par une entente progressive des communautés sur l'essentiel. Les apocryphes comme les écrits canoniques montrent que la diversité était présente à l'origine et les deux corpus tentent, chacun à sa façon, de rendre compte du mystère d'un Sauveur, Fils de Dieu fait homme.

L'écart entre écrits apocryphes et écrits canoniques se creusa de plus en plus avec le temps. Les apocryphes les plus récents, dont plusieurs décrivent la vie de Jésus enfant, exaltent jusqu'à l'absurde ses capacités de savoir et de pouvoir. Quelques scènes sont justement célèbres, tel ce passage, tardif, de l'*Évangile arabe de l'Enfance* :

À l'âge de sept ans, Jésus faisait un jour, avec ses camarades, des figurines de terre représentant des animaux, des ânes et des bœufs ; chacun vantait ses propres productions et trouvait son travail le plus beau. Jésus dit : « Les statuettes que j'ai faites moi, lorsque je leur ordonnerai de marcher, elles marcheront. » Les autres garçons dirent : « Alors, tu es le fils du Créateur ? » Jésus leur ordonna de marcher, et voici qu'elles se mirent à courir. S'il leur ordonnait de partir, elles partaient, et, s'il leur ordonnait de revenir, elles revenaient. Ainsi, il faisait des oiseaux, leur ordonnait de voler, et ils s'envolaient ; et il leur ordonnait de se poser sur ses mains et de manger. Il en allait de même avec les animaux, ânes et bœufs ; il leur donnait de l'orge et de la paille, et ils mangeaient et buvaient. Ces garçons partirent raconter cela à leurs pères, et ceux-ci les mirent en garde contre Jésus, disant : « Gardez-vous de jouer avec lui ou de le fréquenter, car c'est un magicien ; évitez-le. » Et les garçons cessèrent de le fréquenter (ch. 34. Trad. Ch. Genequand).

Vers un canon des Écritures chrétiennes

Finalement, le débat fondamental tant des Pères apostoliques que des apocryphes chrétiens fut la fixation de la tradition de la Grande Église* et de son expression majeure, le canon des Écritures. On l'oublie souvent : au Ier siècle les livres des communautés chrétiennes sont essentiellement la Bible juive, lue à partir de l'expérience vive de la mort et de la résurrection de Jésus, « selon les Écritures ». Cette Bible juive sera bientôt rejointe par quelques lettres de Paul, puis par les évangiles. Alors intervient la tâche ardue de discerner ce qui est Écriture, norme de la foi, et ce qui n'est que livre pieux.

Si le processus de la constitution d'un corpus chrétien des Écritures a été lent et complexe, en revanche, chez les Pères apostoliques, la conscience de cette responsabilité ne fait pas de doute. Une preuve anodine en est fournie par leur souci d'énumérer les dépendances mutuelles des grands docteurs de l'Église. Ainsi Irénée nous apprend-il qu'à Smyrne dans sa jeunesse il a entendu le vieux Polycarpe (*Contre les Hérésies* III, 3, 4) et que le vieil évêque était en relation avec Jean le Presbytre qu'il identifie, à tort sans doute, à Jean l'apôtre, ce que Papias conteste (Eusèbe, *Histoire ecclésiastique* III, 39,4). Origène (*In Jo.* VI, 54,36) identifie Clément de Rome au Clément, collaborateur de Paul, nommé en Ph 4,3).

Ces mentions sont des essais pour transmettre l'idée d'un consensus initial à l'intérieur de la première génération post-apostolique. La pratique des Pères apostoliques montre que cette conscience d'un consensus a lentement évolué vers la création d'un système normatif. L'Écriture à laquelle se réfère Clément de Rome est l'Ancien Testament.

REPÈRE

LA TRADITION

Le terme « tradition » vient du latin *traditio*, *paradosis* en grec, et désigne l'action de transmettre un enseignement, un rapport, mais il prend en domaine chrétien un sens spécifique. Ce n'est pas une accumulation de ce qui a été vécu depuis les origines, mais la transmission vivante du dépôt de la foi dans des situations toujours nouvelles, à la fois mémoire de ce qui fut et don transmis.

Ce qui est transmis, c'est tout d'abord l'enseignement du Christ communiqué de manière orale. À ce titre chaque Église en appelle à la tradition, même les gnostiques qui prétendent faire remonter leurs doctrines jusqu'à Jésus de manière secrète par le canal des apôtres. Ces égarements ont obligé très tôt les responsables à l'élaboration d'une doctrine de la tradition. Les Pères apostoliques ont eu à cœur de définir les critères des écrits et des doctrines authentiques. Ainsi, au IIe siècle, Irénée risque-t-il une définition de l'unité de la tradition en opposition aux prétentions gnostiques. Pour lui, la première preuve de la tradition authentique, c'est la succession ininterrompue des évêques dans les Églises apostoliques, surtout des évêques de Rome ; la deuxième preuve se trouve dans la concordance entre la règle de la foi et l'interprétation des Écritures : la tradition prend sa source dans l'Écriture accueillie comme norme de la révélation, l'Écriture, à son tour, illustre le bien-fondé et l'orthodoxie de la tradition des Églises locales. Au IVe siècle, avec les conciles christologiques* et les hérésies attenantes, le terme « tradition » prend un sens nouveau et renvoie à une doctrine élaborée par un concile œcuménique. À partir de là, on sera tenté de reconnaître deux sources de la foi, l'Écriture et la Tradition. Le concile Vatican II rétablit la perspective en maintenant l'Écriture comme norme de la révélation et en entendant par tradition « tout ce qui contribue à conduire sainement la vie du peuple de Dieu et à en augmenter la foi ; ainsi l'Église perpétue dans sa doctrine, sa vie et son culte et elle transmet à chaque génération, tout ce qu'elle est elle-même, tout ce qu'elle croit ».

(*Dei Verbum, 8*)

Il y lit l'annonce prophétique du mystère du Christ et les modèles de l'institution ecclésiale. Pour ce qui est du Nouveau Testament, Clément ne le présente jamais comme un corpus écrit, mais il renvoie à la parole de Jésus, employant à deux reprises la formule solennelle : « Souvenons-nous des paroles de notre Seigneur. » L'Évangile pour lui est encore la Bonne Nouvelle portée aux hommes, et c'est cette Bonne Nouvelle qu'il décrypte pour résoudre la crise de Corinthe. Quand la *Didachè* (11,3) demande « d'agir selon les préceptes (*dogma*) de l'Évangile », elle ne semble pas davantage renvoyer à un écrit, mais à des principes évangéliques. Cependant il y a déjà une évolution quand elle conseille : « Pour vos aumônes et toutes vos actions, faites comme vous l'avez dans l'évangile de notre Seigneur » (*Didachè*, 15,3). Pour Ignace, les choses ne sont pas encore entièrement claires, mais il semble bien qu'il ait utilisé des évangiles écrits et qu'il les ait placés au-dessus de la Loi et des Prophètes. Ainsi perce une autre Écriture, dont les sentences primitives de l'*Évangile de Thomas* permettent également l'approche. Différents facteurs ont aidé, semble-t-il, à la lente constitution d'un corpus d'écrits néotestamentaires normatifs. Tout d'abord, l'habitude de citer des paroles ou des écrits antérieurs pour en extraire l'importance pour la vie actuelle des communautés ; puis la pratique d'envoyer des lettres d'une communauté à une autre et d'établir ainsi une unité autour des mêmes enseignements ; enfin, avec l'éloignement dans le temps par rapport à l'événement fondateur, l'arrivée sur le marché de toute une littérature incontrôlable, issue de milieux marginaux et qui essaie de s'imposer à l'ensemble de l'Église. Ces facteurs expliquent le passage à un corpus écrit qui sera accueilli comme l'héritage commun par toutes les communautés en quête d'orthodoxie.

Se figeant dans l'écrit, qui a assuré par ailleurs leur dispersion dans les communautés les plus éloignées, les évangiles, les lettres de Paul, les Actes et les autres écrits du Nouveau Testament deviennent « canon », norme pour la foi et la pratique. Il semble que Marcion en 144, qui rejette tout l'Ancien Testament et ne retient du Nouveau qu'une version raccourcie de Luc et les écrits de Paul, ait hâté le mouvement et se soit écarté de l'usage commun de l'Église. De son côté, Irénée donne le titre d'Écriture à l'Ancien Testament et à des écrits chrétiens entrevus comme inspirés et normatifs ; Justin, lui, élabore les principes de la lecture chrétienne des Écritures et insiste sur l'aspect figuratif de l'Ancien Testament ; cette lecture n'est plus juive malgré les apparences, car elle place au centre des Écritures le Christ Seigneur, lui-même principe et source de l'Écriture.

Une liste romaine, fixée entre 165 et 185, le *Canon de Muratori*, du nom de son inventeur dans la Bibliothèque ambrosienne de Milan en 1740, amplifiée depuis par divers fragments latins du mont Cassin, fournit un point d'arrivée pour l'affirmation d'un canon proprement chrétien. [*voir* p. 552] La reconnaissance commune de ce canon par des voies qui nous échappent en bonne partie est un fait acquis par Athanase d'Alexandrie en 367 qui chiffre le Nouveau Testament à 27 livres, ainsi que le décret de Damase à Rome en 382. Le canon devient désormais le lieu de la célébration et le principe de l'interprétation de la Grande Église.

R. K.

La Bible et sa culture :

Conclusion générale

IL EST TEMPS DE CONCLURE. AU TERME DU PARCOURS *accompli dans les deux volumes de* La Bible et sa culture, *la Bible s'est donnée à voir dans sa richesse et sa complexité. Elle est liée à un ensemble d'événements historiques et de faits culturels qu'elle a interprétés et qui en ont conditionné le texte. Mais l'interprétation ne s'arrête pas lorsque le texte est écrit. Lu et relu depuis deux millénaires, le texte biblique se trouve au centre d'un processus d'interprétation qui s'est poursuivi et n'a pas fini de se poursuivre. Ces deux millénaires-là ont aussi fait la Bible telle qu'elle est perçue, donc telle qu'elle existe. On ne peut alors pas fermer le livre sans évoquer, au moins rapidement, ce qu'ont été ces lectures au cours des âges. Ce sera l'objet du premier chapitre de conclusion.*

Cependant l'existence de la Bible ouvre un autre questionnement, théologique celui-là. Qu'est-ce qui fait que la Bible est Bible ? Pourquoi les textes qui la composent ont-ils été regroupés dans un corpus, au lieu de rester éparpillés dans le vaste champ culturel qui les a vus naître ? Quel processus a présidé à leur sélection pour former le canon* des Écritures ? Et quel est la signification théologique de ce choix pour les communautés croyantes qui l'ont opéré ? Ces questions seront abordées dans un deuxième chapitre de conclusion – le dernier de ce second volume.*

Herméneutique et lectures bibliques

La Bible étant Parole de Dieu adressée aux hommes, nombreux sont ceux qui attendent de cette parole qu'elle soit claire, univoque, simple et facile à interpréter par tout un chacun. Illusion qui prend racine dans nos désirs plus que dans l'intention divine. Comment Dieu pourrait-il se départir de son mystère, lui qui dès l'Ancien Testament se présente comme celui qui habite la nuée (qui montre et cache à la fois) ou siège au-dessus des cieux ? Il se révèle dans l'histoire et dans les Écritures, dans son Fils de manière éminente et définitive, mais en laissant toujours percevoir combien « ses pensées ne sont pas nos pensées », et en faisant percevoir à l'homme combien la lumière divine éclaire et aveugle. L'humanité de Jésus n'a pas été simple à déchiffrer, ni la portée de ses paroles et de ses gestes. Il en va de même pour les textes qui en témoignent. Leur interprétation n'est pas seulement possible, elle s'impose pour qui veut bien les entendre. Chaque époque et chaque lecteur, mis en face des mêmes textes, posent à nouveau la question du sens, et la posent de manière située, historique, originale. Chaque texte scripturaire est situé historiquement et littérairement, chaque lecteur l'est aussi. Ce qui fait que le texte n'est jamais lu une fois pour toutes mais que, comme aimait à le dire saint Grégoire le Grand, « la sainte Écriture progresse avec ceux qui la lisent » (*Moralia in Job*, XX, 1).

Interpréter

« La Bible » est une expression trompeuse : il s'agit bien d'un volume, mais qui rassemble une collection d'écrits, de l'Ancien et du Nouveau Testament, en hébreu, en araméen et en grec. Plus que d'un livre, il s'agit en fait d'une bibliothèque. De plus, la mise par écrit de ces traditions, souvent transmises d'abord oralement, s'étale sur plus de dix siècles : il y aura donc un décalage entre le temps de l'événement et le temps du récit. Décalage dont l'interprétation devra tenir compte.

Diversité des écrits et des genres littéraires

L'événement de l'Exode et surtout sa réception dans la confession* de foi, les récits, la liturgie, marque de son empreinte les traditions vétéro-testamentaires. De même les événements rapportés par les évangiles* sont profondément transfigurés par l'expérience pascale et c'est à la lumière de la Résurrection que les auteurs, portés par leur communauté, sont revenus aux faits et aux paroles de la vie du Christ. L'interprète de ce type de texte doit adapter sa méthode et son regard à ce fait, sous peine de graves contresens. C'est ainsi que le récit de la multiplication des pains est aujourd'hui saturé par les références eucharistiques renvoyant au récit de l'institution de l'eucharistie. La communauté d'après Pâques* en a d'autant mieux perçu la portée qu'elle célébrait elle-même l'eucharistie. On retrouve des traces des milieux de vie des communautés chrétiennes (la catéchèse*, la liturgie, la mission) tout au long des pages de la Bible. Cette distance entre le temps de l'événement et le temps de l'écriture n'est pas un temps mort ni un temps vide mais bien un temps de maturation et d'approfondissement du sens. Saint Jean a systématisé cette expérience, écrivant souvent que les disciples ne comprenaient pas ce que leur disait Jésus. Ils ne comprendront qu'après Pâques et Pentecôte.

Il faut aussi compter avec les différences considérables de propos : un livre historique ne s'écrit ni ne s'interprète comme un poème ; un psaume ou un proverbe diffère profondément d'une lettre et, parmi les lettres du Nouveau Testament, les lettres aux Corinthiens, très circonstanciées, ne se lisent pas de la même manière que la lettre aux Hébreux qui est en fait un sermon, au style oratoire et très ravaillé, beaucoup plus qu'une lettre. Il faudrait parler aussi des oracles prophétiques, des récits épiques (par exemple la sortie d'Égypte ou les récits du livre des Juges), des récits sur les origines à l'arrière-fond mythique (les premiers chapitres de la Genèse), ou encore le livre de l'Apocalypse. Autant d'auteurs, de traditions, d'enracinements culturels, de manières de parler et d'écrire différents, qui appellent une interprétation (c'est-à-dire une herméneutique*) appropriée. Chaque genre littéraire reflète des usages, un monde social et appelle du lecteur un savoir lire. Le P. Lagrange le notait au début du siècle, devant le trouble engendré par les premières découvertes archéologiques et les études historiques portant sur l'arrière-fond des événements bibliques : il y a une certaine manière d'écrire l'histoire dans l'Ancien Testament qui n'est pas la nôtre. Le phénomène s'étend d'ailleurs au Nouveau Testament, notamment aux évangiles et aux Actes des Apôtres. Ce dernier récit atteste de multiples notations historiques précises et fiables et pourtant souvent il s'éloigne de la chronique pour se faire épopée : que l'on pense par exemple à la finale du livre rapportant le dernier voyage de Paul. L'apôtre adresse des discours multiples à différents auditoires et, après avoir été sauvé d'un naufrage, il arrive à Rome et annonce l'Évangile, alors qu'il est prisonnier, « avec pleine assurance et sans obstacle » (Ac 28,31) : ce sont les derniers mots de Luc !

Intervient encore le phénomène de la traduction : le passage de l'hébreu au grec n'est pas immédiat ni facile, et la traduction dans les langues en usage aujourd'hui pose toutes sortes de difficultés : les mots, les temps du discours ne se laissent pas transposer de manière univoque d'une langue à l'autre. L'auteur de la traduction grecque du livre du Siracide a rendu compte de ce cette difficulté : « En dépit de nos efforts d'interprétation, nous pourrions sembler avoir échoué à rendre quelque expression ; c'est qu'en effet il n'y pas d'équivalence entre des choses exprimées originairement en hébreu et leur traduction dans une autre langue ; bien plus, si l'on considère la Loi* elle-même, les Prophètes et les autres livres, leur traduction diffère considérablement de ce qu'exprime le texte original » (Siracide, prologue 17-26). Traduire, c'est déjà interpréter, et le phénomène se poursuit pour les multiples traducteurs de la Bible dans les langues d'aujourd'hui.

Le fondamentalisme, qu'un récent document de la Commission biblique pontificale (*L'interprétation de la Bible dans l'Église*, 1993) dit tendre à un « suicide de la pensée », ne prend pas en compte cet enracinement des textes inspirés, ni non plus la situation historique de l'humanité du Fils de Dieu et du témoignage que lui rendent les apôtres ; il considère que tout est à prendre au pied de la lettre dans les textes inspirés par peur de perdre les « fondements » de la foi. Au cœur de la querelle moderniste, un mot de Mgr Duchesne, visant le cardinal Secrétaire d'État de l'époque, est symptomatique du climat dans lequel le P. Lagrange travaillait et se battait pour accréditer une approche historique : « Le défunt cardinal aurait mieux aimé croire que Jonas a avalé la baleine que de laisser dire que la baleine n'a pas avalé Jonas. » C'est poser la question du genre littéraire des textes.

C'est peu à peu que toutes ces questions et observations sont venues à la conscience des lecteurs chrétiens avisés de ces questions. Notons qu'on peut parfaitement, aujourd'hui encore, lire les Écritures avec un souci de foi et de prière sans avoir jamais posé la question critique. Mais une fois que la question se pose, elle ne se contente pas de pieuses échappatoires.

Écriture et relecture

Les modernes ne sont pas les premiers à avoir étudié le texte biblique de près, à en avoir scruté la lettre, à la recherche du sens des mots, des phrases, des images. À l'époque du Nouveau Testament, les Écritures forment ce que nous appellerons plus tard l'Ancien Testament. Les lecteurs sont d'abord des Juifs familiers de l'Écriture, familiers aussi des rapprochements entre les textes de la Loi, des Prophètes ou des Écrits. L'écoute de l'Écriture à la synagogue*, la lecture journalière des textes sacrés leur avaient formé une mémoire biblique. L'Ancien Testament est lui-même constitué de relectures des événements (par exemple les livres des Chroniques relisant ceux de Samuel et des Rois) et des textes (la reprise de l'oracle de l'Emmanuel en Isaïe, de la tradition hébraïque à la tradition grecque et à sa réception dans l'évangile de Matthieu). Interpréter, c'est aussi tenir compte de ce travail d'interprétation déjà sous-jacent au texte lui-même, avant d'être œuvre et tâche du lecteur d'aujourd'hui : comment comprendre l'Apocalypse sans une large connaissance de ce genre littéraire et du tissu de réminiscences sous-tendant l'écriture de cette tradition ?

Lectures de la Bible à travers les âges

Nous allons évoquer ici – à grands traits et en simplifiant beaucoup – l'exégèse ancienne, et la situer par rapport à l'exégèse historique et critique moderne, évoquer également de nouveaux courants apparus depuis quelques années.

Situation de l'exégèse patristique

Le travail d'interprétation est mené à la fois au niveau de l'étude et au plan pastoral par les premiers exégètes*, qu'ils soient d'ailleurs juifs ou chrétiens. Au-delà des différences de méthode (lecture plus littérale dans l'école d'Antioche, plus allégorisante* dans l'école d'Alexandrie), un élément est commun à toute la lecture ancienne de l'Écriture : c'est une lecture située à l'intérieur de la foi et de la communauté ecclésiale. Deux adages méritent d'être cités et éclairent le cœur même de cette pratique exégétique. Tout d'abord celui de Jérôme : « L'Écriture doit être interprétée dans l'Esprit où elle a été écrite » (*Commentaire des Galates*, 5,20). L'exégète ne met pas le texte à distance mais recherche la communion avec cet Esprit qui souffle à travers les livres saints et les unifie dans une sorte de symphonie appelant le croyant à entrer dans la révélation, à en vivre, à y conformer son existence.

Un second adage, du XIIIe siècle celui-là, résume la lecture ancienne jusqu'au Moyen Âge : « La lettre enseigne les événements, l'allégorie ce qu'il te faut croire, le sens moral ce qu'il te faut faire et l'anagogie ce vers quoi tu tends. » On a là les fameux quatre sens de l'Écriture. Le sens **littéral** prend en compte le sens premier des événements et des paroles rapportés ; il s'agit souvent de la dimension historique des textes : par exemple la sortie d'Égypte, ou la prise d'une cité, ou telle action d'un prophète ou de Jésus. Mais le lecteur croyant peut-il en rester là ? Telle est la question fondamentale soulevée par les anciens comme par les modernes qui cherchent à nourrir leur foi dans la lecture des Écritures. D'où le déploiement d'un triple sens allégorique, ce dernier terme étant pris au sens large. Tout d'abord le sens **christologique*** : il s'agit alors pour le croyant chrétien de tout lire à partir de l'accomplissement* des Écritures dans le Christ. Le premier Exode orientera vers la Pâque chrétienne, un récit de Josué sera relu à partir de Jésus (les deux noms sont très proches), les Psaumes seront lus de façon messianique. Une autre clé de lecture est ce que l'on appelle le sens **moral** ou tropologique : ici, ce sont les conséquences éthiques des événements du salut qui sont soulignées. En particulier l'appel à la conversion et à la vie nouvelle. Enfin, une dernière relecture est portée par la tension vers le monde à venir : c'est la lecture **anagogique** ou eschatologique. Ici, l'interprète s'attache à discerner tout ce qui dans les textes nourrit l'espérance et invite à prendre en compte les réalités dernières, l'avènement du Règne de Dieu, advenu déjà sous formes de prémices dans l'existence de Jésus de Nazareth, mort et ressuscité. Cette lecture est à la fois riche et complexe, mais il faut surtout noter combien le sens littéral est, sinon ignoré, du moins comme happé dans cette lecture à la fois christologique, pastorale et spirituelle. Une remarque d'Origène est significative : « Pour nous, nous savons que l'Écriture n'a pas été rédigée pour nous raconter des histoires anciennes, mais pour notre instruction salutaire ; aussi comprenons-nous que ce qu'on vient de nous lire est toujours actuel » (*Homélies sur l'Exode*, II, 1).

Une double clé de lecture : typologie et allégorie

Comment donc lire des récits anciens (la geste des patriarches, la prise de Jéricho ou le Cantique des Cantiques par exemple) sans les enfermer dans leur dimension passée mais en les ouvrant à la vie de foi du croyant aujourd'hui ? C'est par l'allégorie que les Pères ont réalisé cette relecture de tout l'Ancien Testament à la lumière du Nouveau, et du Nouveau Testament à la lumière du présent et du futur de la vie des croyants. Étymologiquement, allégoriser signifie parler en d'autres termes que les termes propres. Il s'agit d'un transport de la signification, en passant du sens premier des termes à un autre sens, supposé caché sous le sens littéral. La démarche était connue des anciens, dans la lecture allégorisante des poèmes homériques, ou l'exégèse du Juif Philon d'Alexandrie. Quel est le principe qui va guider l'exégète chrétien dans cette transposition et la faire échapper à l'arbitraire ? Saint Paul en rend compte dans le seul texte du Nouveau Testament où se rencontre l'expression « allégoriser » : en Ga 4,24, à propos de la destinée des fils d'Abraham issus l'un de la servante, l'autre de la femme libre, l'apôtre écrit : « Il y a là une allégorie : ces femmes sont, en effet, les deux alliances. » L'Ancien Testament devient donc le « type » (d'où le terme « typologie ») des événements qui trouvent dans le Nouveau leur réalisation.

Cassien (fin du IVe, début du Ve siècle) a donné un commentaire éclairant de cette exégèse paulinienne (*Conférences*, XIV, 8) : « L'histoire a trait à la connaissance des événements passés et qui frappent les sens. L'apôtre en donne un exemple, lorsqu'il dit : Il est écrit qu'Abraham eut deux fils, l'un de la servante et l'autre de la femme libre. Mais celui de la servante naquit selon la chair ; et celui de la femme libre, en vertu de la promesse [Ga 4,22-23]. Ce qui suit relève de l'allégorie, parce qu'il y est dit des choses réellement arrivées, qu'elles figuraient d'avance un autre mystère. Ces deux femmes sont les deux Alliances : l'une, du mont Sina, enfante dans la servitude ; et c'est Agar. Car Sina est montagne d'Arabie, qui symbolise la Jérusalem actuelle, laquelle est esclave avec ses enfants [Ga 4,24-25]. L'anagogie s'élève, des mystères spirituels, à des secrets du ciel, plus sublimes et plus augustes. On la voit dans ce que l'apôtre ajoute immédiatement : Mais la Jérusalem d'en haut est libre ; et c'est elle qui est notre mère. Car il est écrit : Réjouis-toi, toi qui n'enfantais pas ! Éclate en cris joyeux, toi qui ne connaissais pas les douleurs de l'enfantement ! Les enfants de la délaissée sont plus nombreux que les enfants de celle qui avait l'époux [Ga 4,26-27]. » Cassien précise ensuite ce qui regarde le sens moral : « La tropologie est une explication morale qui regarde l'amendement de la vie et la formation ascétique. » Et il conclut : « Les quatre figures se trouveront donc réunies, si nous le voulons, si bien que la même Jérusalem pourra revêtir quatre acceptions différentes : au sens historique, elle sera la cité des Juifs ; au sens allégorique, l'Église du Christ ; au sens anagogique, la cité céleste, qui est notre mère à tous ; au sens tropologique, l'âme humaine, que nous voyons souvent louée ou blâmée par le Seigneur sous ce nom. »

Les risques de l'allégorie

Ce procédé de lecture a marqué toute la période des Pères*, en particulier le milieu monastique. L'Écriture lue à travers ce type de commentaires a donné notamment naissance à des bibles glosées où le texte biblique est pour ainsi dire enchâssé dans des extraits des commentaires des Pères. C'est pour ainsi dire une mémoire de la lecture patristique. Avec une double conséquence, on peut même dire une double dérive : chaque scène biblique n'est plus lue pour elle-même dans son contexte scripturaire, et le commentaire patristique lui-même n'est pas lu non plus dans son contexte et son intégralité. De plus, l'allégorie quand elle n'est pas contrôlée par une typologie sûre risque de s'égarer dans l'arbitraire : le chiffre trois renverra immanquablement à la Trinité, le chiffre deux aux deux natures du Christ, etc. Un lecteur contemporain est étonné lorsque, à propos du verset du Cantique « Mon nard a donné son odeur » (Ct 1,2), il lit sous la plume d'un Père du IVe siècle, Grégoire d'Elvire (*Homélies sur le Cantique*, III), l'indication de la vertu de la croix, le nard étant de l'huile mélangée avec des matières ligneuses. L'odeur qu'il dégage indique donc la bonne odeur du Christ, d'après saint Paul (2 Co 2,15). Il est vrai que le Cantique a été reçu dans la Bible au nom de sa lecture spirituelle. Le sens littéral d'un tel texte dépasse donc la lettre – déjà au nom de son écriture poétique et symbolique – et vise les rapports entre Dieu et son peuple. Mais l'exégèse citée découvre ce symbolisme dans chacune des réalités évoquées au nom de l'allégorie.

Retour au sens littéral

La première réaction aux excès de l'allégorie viendra de la renaissance humaniste du XIIe siècle, avec bientôt la création des universités. Hughes de Saint-Victor compose son *Didascalicon* ou *Art de lire*. Non qu'il rejette le sens allégorique dans sa triple orientation, mais il tient à affermir le lien à l'histoire et au sens littéral. Il faut dire qu'avec les écoles et les universités, on passe de la *lectio divina* dans le cloître à la discussion théologique dans les facultés. Hughes de préciser aussi que ce ne sont pas les mots qui sont susceptibles de mille interprétations allégoriques mais bien les événements qui sont riches de sens. Thomas d'Aquin au XIIIe siècle reviendra sur cette thématique avec d'une part un grand souci de l'héritage patristique, notamment de la patristique grecque très délaissée jusque-là, mais d'autre part en insistant sur le sens littéral, seul à même de fonder une argumentation théologique. L'ouverture du sens, notamment dans la relecture chrétienne de l'Ancien Testament, vient de ce que Dieu est maître des événements et a pu leur donner une plénitude de sens que les premiers auteurs n'ont que partiellement perçue.

Humanisme et essor de l'édition biblique

De nouvelles méthodes s'imposeront à la Renaissance, en lien avec l'humanisme. Le retour aux sources invite les érudits à préparer des éditions des écrits de l'Antiquité comme aussi de la Bible, éditions au texte critiqué, purgé de toutes sortes d'ajouts ou de gloses. La Réforme s'inscrit dans ce mouvement, privilégie l'étude de la Bible dans les langues originales. Le mouvement est d'autant plus fort qu'il est porté par une démocratisation du recours à l'Écriture du fait de l'imprimerie. Seuls les moines possédaient jusque-là les rares exemplaires de la Bible ; l'imprimerie permettra dorénavant à un nombre toujours plus grand de lecteurs de se confronter au texte lui-même. L'efflorescence du sens allégorique sera d'abord mise au second plan puis congédiée, notamment par les réformateurs. Le sens de l'Écriture est, pour Luther, avant tout christologique : il est également simple et accessible à tout un chacun. Point n'est besoin du témoignage des Pères ou de l'autorité ecclésiale. L'Écriture est la première et la dernière autorité s'imposant à un lecteur.

L'étude critique

C'est à Richard Simon (1638-1712) que l'on doit une des premières approches critiques des livres bibliques. Son *Histoire critique du Vieux Testament* date de 1678. Le regard sur les textes se fait historique. On découvre par exemple que Moïse ne peut être l'auteur de tout le Pentateuque, en particulier des récits rapportant sa propre mort. Le texte biblique est porté par une tradition vivante qui y a laissé des traces de relectures et de réinterprétations. Comprendre ce processus fait entrer de manière précise dans l'intelligence progressive des événements salvifiques. Simon écrit ensuite une *Histoire critique des textes, des versions et des commentateurs du Nouveau Testament* (1693). Bossuet s'insurge – et le titre est significatif – en publiant sa *Défense de la Tradition et des Saints Pères.* Lecture critique contre lecture traditionnelle. C'est l'affrontement classique des exégèses…

Raison et foi : le temps de l'affrontement

Le débat de la foi contre la raison va prendre du temps avant de s'apaiser. Spinoza tout d'abord, au XVIIe siècle, privilégie la lecture de la Bible par elle-même, à la lumière de la raison et de l'enquête historique seule. Le mouvement se prolongera au siècle des Lumières et au XIXe siècle, notamment au travers des vies de Jésus (Reimarus, Lessing et surtout Strauss ; Renan en France), plus révélatrices de l'atmosphère du moment et des convictions de leurs auteurs que de Jésus.

Le XXe siècle fut marqué en son début par la crise moderniste où s'affrontèrent une exégèse dite « indépendante » affrontée à une Église, notamment catholique, peu préparée intellectuellement à un tel débat. Il fallut la science et la persévérance d'un P. M.-J. Lagrange, fondateur de l'École biblique de Jérusalem en 1890, pour tenir ensemble étude critique de l'Écriture et foi de l'Église. La recherche allait bénéficier de plusieurs apports : en premier lieu (et c'est l'apport de l'École biblique) une confrontation avec le monument et le document, avec le pays et la culture qui avaient vu naître l'Écriture. Ensuite, une prise en compte de plus en plus précise des genres littéraires : on ne raconte pas en Orient, dans l'Antiquité, comme le ferait un historien occidental aujourd'hui. Les genres littéraires ne sont pas seulement de la littérature. L'École des Formes (avec des exégètes tels que Dibelius ou Bultmann) allait souligner l'enracinement sociologique de ce fait d'écriture. Les récits évangéliques ne révèlent pas seulement tel geste ou telle parole de Jésus mais d'abord l'impact de la communauté qui les formalise et les transmet. C'est l'époque du « radicalisme critique ». Peu à peu on découvrira combien il est exagéré de créditer la communauté d'un pouvoir créatif quasiment absolu. L'acquis était cependant décisif, et il est étrange qu'on ait mis autant de temps à reconnaître (en particulier dans les milieux catholiques) que la tradition concernant Jésus passait par des communautés ecclésiales. Dorénavant les centres d'intérêt ou les questions des communautés sont comme entrelacés dans les mailles du récit évangélique. L'exégète cherche donc à distinguer ce qui relève de la communauté, de ce qui peut remonter au Jésus de l'histoire. L'approche sociologique, à partir des modèles en usage dans les sciences sociales, prolonge actuellement ce souci et étudie les conditions de vie de l'Israël ancien, du mouvement de Jésus ou des communautés pauliniennes* par exemple.

Une nouvelle étape de la recherche concernera les rédacteurs. Le récit évangélique n'est pas fait que d'unités juxtaposées, de « formes » (récits de miracles, paraboles, paroles), mais d'un tissu conjonctif les mettant en perspective. Le récit de Marc et son agencement relèvent d'une présentation théologique autant que biographique ; il en va de même par exemple du Sermon sur la montagne et même du récit de la Passion. Les exégètes découvrent alors la théologie des rédacteurs. Tout d'abord dans le détail des scènes (telle expression est présente chez Matthieu ou Luc mais pas chez Marc, par exemple), puis dans le projet théologique d'ensemble. Chaque évangile a sa propre cohérence narrative.

La recherche se déplacera une fois encore, en passant d'un point de vue diachronique (histoire du texte et de sa production) à une perspective synchronique (le texte pris dans son état final). Les uns, influencés par les sciences du langage, privilégient un questionnement philosophique sur la naissance et le parcours du sens dans un texte : c'est l'approche sémiotique. Plus répandue et plus abordable, une autre approche part non seulement du texte mais encore du lecteur qui en prend activement connaissance. Pour les récits, la narratologie cherche comment un auteur balise le chemin du sens ; on ne peut rejoindre l'intention de l'auteur historique (ce dernier a disparu), mais le texte construit une image d'auteur ; l'exégète découvre alors l'intrigue de chaque récit, la façon dont le lecteur est conduit, surpris, évangélisé. Pour les discours, c'est l'analyse rhétorique qui va s'imposer et mettre en lumière une stratégie de persuasion de l'auditeur, devenu lecteur depuis la mise par écrit du texte.

Il faudrait encore évoquer la lecture de la Bible dans les Communautés de base et le mouvement de la Théologie de la Libération, notamment en Amérique latine, ou encore l'approche féministe qui a souligné les tensions entre, par exemple, le propos d'égalité des personnes dans les lettres pauliniennes et la régression de cette perspective au détriment de la femme.

Tout cela dit assez la complexité des traditions concernant aujourd'hui la Bible, leur enracinement historique et la nécessité d'une interprétation avisée. Il n'y pas là appauvrissement mais, au contraire, enrichissement du sens, d'autant plus que les nouvelles approches suscitent des réponses nouvelles. C'est bien ce que Jésus disait du scribe avisé qui, « de son trésor, tire du neuf et de l'ancien » (Mt 13,52).

J.-M. P.

Canonicité et inspiration

La Bible chrétienne ne s'est pas constituée en un seul jour. Non seulement les nombreux textes qui la composent ont été rédigés à des époques différentes, mais leur rassemblement en un livre unique, la Bible, et leur réception comme Écritures Saintes constituent un processus de longue haleine.

Tout commence avec la résurrection de Jésus et l'annonce de l'Évangile* qui s'ensuit. D'abord confondu avec le judaïsme*, le groupe chrétien se détache peu à peu de ses origines. Vers la fin du Ier siècle, il commence d'être reconnu comme un mouvement religieux autonome. Perdant le bénéfice du statut propre reconnu au judaïsme, il se trouve exposé aux tracasseries des autorités romaines, traditionnellement méfiantes à l'égard de toute nouveauté venue d'Orient. La correspondance entre l'empereur Trajan et l'écrivain Pline le Jeune, gouverneur en Bithynie (nord-ouest de la Turquie actuelle) atteste la précarité du christianisme dans les années 110. [*voir* p. 514]

Ancien et Nouveau Testament

De cette double origine, la Bible chrétienne hérite sa partition en deux volets, de longueur inégale mais sur le fond indissociables : l'Ancien et le Nouveau Testament. D'abord constituée de Juifs, reconnaissant en Jésus de Nazareth le Messie* attendu par Israël, la première communauté chrétienne s'approprie les Écritures juives. Elle y reconnaît l'annonce du personnage de Jésus et s'attache principalement aux Prophètes et aux Psaumes. À l'inverse, elle interprète les Écritures anciennes à la lumière de la foi nouvelle en Jésus de Nazareth, Fils unique de Dieu et Sauveur des hommes. Dès les premiers écrits chrétiens, dans les années 50, la connaissance des Écritures juives est considérée comme nécessaire à la compréhension de l'événement de salut manifesté dans la mort et Résurrection de Jésus, ainsi que l'atteste la formule traditionnelle : « selon les Écritures » (1 Co 15,3-5). [*voir* p. 146]

De même, encore à la fin du Iᵉʳ siècle, un auteur chrétien comme Clément de Rome évoque la Passion de Jésus à travers les chants du Serviteur souffrant, au livre d'Isaïe : « Le Christ appartient en effet à ceux qui sont humbles de cœur, non à ceux qui s'élèvent au-dessus de son troupeau. Le sceptre de la majesté de Dieu, le Seigneur Jésus Christ, n'est pas venu avec le train de la fierté et de l'orgueil – et pourtant il le pouvait – mais avec l'humilité du cœur, selon ce que l'Esprit Saint l'avait déclaré de lui. Il dit en effet : Seigneur, qui a cru à notre prédication ? le bras du Seigneur à qui a-t-il été révélé ? » Clément fait suivre une longue citation d'Isaïe 53,1-12, avant de conclure sur l'application au Christ des traits du Serviteur : « Vous voyez, bien-aimés, quel est le modèle qui nous a été donné ! Si le Seigneur s'est ainsi humilié, que devons-nous faire, nous qui sommes venus par lui sous le joug de sa grâce ? » (*1 Clem.*, 16,1-17, trad. A. Jaubert).

Bien plus, les évangiles imputent à Jésus lui-même l'initiative d'une lecture chrétienne des Écritures juives. Du discours inaugural dans la synagogue de Nazareth jusqu'à la scène pascale du repas d'Emmaüs, le Jésus de Luc lit les Écritures à la lumière de son propre destin. Il s'applique à lui-même les oracles prophétiques relatifs à l'avènement du Messie : « Aujourd'hui s'accomplit à vos oreilles ce passage de l'Écriture » (Lc 4,21). Il fait devoir à la communauté chrétienne de relire l'ensemble des Écritures juives (notre Ancien Testament) comme le miroir des événements de salut accomplis à travers sa propre Passion et Résurrection.

Alors il leur dit : « Ô cœurs sans intelligence, lents à croire à tout ce qu'ont annoncé les Prophètes ! Ne fallait-il pas que le Christ endurât ces souffrances pour entrer dans sa gloire ? » Et, commençant par Moïse et parcourant tous les Prophètes, il leur interpréta dans toutes les Écritures ce qui le concernait (Lc 24,25-27).

Puis il leur dit : « Telles sont bien les paroles que je vous ai dites quand j'étais encore avec vous : il faut que s'accomplisse tout ce qui est écrit de moi dans la Loi de Moïse, les Prophètes et les Psaumes. » Alors il leur ouvrit l'esprit à l'intelligence des Écritures, et il leur dit : « Ainsi est-il écrit que le Christ souffrirait et ressusciterait d'entre les morts le troisième jour, et qu'en son Nom le repentir en vue de la rémission des péchés serait proclamé à toutes les nations, à commencer par Jérusalem. De cela vous êtes témoins. » (Lc 24,44-48)

En outre, à mesure que la communauté chrétienne s'éloigne de l'événement fondateur, apparaissent un certain nombre d'écrits spécifiquement chrétiens : lettres aux communautés, à la suite de Paul le premier auteur chrétien connu ; évangiles ou « mémoires d'apôtres » (selon l'expression de Justin de Rome vers 150) nourris de la tradition des *logia** (paroles du Seigneur) ; apocalypses* et récits de missions, tels les Actes des Apôtres. Composés dans la deuxième moitié du Ier siècle, voire pour certains au tout début du IIe siècle, les livres du Nouveau Testament ne sont pas immédiatement considérés comme l'équivalent des Écritures anciennes. Leur reconnaissance officielle (canonisation*) se fera progressivement, à partir du IIe siècle, et ne s'achèvera qu'au IVe siècle. L'existence de listes canoniques confirme le souci d'alors : fixer les limites du recueil biblique, sur la base du plus large consensus entre les Églises. [*voir* p. 533]

Les listes canoniques qui nous ont été conservées ne sont pas unanimes. Elles montrent quelque désaccord, quant aux marges du canon. Ainsi, on hésite sur l'Apocalypse ou la lettre aux Hébreux. D'autres intégreraient volontiers la *Lettre aux Corinthiens* de Clément de Rome ou le *Pasteur* d'Hermas. En revanche, la présence de l'Ancien Testament est universellement admise. Marcion et les hérésies gnostiques* du IIe siècle n'ont pas su persuader les chrétiens de rompre avec la première Alliance. Désormais, la Bible chrétienne sera toujours composée de l'Ancien et du Nouveau Testament. En cela elle ressemble à la Bible juive, littéralement la Tora (ou encore TaNaK, abréviation de *Tora-Neviim-Ketoubim*, c'est-à-dire : Loi-Prophètes-Écrits), en même temps qu'elle s'en distingue résolument : non seulement le Nouveau Testament s'ajoute à l'Ancien, mais il en modifie l'interprétation.

À cette différence majeure s'ajoute un autre trait, imputable à la diversité du monde juif ancien. Largement héritière du judaïsme* de langue grecque, la communauté chrétienne reconnaît une liste de livres un peu plus étendue que dans les milieux juifs de langue hébraïque. Ces sept livres supplémentaires, transmis par l'édition alexandrine dite des Septante*, ne figure pas dans les manuscrits en hébreu. De plus, ces derniers présentent une structure en trois parties (Tora* ou Loi, Prophètes, Écrits), tandis que l'Ancien Testament chrétien en langue grecque répartit les livres en quatre classes : Pentateuque, Livres historiques, Livres poétiques, Livres prophétiques.

La répartition juive répond à un principe hiérarchique : aux cinq livres de la Loi considérés comme le cœur de la révélation (d'où souvent l'extension du mot « Tora » pour désigner l'ensemble des Écritures) succèdent les Prophètes et les Écrits, en tant qu'ils illustrent et éclairent les textes fondateurs. En revanche, le classement chrétien des livres de l'Ancien Testament répond à des principes purement littéraires : il n'établit aucune hiérarchie entre les quatre genres désignés. S'il demeure une clé de lecture, c'est bien la personne de Jésus et l'événement de sa Résurrection. Autrement dit, le centre de la Bible chrétienne n'est plus la Loi*, mais l'articulation des deux alliances ou testaments, dans la personne même de Jésus et le mystère pascal de sa mort et Résurrection.

L'ensemble du christianisme ancien pratique la version grecque de l'Ancien Testament. Ce choix constitue même un principe de différenciation avec le judaïsme, de plus en plus attaché à la forme hébraïque des Écritures. Ancien Testament chrétien et Tora d'Israël constituent alors deux formes apparentées mais distinctes d'une même tradition textuelle. Mais ce principe relativement simple connaîtra plusieurs corrections, d'où résulte l'actuelle diversité des éditions bibliques.

Dès le IVe siècle, des érudits comme saint Jérôme remettent en honneur la version hébraïque de l'Ancien Testament. Vu son antériorité sur le texte grec, elle paraît plus fidèle à la première Alliance et mieux

DOCUMENT

LE CANON DE MURATORI

Souvent invoqué comme un témoin décisif dans l'histoire du canon du Nouveau Testament, le fragment de Muratori est à utiliser avec prudence. Habituellement daté des années 200, ce texte grec (conservé en latin dans un manuscrit beaucoup plus tardif et désigné du nom de son inventeur, un érudit italien du XVIIIe siècle) n'appartient pas au genre des listes canoniques. Il ne se prononce pas sur la question de savoir s'il faut accepter ou non tel livre contesté. En revanche, il se réfère à l'origine apostolique des écrits néo-testamentaires et, pour ce faire, évoque un certain nombre de traits légendaires. Ainsi, il relate la genèse du quatrième évangile de façon originale.

Le quatrième évangile est de Jean, l'un des disciples. Comme ses condisciples et ses évêques l'exhortaient, il leur dit : « Jeûnez avec moi à partir d'aujourd'hui durant trois jours et nous nous raconterons les uns aux autres ce qui nous aura été révélé. » La même nuit il fut révélé à André, l'un des Apôtres, que Jean devait tout écrire en son nom propre avec le visa de tous. Et, par conséquent, quoique chaque livre des évangiles enseigne autrement les premiers faits, la foi des croyants n'y fait aucune différence, puisque c'est un même esprit souverain qui expose toute chose dans chacun d'eux, sur la nativité, la passion, la résurrection, la conversation avec ses disciples et son double avènement, méprisé qu'il fut au premier dans un état de bassesse, revêtu de la puissance royale au second, glorieux, encore attendu.

(Trad. M.-J. Lagrange)

Le raisonnement est convaincant : l'appel à l'autorité de l'Esprit (l'inspiration) et la référence aux apôtres permettent de légitimer l'usage du quatrième évangile, malgré d'évidentes différences avec les Synoptiques. Il s'agit bien d'un processus de canonisation, mais ce mode d'argumentation atteste que la clôture du canon n'est pas encore opérée. Les listes du IVe siècle marqueront la fin du processus.

en mesure d'en rendre compte, même à l'intérieur du christianisme. De cette préférence pour la *Veritas hebraïca* naît la *Vulgate*, ou Bible latine, qui sera l'unique texte de référence de l'Occident chrétien, incontesté jusqu'à la Renaissance. Si les livres du Nouveau Testament sont naturellement traduits sur le grec, ceux de l'Ancien Testament ne sont plus référés à la Septante mais au texte hébraïque (celui que les éditions juives ultérieures appelleront « texte massorétique* »). Toutefois, soucieux de ne rien perdre de la tradition chrétienne primitive, Jérôme conserve les sept livres supplémentaires, disponibles en grec seulement. L'Ancien Testament de la *Vulgate* présente donc un aspect hybride : d'une part, il s'appuie sur le texte hébreu ; d'autre part, il conserve le nombre et le classement des livres selon la version grecque des Septante.

Le virage hébraïsant amorcé par Jérôme et l'Église latine s'accentue au temps de la Réforme. Le retour aux langues d'origine (hébreu pour l'Ancien Testament, grec pour le Nouveau Testament) entraîne l'abandon des sept livres exclusivement grecs, disqualifiés théologiquement et désignés comme « apocryphes* » : ce mode d'édition s'impose dans le monde protestant jusqu'à nos jours. Toutefois, certaines éditions conservent les sept livres en cause, mais les considèrent comme un simple supplément. Il en résulte la dénomination de « deutérocanoniques », c'est-à-dire appartenant à une liste seconde (ou secondaire) par rapport à l'original hébreu. La *Traduction œcuménique de la Bible* (TOB) adopte ce parti, tandis que la *Bible de Jérusalem* (BJ) reste fidèle à l'ordonnancement de la Septante. Il peut en découler quelque confusion pour le lecteur francophone, obligé de recourir à la table des matières, s'il veut retrouver l'un quelconque des livres de l'Ancien Testament.

Le canon des Écritures, une réalité théologique

La sélection et le rassemblement des livres bibliques, tant de l'Ancien que du Nouveau Testament, ne sont ni le fruit du seul hasard ni le résultat d'une décision arbitraire. C'est plutôt l'effet d'une longue évolution, depuis la fin du Ier siècle jusqu'à l'époque constantinienne. Les Églises profitent de la liberté acquise pour mettre de l'ordre dans leurs dogmes, leurs pratiques et leurs modes d'organisation. C'est alors que se fixe définitivement le canon scripturaire, c'est-à-dire la liste des livres de l'Ancien et du Nouveau Testament, reconnus par toutes les Églises comme la source et la norme de l'identité chrétienne.

Les divergences apparues en Occident au XVIe siècle (attachement des protestants au modèle juif de l'Ancien Testament ; autorité exclusive de la *Vulgate* réaffirmée au concile de Trente en monde catholique) ne suffisent pas à remettre en cause le consensus global autour du canon biblique, considéré comme clos et définitif.

Le mot « canon », qui s'impose à partir du IVe siècle pour désigner l'ensemble des livres bibliques, suggère à la fois la diversité du recueil et sa fonction au sein de la religion chrétienne. D'origine phénicienne mais d'usage courant en grec et en latin, le terme « canon » s'applique à une sorte de roseau, c'est-à-dire une tige droite, susceptible d'être utilisée comme règle ou bien comme unité de mesure. D'où le sens de « norme », notamment en esthétique (on parle alors des canons de la beauté) ou en architecture (on connaît l'ouvrage du Latin Vitruve sur les canons présidant à l'art de construire des bâtiments publics).

Dans le cas de la Bible, le mot « canon » a une double portée. D'une part, il désigne l'opération de sélection et de classement, ayant permis la constitution du recueil biblique : on parle ainsi de « clôture du canon » pour évoquer la conclusion de ce processus et le caractère définitif du recueil ainsi constitué. D'autre part, le mot « canon » évoque l'autorité accordée aux écrits bibliques et leur reconnaissance officielle

DOCUMENT

LES LISTES CANONIQUES

Le siècle de Constantin voit l'Église*, enfin libérée de l'insécurité, se doter d'un certain nombre de repères décisifs : conciles, dogmes, liturgies, circonscriptions ecclésiastiques. Dans ce contexte, il n'est pas étonnant qu'un certain ordre soit mis dans la circulation des Écritures bibliques. Ainsi Jérôme reçoit-il mission d'unifier les traductions latines en cours ; ce sera le point de départ du grand travail d'édition de la *Vulgate*. De même, un certain nombre d'incertitudes subsistent quant aux frontières du canon biblique. Plusieurs auteurs ou conciles régionaux s'en préoccupent : ils nous ont laissé des Listes canoniques, témoignant de l'état des débats en cours.

Au-delà des variantes, relativement mineures, il est intéressant de noter les critères de sélection ou principes de classement. Le système le plus élaboré est celui d'Eusèbe de Césarée, qui propose de distinguer :

– les livres « reçus » ou « reconnus » (litt. homologués), pour lesquels le consensus est acquis ;
– les livres « contestés » ou « discutés », acceptés par la majorité mais comportant quelque incertitude quant à l'identité de leur auteur ;
– les livres « apocryphes » (litt. « bâtards »), pour lesquels les avis sont vraiment partagés, mais qui ne paraissent pas comporter de danger pour la foi ;
– les livres « non testamentaires », rejetés par la plupart, ne pouvant prétendre à une authentique origine apostolique et présentant des positions théologiques inacceptables au regard de la foi chrétienne.

(*Histoire ecclésiastique*, III, 25)

dans les Églises chrétiennes : quelle que soit la valeur d'autres écrits chrétiens, anciens ou modernes, les Écritures bibliques constituent une référence unique et fondatrice, tant pour la réflexion théologique que pour la détermination de comportements et règles de vie spécifiquement chrétiens.

Un troisième sens est apparu à l'époque moderne. Conscients de l'extrême diversité affectant le canon biblique, des auteurs se sont mis en quête d'un lieu d'unité assurant la cohésion d'un ensemble aussi complexe. Ainsi est née l'expression « canon dans le canon », pour signifier une règle de lecture (premier emploi du mot « canon ») applicable au recueil biblique dans son ensemble (deuxième emploi du mot « canon »). Certains ont proposé de tenir le motif paulinien* de la justification par la foi comme le « canon » permettant de tenir l'unité du recueil biblique. D'autres auteurs suggèrent de rechercher, moins un principe formel d'unité, que les conditions d'une lecture plurielle, soucieuse d'articuler les multiples différences entre les textes recueillis dans la Bible : on parle alors de « critique (ou exégèse) canonique ».

Probablement issue de la pratique liturgique (seraient devenus canoniques les livres faisant l'objet d'une lecture publique dans toutes les Églises), la canonicité des écrits bibliques appelle une justification théorique. C'est alors qu'on parle d'inspiration. L'image du souffle de Dieu assistant le prophète est familière à l'Ancien Testament. En christianisme, elle tend à devenir une sorte de label, attestant la valeur canonique des livres bibliques. Il faut cependant se méfier d'une représentation trop matérielle (une simple dictée faite par Dieu à l'écrivain sacré) ou trop intime (la conscience personnelle de l'auteur comme le lieu privilégié de communion avec Dieu). On peut aussi bien considérer l'inspiration comme une réalité communautaire, engageant l'ensemble des Églises*, au titre de leur fidélité à la foi chrétienne.

Quelles que soient ses qualités personnelles, voire son génie théologique et littéraire, l'écrivain sacré est alors conçu comme une sorte de porte-parole de la foi véritable vécue dans la communion des Églises. Dès lors l'inspiration, ou encore le soutien de l'Esprit Saint, accompagnent la communauté, aussi bien au stade de la réception des textes (leur reconnaissance comme Écriture sainte) qu'au moment de leur rédaction. L'inspiration n'est pas un moment ponctuel, mais la conviction que les communautés porteuses des écrits bibliques sont d'authentiques expressions de la foi chrétienne. Cela est vrai aussi pour l'Ancien Testament, antérieur au christianisme quant à sa rédaction, mais christianisé du fait de son intégration à la Bible chrétienne.

Une question souvent posée concerne le caractère inspiré ou non de traductions anciennes comme la Septante ou la *Vulgate*. Certes, il paraît préférable de réserver la reconnaissance canonique aux écrits primordiaux, dans leur langue originelle. Eux seuls peuvent être tenus pour l'expression directe des communautés considérées comme fondatrices. Cela est clair pour le Nouveau Testament : la référence au texte grec s'impose. Mais, pour la version grecque de l'Ancien Testament, dite des Septante, la question se pose un peu différemment. Peut-on refuser toute inspiration à un livre qui fut, non seulement l'Ancien Testament des premiers siècles chrétiens, mais occupait déjà dans le judaïsme* ancien une place importante, sinon prépondérante ? Sans nier la primauté du texte hébreu, il paraît difficile d'ignorer l'apport spécifique du judaïsme de langue grecque et son importance décisive dans l'élaboration du christianisme ancien, à commencer par l'écriture du Nouveau Testament.

Bref, comme le suggère la notion de canon, le concept d'inspiration doit tenir compte de la pluralité des écrits bibliques : non seulement pluralité des langues, mais encore plus diversité des formes textuelles, à travers le grand nombre des manuscrits disponibles. Le texte biblique n'est pas définitivement fixé : le travail des éditeurs et spécialistes de la critique textuelle participe encore, d'une certaine façon, du processus d'écriture des livres bibliques.

Y.-M. B.

ANNEXES

Annexe 1

Les manuscrits de la Septante et du Nouveau Testament

Le Nouveau Testament, entièrement rédigé en grec, prolonge l'Ancien Testament grec connu sous le nom de Bible de la Septante, elle-même composée de traductions en grec des livres de l'Ancien Testament dont le texte original est en hébreu ou en araméen, plus quelques livres grecs étrangers au canon* juif des Écritures. Les manuscrits grecs antiques ont souvent reproduit dans un même volume la Septante* et le Nouveau Testament, à la suite l'un de l'autre. C'est la raison pour laquelle nous traitons ensemble les questions touchant aux manuscrits de l'Ancien Testament grec et aux manuscrits du Nouveau Testament. De même, dans l'annexe suivante, nous regroupons les questions touchant au grec biblique, qu'il s'agisse du grec de la Septante ou de celui du Nouveau Testament.

Les témoins

Les conditions de production de nombreuses œuvres anciennes nous restent assez obscures. Comme pour les autres textes de l'Antiquité, nous ne possédons aucun original de la Bible grecque (Septante = LXX), ni du Nouveau Testament ; mais nous les connaissons par une tradition manuscrite qui est exceptionnellement proche de la période des origines.

Trois grands manuscrits onciaux (en lettres capitales ou onciales), datant des IVe et Ve siècles, comportent avec quelques lacunes la Bible grecque des Septante et le Nouveau Testament.

– Le codex Vaticanus, du IVe siècle, contient un texte presque complet.
– Le codex Sinaïticus, également du IVe siècle, complet pour le Nouveau Testament, contient un texte lacunaire pour la Septante ; en effet à quelques folios près, le Pentateuque* n'a pas été conservé.
– Le codex Alexandrinus, du Ve siècle, est le plus complet pour la Septante ; mais l'évangile de Matthieu n'est conservé que pour les derniers chapitres (ch.27-28).

D'autres onciaux, du Ve au IXe siècle, donnent :
– soit des livres de la Septante (on en compte une trentaine) ;
– soit tout ou partie du Nouveau Testament (on en compte à ce jour 306).

Entre le IXe et le XVIe siècle, l'écriture change, elle devient cursive et rapide ; elle est utilisée dans les manuscrits dits « minuscules » :
– on en compte 1 600 pour la Septante ;
– on en compte plus de 2 800 pour le Nouveau Testament.

Depuis le début du XXe siècle, la découverte des papyrus nous a fait faire un bond extraordinaire de plusieurs siècles en arrière. On les désigne souvent par le nom du collectionneur qui les a achetés :
– Pour la Septante, le papyrus Rylands (gr. 458) date de 150 av.J.C, soit un peu plus d'un siècle après la période de traduction ; il contient environ 20 versets du Deutéronome. Le papyrus Fouad, au Caire, contient des fragments du Pentateuque. Dans le désert de Juda, de nombreux fragments de la Septante ont été trouvés dans les grottes 4 et 7 de Qoumrân*, d'autres dans la grotte 8 du Nahal Hever, un oued de la rive occidentale de la mer Morte.
– Pour le Nouveau Testament, nous possédons à ce jour 99 fragments de papyrus désignés p1, p2 etc., dont le plus ancien est le papyrus 52 (Rylands), écrit peut-être vers 125 de notre ère : il comprend quelques fragments de versets du chapitre 18 de Jean. À quelques exceptions près, ces papyrus proviennent de codex, c'est-à-dire de livres de format carré (feuilles pliées en cahiers), et non plus de rouleaux. Il semble que les chrétiens aient sinon inauguré du moins généralisé l'usage du livre carré : la raison en est-elle qu'un seul livre pouvait contenir les quatre évangiles (alors qu'un rouleau écrit d'un seul côté n'en contient qu'un) ? Au début du IIIe siècle, le papyrus 45 (collection Bodmer) comporte les quatre évangiles, dans l'ordre Mt / Jn / Lc / Mc, et les Actes des Apôtres.

À ces témoins grecs, on ajoutera les premières traductions ou versions de la Bible grecque en latin, syriaque, copte, arménien, etc., qui sont souvent des témoins d'un état remarquablement ancien du texte.

Dans l'Afrique romaine on parlait latin. La traduction latine du Psautier et du Nouveau Testament est attestée dès le début du IIIe siècle de notre ère chez Tertullien (mort vers 220) ; l'ensemble de la traduction en latin de la Septante est achevée vers 250. On appelle *Vetus latina* ou « Vieille latine » l'ensemble des témoins de cette traduction, bien antérieure à celle de saint Jérôme que l'Église officialisera sous le nom de « Vulgate ». On sait que, pour l'Ancien Testament, Jérôme a largement refait sa traduction sur le texte hébreu.

En syriaque, la traduction officielle, la Peshitta, a été faite directement sur l'hébreu pour l'Ancien Testament, et ne reflète que l'état syro-byzantin du Nouveau Testament au début du Ve siècle ; mais nous possédons plusieurs fragments de traductions plus anciennes du Nouveau Testament (IIIe / IVe siècles).

L'établissement du texte

La Septante

L'établissement du texte de la Septante présente des difficultés très caractéristiques. S'il fut d'abord reçu dans les communautés juives d'Égypte, au point qu'au Ier siècle de notre ère Philon y voyait l'équivalent du texte hébreu inspiré, très tôt aussi il fut soupçonné, voire contesté. Ce mouvement de méfiance est déjà perceptible vers 130 av.J.C. chez le petit-fils de Ben Sira, qui traduit en grec l'œuvre de son grand-père (le Siracide), mais il s'accentue au tournant de notre ère : en milieu juif de nombreuses tentatives sont faites pour rapprocher davantage la traduction de l'hébreu ; on les appelle des « révisions ». On peut énumérer la révision dite *kaïgué*, celle de Théodotion, très proche de la précédente, puis au début du IIe siècle celles d'Aquila et de Symmaque. Nos manuscrits de la Septante portent pour certains livres bibliques le texte de ces révisions, parce qu'il n'en existait probablement pas d'autre !

Quand elle devint la Bible des chrétiens, la Septante manifestait donc une pluralité de formes. Or, aux IIIe et IVe siècles, les savants chrétiens s'efforcèrent de mettre de l'ordre dans cette confusion textuelle et retinrent pour chaque livre la forme qu'ils estiment authentique : on parlera à ce propos de « recensions ». La plus célèbre, mais non la seule, est la recension d'Origène, pour laquelle il utilisa l'énorme travail de collation et de comparaison que sont les *Hexaples* (un texte disposé sur six colonnes). Ce texte origénien est perdu, mais il nous est surtout connu par la traduction très littérale qu'en fit en syriaque Paul de Tella, en 616-617 ; en outre, cette traduction signale en marge de nombreuses variantes des révisions juives.

Le texte d'Origène a plus ou moins influencé tous nos manuscrits grecs en onciales, et notamment l'Alexandrinus. Le Vaticanus offre généralement un texte pré-origénien d'une grande qualité, mais il donne le livre d'Isaïe selon la recension d'Origène.

On voit à quel point l'établissement du texte de la Septante est difficile et piégé. Renonçant à l'ambition de retrouver le texte original, les textualistes essaient au moins de préciser les formes de diffusion textuelle, et, en utilisant le travail critique d'Origène, les formes qui en milieu chrétien auraient le mieux résisté aux différentes révisions juives.

Cette histoire du texte grec soulève encore une autre question : dans quel but établit-on le texte de la Septante ? Il est désormais clair que la Septante traduit un texte hébreu plus ancien que le Texte massorétique* (TM), texte officiel de la Synagogue* fixé plusieurs siècles plus tard, et même un peu antérieur aux témoins hébreux découverts dans le désert de Juda (qui datent du Ier siècle av.J.C.). Aussi la tentation est-elle forte de reconstituer à partir du grec l'original hébreu que lisaient les traducteurs. Il est indéniable que, dans nombre de cas, la Septante permet un meilleur établissement du texte hébreu là où le Texte massorétique s'avère fautif ou incompréhensible ; elle nous donne aussi un aperçu intéressant sur la diversité des traditions anciennes en hébreu, et surtout sur la possibilité d'interpréter un texte qui n'était pas encore vocalisé.

Mais il ne faut pas oublier que la Septante veut être un texte recevable pour une communauté hellénophone, et qu'elle doit d'abord être lue pour elle-même. Le passage d'une langue à l'autre entraîne inévitablement des configurations mentales différentes qui peuvent modifier la conception du temps, de la loi, du jugement, et partant la théologie. Si l'édition de référence de Göttingen est très attentive à l'intérêt de la Septante pour la critique textuelle du texte hébreu, la traduction française de la *Bible d'Alexandrie* (publiée à partir de 1986) a choisi délibérément de la lire comme un texte grec pour lui-même et de se tourner d'abord vers sa réception et ses commentaires.

Le Nouveau Testament

À son tour l'établissement du texte du Nouveau Testament se heurte à un phénomène étrange : si les grands onciaux des IVe et Ve siècles présentent des états du texte différents mais que l'on peut localiser géographiquement et qui se reflètent chacun dans une tradition manuscrite assez homogène, lorsque l'on remonte au-delà du IVe siècle, les papyrus, la Vieille latine, les anciennes traductions syriaques présentent une situation textuelle très éclatée. Au lieu de remonter, comme on l'attendrait théoriquement, vers l'unité – l'archétype originel que l'on postule –, on trouve des traditions textuelles très diversifiées, comme si les textes n'étaient pas définitivement fixés mais relevaient encore de traditions orales variant avec les lieux et les publics.

Il semble bien que la première mise par écrit des textes a été à la fois plurielle et peu soignée. Les communautés recevaient le témoignage vivant des prédicateurs dans une attente urgente du retour du Seigneur ; au IIe siècle encore, pour un homme comme Papias, le témoignage oral et la parole vivante gardent une valeur infiniment plus grande que l'écrit. Progressivement toutefois les récits se fixèrent par écrit, mais en ordre dispersé et dans des conditions modestes quant à la qualité des matériaux et de la copie. Des persécutions régionales ont souvent fait disparaître des textes. Ce n'est qu'aux IIIe et IVe siècles que, dans les grands centres intellectuels de l'Empire romain, Antioche, Césarée, Alexandrie, quelques érudits comme Origène commencèrent à s'adonner à un véritable travail de recension. Au moment où l'Empire devint chrétien (315), Constantin commanda à Eusèbe de Césarée cinquante exemplaires du Nouveau Testament calligraphiés sur vélin : il se peut que notre Vaticanus soit dû à ce mécénat ! Alors, dans différentes régions, les Églises se donnent un texte officiel : on corrige, on harmonise, on imite le grec classique en éliminant les tours trop rudes ! On considère aujourd'hui qu'au moins deux grandes écoles de scribes ont donné lieu à ces recensions :

– Alexandrie : le texte « égyptien » ou « alexandrin » est représenté surtout par le Vaticanus, mais aussi par le Sinaïticus, les fragments de

REPÈRE

POSSÈDE-T-ON DES MANUSCRITS DU NOUVEAU TESTAMENT DU Ier SIÈCLE ?

Périodiquement la presse sort à ce sujet quelques titres à sensation : on aurait découvert des fragments d'Évangile datant des années 50 ou 60 ! Certains savants s'en sont fait une spécialité, prétendant qu'un fragment grec de Matthieu connu sous le nom de p64 datait des années 50. En fait, réuni aux papyrus p67 et p4, il semble appartenir à un très ancien codex des quatre évangiles que l'on peut dater de la fin du IIe siècle. De même le prétendu « fragment grec de Marc » trouvé à Qoumrân, qui daterait d'avant 70, ne comporte que 5 fragments de mots, qui ne se retrouvent nulle part dans l'évangile de Marc !

Nous ne possédons avec certitude aucun manuscrit du Nouveau Testament antérieur aux années 125, ce qui constitue déjà une extraordinaire proximité avec les origines, et un cas unique dans la littérature ancienne.

BIBLE

Deux variantes textuelles célèbres

Jean 1,13
Un exemple célèbre de l'intérêt du texte « occidental » se trouve en Jean 1,13. Le texte standard se traduit de la façon suivante : « Eux [ceux qui croient en son nom] qui n'ont pas été engendrés des sangs ni d'un vouloir de chair ni d'un vouloir d'homme mais de Dieu. » Il s'agit des chrétiens, désormais re-nés d'une nouvelle naissance dans l'Esprit. C'est le texte attesté par toute la tradition grecque. Mais quelques témoins de la Vieille latine, le manuscrit b (Ve siècle), le texte latin d'Irénée, Tertullien et une ancienne traduction syriaque (IVe s.) portent : « Lui qui n'a pas été engendré des sangs... » Il s'agit alors du Christ lui-même. On est bien entendu impressionné par la masse des attestations grecques, mais on est aussi ébranlé par l'ancienneté des témoins latins. Le texte minoritaire, latin, peut refléter la volonté d'affirmer fortement la divinité du Christ et peut-être la conception virginale. Quelle que soit l'issue du débat sur son authenticité, il témoigne au moins de la vigueur de la polémique à date ancienne.

La finale de Marc
Dans une partie de la tradition manuscrite, l'évangile de Marc s'achève abruptement sur le verset 16,8 : « Et elles [les femmes] ne dirent rien à personne, car elles avaient peur. » Ainsi la tradition égyptienne (B03, ℵ01), le manuscrit k de la Vieille latine (IVe s.), la syriaque sinaïtique (IVe s.), Clément d'Alexandrie, Origène, Eusèbe et Jérôme possèdent des manuscrits qui se terminent ainsi. Toutefois la majeure partie de la tradition, la tradition syro-byzantine, mais aussi le codex de Bèze D05 comportent à la suite les versets 9-20, appelés finale longue de Marc (quelques minuscules la marquent d'un obèle (+), signalant ainsi un doute sur l'authenticité du texte). Ce n'est pas le lieu de discuter la question en détail, mais cet exemple illustre le cas d'un texte évidemment inauthentique : la finale (versets 9-20) est visiblement rajoutée, sans souci de cohérence avec ce qui précède, par une main qui n'est pas celle du rédacteur marcien. Mais en même temps, reçu par la tradition de l'Église et senti comme conforme à l'ensemble du message évangélique et de la foi chrétienne, ce texte est devenu la finale canonique de l'évangile de Marc. [*voir* p. 294]

papyrus p66 et p75, et un certain nombre de minuscules. Ce texte sobre et dense, soucieux de correction est reçu aujourd'hui dans les Églises catholique et protestante comme texte grec « Standard » ; c'est celui qu'impriment les éditions critiques de Nestle-Aland et le *Greek New Testament.*
– Antioche : le texte dit « syro-byzantin », illustré par l'Alexandrinus, la Vulgate, la Peshitta et la masse des minuscules byzantins. Ce texte, dit aussi de la *koinè**, se caractérise par un souci d'harmonisation et de simplicité, une écriture souvent plus populaire, dénuée de corrections classiques. Sa forme populaire et sa théologie plus lisse ont assuré son succès jusqu'au XVIIIe siècle ; il a ensuite éveillé les soupçons de la critique textuelle savante, mais il garde des partisans.

On appelle enfin « texte occidental » tout un ensemble de témoins anciens qui semblent avoir échappé à ce phénomène de recension systématique et qui reflètent des états probablement très anciens du texte : il s'agit du manuscrit bilingue grec-latin connu sous le nom de codex de Bèze pour les évangiles et les Actes des Apôtres, de quelques papyrus, de la Vieille latine, de certains fragments de traduction syriaque, mais aussi des citations de Pères comme Irénée, Tertullien et Cyprien.

Ainsi l'histoire du texte grec de la Bible, telle que nous l'avons rapidement ébauchée, devrait guérir du rêve toujours renaissant d'atteindre le texte originel. Nous allons au contraire vers une diversité originelle. Les Églises, nous l'avons dit, ont dû se donner un texte, et le choix se porte aujourd'hui vers le texte égyptien ; mais il ne doit pas nous faire oublier que l'Écriture est un texte vivant qui progresse avec ceux qui le lisent. La présence du texte occidental dans sa variété nous le rappelle ; il témoigne des conflits doctrinaux qui, déjà au IIe siècle, agitaient les communautés chrétiennes. Il ouvre sur une diversité libératrice, à condition de ne pas céder à nouveau à la tentation de l'origine !

R. D.-R.

Annexe 2

Le grec de la Bible

Les royaumes hellénistiques qui se sont partagé après 322 les conquêtes d'Alexandre ont répandu le grec comme langue diplomatique et administrative sur un territoire immense allant de l'Égypte à la mer Noire et de l'Italie jusqu'aux confins de l'Asie Mineure. Très vite il supplante dans ce rôle l'araméen de l'Empire perse ; cependant l'araméen restera longtemps la langue populaire dans une bonne partie des régions dépendant du royaume égyptien des Ptolémées, notamment la Syrie-Palestine.

Au IIIe siècle av.J.C., le grec était devenu la langue usuelle des Juifs d'Égypte ; en Palestine, alors annexée au royaume des Ptolémées, il est probable que le milieu sacerdotal judéen avait une grande maîtrise du grec, ne serait-ce que pour maintenir le contact avec les Juifs hellénisés de la Diaspora* ; d'ailleurs des documents archéologiques, inscriptions et ostraka*, attestent clairement la connaissance du grec par les populations locales, même rurales. À Jérusalem enfin on a retrouvé les inscriptions funéraires en grec de nombreux Juifs de la diaspora qui voulaient être enterrés auprès du Temple !

Langue administrative, langue surtout du commerce et des affaires, le grec est aussi la langue des intellectuels, gardant l'aura de son prestigieux passé. À Rome à la fin de la République, la haute société parle volontiers grec et envoie ses fils étudier à Athènes. Le grec est devenu la langue courante, la *koinè**.

À l'instar de l'anglais, *koinè* d'aujourd'hui, le grec se diversifie et se colore selon les aires géographiques sous l'influence des langues locales. Les puristes diront qu'il s'abâtardit, on peut aussi considérer qu'il s'enrichit ! Il faut tenter de le penser à la lumière des situations de langue apprise, ou même des cas de bilinguisme : des sujets locuteurs maniant dès l'enfance deux langues sans les confondre font passer de l'une dans l'autre des tours grammaticaux, des expressions imagées, des locutions propres.

Le grec de la Septante

La traduction grecque de la Tora*, le Pentateuque*, fut achevée à Alexandrie dans la première moitié du IIIe siècle av.J.C. Clairement les traducteurs du Pentateuque attestent une excellente connaissance à la fois de l'hébreu et du grec ; ils rendent avec finesse en bon grec les nuances de l'hébreu. À mesure que la papyrologie progresse et que l'on possède davantage de documents profanes rédigés en grec, principalement des actes notariés et des contrats de vente, on s'aperçoit que la traduction reste proche d'une langue parlée courante dans le milieu alexandrin.

Entre le souci d'une traduction littérale, rigoureuse mais nécessairement rugueuse, et celui d'une transposition littéraire plus libre mais rendant mieux le sens, les traducteurs du Pentateuque ont choisi une sorte de compromis : tout en restant très près du texte hébreu, ils ont évité un mot à mot qui aurait abouti à un texte grec étrange. Ils ont traduit pour que le texte soit compris et reçu dans des communautés hellénophones ; ils ont su garder une véritable souplesse et transposer avec une sorte de génie les tours propres de l'hébreu dans une syntaxe acceptable en grec. On appelle avec raison ces tours des « septantismes » ; nous les définirions volontiers comme des sémitismes intelligents, c'est-à-dire que l'on recourt aux larges possibilités de la langue grecque pour calquer au plus près l'hébreu. Devenus des expressions courantes dans le monde juif hellénophone, ces septantismes ont été acclimatés et reçus en monde grec païen : Luc y recourra sans cesse !

Pour le vocabulaire aussi, la fidélité à l'original n'est jamais servile : certes, bon nombre de mots ont trouvé un équivalent fixe (le nom de *Kyrios* pour traduire *Adonaï*, « le Seigneur » ; *doxa* qui devient l'équivalent obligé de *kabôd*, « la gloire », avec un renouvellement de sens très intéressant, etc.). [*voir* p. 433] Pourtant il n'y a aucune rigidité : pas de correspondance terme à terme, mais une recherche dans chaque cas de l'équivalent le plus approprié. Enfin lorsque les images hébraïques sont inconnues du grec, ces traducteurs ont souvent trouvé un bon équivalent : ainsi l'expression « circoncire le prépuce du cœur » devient en grec « la dureté de cœur », *sklèrokardia*, un mot grec appelé à une grande fortune !

Les traducteurs suivants, celui du livre d'Isaïe, puis aux IIe et Ier siècles ceux des Prophètes et des Écrits, semblent avoir été de moins de bons connaisseurs de l'hébreu : ils traduisent de façon moins précise, et parfois semblent se livrer à un jeu de devinettes. Si bien que, paradoxalement, ils se raccrochent davantage à une sorte de littéralisme, parfois impressionnant : dans bien des psaumes et chez les petits Prophètes, l'ordre des mots hébreux et jusqu'à leur nombre est reproduit en grec ! Même si la traduction du Pentateuque, tenue en grande estime dans le judaïsme*, a joué le rôle de référence et de lexique de base, les traducteurs des Prophètes introduisent dans le grec des images hébraïques (ainsi « marcher » au sens de « se comporter »), que le grec finira par assimiler ! En fait tous les livres de la Septante, et chaque livre pris à part, sont un mélange, différemment dosé, entre un littéralisme rigide et une liberté qui avoisine la paraphrase ! Ce qui compte, c'est qu'ils restent toujours compréhensibles pour un locuteur grec.

Notons enfin que la Septante contient des livres écrits directement en grec (Judith, 2 Maccabées, Sagesse...) : ils témoignent de la vitalité du grec de la *koinè* dans les milieux juifs hellénisés.

Le grec du Nouveau Testament

Au Ier siècle de notre ère en Palestine, la langue locale reste l'araméen, et parfois peut-être en Judée une forme évoluée d'hébreu. Même si dans les villes et parfois jusque dans les campagnes, les marchands ont introduit le grec, les premiers disciples de Jésus de Nazareth, comme le maître lui-même, parlaient araméen. La toute première expression de la foi pascale s'est formulée dans cette langue.

Cependant les Actes des Apôtres témoignent d'une communauté de disciples issus de la diaspora de langue grecque, les hellénistes, très tôt présents à Jérusalem. Au ch. 6 des Actes des Apôtres, les sept hommes choisis par les apôtres pour les seconder portent des noms grecs. Très tôt aussi la foi pascale a dû se dire en grec. Elle trouvait d'ailleurs à sa disposition un outil remarquable pour tenter de dire l'événement de la Résurrection : depuis plus de deux siècles la traduction de la Septante avait recueilli et en partie forgé tout le vocabulaire grec de la foi juive : vocabulaire de l'alliance, de l'espérance messianique ou eschatologique, etc. Surtout, depuis la guerre juive des Maccabées, la croyance en la résurrection des morts avait pris en grec une expression presque technique avec le verbe *anistèmi*, « relever, ressusciter ».

Les traditions évangéliques, récits de la Passion, mémorial du dernier repas, paraboles et récits de guérison ont dû d'abord, en Palestine, être véhiculés en araméen et y prendre une forme relativement fixe propre à la catéchèse et à la liturgie. Mais n'ont-elles pas été presque aussitôt véhiculées en grec ? Selon la tradition rapportée par Papias une première trame de l'évangile de Matthieu a existé en « langue sémitique » De même le recueil de paroles ou *logia** de Jésus que l'on a pris l'habitude de désigner sous le nom de Quelle (ou « source Q* ») a peut-être été fixé à la fois en araméen et en grec.

Ce que nous voyons plus clairement, c'est que le rédacteur matthéen, qui utilise ces sources ainsi qu'un premier état de l'évangile de Marc, évite au maximum de reprendre des formules araméennes : ainsi Matthieu écrit-il : « Il [Jésus] prit la main de la fillette et celle-ci se dressa » (Mt 9,25), là où Marc donne : « Prenant la main de l'enfant, il lui dit *Talitha koum*, ce qui se traduit : Fillette, je te le dis, lève-toi ! » (Mc 5,41). De même, à propos de guérison opérées par Jésus sur les bords du lac de Tibériade, Matthieu écrit : « Et il les guérit » (Mt 15,30), évitant la formule de Marc : « Et il lui dit : *Ephphatha*, c'est-à-dire : Ouvre-toi ! » (Mc 7,34). Matthieu sait aussi admirablement corriger Marc pour éviter des sémitismes trop rudes à une oreille grecque : ainsi les aramaïsmes que l'on trouve dans le premier récit de la distribution des pains, en Mc 6,40 (*symposia symposia* : « par groupes

REPÈRE

PEUT-ON PARLER DE « GREC BIBLIQUE » ?

Un trait commun à tous les textes du Nouveau Testament et donc à toutes les communautés destinataires est la langue grecque. Autrement dit, notre Nouveau Testament est grec d'un bout à l'autre, et les plus anciens fragments de manuscrits que nous avons découverts le confirment. La coloration propre du grec de chaque auteur peut être teintée d'hébraïsmes (ou plutôt d'aramaïsmes) et surtout de septantismes, cela n'enlève rien au fait que la langue utilisée reste le grec, et la comparaison avec les papyrus de l'époque montrent à quel point le Nouveau Testament (comme d'ailleurs l'essentiel de la Septante) emploie la *koinè*, la langue grecque commune : il ne s'agit en rien d'une langue « biblique » particulière ou façonnée pour les besoins de la cause.

Des rétroversions du grec du Nouveau Testament en araméen ou en hébreu ont été tentées encore récemment, ainsi la traduction du Nouveau Testament par André Chouraqui, qui est la traduction du texte araméen que le traducteur suppose à l'arrière-plan du Nouveau Testament ; pour réussies qu'elles soient, ces rétroversions datent obstinément de la fin de ce XXe siècle, sans avoir jamais trouvé aucune confirmation manuscrite.

Le grec du Nouveau Testament et de la Septante, trop souvent encore appelé « grec biblique », a été considéré comme le parent pauvre du grec classique. Ce n'est pas seulement coquetterie d'helléniste : certains lettrés avaient, dès le IIIe siècle, la même réaction ; ainsi Origène doit-il défendre contre les attaques de philosophes païens ce « grec de paysans », en insistant sur l'universalité d'un message qui se fait comprendre des simples et des petits. À leur tour, Jérôme et Jean Chrysostome prendront les armes, mais sans jamais nier le caractère prosaïque et quelque peu rugueux de cette langue. Dans tous les cas ce point de vue est celui de lettrés, élevés dans la langue très conservatrice et puriste d'Athènes. Nous tentons ici un jugement plus équilibré.

de convives » ; *prasiai prasiai* : « par divisions de cent ou de cinquante ») ont disparu du texte de Matthieu (Mt 14,18). Son écriture simple, sobre et dense est, au niveau de ce grec local, d'une admirable tenue.

Marc, si l'on en croit Papias, recueille pour la communauté de Rome les enseignements de Pierre. Sa langue est émaillée de quelques latinismes (*kènson* : « le cens » ; *legiôn* : « la légion » ; *kèntouriôn* : « le centurion »). Il transcrit plusieurs expressions fixées en araméen (Mc 5,41 : *talitha koum* ; Mc 7,34 : *ephphatha* ; Mc 15,34 : *elôï, elôï lema sabakhthani*), mais il les traduit aussitôt en grec ; son style populaire et pittoresque garde des sémitismes, qui sont sans doute des faits de bilinguisme, mais qui s'inscrivent parfaitement dans certaines possibilités du grec : ainsi la parataxe (« et... et... et... »), qu'il utilise constamment, convient bien au style de la proclamation populaire. En même temps il use admirablement d'un présent historique grec, dont il fait le présent de la parole vivante du Ressuscité.

Plus soutenu, le style de Luc révèle une bonne maîtrise du grec littéraire et une connaissance étendue de vocabulaires techniques comme celui de la navigation (Ac 27). Il prend la peine de transposer les araméismes de Marc dans un grec correct : « par carrés de cinquante », *ana pentèkonta* (Lc 9,14). Mais Luc est surtout un lecteur de la Septante ; il en adopte les tours syntaxiques les plus courants, il transpose le style poétique des psaumes, et surtout il en reprend le vocabulaire dont il tisse tous ses écrits. Les citations d'accomplissement caractéristiques de Matthieu sont remplacées chez lui par une réécriture de l'événement dans le style et les termes de la Septante. L'annonce à Joseph chez Matthieu s'achève par ces mots : « Or tout ceci advint pour que s'accomplît cet oracle prophétique du Seigneur : Voici que la vierge concevra et enfantera un fils, et on l'appellera du nom d'Emmanuel* » (Mt 1,22-23) ; Luc réécrit la citation d'Isaïe et l'intègre à l'annonce de l'ange à Marie : « Voici que tu concevras dans ton sein et enfanteras un fils, et tu l'appelleras du nom de Jésus » (Lc 1,31). C'est sa façon originale de dire l'accomplissement des Écritures !

L'écriture de Jean, avec des moyens syntaxiques relativement pauvres (malgré quelques belles périodes conditionnelles), a été trop souvent considérée comme le reflet d'un original sémitique. Il serait plus juste de dire que l'auteur exprime une pensée sémitique dans une langue grecque simple, qui use notamment de la parataxe, mais dont il maîtrise remarquablement les subtilités : par exemple les valeurs d'aspect du verbe grec, et spécialement le parfait, lui permettent de rendre d'admirables nuances théologiques.

Paul, très probablement bilingue, écrit un grec passionné et abrupt, dont la difficulté est d'abord due à la complexité d'une pensée tout en tension. En habitué des écoles de rhétorique, il utilise aussi bien le style de la discussion rabbinique* que celui de la diatribe grecque ! Délibérément, à la suite des derniers écrits de la Septante, il introduit dans le message chrétien le vocabulaire des institutions politiques grecques et du stoïcisme vulgarisé. Citons la *parousia**, « venue triomphale » de l'empereur dans une ville, le titre de *sôtèr*, « Sauveur », le nom de l'*ekklèsia*, qui deviendra l'Église, et, dans l'ordre des relations et du comportement, la *philadelphia*, « l'amour du frère », le *sôphronein*, « la sagesse pratique », l'*egkrateia*, « la maîtrise de soi ». Ses successeurs ne feront qu'accentuer cette tendance.

Enfin, si des œuvres comme les lettres de Pierre et de Jacques ou la lettre aux Hébreux sont rédigées dans un grec soutenu, de bonne qualité littéraire, le texte de l'Apocalypse est à la limite du supportable et parfois du compréhensible ! Il a cependant été reçu par des communautés hellénophones, probablement bilingues ; et comme les autres auteurs du Nouveau Testament, le rédacteur de l'Apocalypse a su appliquer la marque propre de son génie à une langue qu'il maniait mal. L'œuvre se termine sur l'invocation liturgique : « Viens, Seigneur Jésus » (Ap 22,20), écho dans la *koinè* de l'invocation que Paul prononçait encore en araméen à la fin de la première lettre aux Corinthiens : *Marana tha* (1 Co 16,22).

R. D.-R.

Annexe 3

Chronologie

	Histoire universelle	Histoire du pays juif	Histoire chrétienne	*Écrits chrétiens* (dates hypothétiques)
- 323	Mort d'Alexandre le Grand			
- 167	Règne d'Antiochus IV Épiphane en Syrie.			
		Début de la révolte juive des Maccabées		
- 63		Prise de Jérusalem par Pompée. Début de l'époque romaine		
- 44	Assassinat de César			
- 37		Début du règne d'Hérode le Grand		
- 31	Bataille d'Actium. Victoire d'Octave sur Antoine			
- 29	Début du règne d'Octave, sous le nom d'Auguste			
- 20		Hérode le Grand entreprend la reconstruction du Temple de Jérusalem		
- 6 env.			Naissance de Jésus de Nazareth	
- 4		Mort d'Hérode le Grand		
		Répartition de son royaume entre ses fils : Archélaüs, Hérode Antipas, Hérode Philippe		
6		Déposition d'Archélaüs. La Judée est gouvernée par un *Praefectus* romain		
		Quirinius, légat de Syrie		
14	Mort d'Auguste. Tibère empereur			
26		Ponce Pilate, préfet de Judée		
27			Début de la prédication de Jésus	
30			Vendredi 30 avril, mort de Jésus	
34 env.			Conversion de saint Paul	
36		Rappel à Rome de Ponce Pilate		
37	Mort de Tibère. Caligula empereur			
37-51			1re et 2e mission de Paul	
39		Hérode Antipas exilé à Lyon. Remplacement par Hérode Agrippa Ier		
41	Mort de Caligula. Claude empereur			
		Hérode Agrippa Ier reçoit la Judée		
44			Mort de Jacques, fils de Zébédée	
		Mort d'Hérode Agrippa Ier		
		La Judée redevient province procuratorienne		
50				*1 Thessaloniciens*
51			Assemblée de Jérusalem	
52			3e mission de Paul	

	Histoire universelle	Histoire du pays juif	Histoire chrétienne	*Écrits chrétiens* (dates hypothétiques)
57				*1 Corinthiens* *2 Corinthiens* *Philippiens, Galates* *Romains, Philémon*
	Mort de Claude. Néron empereur			
60			Voyage de Paul à Rome	
			Mort de Jacques, frère de Jésus	
68			Mort de Pierre et de Paul	
				Évangile de Marc
		Début de la guerre juive		
	Suicide de Néron. Galba empereur			
	Vespasien empereur			
		29 août, prise de Jérusalem par Titus		
		Prise de Massada		
	Titus empereur			
	Domitien empereur			
nv.				*Évangile de Matthieu*
				Évangile de Luc et Actes des Apôtres
nv.				*Évangile et épîtres de Jean*
nv.				*Apocalypse*
				1 Clément, Didachè
	Trajan empereur			
env.				*Lettres d'Ignace d'Antioche*
	Hadrien empereur			
env.				*2 Pierre* *Évangile de Pierre* *Évangile de Thomas*
		Révolte de Bar Kochba. Les Juifs sont chassés de Jérusalem		

Annexe 4

Bibliographie

Bibles en français

La Bible de Jérusalem, Nouvelle édition revue et augmentée, Éditions du Cerf, 1998

C'est d'elle que sont tirés les textes cités dans ce livre.

La Bible, traduction œcuménique, Éditions du Cerf / SBF, 1988

Il existe une édition séparée du Nouveau Testament.

Texte grec du Nouveau Testament

The Greek New Testament, Third Edition, United Bible Societies, Stuttgart, 1983

Les variantes des manuscrits sont détaillées mais peu nombreuses.

Novum Testamentum graece, 26. Auflage, Deutsche Bibelgesellschaft, Stuttgart, 1979

Les variantes des manuscrits sont nombreuses, mais présentées de façon très technique.

Instruments de travail

P. Benoit, M.-E. Boismard, *Synopse des quatre évangiles en français, avec parallèles des Apocryphes et des Pères*, vol. I, Éditions du Cerf, 1965

Présentation des parallèles évangéliques en colonnes.

Concordance de la Bible, Nouveau Testament, Éditions du Cerf / Desclée de Brouwer, 1970

Pour retrouver les références de tous les mots du Nouveau Testament.

X. Léon-Dufour (éd.), *Vocabulaire de théologie biblique, Deuxième édition revue et augmentée*, Éditions du Cerf, 1970

Un lexique des principales notions théologiques de l'univers biblique.

O. Odelain, R. Séguineau, *Dictionnaire des noms propres de la Bible*, Éditions du Cerf / Desclée de Brouwer, 1978

Pour identifier un personnage biblique et retrouver les principaux textes où il est question de lui.

Dictionnaire culturel de la Bible, Éditions du Cerf / Nathan, 1990

Choix non exhaustif de noms propres et de noms communs. Les notices citent notamment des œuvres littéraires et des œuvres d'art tirées de la Bible. Quelques illustrations.

M. Carrez, *Dictionnaire de culture biblique*, Desclée de Brouwer, 1993

Plus complet que le précédent (1 200 notices), mais non illustré.

H. Cousin (éd.), *Le monde où vivait Jésus*, Éditions du Cerf, 1998

Une plongée dans la culture juive du Ier siècle. Nombreux textes cités.

Introduction générale

R.E. Brown, *Que sait-on du Nouveau Testament ?*, Bayard Éditions, 2000

Manuel très complet, surtout littéraire et historique, par un des meilleurs spécialistes américains, hélas décédé en 1998.

Commentaires et collections

Le commentaire d'un livre biblique donné l'analyse verset par verset, et présente dans une introduction les questions critiques générales qui le concernent. On ne peut ici donner des titres, mais présenter quelques grandes collections.

Collection « Commentaires », dirigée par le Service biblique Évangile et vie, Bayard / Centurion / Novalis, Paris / Outremont

Commentaires simples, à partir de la traduction liturgique catholique. Tous les livres du Nouveau Testament, commentés intégralement, sont actuellement parus. Pour les livres de l'Ancien Testament, seuls sont commentés les passages retenus par la liturgie.

Collection « Commentaire du Nouveau Testament », Éditions Labor et Fides, Genève

Commentaires plus fouillés rédigés par des exégètes protestants. Une première série, publiée dans les années 50-60 chez Delachaux et Niestlé à Neuchâtel en Suisse, est en cours de remplacement par des ouvrages mieux au fait des méthodes modernes d'analyse.

Collection « Lectio divina », Éditions du Cerf, Paris

Une collection prestigieuse d'exégèse, qui a publié depuis peu quelques « Commentaires », de bon niveau technique.

Collection « The Anchor Bible », Doubleday & Company, Garden City, New York

En anglais. Collection œcuménique, de bon niveau technique, portant sur l'Ancien et le Nouveau Testament.

Collection « Cahiers Évangile », Service biblique Évangile et vie, Paris

Une revue qui paraît quatre fois par an, qui présente de bonnes études sur des livres ou des thème bibliques, mais non pas des commentaires proprement dits. Les « Suppléments » étudient la réception de passages bibliques depuis vingt siècles.

Annexe 5

Glossaire

Pour les renvois aux pages du texte, on se reportera aux index [*voir* p. 593 et suivantes]

Accomplir, accomplissement : Termes théologiques principalement utilisés pour dire que Jésus accomplit l'Écriture juive ; c'est en lui qu'elle trouve sa signification ultime. Ainsi l'enfance de Jésus racontée par Matthieu accomplit l'histoire d'Israël.

Allégorie : Mise en parallèle de deux réalités, chaque élément de l'une ayant un correspondant de l'autre. Certaines paraboles évangéliques ont été rapportées par la tradition sous une forme allégorisée ; l'exégèse des Pères de l'Église en a encore accentué l'aspect allégorique.

***Anawim* :** Mot hébreu pluriel. Le singulier *anaw* signifie « pauvre » Les *anawim* sont les membres d'un mouvement spirituel juif du Ier siècle qui réagissait contre la complexité de l'interprétation de la Tora pour favoriser la simplicité du cœur.

Apocalypse, apocalyptique : Apocalypse est la transcription du grec *apokalupsis* qui signifie « dévoilement, révélation ». Le contenu d'un livre appartenant au genre littéraire apocalyptique se donne comme le récit de visions, souvent célestes, dont un visionnaire fut bénéficiaire. Rédigés dans des époques troublées, ces récits sont porteurs d'un message d'espérance pour les justes. Le terme n'a pas, dans l'Antiquité, le sens moderne qu'il a pris depuis de catastrophe.

Apocryphe : Transcription d'un adjectif grec signifiant « caché, secret », qui s'est mis à désigner les écrits juifs ou chrétiens non retenus par le canon des Écritures. Les apocryphes ont été moins diffusés que les textes canoniques, mais il ne s'agit pas de textes contenant des secrets que seule une élite se réservait. Noter que les protestants appellent « apocryphes » les livres de la Bible grecque de la Septante qui n'ont pas été reçus dans le canon juif des Écritures ; les catholiques les nomment « deutérocanoniques ».

***Aqéda* :** Terme hébreu signifiant « ligature » et désignant la scène rapportée au livre de la Genèse dans laquelle Abraham s'apprête à sacrifier son fils Isaac après l'avoir ligoté (Gn 22). On parle alors soit du « sacrifice d'Abraham », soir de « l'*Aqéda* d'Isaac ».

Asmonéen : Voir Hasmonéen.

Azyme : Terme formé à partir du grec signifiant « sans levain ». La fête juive des Azymes coïncide depuis l'Exode avec la Pâque. Pendant huit jours, on y mange du pain non levé.

Baptistes : Mouvement juif dont Jean Baptiste est le représentant le plus connu, prêchant un bain d'eau comme signe du repentir et du pardon reçu. À ne pas confondre avec les protestants baptistes qui administrent le baptême chrétien à l'âge adulte et par immersion complète.

***Baraïta* :** Terme hébreu signifiant « ce qui est externe ». Il désigne des opinions de rabbins non retenues dans la *Mishna*.

Canon : Terme formé sur le grec *kanôn* qui signifie « roseau », d'où « règle ». Pour la

Bible, il désigne le corpus des livres retenus comme Écriture, donc comme règle de la foi, par les juifs d'une part, par les chrétiens d'autre part.

Catéchèse : Mot formé sur le grec qui signifie « résonance », d'où « instruction », celle-ci se donnant principalement dans l'Antiquité par enseignement oral. En christianisme, il désigne la formation religieuse donnée aux nouveaux convertis ou aux jeunes chrétiens.

Catéchumène, catéchuménal : Un catéchumène est une personne qui se prépare à être baptisée. Catéchuménal est l'adjectif correspondant.

Charisme : De grec *charisma*, signifie « grâce, faveur ». Le Nouveau Testament et la tradition chrétienne utilisent le mot pour parler des dons que l'Esprit Saint donne aux fidèles pour le bien de l'Église.

Christologie : Étude de la personne du Christ (ou Messie). Étymologiquement, cette étude concerne le Messie d'Israël ; on peut alors parler d'une « christologie de l'Ancien Testament ». L'usage courant se limite pourtant à l'étude le la personne de Jésus de Nazareth.

Confession de foi : Résumé de la foi, en général chrétienne, que l'on peut être appelé à proclamer, confesser publiquement, pour déclarer son appartenance à un groupe religieux. L'usage courant en a limité l'usage à la foi chrétienne. Le *Credo* est une confession de foi.

Corpus : Un corpus littéraire est un ensemble de textes regroupés. Ainsi l'Ancien Testament ou le Nouveau Testament.

Craignant-Dieu : Nom donné dans le Nouveau Testament, principalement les Actes des Apôtres, à des païens proches de la religion juive mais non circoncis. Les Juifs les appellent plutôt « prosélytes de la porte ».

Deutérocanonique : Littéralement « qui concerne un second canon ». Nom et adjectif désignant, chez les catholiques, sept ouvrages juifs, rédigés en grec, non admis dans le canon juif des Écritures. Les catholiques les admettent dans le canon de l'Ancien Testament, mais pas les protestants. Ces derniers préfèrent parler à leur propos d'apocryphes.

Deutéropaulinisme : Littéralement, « un second groupe d'écrits pauliniens ». Le mot désigne le phénomène de lettres non authentiques que la tradition attribua à Paul. On parle d'un texte deutéropaulinien, d'une épître deutéropaulinienne.

Diaspora : Mot forgé à partir du grec, signifiant « dispersion ». Les Juifs de la Dispersion sont ceux qui vivent en dehors de la terre juive.

Didascalie : Mot formé sur le grec, signifiant « instruction, enseignement ». La *Didascalie des Apôtres* est un écrit chrétien anonyme du IIIᵉ siècle, témoin de la liturgie de l'époque.

Docète, docétisme : Mots formés sur le grec à partir du verbe *dokein*, « sembler, paraître ». Le docétisme est une doctrine dont les origines remontent au IIᵉ siècle, selon laquelle le Christ, étant Dieu, n'avait pu vivre et souffrir sur terre qu'en apparence. Un docète est un tenant de cette doctrine, considérée bientôt comme hérétique.

Ébionites : De l'hébreu *ebion* qui signifie « pauvre ». Désigne un groupe de judéo-chrétiens au sein duquel exista un *Évangile des Ébionites*, dont on ne possède plus que des fragments par citations des Pères de l'Église.

Église, église : Du grec *ekklèsia* qui signifie « assemblée convoquée ». L'usage en français est d'écrire le mot avec une majuscule pour désigner un groupe de chrétiens, voire l'Église universelle, et avec une minuscule pour désigner l'édifice dans lequel l'Église se rassemble. À partir du IIᵉ siècle, le groupe chrétien s'estimant héritier de la tradition apostolique prendra le nom de Grande Église.

Élection : En exégèse et théologie, s'applique à Israël, peuple choisi par Dieu pour y faire habiter son nom.

Emmanuel : Mot hébreu signifiant « Dieu avec nous ». Il est employé en Mt 1,23

(citant Is 7,14 d'après le grec), comme nom symbolique donné à Jésus.
Encratisme : Mot formé sur le grec *enkrateia*, « continence » Désigne un ensemble de courants qui exista sous des formes historiques diverses, prônant l'abstinence, principalement sexuelle et alimentaire.
Enthousiasme, enthousiaste : En dehors du sens habituel, désigne des déviances qui existèrent dans les Églises primitives et plus spécialement à Corinthe : les adeptes étaient tellement persuadés d'être, par leur conversion, entrés dans l'ère du salut qu'ils en oubliaient les contraintes de la vie ordinaire.
Esséniens, essénisme : Mot venant de l'araméen par le grec, signifiant « guérisseur ». Avec les Pharisiens et les Sadducéens, l'un des grands mouvements doctrinaux et spirituels du judaïsme au Ier siècle. Les Esséniens étaient liés à des familles sacerdotales opposées aux grands prêtres installés à Jérusalem. Vivant souvent en communauté, ils espéraient une restauration conduite par Dieu du sacerdoce légitime. Les fameux Manuscrits de la mer Morte, découverts en 1947, émanent de cette secte. À proximité, sur le site de Qoumrân, a été découvert et fouillé l'un de leurs établissements principaux.
Évangile, évangile : Mot calqué sur le grec *euangelion*, qui signifie « bonne nouvelle ». Les chrétiens l'utilisèrent pour désigner la Bonne Nouvelle de la Résurrection de Jésus. On l'écrit alors avec une majuscule. Avec un e minuscule, le mot a été repris pour désigner les livrets biographiques concernant Jésus.
Exégète : Spécialiste du texte biblique.
Expiations (fête des) : En hébreu, *Kippour*. Fête juive annuelle du pardon des péchés, marquée par des rites de pénitence et un jeûne de vingt-quatre heures. Le rituel en est décrit au ch. 16 du Lévitique.

Glossolalie : Ou « parler en langues ». Phénomène qui consiste à parler, sous l'impulsion de l'Esprit Saint, des langues inconnues. Des interprètes sont en général nécessaires pour donner le sens des paroles prononcées.
Gnose, gnosticisme, gnostique : Gnose est la transcription en français du grec *gnôsis*, « connaissance ». Une pensée gnostique, ou gnosticisme, est une forme de pensée religieuse selon laquelle les humains peuvent accéder à Dieu par la connaissance, et être sauvés en passant par des rites ésotériques. Des tendances gnostiques existèrent dans le christianisme dès ses origines. Des systèmes de pensée gnostique constitués se développèrent à partir du IIe siècle.
Grec : Dans le Nouveau Testament, un Grec est un non-juif, quelle que soit son appartenance ethnique.

Hadès : Dieu grec des morts. Le Nouveau Testament emploie le mot comme équivalent des Enfers.
Haphtara : Mot hébreu. Désigne la lecture des Prophètes faite à la suite de celle de la Tora, dans l'office synagogal.
Hasmonéen : Dynastie royale juive issue de la famille des Maccabées, qui organisèrent la révolte juive contre les tentatives d'hellénisation forcée au IIe siècle av.J.C. On écrit parfois Asmonéens.
Hellénistique : La civilisation hellénistique est la civilisation qui se répandit dans tout le Proche Orient grâce aux conquêtes d'Alexandre. Son influence s'exerçait encore au Ier siècle de notre ère.
Herméneutique : Mot formé sur le verbe grec *hermèneuein* qui signifie « traduire, interpréter ». Il renvoie ici à l'interprétation des textes bibliques, nécessaire à toute lecture critique. Le lecteur aborde le texte avec une précompréhension, héritée de sa culture et de ses présupposés personnels. Toute lecture met en place un va-et-vient entre texte et lecteur (ou groupe de lecteurs).
Homéliaste : Celui qui prononce l'homélie, notamment dans un office synagogal.

Incarnation : Élément du dogme chrétien selon lequel le Dieu biblique prit chair en Jésus de Nazareth.
Intertestament : On désigne sous ce nom des écrits juifs non retenus par le canon

de l'Ancien Testament, rédigés entre le IIe siècle av.J.C. et le Ier siècle après. Cette époque ne recouvra pas exactement un intervalle de temps qui se serait écoulé entre l'Ancien et le Nouveau Testament, c'est pourquoi on préfère souvent parler de la « littérature juive ancienne » ou encore des « écrits du judaïsme ancien ».

Johannique : Adjectif associé au nom de Jean, l'évangéliste.
Judaïsant : Des courants judaïsants sont des courants de pensée chrétiens selon lesquels les chrétiens devraient observer les rites juifs, dont la circoncision. Paul les combattit avec force.
Judaïsme : Nom formé sur *Juda*, l'un des fils de Jacob. Au sens général, le judaïsme est la religion des Juifs. Au sens plus limité du terme, il désigne la religion sous les formes qu'elle prit à partir du retour de l'Exil juif en Babylonie (VIe siècle).
Judéo-chrétien : Au sens précis du terme, désigne un chrétien juif, ou un chrétien d'origine juive. À l'opposé, un pagano-chrétien est un chrétien d'origine païenne, c'est-à-dire non-juive. C'est improprement que l'on utilise le mot pour parler du judaïsme et du christianisme ajoutés l'un à l'autre.

Kérygme : Du grec *kèrygma*, « proclamation, prédication ». Désigne plus particulièrement la proclamation du message chrétien et de la Résurrection de Jésus.
Kippour : Mot hébreu de la racine *kaphar* qui signifie « couvrir, absoudre ». Il désigne dans l'année juive le Jour des Expiations, qui tombe à l'automne, le 10 du mois de *tishri*. Un jeûne de vingt-quatre heures est de rigueur.
Koinè **:** Forme « commune » de la langue grecque (c'est le sens du grec *koinos*) qui se répandit dans tout le Proche Orient à la suite des conquêtes d'Alexandre.

Logion **(plur.** ***Logia*****)** : Mot grec signifiant « oracle ». En exégèse biblique, on l'utilise pour désigner les paroles prononcées par Jésus, ou que les évangiles lui ont attribuées.
Logos : Mot grec signifiant « parole ». Influencé par les stoïciens qui en ont fait un des noms de la divinité suprême, le philosophe juif Philon d'Alexandrie l'appliqua au principe divin qui gouverne le monde. Pour saint Jean, Jésus est le Logos, la Parole ou Verbe de Dieu.
Loi : La loi juive, ou Tora, est la loi divine édictée par Moïse. Avec une majuscule, la Loi désigne les cinq premiers livres de l'Ancien Testament, ou Pentateuque, placés sous l'autorité de Moïse. L'interaction entre ces cinq livres et le message qu'ils contiennent est tellement grande que l'utilisation de la majuscule obéit à des usages mal précisés.
Lucanien : Adjectif associé au nom de Luc, l'auteur présumé d'un évangile et des Actes des Apôtres.

Marcien : Adjectif associé au nom de Marc, l'évangéliste.
Mashal **(plur.** ***Meshalim*****)** : Mot hébreu signifiant « comparaison, allégorie, fable ». Dans le judaïsme rabbinique, il est principalement utilisé à propos des paraboles rapportées par les rabbins.
Massorètes, massorétique : Nom et adjectif formés à partir du verbe hébreu signifiant « transmettre ». L'usage juif l'applique aux scribes qui recopièrent l'Ancien Testament à l'époque du haut Moyen Âge.
Matthéen : Adjectif associé au nom de Matthieu, l'évangéliste.
Messie : Translittération d'un terme hébreu signifiant « oint ». Les rois d'Israël étaient oints et, au retour de l'Exil, les grands prêtres. Saül, David et leurs successeurs, sont des Messies. Après l'époque royale, le Messie juif devint une figure attendue, principalement royale et parfois sacerdotale, qui établirait un règne de justice et de paix, le Royaume de Dieu. Pour les chrétiens, Jésus de Nazareth est le Messie d'Israël. L'équivalent grec est *christos*, traduit en français par Christ.
Metourgeman : La personne qui, dans un office synagogal, proclamait le *targoum*, c'est-à-dire la traduction en araméen de la Bible hébraïque.

Midrash **(plur. *Midrashim*)** : Mot hébreu signifiant « interprétation, étude ». Un *midrash* est un commentaire du texte biblique par un maître. Les *midrashim* se développèrent beaucoup à l'époque rabbinique.
Minim : Personnes contre lesquelles est prononcée la douzième des Dix-huit Bénédictions, une prière juive nommée en hébreu *Shemoneh Esreh*. Les *minim* sont des « sectaires » ou des « hérétiques ». Il est possible que cette imprécation désigne les pagano-chrétiens.
Mishna : Mot hébreu signifiant « répétition » et, à partir de là, « enseignement ». Il désigne la mise par écrit de l'enseignement des rabbins, au IIIe siècle de notre ère, par des maîtres appelés *Tannaïm* (les enseignants ou répétiteurs), terme parfois francisé sous la forme Tannaïtes.
Mohar : La somme d'argent que le futur époux remet au père de la future mariée au moment du contrat de mariage.

Nag Hammadi : Lieu d'Égypte où fut découverte, en 1947-48, une bibliothèque chrétienne gnostique.
Nation : En hébreu *goï* (pluriel *goyim*), mot désignant un peuple non-juif ou l'un de ses membres.
Nazaréen : Nom donné à Jésus de Nazareth et à ses disciples, dont l'étymologie est discutée. Il peut venir de Nazareth, ville où Jésus fut élevé ; de l'hébreu *netser*, « rejeton », ou de *nazir* (voir ce mot).
Nazir, naziréat : Un nazir est un homme juif qui a prononcé un vœu, selon un rituel décrit au livre des Nombres (6,1-21).

Œcuménique, œcuménisme : Mots formés à partir du grec *oikos*, « maison ». L'œcuménisme est le mouvement par lequel les chrétiens divisés en plusieurs Églises cherchent les voies d'une plus grande unité. Œcuménique est l'adjectif correspondant.
Ostrakon **(plur. *Ostraka*)** : Mot formé sur le grec, désignant un tesson de poterie qui servait de support à un texte écrit, généralement avec un morceau de charbon ou de bois brûlé.

Pagano-chrétien : Chrétien d'origine païenne.
Païen, paganisme : Dans l'étude du Nouveau Testament, on parle d'un païen à propos d'un non-juif. On peut donc être à la fois païen et chrétien, c'est-à-dire pagano-chrétien.
Pâque : Fête juive rappelant la sortie d'Égypte, célébrée au printemps (elle commence le soir du 14 nisan). Au pluriel, désigne la fête chrétienne de la Résurrection de Jésus, dont les signes furent donnés deux ou trois jours après la Pâque juive.
Paraclet : Mot formé sur le grec signifiant « avocat, défenseur ». Les écrits johanniques utilisent le mot pour parler de l'Esprit Saint.
Parénèse, parénétique : Discours de type exhortatif ou moral.
Parousie : Mot venant du grec, signifiant « venue ». Le Nouveau Testament le réserve pour la « seconde venue » du Christ, à la fin des temps.
Paulinien : Adjectif associé au nom de Paul, l'auteur des épîtres.
Pentateuque : Les cinq premiers livres de la Bible juive, ou Tora, ou Loi (voir ce mot).
Pères de l'Église : Les écrivains chrétiens des premiers siècles, avant le Moyen Âge.
Péricope : Une péricope est une section du texte biblique.
Pétrinien : Adjectif associé au nom de Pierre, l'apôtre.
Pharisiens, pharisaïsme : Les Pharisiens constituaient l'un des trois grands courants du judaïsme ancien, né dans la suite de la persécution d'Antiochus IV Épiphane, en 167 av.J.C. D'étymologie discutée, leur nom pourrait signifier « séparé ». Considérant que la Tora révélée par Dieu à Moïse se subdivise en Tora écrite et Tora orale, et que le véritable culte rendu à Dieu est l'observance morale et rituelle des commandements, ils étaient partisans d'une interprétation de la Tora ouverte à la nouveauté. Cela pouvait cependant aboutir à une grande minutie de pratique et à un mépris des pécheurs. Jésus fut proche d'eux par la pensée, mais critiqua leur excès de rigueur. Le courant

rabbinique qui se développa après la destruction du Temple de Jérusalem fut initié par des maîtres pharisiens. Le terme « pharisaïsme » désigne le système de pensée pharisien considéré sous son angle négatif.

***Pirqé Abot* :** Les « maximes des Pères » sont un traité de la *Mishna* reproduisant les enseignements des maîtres juifs du IIe siècle av.J.C. au IIe siècle après.

Prémices : Premiers fruits de la récolte, que l'on apportait en offrande au Temple de Jérusalem.

Prêtre : Le mot est employé dans ce livre au sens biblique des prêtres juifs, dépositaires par naissance du sacerdoce. Choisi parmi les familles de l'aristocratie sacertotale, le grand prêtre était, au Ier siècle de notre ère, le véritable chef du peuple juif. Ne pas confondre avec les prêtres orthodoxes et catholiques, dans un christianisme où tout sacerdoce s'enracine dans celui du seul Jésus Christ.

Proseuque : Du grec *proseuchè*, « prière », désigne des maisons de prière du judaïsme, dans la Diaspora. Le terme est presque synonyme de synagogue.

Pseudépigraphe, pseudépigraphie : Un pseudépigraphe est un écrit placé par fiction sous l'autorité d'une personne qui n'en est pas l'auteur réel. Le phénomène s'est beaucoup développé dans le judaïsme ancien et dans le christianisme primitif. Plusieurs lettres de Paul sont pseudépigraphes. La pseudépigraphie est le phénomène littéraire correspondant.

Publicain : Collecteur juif d'impôts au service de l'Empire romain. Les publicains se payaient sur les sommes récoltées. Ils étaient souvent méprisés par les Pharisiens.

« Q », source des *logia* : Sigle formé à partir de l'allemand *Quelle*, « source ». Selon l'opinion des nombreux exégètes, premier recueil écrit de paroles prononcées par Jésus ou qui lui furent attribuées. Aucune trace n'a été retrouvée d'un tel document, qui aurait servi de source commune à Matthieu et à Luc.

Qoumrân : Le wadi Qoumrân est un oued à forte pente se jetant dans la mer Morte. Sur ses rives a été retrouvé un établissement essénien (voir ce mot), proche des grottes où furent découverts, en 1947, les Manuscrits de la mer Morte.

Rabbi, rabbin, rabbinisme : Rabbi est un terme hébreu signifiant « mon maître ». Le titre fut donné à Jésus. De titre honorifique, il devint terme de fonction après l'an 70, sous la forme « rabbin ». Le rabbinisme est l'ensemble du mouvement de pensée qui s'est constitué autour des rabbins. Il donna naissance à la *Mishna* et aux deux *Talmuds*.

Rédemption : Élément du dogme chrétien selon lequel la mort de Jésus Christ en croix est l'acte grâce auquel s'est effectué le salut du monde.

Sadducéens : Mot formé à partir du nom propre Sadoq, fils d'Ahitub, grand prêtre au temps de David (IXe siècle av.J.C.). Les Sadducéens constituaient au Ier siècle l'un des trois grands courants de la pensée juive, aristocratique et théologiquement conservateur. Il disparut avec le Temple de Jérusalem, en 70 de notre ère.

Samaritains : Population de la région centrale de Palestine, située dans les collines entre la Judée et la Galilée. Pour les Juifs, les Samaritains étaient les descendants de colons païens, installés là par les Babyloniens, après la chute de Samarie, en 721 av.J.C. Les Samaritains avaient évidemment une tout autre opinion sur leur origine : ils estimaient leur sanctuaire, situé sur le mont Garizim, plus ancien et plus vénérable que celui de Jérusalem.

Sanhédrin : Conseil juif constitué de 70 membres, plus le grand prêtre qui le présidait. Il était l'interlocuteur du pouvoir romain en place en Palestine.

***Seder* :** Terme hébreu signifiant « disposition, ordonnance ». Il désigne le rituel de la Pâque juive.

Septante : Nom donné à la plus ancienne des traductions grecques de la Bible juive. Selon la légende, la traduction du Pentateuque aurait été réalisée par 70 (ou 72) savants réunis dans l'île de Pharos, à Alexandrie, au IIe siècle av.J.C. Dans son état définitif, la Septante contient aussi des livres ne figurant pas dans la Bible hébraïque, que les protestants nomment « apocryphes », et les catholiques, « deutérocanoniques ».

Shéol : Le séjour des morts selon la Bible juive.

Sheqel (Sicle) : Mesure de poids correspondant à 11,4 grammes. Elle servait aussi d'étalon monnaie.

Sicaires : Mot formé sur le latin *sica*, « poignard ». Désigne un groupe de Juifs résistants à l'occupation romaine qui portaient un petit poignard sous leurs vêtements et opéraient des assassinats dans les lieux publics. Ils furent particulièrement actifs à partir des années 50 de notre ère. Leur activité fut une des causes de la répression romaine à partir de 66-67.

Sion : Nom de la colline sur laquelle était construite Jérusalem, la ville de David. Dans les textes bibliques, Sion est souvent équivalent de Jérusalem. Plus tard, on désigna sous ce nom une autre colline, au sud-ouest des murailles de la vieille ville actuelle.

Synagogue : Terme formé sur le grec et signifiant « rassemblement ». S'écrit avec une minuscule pour désigner le lieu de rassemblement pour la prière d'une communauté juive. Avec une majuscule, désigne la communauté juive. On a souvent opposé l'Église à la Synagogue.

Talmud : Mot hébreu signifiant « enseignement ». Le Talmud est une reprise de la *Mishna* (les traités qui le composent portent le même nom) augmentée de ses commentaires par des maîtres juifs, la *gemara*. Deux talmuds virent le jour au IVe siècle, l'un en Palestine, le Talmud de Jérusalem, l'autre en Mésopotamie, le Talmud de Babylone, plus épais que le précédent.

Tannaïm : Mot hébreu signifiant « enseignants » ou « répétiteurs », par lequel on désigne les maîtres juifs dont les enseignements sont consignés dans la *Mishna* (voir ce mot).

Targoum : Mot signifiant « traduction, interprétation » qui, par l'intermédiaire de l'arabe, a donné le français « truchement ». Il désigne les traductions en araméen que l'on faisait de la Bible hébraïque au cours de l'office synagogal, dans les communautés qui ne comprenaient plus l'hébreu. C'étaient des traductions interprétatives orales, qui furent mises par écrit ensuite. Elles témoignent de la façon dont la Bible juive était interprétée au Ier siècle de notre ère.

Théophanie : Mot formé sur le grec, signifiant « manifestation divine ».

Théologoumène : Énoncé théologique qui peut avoir été à l'origine de l'écriture d'un récit qui le fonde.

Tora : Mot hébreu signifiant « instruction, enseignement », et qui est le nom hébreu de la Loi juive. Les Juifs appellent *TaNaK* (Loi, Prophètes, Écrits ; *Tora*, *Neviim*, *Ketouvim*) ce que les chrétiens nomment Premier Testament ou Ancien Testament.

Yom Kippour : Expression hébraïque désignant le premier jour de la fête juive des Expiations (voir ce mot).

Zélotes : Du grec *zèlôtès*, « zélé », désigne des résistants juifs à l'occupation romaine. Ils ne constituèrent un groupe organisé que dans les années qui précédèrent immédiatement la guerre juive de 66-73.

Abréviations des livres bibliques par ordre alphabétique

Ab	Abdias
Ac	Actes des Apôtres
Ag	Aggée
Am	Amos
Ap	Apocalypse
Ba	Baruch
1 Ch	1er livre des Chroniques
2 Ch	2e livre des Chroniques
1 Co	1re épître aux Corinthiens
2 Co	2e épître aux Corinthiens
Col	Épître aux Colossiens
Ct	Cantique des Cantiques
Dn	Daniel
Dt	Deutéronome
Ep	Épître aux Éphésiens
Es	Isaïe (ou Esaïe)
Esd	Esdras
Est	Esther
Ez	Ézéchiel
Ga	Épître aux Galates
Gn	Genèse
Ha	Habaquq
He	Épître aux Hébreux
Is	Isaïe (ou Esaïe)
Jb	Job
Jc	Épître de Jacques
Jdt	Judith
Jg	Juges
Jl	Joël
Jn	Évangile selon Jean
1 Jn	1re épître de Jean
2 Jn	2e épître de Jean
3 Jn	3e épître de Jean
Jon	Jonas
Jos	Josué
Jr	Jérémie
Jude	Épître de Jude
Lc	Évangile selon Luc
Lm	Lamentations
Lv	Lévitique
1 M	1er livre des Maccabées
2 M	2e livre des Maccabées
Mc	Évangile selon Marc
Mi	Michée
Ml	Malachie
Mt	Évangile selon Matthieu
Na	Nahum
Nb	Nombres
Ne	Néhémie
Os	Osée

1 P 1re épître de Pierre
2 P 2e épître de Pierre
Ph Épître aux Philippiens
Phm Épître à Philémon
Pr Proverbes
Ps Psaumes

Qo Qohélet (ou Ecclésiaste)

1 R 1er livre des Rois
2 R 2e livre des Rois
Rm Épître aux Romains
Rt Ruth

1 S 1er livre de Samuel
2 S 2e livre de Samuel
Sg Sagesse de Salomon
Si Siracide (Ecclésiastique)
So Sophonie

Tb Tobie
1 Th 1re épître aux Thessaloniciens
2 Th 2e épître aux Thessaloniciens
1 Tm 1re épître à Timothée
2 Tm 2e épître à Timothée
Tt Épître à Tite

Za Zacharie

Annexe 7

Table des références

Bible

Ancien Testament

AUTRES RÉFÉRENCES

Monde grec et romain

Annexe 8

Index des noms propres : personnages et lieux géographiques

Les termes expliqués dans le glossaire [voir p. 576-582] sont suivis d'un astérisque.
Certains mots, qui reviennent tout au long du volume, ne figurent pas dans l'index,
notamment : Grèce, Israël, Jésus, Juif, Jérusalem, Palestine, Rome.
On n'a indexé les noms propres se rapportant à l'Ancien Testament
que dans les occurrences principales ; pour les autres, se reporter au vol. I.

Annexe 9

Index des notions essentielles

Les termes expliqués dans le Glossaire [voir p. 576-582] sont suivis d'un astérisque.

LA PALESTINE SOUS LES HÉRODES

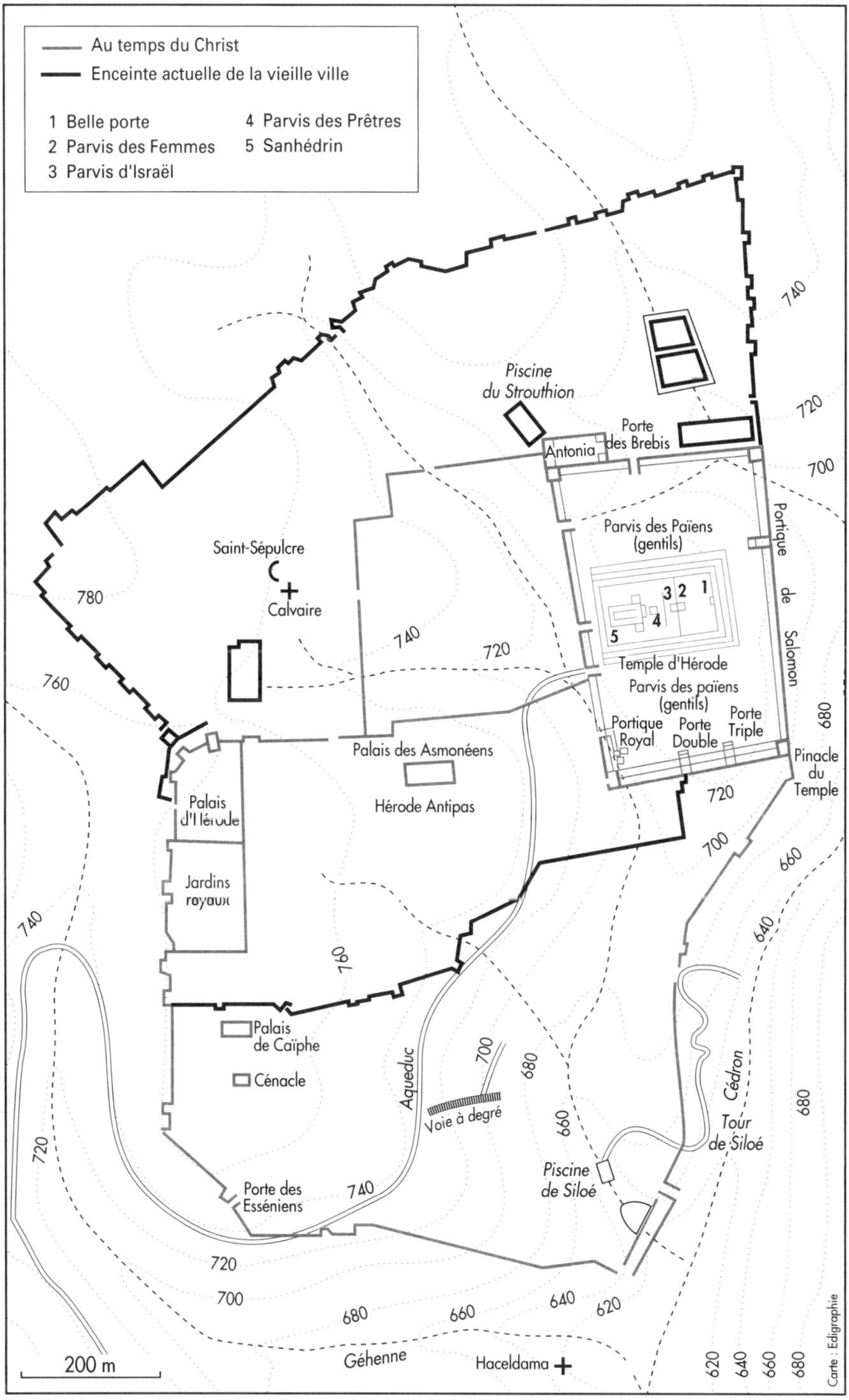

JÉRUSALEM DU NOUVEAU TESTAMENT

LA MÉDITERRANÉE ORIENTALE À L'ÉPOQUE DU NOUVEAU TESTAMEN

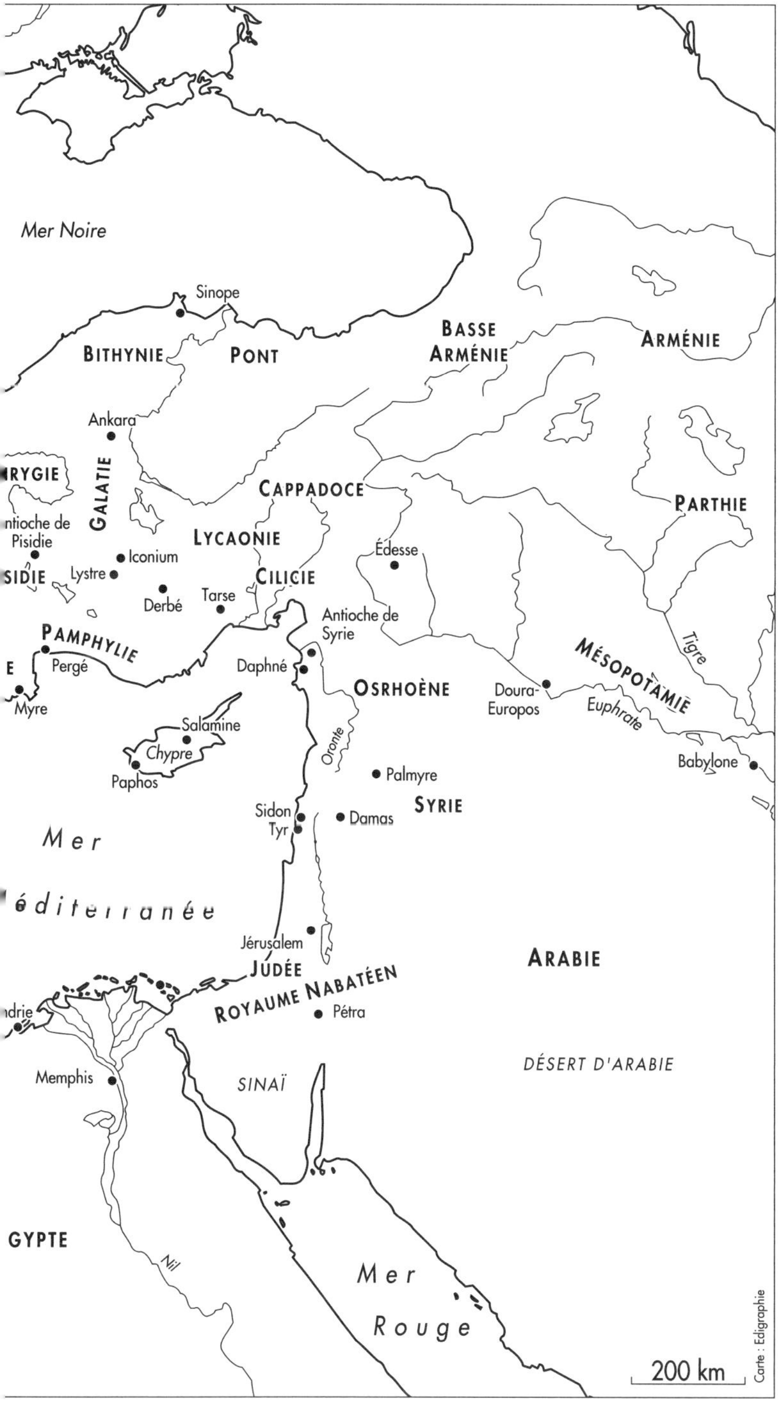

A MÉDITERRANÉE ORIENTALE À L'ÉPOQUE DU NOUVEAU TESTAMENT

Liste des auteurs

Jean-François BAUDOZ, Institut catholique de Paris...........	J.-F. B.
Pierre-Antoine BERNHEIM, Londres..........................	P.-A. B.
Yves-Marie BLANCHARD, Institut catholique de Paris..........	Y.-M. B.
Paul BONY, Séminaire de Marseille..........................	P. B.
François BROSSIER, Institut catholique de Paris...............	F. B.
Jean CAMUS, Institut catholique de Paris....................	J. C.
Édouard COTHENET, Institut catholique de Paris.............	ÉD. C.
Élian CUVILLIER, Institut protestant de théologie, Montpellier.	ÉL. C.
Pierre DEBERGÉ, Institut catholique de Toulouse.............	P. D.
Luc DEVILLERS, École biblique de Jérusalem..................	L. D.
Roselyne DUPONT-ROC, Institut catholique de Paris..........	R. D.-R.
Odile FLICHY, Centre Sèvres, Paris..........................	O. F.
Camille FOCANT, Université catholique de Louvain...........	C. F.
Philippe GRUSON, Institut catholique de Paris................	P. GR.
Raymond KUNTZMANN, Université de Strasbourg............	R. K.
Simon LÉGASSE, Institut catholique de Toulouse.............	S. L.
Charles L'ÉPLATTENIER, Gap..............................	CH. L'É.
Odette MAINVILLE, Université de Montréal..................	O. M.
Daniel MARGUERAT, Université de Lausanne................	D. M.
Charles PERROT, Institut catholique de Paris................	CH. P.
Jean-Michel POFFET, École biblique de Jérusalem............	J.-M. P.
Paulin POUCOUTA, Université catholique d'Afrique centrale, Yaoundé.........	P. P.
Michel QUESNEL, Institut catholique de Paris................	M. Q.
Chantal REYNIER, Centre Sèvres, Paris.......................	CH. R.
Catherine SALLES, Université de Paris X, Nanterre............	C. S.
Yves SAOUT, Brest...	Y. S.
Claude TASSIN, Institut catholique de Paris..................	CL. T.
François VOUGA, Faculté de théologie protestante, Bielefeld...	F. V.
Jean ZUMSTEIN, Université de Zurich........................	J. Z.

Tables des matières

Introduction

PREMIÈRE PARTIE : JÉSUS

I. Le milieu palestinien ou milieu de Jésus

II. ORIGINE ET ÉDUCATION DE JÉSUS
p. 53

III. JÉSUS, MAITRE ET THAUMATURGE
p. 85

IV. PASSION ET RÉSURRECTION
p. 131

DEUXIÈME PARTIE : NOUVEAU TESTAMENT
p. 155

I. Le monde méditerranéen en dehors du pays des Juifs
p. 157

II. Paul
p. 179

III. Marc et le phénomene synoptique
p. 247

VI. JEAN ET LE MILIEU JOHANNIQUE
p. 407

VII. ÉPITRES CATHOLIQUES ET FIN DE LA RÉDACTION DU NOUVEAU TESTAMENT
p. 471

Conception et maquette : Atelier Daniel Leprince
Recherche iconographique : Claire Balladur
Cartes : Edigraphie
Photogravure : Les Arts Graphiques du Centre

Reliure : La Nouvelle reliure industrielle (Auxerre)
Achevé d'imprimer en novembre 2000
dans les ateliers de Normandie Roto Impression s.a.
61250 Lonrai
pour le compte des Éditions Desclée de Brouwer
N° d'imprimeur : 002805
Dépôt légal : novembre 2000

Imprimé en France